Y0-AFT-348

ЮРИЙ
ПОЛЯКОВ

Редакционно-издательская группа
«Жанровая литература»

Представляет
собрание сочинений Юрия Полякова
в 12 томах

Том I. **«Сто дней до приказа»**

«Сто дней до приказа», «ЧП районного масштаба», «Работа над ошибками», «Глава, не вошедшая в повесть», «Как я был колебателем основ», «Неуправляемая», «Как я был врагом перестройки»

Том II. **«Парижская любовь Кости Гуманкова»**

«Апофегей», «Что такое "Апофегей"?», «Парижская любовь Кости Гуманкова», «Как я писал "Парижскую любовь"», «Пророк», «Ветераныч», «Демгородок», «Как я построил "Демгородок"»

Том III. **«Красный телефон»**

«Козленок в молоке», «Как я варил "Козленка в молоке"», «Небо падших», «Красный телефон»

Том IV. **«Треугольная жизнь»**

«Замыслил я побег», «Геометрия любви»

Том V. **«Подземный художник».**

«Возвращение блудного мужа», «Подземный художник», «Грибной царь», «Писатель без мандата», «Про чукчу».

ЮРИЙ

ПОЛЯКОВ

ПОДЗЕМНЫЙ ХУДОЖНИК

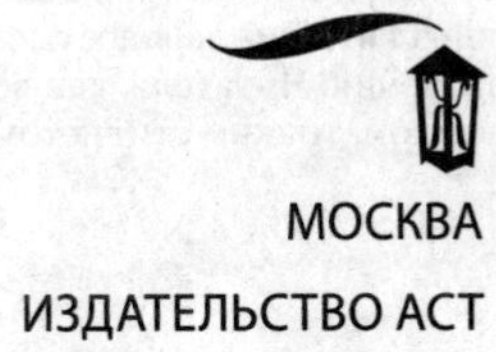

МОСКВА
ИЗДАТЕЛЬСТВО АСТ

УДК 821.161.1-31
ББК 84(2Рос=Рус)6-44
П54

Любое использование данной книги, полностью или частично, без разрешения правообладателя запрещается.

Художественное оформление — *Андрей Ферез*

Собрание сочинений Юрия Полякова в 12 томах

Поляков, Юрий Михайлович.

П54 Подземный художник : [сборник] / Юрий Поляков. — Москва : Издательство АСТ, 2019. — 608 с. — (Любовь в эпоху перемен).

ISBN 978-5-17-114415-9

В пятый том собрания сочинений известного русского писателя Юрия Полякова включены его знаменитый роман «Грибной царь», а также повести «Подземный художник» и «Возвращение блудного мужа». Все произведения объединены общей темой: любовь, семья, человеческие отношения в жестоком мире, где всем правят деньги, а плотский эгоизм торжествует над моралью и душевной чистотой. Специально для этого тома автором написано эссе «Писатель без мандата», рассказывающее о том, как он сам выживал в лихие девяностые годы, пытаясь противостоять стихии разрушения. Читателя, как всегда, ждет встреча с блестящим рассказчиком, тонким стилистом и остроумным собеседником.

УДК 821.161.1-31
ББК 84(2Рос=Рус)6-44

ISBN 978-5-17-114415-9

© Поляков Ю.М.
© ООО «Издательство АСТ», 2019

Возвращение блудного мужа

Повесть

1

Саша Калязин, совсем даже неплохо сохранившийся для своих сорока пяти лет, высокий, интересный мужчина, был безукоризненно счастлив. Напевая себе под нос «Желтую субмарину», он торопливо и неумело готовил завтрак, чтобы отнести его прямо в постель любимой женщине. Прошло три недели, как он ушел от жены и обитал на квартире приятеля-журналиста, уехавшего в Чечню по заданию редакции. За это время жилплощадь, светившаяся прежде дотошной чистотой и опрятностью, какую могут поддерживать только застарелые холостяки, превратилась в живописную свалку отходов Сашиной бурной жизнедеятельности. Немытые тарелки возвышались в мойке, накренившись, как Пизанская башня, а в ванной вырос холм из нестираных калязинских сорочек. Брюки, в которых он ходил на работу в издательство, после отчаянной глажки имели теперь две стрелки на одной штанине и три на другой. Кроме того, кончались деньги: любовь не считает рублей, как юность дней... Но все это было сущей ерундой по сравнению с тем, что теперь он мог засыпать и просыпаться вместе с Инной.

Калязин зубами сорвал неподатливые шкурки с толсто нарезанных кружочков копченой колбасы, нагромоздил тарелки, чашки, кофейник на поднос и двинулся в спальню, повиливая бедрами, как рекламный лакей, несущий кофе «Голдспун» в опочивальню государыне-императрице. К Сашиному огорчению, Инны в постели не оказалось, а из ванной доносился шум льющейся воды. Калязин устроил поднос на журнальном столике, присел на краешек разложенного дивана, потом не удержался и уткнулся лицом в сбитую простынь. Постель была пропитана острым ароматом ее тела, буквально сводившим Сашу с ума и подвигавшим все эти ночи на такие мужские рекорды, о каких еще недавно он и помыслить не мог. Томясь ожиданием, он включил приемник, но, услышав заунывное философическое дребезжание Гребенщикова, тут же выключил.

Наконец появилась Инна — в одних хозяйских шлепанцах, отороченных черной цигейкой. Саша, как завороженный, уставился сначала на меховые тапочки, потом взгляд медленно заскользил по точеным загорелым ногам и потерялся в Малом Бермудском треугольнике. Инна любила ходить по квартире голой, гордо, даже чуть надменно делясь с восхищенным Калязиным своей идеальной двадцатипятилетней наготой. При этом на ее красивом, смуглом лице присутствовало выражение совершеннейшей скромницы и недотроги. Саша ощутил, как сердце тяжко забилось возле самого горла, вскочил, сгреб в охапку влажное тело и опрокинул на скрипучий диван.

— Подожди, — прошептала она. — Я хочу нас видеть...

Он понятливо потянулся к старенькому шифоньеру и распахнул дверцу. На внутренней стороне створки — как это делалось в давние годы — было укреплено узкое зеркало, отразившее его перекошенное счастьем лицо и ее ожидающую плоть.

Потом лежа завтракали.

— В ванной полно грязных рубашек, — сказала она.

— Да, хорошо бы постирать... — согласился он.

— Конечно! Но сначала надо их обязательно замочить, а воротники и манжеты натереть порошком...

— Натереть?

— Да, натереть. А ты и не знал? Показать?

— Нет, Инночка, я сам...

— Ах ты мой самостоятельный, все сам... Все сам! — Она засмеялась и нежно укусила его за ухо.

— Нет, не все...

— А что — не сам?

— Да есть, знаешь, одна вещь, даже вещица... — загнусил он и почувствовал, как только-только улегшееся сердце снова подбирается к горлу.

— Ну, Саш, ну не надо... Опоздаем на работу!

— Не опоздаем!!

Потом одевались. Этот неторопливый процесс сокрытия наготы, этот стриптиз наоборот, начинавшийся с ажурных трусиков и заканчивавшийся строгим офисным брючным костюмом, неизменно вызывал у Калязина священный трепет. Нечто подобное, наверное, испытывали первобытные люди, наблюдавшие, как солнце, сгорая, исчезает за горизонтом. А вдруг навсегда?

* * *

Он высадил Инну за квартал до издательства, а сам, чтобы не вызывать ненужных ухмылок сослуживцев, всё прекрасно понимавших, поехал заправляться. Наполнив бак, Саша хотел было подрегулировать карбюратор в сервисе рядом с бензоколонкой, но потом передумал. Зачем? На днях он намеревался отдать машину своему недавно женившемуся сыну. Так они условились с Татьяной.

На решающий разговор с женой Калязин отважился три недели назад, убедив себя в том, что дальше так продолжаться не может. Полгода Саша, наоборот, был вполне доволен тем, что делит жизнь между двумя женщинами. А что еще нужно? Дома — Татьяна, привычная и надежная, как старый, в прошлом веке подаренный к свадьбе кухонный комбайн, а на службе — отдохновенная Инна. В любой момент можно было приоткрыть дверь в приемную и увидеть ее — деловитую, недоступную, прекрасную... Или даже подойти и спросить: «Инна Феликсовна, «Будни одалисок» ушли в типографию?» И получить ответ: «Конечно, Александр Михайлович, еще вчера...» И успеть заглянуть в ее глаза, темные, невозмутимые, лишь на мгновение — специально для него — вспыхивающие тайной нежностью. И тогда весь рабочий день, наполненный верстками, сверками, сигнальными экземплярами, занудными авторами, превращался в томительно-трепетное ожидание того момента, когда она, выйдя из издательства и прошмыгнув квартал, сядет в его конспиративно затаившуюся во дворике «девятку» и скажет: «Ну вот и я...» Скажет так, точно они не виделись вечность.

Потом, проклиная красные сигналы светофоров, он мчал Инну в Измайлово, чтобы успеть все, все, все и насытиться на неделю вперед. Чаще просить ключи было неловко. К возвращению друга-журналиста, любившего поболтаться по фуршетам и презентациям, каковые в изобильной Москве случаются ежедневно, они уже пили кофе и долгими молчаливыми взглядами рассказывали друг другу обо всем, что меж ними происходило полчаса назад. Так дети, выйдя из кино, тут же начинают пересказывать друг другу только что увиденный фильм. Друг возвращался с заранее заготовленной шуткой вроде «Пардон, но я тут живу!», бросал на Калязина насмешливо-завистливый взгляд и приоткрывал, проверяя, холодильник: бутылка хорошего коньяка была условленной платой за эксплуатацию помещения вкупе с мебелью. У ног журналиста терся черный пушистый Черномырдин — и в желтых кошачьих глазах горела немая мука, точно он хотел и не мог доложить вернувшемуся хозяину про все то удивительное, что происходило в квартире в его отсутствие.

Потом из Измайлова Саша отвозил Инну в Сокольники. Под окнами ее дома они еще некоторое время сидели в машине, не решаясь расстаться, обсуждая издательские интриги или какого-нибудь особенно странного автора, обещавшего объявить сухую голодовку, если его рукопись не будет принята. «Ну я пошла...» — говорила наконец Инна так, словно вот здесь, в «девятке», можно было остаться жить навсегда. «Подожди!» — шепотом просил Саша, и они продолжали сидеть, молча наблюдая, как окрестные жители выводят собак на вечернюю прогулку. Сигналом к расставанию обычно служило появление толстой дамы, ровно в десять выгуливавшей своего одетого в синий комбинезончик и, вероятно, жутко породистого песика. «Все, пошла, — сама себе приказывала Инна. — А то завтра буду сонная и вредная...» Последний поцелуй был таким долгим и страстным, что Сашины губы ныли аж до самой Тишинки.

Он жил в «сталинском» доме, возле монумента, воздвигнутого в честь трехсотлетия добровольного присоединения замордованной турками Грузии к могучей Российской империи. Потучнев и расхрабрившись «за гранью дружеских штыков», гордые кавказцы снова обрели свой вожделенный цитрусовый суверенитет, но ажурная чугунная колонна, свитая из закорючистых грузинских букв, продолжала стоять как ни в чем не бывало. Местные остряки называли ее «Памятником эрекции» и даже еще неприличнее.

В великолепный, с тяжелыми лепными балконами дом подле снесенного теперь дощатого Тишинского рынка они въехали шестнадцать лет назад. Татьяна год занималась обменом, выстраивала сложные цепочки, ухаживала за полубезумной старухой-генеральшей, жившей в этой квартире, и совершила невозможное: из двухкомнатной «распашонки» в Бирюлеве семья перебралась сюда, в тихий центр, под трехметровые лепные потолки, вызвавшие буйную зависть у приглашенных на новоселье сослуживцев. Саша работал тогда в «Прогрессе». У него, как у старшего редактора, в неделю было два присутственных и три «отсутственных» дня.

И если раньше, уходя с работы, он напоминал коллегам: «Завтра я работаю с рукописью дома», то после новоселья стал говорить иначе, с тихой гордостью: «Завтра я — на Тишинке».

Теперь многое изменилось, округу застроили причудливыми многоэтажными сооружениями с зимними садами и подземными гаражами — «сталинский» дом, недавно отреставрированный, стал походить на старый добротный комод, забытый в комнате, заполненной новой стильной мебелью. Впрочем, нет, не старый — старинный.

Возвращаясь домой, Калязин обыкновенно заставал одну и ту же картину: Татьяна в домашнем халате лежала на диване и трудилась. Обменный опыт, обретенный много лет назад, не прошел даром. Когда ее зарплата заведующей районной библиотекой превратилась в нерегулярно выдаваемую насмешку, она устроилась в риелторскую фирму «Московский домовой» и стала вполне прилично зарабатывать. Саша, привыкший в своем номенклатурном издательстве к приличному окладу, тоже, кстати, ушел из обнищавшего «Прогресса» и некоторое время спустя, вместе с секретарем партбюро редакции стран социализма, которых внезапно не стало, затеял издавать эротический еженедельник «Нюша» — от слова «ню». Работали так: бывший парторг выискивал в старых порножурналах снимки девочек, а Калязин сочинял сексуальные исповеди, якобы присланные читателями.

Такие, например: «Дорогая редакция, до тридцати пяти лет я никогда не изменяла мужу. Но этим летом я познакомилась в Сочи с Кириллом, скромным милым студентом из Кременчуга. Не скрою, мне были приятны его робкие ухаживания, но ни о чем таком я даже не помышляла. Однажды мы уплыли в открытое море, и вдруг Кирилл, несмотря на воду, властно привлек меня к себе. Я пыталась сопротивляться, даже кричать, но берег был далеко, а юноша вдруг утратил всю свою робость и начал с бесстыдной дерзостью ласкать самые интимные уголки моего тела. Потом что-то огромное и пылающее, как безумное южное солнце, вторглось в меня с неистовой силой. Никогда я не испытывала ничего подобного с мужем, оргазмы накатывались на меня, словно волны, один за другим, я захлебывалась счастьем и соленой водой. Как мы не утонули, даже не знаю... На следующий день я улетела домой. Я очень люблю своего мужа и дочь, но все время думаю о Кирилле. Что мне делать, дорогая редакция? Ольга З. Поселок Железняк-Каменский Свердловской области».

— Я бы точно утонула! — засмеялась Татьяна, прочитав это Сашино сочинение.

Дела поначалу шли хорошо, но потом рынок буквально завалили крутой эротикой и мягкой порнографией — и «Нюша» прогорела. Бывший парторг, лет двадцать назад получивший выговор за растрату взносов, умудрился доказать в американском посольстве, что его злобно преследовали при советской власти, получил грин-карту и скрылся с журнальной кассой. Кредит, сообща взятый на издание, Калязин возвращал один. Пришлось спешно продавать квартиру покойных родителей, приберегавшуюся для сына.

Несколько лет Калязин занимался более или менее успешными проектами вроде «Полной энциклопедии шулерских приемов», пока не встретил своего студенческого приятеля Левку Гляделкина и не устроился к нему в издательство «Маскарон».

Татьяна обычно, увидев воротившегося мужа, на мгновение отрывалась от телефона, сочувственно улыбалась и махала рукой в сторону кухни. Сочувственная улыбка означала сожаление по поводу того, что на новом месте Саше приходится самоутверждаться и работать на износ. Взмах руки свидетельствовал о том, что ужин ждет его на плите. Отправляясь на кухню, он слышал, как жена продолжала увещевать недоверчивого клиента:

— Ну что вы, Степан Андреевич, деньги будут лежать в ячейке, и никто, кроме вас, взять их не сможет... Ячейка — это сейф, очень надежный... А вот этого делать нельзя! Если вы снимете и увезете паркет — ваша квартира будет стоить на тысячу долларов меньше... Я понимаю, что паркет дубовый и уникальный, но нельзя!..

Жадно поедая ужин, Саша находил даже какое-то удовольствие в своей двойной жизни — неистово постельной там и уютно-кухонной здесь. Но все это когда-то должно было закончиться. И вот однажды, вернувшись после очередного, особенно тягостного расставания с Инной и застав жену говорящей по телефону все с тем же недоверчивым Степаном Андреевичем, Калязин вдруг осознал: на две жизни его больше не хватает. Надо выбирать. Выбирать между застарелым уютом семейной жизни и тем новым, что открылось ему благодаря Инне. А открылось ему многое! Он с ужасом понял, что все эти годы его мужской интерес томился и чах, подобно орлу, заточенному в чугунной клетке, питаясь не свежим, дымящимся мясом, а сухим гранулированным кормом «Пернатый друг». Кроме того, в нем забурлила давно забытая деловитость, замаячили мечты о своем собственном издательстве, он даже стал придумывать название, в котором обязательно должны были переплестись, как тела в любви, два имени — Инна и Александр, или две фамилии — Журбенко и Калязин. «Жук» не подходил в принципе. Красивый, но бессмысленно-лекарственный «Иннал» он, поколебавшись, тоже отверг и пока остановился на названии «Калина». Не бог весть что, но все-таки...

Однажды Саша зачем-то рассказал о своих издательских планах жене, но она только пожала плечами, осторожно напомнив, что бизнес в его жизни уже был и ничего путного из этого не вышло. Зато Инна пришла в восторг, зацеловала его и сообщила, что к ней неравнодушен директор целлюлозного комбината и что на первое время она выпросит у него бумагу в долг под небольшие проценты. Этой вопиющей нечуткостью жены Калязин и хотел воспользоваться для решающего объяснения, но почему-то не воспользовался, а потом навалились хлопоты со свадьбой сына. Дима спокойно учился на третьем курсе полиграфического и вдруг как с ума сошел: женюсь!

Девочка оказалась премиленькой и скромной, работала товароведом в фирме, торгующей керамической плиткой. Познакомились они, к удивлению Саши, в интернете. Дима выходил в сайт знакомств под «никнеймом», сиречь псевдонимом, Иван Федоров.

— Ну ты хоть первопечатником оказался? — спросил, смеясь, Калязин.

— Какое это имеет значение? — покраснел сын.

— А ты про геномию слышал?

— Это что?

— Это когда дети наследуют черты добрачных партнеров матери.

— Ну и на кого я похож?

— Дима, как не стыдно! — возмутилась Татьяна.

В юности у нее случился полугодичный студенческий брак, очень неудачный. Мимолетный муж был, кажется, адыгом, учился с ней на одном курсе, страстно влюбился, сломил сопротивление юной москвички, ошарашенной его черкесским напором, и женился, не получив разрешения родителей. В один прекрасный день приехали братья и увезли самовольника в Майкоп, где он под строгой охраной родни и заканчивал свое образование. С тех пор Татьяна терпеть не могла кавказцев.

Со своей будущей женой Саша познакомился в стройотряде за год до окончания полиграфического. Они возводили колхозную ферму, и, когда заканчивали кирпичную кладку, к ним прислали бригаду штукатурщиц из Института культуры. Татьяна, тогда еще стройная, худенькая, но уже полногрудая, понравилась ему сразу: было в ней какое-то грустное завораживающее обаяние. Шарм, как говорят французы. Калязина, правда, сильно смущало обручальное кольцо на ее пальце. Дело в том, что свою семейную драму Татьяна от всех скрывала, плела подружкам, будто муж уехал ухаживать за больной матерью и скоро вернется. Вела она себя, кстати, как замужняя: постоянно подкатывавших к ней стройотрядовских жеребцов отшивала с суровым высокомерием или насмешливой снисходительностью — это зависело от того, насколько нагло вел себя пристававший. А среди них были лихие, видные ребята, щеголявшие отлично подогнанной по фигуре стройотрядовской формой с золотым значком ударника ССО. Да взять хотя бы того же Левку Гляделкина — бригадира, гитареро, девичьего искусителя и обаятельного расхитителя колхозной собственности, небескорыстно снабжавшего близживущих садоводов дефицитными стройматериалами.

Трудно сказать, почему Татьяна обратила внимание на Сашу, возможно, именно потому, что он единственный не пытался после трудового дня увлечь ее в подсолнуховые джунгли, подступавшие к самой стройплощадке. Он только иногда тайком клал ей на заляпанный раствором дощатый помост букетики лесных цветов. Интеллигентные штукатурщицы, стараясь всячески соответствовать своей временной специальности, пихали смущавшуюся

Татьяну в бок, громко хохотали и предупреждали робкого воздыхателя:

— Ой, смотри, Коляскин, у Таньки муж ревнивый! Черкесец! Отрэжэт кинжалом!

Татьяна страшно злилась, начинала убеждать, что муж из интеллигентной профессорской семьи и только полные идиотки верят, будто в Адыгее все ходят с кинжалами. Саша, слушая эти разъяснения, грустнел и сникал, сознавая бессмысленность своих робких ухаживаний, но цветы продолжал подкладывать.

Все произошло в воскресенье, в День строителя. Несмотря на то что в отряде был объявлен строжайший сухой закон, студенты, с молчаливого согласия начальства, хорошо выпили и закусили. Стол, кстати, не считая денег, накрыл ушлый, но щедрый Гляделкин. Разожгли огромный костер, дурачились, танцевали и пели под гитару:

За что ж вы Ваньку-то Морозова,
Ведь он ни в чем не виноват...

Разошлись глубокой ночью. Одни, большинство, поодиночке разбрелись в вагончики спать, а другие, меньшинство, попарно улизнули в черные заросли подсолнечника — предаваться беззаботной студенческой любви. У изнемогшего, подернувшегося седым пеплом костра остались только Саша и Татьяна. Они сидели молча, слушая ночную тишину, нарушаемую изредка треском стеблей и глухими вскриками.

— Я тебе нравлюсь? — спросила вдруг она.

— Очень.

— Ты уверен?

— Уверен.

— Тогда можешь обнять меня. Холодно...

— А муж? — Саша задал самый нелепый из всех вопросов, допустимых в подобной ситуации.

— Объелся груш... — с горькой усмешкой ответила Татьяна. — Ладно, пора спать!

— Может, прогуляемся перед сном? — жалобно попросил Калязин.

— Может, и прогуляемся... — кивнула она, а потом, наверное через час, вцепилась пальцами в его голую спину и прошептала: — Они смотрят на нас!

— Угу... — не поняв, согласился Саша, погруженный в глубины плотского счастья, столь внезапно перед ним расступившиеся.

— Они смотрят! — повторила Татьяна.

— Кто? — Калязин испуганно извернулся и посмотрел вверх.

На фоне уже сереющего неба подсолнухи были похожи на высоких и страшно отощавших людей, которые, обступив лежащую на земле пару, осуждающе покачивали головами...

— Ты думаешь, они понимают? — спросил он.

— Конечно.

— Тебе не холодно?

— Это от тебя зависит...

На следующий день, в понедельник, приехал комбайн и выкосил подсолнечное поле. Оставшиеся две недели прошли в строительной штурмовщине и конспиративных поцелуях в глухих, пахнущих свежим цементом уголках недостроенной фермы.

— Ну пока! — На вокзале Татьяна протянула ему бумажку с номером телефона и шепнула: — Звони!

— А муж? — снова спросил Саша, к тому времени уже влюбленный до малинового звона в ушах.

— Коляскин, — рассердилась она, — если ты еще раз спросишь про мужа, я... я не знаю, что я сделаю...

Известие о том, что никакого мужа нет в помине уже три года, ввергло Сашу в чисто индейский восторг, он издал нечеловеческий вопль и, одним махом разрушая всю старательную многодневную конспирацию, поцеловал ее в губы прямо на перроне, на глазах изумленной общественности. Через неделю, накупив на половину стройотрядовской зарплаты роз, он сделал ей предложение, однако, наученная горьким опытом, Татьяна вышла за него только через год, после окончания института. Когда в черной «Волге» с розовыми лентами на капоте они мчались в загс, Татьяна шепнула жениху, что в прошлом веке девушки выходили замуж исключительно невинными, а теперь — чаще всего, как она, беременными. О времена, о нравы!

От тех полудетских времен остался их главный семейный праздник — День строителя и привычка постельное супружеское сплочение именовать не иначе как «прогуляться перед сном».

А неудачный разговор с сыном удалось свести к шутке, потому что даже теща, скептически относящаяся к Саше, всегда говорила, что Димка «до неприличия вылитый Калязин». И про геномию он ляпнул совсем по другой причине.

Однажды Инна, одеваясь, спросила как бы невзначай:

— Тебе нравится имя Верочка?

— Нравится... А что?

— Если у меня будет от тебя девочка, я назову ее Верой...

— А если у меня от тебя, — засмеялся Саша, — будет мальчик, я назову его...

Он осекся и помрачнел, вспомнив Гляделкина. Нет, конечно, Саша понимал, что все это жуткие глупости, бред каких-то генетических шарлатанов, но ничего не мог с собой поделать. Инна поняла его по-своему.

— Не расстраивайся! У меня все в порядке. Полагаю, ты не думаешь, что я могу тебя этим шантажировать?

— Нет, ты не поняла... Просто... Просто я хочу поговорить с ней.

— А ты не торопишься? — Инна поглядела на него запоминающе.

— Нет, не тороплюсь... Я тебя люблю.

После свадьбы Дима переехал к жене и родителей навещал нечасто.

Во внезапной женитьбе сына Саша увидел особый знак того, что под его жизнью с Татьяной подведена черта и настало время принимать решение. Надо сказать, Инна никоим образом не подталкивала его к этому шагу, не заводила разговоров о будущей совместной жизни и только иногда, в «опасные» дни, доставая из сумочки яркие квадратные упаковочки с характерными округлыми утолщениями, смотрела на него вопрошающе... И однажды Калязин зашвырнул эти квадратики под диван.

— Ты смелый, да? — спросила Инна, когда они потом лежа курили.

— Да, я смелый...

— Хочешь с ней объясниться?

— Откуда ты знаешь?

— Я про тебя все знаю. Не говори ей обо мне. Скажи, что разлюбил ее, ваш брак исчерпан и ты хочешь пожить один... Ты принял решение. Понял?

В самих этих словах, но особенно в жестокой и простой формулировке «брак исчерпан» прозвучала непривычная и неприятная Калязину командная деловитость. Инна почувствовала это.

— Знаешь, не надо с ней говорить, — поправилась она. — Нам ведь и так хорошо. Я тебя и так люблю...

— Что ты сказала?

— А что я такого сказала?

— Ты этого раньше никогда не говорила!

— Разве? Наверное, я не говорила это вслух. А про себя — много раз...

Но объяснение все-таки состоялось, и в самый неподходящий момент. В воскресенье вечером Саша принимал ванну, а Татьяна зашла, чтобы убрать висевшие на сушилке носки.

— Ого, — улыбнулась она, — хоть на голого мужа посмотреть...

Особенно обидного в этом ничего не было, жена давно относилась к их реликтовым «прогулкам перед сном» с миролюбивой иронией, но Саша аж подпрыгнул, расплескав воду:

— Скоро вообще не на кого смотреть будет!

— Почему?

— Потому что нам надо развестись!

— Ты серьезно?

— Серьезно!

И его понесло. Ровным металлическим голосом, словно диктор, объявляющий войну, он говорил о том, что она не понимает его, что их совместная жизнь превратилась в пытку серостью, что ему нужна совершенно иная жизнь, полная планов и осуществлений, и что его давно бесит ее бесконечный риелторский дундеж по телефону. Татьяна слушала его, широко раскрыв от ужаса глаза.

— Я все обдумал и принял решение, — закончил Калязин, гордясь тем, что ни разу не сбился, и потянулся за шампунем.

— Какое решение?

— Я хочу пожить один. Без тебя...

— Ну и сволочь ты, Сашка! — прошептала Татьяна и швырнула в мужа носки, которые, не долетев, поплыли по воде. — Уходи! Собирайся и уматывай!

Она выскочила из ванной, так хватив дверью, что осыпалась штукатурка.

Вытершись, расчесав влажные волосы и ощутив некоторое сострадание к оставляемой жене, Саша зашел на кухню. Татьяна плакала, уставившись в окно. Стекло от появления распаренного Калязина чуть запотело, и жена, продолжая всхлипывать, стала чертить на стекле мелкие крестики, потом, повернувшись, долго вглядывалась в его лицо.

— У тебя кто-то есть? — спросила она.

— Н-нет... Просто наш брак исчерпан!

— Есть... Я догадалась. Молоденькая?

— Никого у меня нет. Просто я хочу жить один.

— Саша, Саша. — Она подошла и ледяными пальцами схватила его за руки. — Зачем? Не делай так! И перед Димкой неудобно... Он же только женился...

— При чем тут Димка?

— Ну-у, Са-аша! — снова заплакала она, некрасиво скособочив рот. — Я же не смогу без тебя... Что я буду делать?!

— Квартиры менять! — бухнул он и подивился своей безжалостности.

— За что? За что мне это? Са-аша! Какой ты жестокий!.. Саша... Ну ладно... Пусть будет она. Пусть! Я не заругаюсь... Только не уходи!

— Я принял решение! — повторил он, чувствуя, что от этого неуклюжего слова — «не заругаюсь» — сам сейчас расплачется.

На мгновение вдруг показалось: это и есть выход. Татьяна, гордая, ревнивая Татьяна разрешает ему иметь любовницу, в голове даже мелькнула нелепая картина тройственного семейного ужина, но уже был раскручен веселый маховик разрушения и сердце распирал восторг мужской самостоятельности, забытой за двадцать три года супружества.

— Саша! — взмолилась она.

— Нет, я ухожу...

Жена побрела в спальню и упала на кровать. Когда зазвонил телефон, она даже не шелохнулась. Калязин снял трубку — и дрожащий старческий голос попросил позвать Татьяну Викторовну.

— Тебя! — сообщил Саша.

Но она лишь еле заметно качнула головой.

— Татьяны Викторовны нет дома.

— Странно. Она сама просила меня позвонить... Это Степан Андреевич. Передайте ей, что я согласен постелить вместо паркета линолеум...

На следующий день он ушел рано, даже не заглянув в спальню. А в обед позвонил приятель-журналист и сообщил, что едет в Чечню.

— Чего ты там не видал? — удивился Калязин.

— Командировка. Обещали автомат выдать. Мужская работа. Ты-то хоть помнишь тяжесть «акаэма» на плече?

— Не помню...

— Ну конечно, тебя только Инкины ноги на плечах интересуют. Вот так мы империю и профукали.

— А можно без пошлостей?

— Можно, но скучно... Черномырдина не забывай кормить! Если похудеет, откажу от дома. Понял? Ключи оставлю, где обычно...

— Понял, спасибо! — И, бросив трубку, Калязин метнулся в приемную к Инне. — Сегодня едем в Измайлово! — шепотом доложил он.

— Но мы там были позавчера! — удивилась она, привыкшая к еженедельности свиданий.

— Открылись новые обстоятельства!

Девушка строго посмотрела на Сашу, вздохнула и стала звонить, отменяя примерку, назначенную на вечер. По пути Саша остановился у супермаркета и, делая вид, что не понимает ее недоуменных взглядов, накупил целую сумку разных вкусностей и вина. Черномырдину достался такой огромный кусок колбасы, что кот долго не мог сообразить, с какой стороны начать есть, а потом, налопавшись, круглыми желтыми глазами удивленно следил за ненасытными людьми, нежно терзавшими друг друга на скрипучем диване.

Когда Инна с обычной неохотой встала, чтобы идти в душ, Калязин тихо попросил:

— Не надо!

— Милый, но мы же не можем здесь остаться?

— Можем...

— Ты... Сделал это?

— Да, я сделал это! — рассмеялся он и изобразил зачем-то идиотский американский жест: — И-е-е-ссс!

— А она?

— Она согласна, чтобы у меня была любовница!

— Зато я теперь не согласна, чтобы у тебя была жена... — Сказав это, Инна посмотрела на него с той строгой неприступностью, какую напускала на себя только в издательстве.

— Ты останешься? — жалобно спросил он.

— Завтра.

Одному на новом месте Саше спалось плохо, а вдобавок привиделась какая-то чертовщина: будто бы среди ночи вернулась Инна, тихонько легла рядом, и он стал нежно гладить ее в темноте, а потом вдруг с ужасом обнаружил, что от привычного шелковистого эпицентра нежная шерстка стремительно разрастается, покрывая все девичье тело. Утром он обнаружил рядом спящего Черномырдина.

К вечеру следующего дня Калязин заехал домой за вещами. Татьяна все так же неподвижно лежала на кровати и не брала трубку звонившего не переставая телефона. Казалось, она вообще за эти двое суток не вставала. На столе осталась грязная посуда, чего никогда прежде не было, а в пустой ванне так и валялись все еще мокрые носки.

— Я пошел! — сообщил Калязин, заглянув в спальню с большой спортивной сумкой, с которой Димка, занимавшийся легкой атлетикой, ездил на сборы. Но Татьяна даже не пошевелилась.

Инна ждала его в машине, и они помчались в Измайлово. Но и в эту ночь уснуть им вместе не удалось. Иннина мать с отчимом уехали на юг и оставили на нее шестилетнюю сестру. В течение двух недель каждый вечер Инна уезжала от него, а добравшись до дома, звонила – и они говорили, говорили до глубокой ночи. О чем? А о чем говорят люди, для которых главное – слышать в трубке голос и дыхание любимого человека?

Как-то он лежал в постели и, заложив руки за голову, с привычным упоением наблюдал Иннин стриптиз наоборот. А она, зная эту его слабость, с расчетливой грацией медлила, затягивала одевание, придумывая разные волнительные оплошности:

– Ой, я, кажется, трусики забыла надеть... Ах нет, не забыла... Слушай, а может, мне вообще лифчик не надевать?

– Тебе можно! – блаженно кивнул он, по-хозяйски восхищаясь ее маленькой круглой грудью с надменно вздернутыми сосками.

И вдруг запищал телефон. Дело обычное: в основном звонили из редакций и возмущались, что журналист вовремя не сдал заказной материал, а узнав, что тот в Чечне, обещали, если вернется живой, убить его за нарушение всех сроков и договоренностей. Потом, конечно, спохватывались и осторожно выпытывали, где он именно – в Грозном или Ханкале, и все ли у него в порядке.

Калязин привычно снял трубку.

Это была Татьяна, в конце концов вычислившая местонахождение блудного мужа. Голос у нее был грустный, но твердый.

– Ну, как тебе живется одному? – спросила она.

– Нормально.

– Не голодаешь?

– Нет...

– Решение не переменил?

– Нет.

– Я думала, ты позвонишь сегодня...

— Почему?

— День строителя.

— А-а...

— Ты, конечно, наговорил мне страшных вещей, но кое в чем был прав... Я заходила к тебе сегодня на работу. Хотела поговорить. Но ты рано ушел. Левка сказал, у вас выставка?

— Да, выставка...

— Димке звонил?

— Нет.

— Позвони. Я ему пока ничего не говорила...

— Позвоню...

— Она рядом?

— Кто?

— Она!! Не делай из меня дуру!

— Нет.

— Врешь! Я знаю, где ты, и сейчас приеду! – Сказав это, жена бросила трубку.

Инна уже давно поняла, с кем беседует Калязин, и наблюдала за ним с пристальным неудовольствием. А когда он закончил разговор, быстро, по-военному оделась и спросила холодно:

— А чего ты, собственно, испугался?

— Почему ты так решила?

— Не разочаровывай меня, Саша! Прошу тебя!

В тот вечер она уехала, даже не выпив ставшего традиционным чая. Едва закрылась дверь, Калязин вскочил и начал стремительно уничтожать и прятать свидетельства Инниного пребывания в квартире. Потом оделся, даже повязал галстук и ждал, барабаня пальцами по столу. Внезапно он похолодел, метнулся к разложенному дивану и спрятал одну из двух подушек в шифоньер, а на оставшейся отыскал длинный черный волос любовницы и выпустил его в форточку.

Но Татьяна не приехала. Она позвонила. Калязин сорвал трубку, надеясь, что это добравшаяся до дому Инна, и снова услышал голос жены:

— Это я.

— А разве ты?..

— Здорово я тебя напугала?! Значит, так, — продиктовала она. — Машину отдашь Диме. Через неделю. Пусть лучше он жену возит, чем ты... эту свою... Когда будешь подавать на развод, предупреди: я найму адвоката. Квартиру разменивать не собираюсь. Понял? Спи спокойно, дорогой товарищ!

А Инна в тот вечер так и не позвонила.

Целую неделю все попытки дождаться, когда она останется в приемной одна, и поговорить наталкивались на ледяное дружелюбие. Она слушала объяснительный шепот и только растягивала тщательно накрашенные губы в ничего не значащую секретарскую улыбку. А ведь его тело еще помнило влажные прикосновения этих на все способных губ! От ненависти к себе хотелось закрыться в кабинете и разорвать в клочья верстку романа «Слепой снайпер». После работы тщетно ждал он ее в своей «девятке» — через квартал, в заветном дворике. Она проходила мимо него к метро в компании бдительных корректорш. Вечером он звонил ей домой, но шестилетняя сестренка, видимо, выполняя порученное ей важное дело, старательно отвечала: «А Инки нету дома...» И хихикала.

В понедельник Инна занесла ему в кабинет иллюстрации к «Озорным рассказам». Калязин схватил ее за руку, и она вдруг погладила его по голове:

— Эх ты! Как мальчишка... Измучился?

— Измучился...

— Ты меня больше не будешь разочаровывать?

— Нет!

— Смотри, Саша! Мужчина, приняв решение, не должен бояться сделанного!

— Ты выйдешь за меня замуж?

— Сначала тебе надо развестись. У тебя есть адвокат?

— Зачем?

— Не будь ребенком!

— Нет, адвоката у меня нет.

— Я знаю одного, грамотного и недорогого.

— Я понял.

— У меня для тебя хорошая новость.

— Какая?

— Мама вернулась.

С этого дня они засыпали и просыпались вместе. Впереди была целая неделя (до возвращения журналиста) — и вся жизнь.

2

По внутреннему телефону позвонила Инна и строго объявила:

— Александр Михайлович, Лев Иванович просит вас зайти!

Она внимательно, даже слишком внимательно, следила за тем, чтобы при упоминании имени директора выглядеть совершенно невозмутимой, но именно поэтому всякий раз, когда заходила речь о Гляделкине, в ней появлялась еле уловимая, но внятная Саше напряженность.

— Спасибо, Инна Феликсовна, сейчас зайду! — ответил он весело, но настроение сразу испортилось.

О том, что у Гляделкина с секретаршей что-то было, знал в издательстве самый распоследний курьер. Окончание их романа Калязин успел застать, когда пришел на собеседование. Впрочем, собеседование — громко сказано.

Со своим однокурсником Левкой Гляделкиным Саша встретился совершенно случайно — на книжной ярмарке. Калязин стоял у стенда и устало расхваливал немногим любопытствующим уникальный иллюстрированный том — «Энциклопедию знаменитых хулиганов». Это был лично им придуманный проект. Начиналась книга с биографии бузотера-ирландца Хулихана, давшего имя всему этому подвиду нарушителей общественного покоя. А дальше шли Жириновский, Калигула, Маяковский, маркиз де Сад — вплоть до Хрущева, колотившего башмаком по трибуне ООН и, как показало время, правильно делавшего. Но вопреки всем бизнес-планам и маркетингам энциклопедия плохо расходилась и назревал конфликт с издателем. Ему Саша наобещал чуть ли не миллионные тиражи, объясняя, что каждый человек в душе хулиган и обязательно захочет иметь этот уникальный том у себя дома.

Итак, Калязин уныло стоял у стенда и мысленно готовил оправдательную речь, когда мимо деловито, во главе небольшой свиты прошагал по узкому ярмарочному проходу Левка Гляделкин — собственной персоной. Он был в отличном костюме из тонкого переливчатого материала, который если даже и мнется, то непременно какими-то особенными, стильными и дорогостоящими складками. Надо сказать, Левка всегда был стилягой: он единственный на курсе носил кожаный пиджак, купленный у какого-то заезжего монгола, да и авторучки у него всегда водились особенные — «Паркер», например, или «Кросс». А ведь происхождения Левка был самого обыкновенного и даже провинциального, но в то время пока Калязин, изнемогая, учился ради повышенной стипендии, Гляделкин зарабатывал. Сначала толкал лицензионные якобы пластинки, нашлепанные, кажется, в Сухуми. Потом грянул знаменитый скандал, когда Левка насамиздатил книжку Высоцкого «Нерв», безумно дефицитную в ту пору и стоившую, между прочим, с рук пятьдесят рублей — большие деньги! На Гляделкина даже дело завели, но он убедил следователей, будто напечатал всего шесть штук для себя и друзей. По закону, если семь экземпляров — уже статья... Но какие там шесть штук! Саша собственными глазами видел Левкину комнату в студенческом общежитии, заваленную пачками «Нерва». Поговаривали, Гляделкин просто втихую отдал весь тираж следователям, а они распространили среди своих коллег, которые, как и все советские люди, тоже тащились от Владимира Семеновича:

Потому что движенье направо
Начинается с левой ноги...

Нет, это, кажется, Галич...

У Левки оборотистость и предприимчивость были, очевидно, наследственные. Однажды после занятий они пили пиво в Парке культуры, и Гляделкин рассказал историю своего отца... Кстати, в пивные Левка умел проходить, минуя длиннющие многочасовые очереди, так как знал фамилии руководителей всех столичных баров, мало того — умудрялся отслеживать по каким-то своим каналам кадровые перестановки, чтобы не попасть впросак. Сделав морду, как говорится, кирпичом, он деловито пробирался в самое начало очереди, уткнувшейся в роковую табличку «Мест нет», и властно стучал в дверь. Через некоторое время высовывался швейцар, обычно из отставных военных. Лица этих стражей «ячменного колоса» всегда выражали одно и то же легко угадываемое чувство: «Будь при мне табельное оружие — пострелял бы вас всех к чертовой матери!»

— К Игорю Аркадьевичу... — тихо и значительно сообщал Гляделкин.

— Какому еще Игорю Аркадьевичу? — закипал швейцар, привыкший ко всяким уловкам жаждущих.

— Не задавайте глупых вопросов! — с усталой угрозой говорил Левка. — Товарищи со мной...

— Ладно, проходите, — внезапно сдавался охранник и, поворотившись к завозмущавшейся очереди, объяснял: — Заказано у людей, заказано!

Тут вся хитрость заключалась именно в этой особой устало-грозной интонации, которая бывает только у настоящих начальников и которой студент Гляделкин владел в совершенстве. А вот Калязин так и не смог освоить ее, даже когда в течение полутора лет исполнял обязанности заведующего редакцией стран социализма.

Так вот, однажды за пивом Гляделкин рассказал про своего батю, фронтовика, прошедшего всю войну и привезшего из Берлина чемоданчик со швейными иголками. Да, с иголками! Недогадливые товарищи по оружию везли из поверженной Германии патефоны, штуки бархата, канделябры, обувь, кто с образованием — картины или старинные книги, а Гляделкин-старший припер обычный чемоданчик, где в вощеной бумаге бесчисленными рядами лежали сто тысяч иголок к швейным машинкам «Зингер», обшивавшим в ту пору послевоенную замученную страну. Одна иголка стоила всего рубль, но было их в чемоданчике сто тысяч. Как только в семье кончались деньги, отец шел на рынок и продавал сотню иголок. Так, на иголках, пятерых детей поднял, да и жену как барыню одевал-обувал. Надежный этот бизнес был подорван, когда наладили производство отечественных машинок, отличавшихся по конструкции от зингеровских.

— До сих пор иголок тыщ пять осталось! — радостно сообщил Гляделкин.

После института их пути разошлись: краснодипломника Калязина распределили роскошно — в «Прогресс», в редакцию стран социализма, а Гляделкина, как неблагонадежного, запихнули в «Промагростройкнигу», выпускавшую какие-то сборники по технике безопасности. Однако Левка и там что-то придумал — начал штамповать руководства по возведению садовых домиков — тогда всем выделяли участки, — и брошюрка шла нарасхват. Когда началась буза в конце восьмидесятых, Левку на собрании трудового коллектива единогласно избрали директором издательства, а вскоре он его приватизировал, выкупив акции у своих же сотрудников, которые по совковой наивности были и рады расстаться с этими, как казалось тогда, совершенно никчемными бумажками. «Промагростройкнига» превратилась в Издательский дом «Маскарон» и завалила прилавки детективными романами, а Левка, по слухам, став богатеем, купил себе большую квартиру в центре и загородный дом в Звенигороде...

Вот этого самого Левку Гляделкина, только раздобревшего, полысевшего, обзаведшегося очками в стильной золотой оправе, и окликнул Саша, неожиданно для себя воспользовавшись его давней студенческой кличкой. Кстати, это прозвище Левка получил за манеру останавливаться на улице и со вздохом провожать страждущим взором призывно удалявшиеся дамские ягодицы. Иногда, не выдержав и бросив товарищей, Гляделкин кидался в погоню за незнакомкой, а наутро, приползя к третьей паре, демонстрировал друзьям счастливую усталость и рассказывал о незабываемой ночи, каковую пробезумствовал в постели изголодавшейся разведенки или в кроватке девственницы, тщетно пытавшейся уберечь от Левки лепесток целомудрия. Чаще всего врал, конечно...

— Глядун! — крикнул Саша.

Левка остановился, удивленно осмотрелся и захохотал:

— Коляскин!

Помнил, оказывается, не забыл!

Они обнялись. От Гляделкина пахло вкусной жизнью. Свита замерла поодаль, наблюдая за встречей друзей с тем вымученным умилением, с каким обычно созерцают личную жизнь начальника — его избалованных до омерзения детей или любимую собачку — злобную визгливую тварь.

Они поговорили о том о сем, но в основном о бывших однокурсниках: кто-то преуспевал, кто-то эмигрировал, кто-то просто исчез из поля зрения, а вот Витька Корнелюк умер...

— Да ты что? — обомлел Левка.

— Да, умер... — подтвердил Саша с чувством того печального превосходства, которое обычно испытываешь, сообщая кому-нибудь неосведомленному о чьей-то кончине.

— От чего?

— От сердца.

— Не бережемся, не бережемся! — вздохнул Левка и погладил свой обширный живот.

Потом Гляделкин с интересом полистал «Энциклопедию знаменитых хулиганов» и вдруг предложил:

— Слушай, Коляскин, а иди-ка ты ко мне главным редактором! Я своего выгнал. Хороший мужик, но пил, как ихтиозавр! Забегай после выставки. Обговорим наш расклад и твой оклад...

Гляделкин достал из кармана плоскую золотую коробочку, вынул оттуда карточку и протянул Саше.

— А у меня нет визитки, — смущаясь, сознался Калязин. — Кончились...

— Все когда-нибудь кончается! — Левка хлопнул однокашника по плечу и, возглавив затомившуюся свиту, убыл.

Оставшись один, Калязин изучил глянцевую, явно недешевую визитную карточку.

На ней была золотом оттиснута скорбная маска — такими в начале прошлого века украшали фасады домов, а сбоку шла тоже стилизованная под модерн надпись: «Издательский дом “Маскарон”».

Через неделю он позвонил Гляделкину, в душе побаиваясь, что предложение было сделано в приливе ностальгического великодушия и давно уже забыто, а место занято. Но Левка обрадовался его звонку:

— Куда пропал? Приезжай прямо сейчас!

Калязин примчался и долго ждал, пока Гляделкин наконец его примет. От скуки он наблюдал за тем, как виртуозно врет по телефону красивая черноволосая секретарша в строгом офисном костюме. Рядом с ним сидел здоровенный стриженый парень в кожаной куртке. Лицо его было совершенно неподвижно, словно на нос ему села муха и он мужественно воздерживается от малейшего мимического шевеления, дабы не спугнуть насекомое.

Одним звонившим секретарша холодно, почти сурово отвечала, что Льва Ивановича нет на месте и сегодня уже не будет. Вторым дружелюбно советовала перезвонить попозже. Третьим участливо обещала поискать шефа в соседнем кабинете, клала трубку на стол и с печальным вызовом смотрела на улыбавшегося ее секретарским хитростям Сашу. На неподвижного парня девушка внимания не обращала. Минуты через две она брала трубку и с искренним огорчением докладывала:

— На этаже его нет. Наверное, спустился в производство. Как только вернется, сразу скажу, что вы звонили...

А в те редкие минуты, когда телефон молчал, она сидела тихая, погруженная в какое-то свое девичье горе.

— Почему вы такая грустная, Инна Феликсовна? — спросил Калязин, уже успев выяснить, как ее зовут.

— А вот это... — она скосила глаза на бумажку, где было записано его имя, — Александр Михайлович, совершенно не ваше дело!

Скорее всего, Инна сочла его очередным докучливым автором, принесшим в издательство рукопись. Парень в куртке вдруг сочувственно подмигнул Калязину и снова заиндевел.

«Строгая девица!» — подумал Саша и погрузился в размышления о том, что завоевать строгую, неприступную женщину, добиться от нее нежной привязанности — это особенно трудно и почетно, что-то наподобие сексуального альпинизма, хотя, впрочем, кто-то из знакомых скалолазов рассказывал ему, будто спускаться с покоренной вершины не в пример труднее, а главное — утомительнее, нежели взбираться на нее.

И тут как раз на пороге кабинета появился смеющийся Гляделкин. Он провожал какого-то, судя по золотой цепи на шее, крутого инвестора, долго жал ему руку и передавал бесчисленные семейные приветы. Парень в куртке мгновенно напружился, вскочил и стал внимательно озирать приемную, точно в отделанных искусственным дубом стенах могли внезапно открыться потаенные бойницы. Наконец крутой вырвался из Левкиного расположения и ушел вместе со своим огромным телохранителем.

Гляделкин удовлетворенно похлопал себя по животу, но, встретившись глазами с напрягшейся секретаршей, сразу посерьезнел, кашлянул и распорядился:

— Александр Михайлович, заходите! Инна Феликсовна, ни с кем не соединять!

— Даже с Маргаритой Николаевной? — поинтересовалась она с недоброй иронией.

— Маргарита Николаевна может позвонить мне на мобильный. Вы отлично это знаете! — строго ответил Левка, глядя мимо Инны.

«Э-э, да у них тут непросто!» — завистливо подумал Калязин, заходя в кабинет, обставленный дорого и со вкусом.

На стене висела большая фотография: на ней Гляделкин вручал книгу самому президенту. В углу в специальной стеклянной витрине стоял манекен, одетый в золотопуговичный мундирчик.

— Лицейский мундир Дельвига, — похвастался Гляделкин. — Купил по случаю. Жалко, треуголка потерялась...

Они выпили отличного коньяка, название которого Левка произнес с гордостью, а Калязин, естественно, не запомнил, поговорили о жизни, о семейных делах. У Гляделкина была уже вторая жена — Маргарита и трое детей. Он показал фотографию в полированной деревянной рамочке. Жена оказалась дородной крашеной блондинкой с усталыми глазами домохозяйки. Детей она обнимала, точно наседка, прикрывающая крыльями цыплят. Сам же Левка на снимке стоял чуть отстранившись, как сделавший свое дело кочет.

Потом он расспрашивал Сашу про Татьяну, даже как-то сочувственно завидуя многолетнему семейному постоянству однокашника:

— Наши-то все уже по сто раз женились-разводились...

Он попросил показать снимок жены и сына и очень удивился, узнав, что таких фотографий Саша с собой не носит. Наконец, посерьезнев и перейдя на руководящий тон, Левка очертил Калязину круг его будущих обязанностей и назвал оклад жалованья такой большой, что Саша аж вспотел от неожиданности. Ударили по рукам, и уже на пороге Гляделкин остановил своего нового подчиненного неожиданным вопросом:

— Понравилась?

— Кто?

— Секретарша.

— Красивая...

— Не просто красивая — увлекательная! — вздохнул он. — Но будь осторожен. Она — девушка с целью...

Согретый коньяком и будущим окладом, Калязин вышел из кабинета, уже чувствуя себя главным редактором.

— Так почему же вы все-таки грустная? — с хмельной настойчивостью спросил он Инну, прикладывавшую печать к его разовому пропуску.

— Я же сказала: вас это не касается.

— Главного редактора, — ответил он с совершенно нехарактерной для него хвастливостью, — касается все. В том числе и настроение сотрудников.

— Так вы наш новый главный редактор?

— Аз есмь! — ответил он и смутился от собственного мальчишества.

— Буду знать, — отозвалась она, подозрительно глянув на нетрезвого главреда, пришедшего на смену прежнему — алкоголику.

— У вас неприятности? — снова спросил он — теперь уже тоном волшебника, специализирующегося на устранении невзгод и неурядиц.

— Может быть, когда-нибудь расскажу... — ответила Инна и посмотрела на него с мимолетным интересом.

О том, что у Инны Журбенко с Гляделкиным не просто что-то было, а был серьезный роман, в результате которого шеф чуть не развелся с женой, но в последний миг одумался, Калязину нашептали на первом же редакционном винопитии по случаю Восьмого марта. То ли это была фирменная издательская история, которой потчевали каждого новичка, то ли Саша, несмотря на все усилия, не сумел скрыть от окружающих своего интереса, нараставшего, подобно медленной, но неотвратимой болезни.

После очередного тоста «за дам-с» он вышел покурить на лестничную площадку с корректоршами — пожилой, подслеповатой Серафимой Матвеевной и относительно молодой еще Валей, накрашенной так вызывающе ярко, что на ее лицо следовало бы смотреть с большого расстояния и сквозь сложенную трубочкой ладонь, как на картину художника-пуантилиста. И вдруг они возбужденно, перебивая друг друга, точно давно ждали подходящего момента, стали рассказывать ему про директорскую секретаршу.

Инна пришла в издательство сразу после школы на место своей матери, которая проработала здесь корректором пятнадцать лет, а потом во втором браке родила и сделалась домохозяйкой, благо новый муж неплохо зарабатывал установкой спутниковых антенн на многочисленных подмосковных особняках.

— Ах, какая была девочка! — восхищалась Серафима Матвеевна. — Как струнка! Прямо Ассоль! Строчим сверку, а она вдруг в окно уставится и все забудет... «Инн, — спрашиваю, — о принце, что ли, мечтаешь?» — «Да ну вас...» — смеется...

— Совсем простенькая была. Я ее краситься учила! — добавила Валя, заманчиво поглядывая на Сашу.

Вскоре появился и принц — выпускник института военных переводчиков.

— Видный парень и с характером, — сообщила Серафима Матвеевна. — Часто заходил к нам, ждал, когда закончим. Мы — Инке: «Да иди ты! Без тебя, сопливой, дочитаем!» А она: «Ну как же, нельзя... Володя подождет...»

— А однажды, — захохотала, вспомнив что-то веселое, Валя, — сидит он, ждет и на меня смотрит. Внима-ательно! Я не пойму... А потом сообразила, что давала Инке свою блузку — мне из Франции полюбовник привез — на свидание надеть. Вовка и узнал... Не понравилось! Он парень-то с гонорком...

— Это — да, — согласилась Серафима Матвеевна. — Два любимых выражения у него были: «Я полагаю...» и «Я принял решение...». Непростой парень. Но — хорош! А уж как форма ему шла! Прямо Лановой!

— А Лановой ко мне в Пицунде приставал! — доложила Валя.

— Послушать, так к тебе все, кроме академика Сахарова, приставали! — одернула ее Серафима Матвеевна.

Из дальнейших рассказов стало понятно, что вопрос о замужестве был решен: как говорится, шили платье. Инна с мужем после свадьбы собиралась ехать куда-то за границу и уже немного свысока поглядывала на сослуживиц, намекая на то, что военные переводчики за границей занимаются не только переводами, а и другими, гораздо более ответственными и необходимыми Державе делами. И ей, как жене человека, выполняющего специальные задания, тоже, конечно, придется соучаствовать.

— А мы ее подначивали по-простому: «Радисткой, что ли, будешь?» Обижалась: «Вы плохо себе представляете деятельность современных спецслужб!» — добродушно передразнивала ту давнюю, наивную Инну Серафима Матвеевна.

— А я... А я спрашиваю на голубом глазу: «Ин, а спецсексу учить тебя будут? — радостно вспоминала Валя. — Могу проконсультировать!»

— В общем, счастлива была до потери сознания! — грустно вздохнула Серафима Матвеевна. — Бедная девочка...

Свадьба не состоялась: в последний момент военный переводчик принял решение и мгновенно женился на дочке какого-то снабженческого генерала. Инна страшно переживала, попала даже в больницу и вернулась оттуда совсем другой — как робот. Тут-то Гляделкин, давно присматривавшийся к красивой корректорше, и взял ее... секретаршей.

— Так сразу и взял? — сглотнув комок, спросил Калязин, до этого только слушавший.

— Сразу и взял, — кивнула Валя.

— Не сразу... Ты с собой-то не путай! Долго он ее обхаживал, — пояснила Серафима Матвеевна. — Подарки таскал, слова говорил... Умеет, подлец! Ну, вы, Александр Михайлович, лучше нашего знаете! Однажды в темных очках на работу пришел. В чем дело? Ячмень? Или хуже — синяк под глазом? «Нет, — объяснил. — Не могу на вас, Инна Феликсовна, смотреть! Ослепляете...» Ну, у девки снова крыша и поехала. У Гляделкина, правда, тоже набекренилась... Потом, конечно, спохватился. Маргарита у него свое дело туго знает. «Детей, — сказала, — не увидишь!» Ну он и опал...

— А что это, Александр Михайлович, вы так Инночкой интересуетесь? Влюбились? — захихикала Валя.

— Да нет, я так просто...

— Да ладно — просто! Влюбитесь лучше в меня! Безопасность и семейную целостность гарантирую...

— Уже влюбился, — отшутился Калязин и дал маху.

В тот вечер Валя упросила Сашу, почти не пившего, подбросить ее домой в Химки и всю дорогу, пьяно хохоча, норовила управиться с главным редактором таким же образом, каким он сам, ведя машину, управлялся с рычагом переключения скоростей. Наконец Саша разозлился, остановил машину и накричал на распускающую руки корректоршу.

— Да ну вас, мужиков! — сказала она, сразу протрезвев и погрустнев. — Сами не знаете, чего хотите, а потом... Ладно, поехали! Больше не буду.

После того как Калязин узнал Иннину историю, его влечение к ней стало другим. Нет, конечно, по-прежнему это было прежде всего вожделение, но облагороженное состраданием.

Как-то вечером в опустевшем издательстве Калязин готовил окончательный темплан на второе полугодие. Точнее, Инна вносила поправки в файл, а он, склонясь над ней, вглядывался в экран компьютера, выискивая опечатки, и совершенно неожиданно для себя поцеловал девушку в долгую, смуглую, покрытую нежным пушком шею.

— Вы с ума сошли! — вспыхнула она.

— Сошел. А вы только что это заметили?

И он стал тайно ухаживать за ней: если удавалось, подвозил домой. Несколько раз уговорил по пути остановиться и посидеть в каком-нибудь ресторанчике, благо Татьяна не знала о том, что, кроме зарплаты, у него есть еще и ежеквартальные премии. Инна принимала его приглашения с чуть насмешливой благосклонностью, с какой принимают услуги чересчур уж любезного официанта. Однажды Саша повел ее в новомодный кинотеатр, где звук как бы дробится, обступая тебя со всех сторон, а экран завораживает глаз такой насыщенной чистотой цветов, за какую Ван Гог, не задумываясь, отдал бы и второе свое ухо. Калязин давно не бывал в кинотеатрах, и его странно поразило, что все эти чудеса техники, эти безумно дорогие и в самом деле талантливые актеры, эти поминутно взлетающие на воздух «мерседесы» и целые городские кварталы, эта виртуозно выстроенная сюжетная головоломка — нужны, в сущности, лишь затем, чтобы рассказать полупустому залу какую-то бесполезную и совершенно бессмысленную историю. Что-то наподобие катания на американских горках — промчался с визгом, с холодком в паху — и забыл.

Но там, в кинозале, в темноте Инна впервые доверила ему свою теплую руку. Этим бы Калязину ограничиться для начала, но он не удержался и в тот момент, когда герои фильма, проникнув наконец-то в банк, обнаженно-прекрасные, любили друг друга прямо на рассыпавшихся долларах, Саша обнял ее и поцеловал в губы. Инна не сопротивлялась, но в поцелуе было что-то странное. Что именно, Саша понял, когда оторвался. Он целовал усмешку.

— Александр Михайлович, вы напрасно тратите время! — предупредила Инна. — Полагаю, вы многое про меня узнали и должны понимать: ничего не будет. Вы ничего не добьетесь.

— А я ничего и не добиваюсь! — отводя взгляд, ответил Калязин. — Я просто хочу видеть вас...

— Вы меня видите каждый день на работе, — словно не понимая, о чем речь, сказала она.

— Мне этого мало!

— Ах вот оно как! Если хотите большего, займитесь Валей. Вы ей, кажется, нравитесь...

— Ну зачем вы так! — Он попытался снова ее обнять.

— Александр Михайлович, я вас прошу. — Она резко, с неудовольствием высвободилась.

— Зовите меня — Саша...

— Ну какой вы Саша! Вы — Александр Михайлович. И навсегда останетесь для меня Александром Михайловичем.

От этого «навсегда» все калязинское существо наполнилось плаксивой оторопью и подростковой обидой. Нечто подобное он испытал в отрочестве, когда увидал, как безумно нравившаяся ему девочка целуется в пустой учительской со старшеклассником. Обливаясь слезами, Саша убежал в раздевалку. Был май — и на крючках висели только черные сатиновые мешочки со сменной обувью. Сотни мешочков. Сначала он бродил между этими мешочками, как в каком-то марсианском лесу, а потом стал бить по ним, точно по боксерским грушам, и бил до изнеможения, пока в кровь не содрал костяшки пальцев. И победил себя...

Месяц он держался с Инной так, словно ничего меж ними и не было. Старался как можно реже появляться в приемной, а вызванный к Гляделкину, проходил мимо с бодрой, заранее подготовленной улыбкой, и даже, словно ныряльщик, задерживал дыхание, чтобы пропитанный ее духами воздух приемной не проник в легкие, не одурманил и не заставил броситься перед ней на колени на глазах у всех. Она тоже вела себя с ним ровно, приветливо, ни единым намеком не напоминая о его постыдно неуспешном домогательстве.

Клин вышибают клином — и Калязин сам предложил Вале подбросить ее домой, в Химки. Она, помня его прежнюю суровость, сидела тихая, скромная и ко всему готовая, точно в очереди к гинекологу. Сначала он долго не решался, а потом где-то в районе Северного речного вокзала положил руку не на отполированный набалдашник рычага скоростей, а на круглое колено. В ответ корректорша часто и многообещающе задышала. Калязин осторожно погладил ее голую ногу и почувствовал под рукой старательно выбритые, но уже чуть покалывающие волоски — и это страшно его возбудило. Они остановились на каком-то строительном пустыре возле огромного бульдозера, напоминающего в темноте подбитый танк. Валя приблизила к нему свое ярко намакияженное лицо (наверное, именно так в ночном музее выглядит какой-нибудь Дега или Матисс), и Саша догадался, что надо целоваться. Никогда еще не приходилось ему получать такого бурного разнообразия сексуальных даров в такой короткий отрезок времени и в такой тесноте. Когда, чуть не выбив каблуком лобовое стекло, Валя затихла, Калязин понял, что совершил страшную ошибку. Она, кажется, тоже. Отдышавшись, перекарабкавшись на свое место и поправив одежду, корректорша сказала:

— Зря мы это... Не бойся, я ей не скажу. Но и ты тоже — никому. Договорились?

Любопытно, что никакого раскаяния перед Татьяной он не испытывал — вернулся домой злой и даже ни с того ни с сего наорал на жену за то, что она, мол, все время занимает телефон своими дурацкими риелторскими переговорами, а ему из-за этого не могут дозвониться очень серьезные люди. Татьяна вспыхнула, отправила его к чертовой матери, а потом долго извинялась перед Степаном Андреевичем, принявшим это на свой счет. Саша, сурово сопя, проследовал в ванную, глянул в зеркало и ахнул: белая сорочка напоминала тряпку, о которую живописцы вытирают кисти. Спасла его Татьянина близорукость. Он спрятал рубашку в портфель и наутро по пути на работу выбросил в мусорный контейнер.

Зато ему было мучительно стыдно перед Инной. Весь следующий день он даже боялся смотреть на нее. Проходя через приемную к начальству и поймав на себе, как ему померещилось, подозревающий взгляд, он облился потом, и ему даже показалось, будто все вчерашние горячие Валины щедроты теперь стекают с его тела подобно отвратительной слизи, оставляя на паркете следы. Но Инна смотрела на него все с тем же приветливым равнодушием.

И так продолжалось долго, очень долго...

Все изменилось в одночасье. Нужно было срочно отредактировать рекламу мемуаров недавно скончавшейся старушки, служившей в тридцатые годы уборщицей в высших сферах и оказывавшей, как она утверждала, интимные услуги чуть ли не всему тогдашнему Политбюро. Книжка называлась чрезвычайно ликвидно — «Кремлевский разврат», но отдел рекламы, как всегда, написал такую белиберду, что Гляделкин разнервничался и приказал главному редактору лично переписать аннотацию и подобрать забойные отрывки для периодики.

Покидая кабинет, Гляделкин вдруг обнаружил, что во всем издательстве остаются только два человека — Инна и Калязин. Он как-то сразу забеспокоился, потом совладал с собой и погрозил:

— Вы, ребятки, тут не озорничайте!

Захохотал и ушел.

Инна посмотрела ему вслед с ненавистью и начала собираться.

— Инна Феликсовна, — пробормотал Саша, — если подождете полчаса, я отвезу вас...

— Спасибо, не надо.

— Почему?

— Я не хочу домой.

— В кино? — жалобным детским голоском спросил Калязин.

— Почему тогда не в театр? — Она посмотрела на него с насмешливым состраданием.

— Инна, я так больше не могу! — промямлил Калязин.

— Допустим, — после долгого молчания вымолвила она. — И куда вы меня повезете?

— В каком смысле? — Он даже растерялся от неожиданности.

— Александр Михайлович, вы меня удивляете! Но учтите, в гостиницу я не поеду...

Сообразив наконец, что происходит, он занервничал, засуетился, метнулся в свой кабинет, к телефону, дрожащими руками раскрыл записную книжку и, мысленно умоляя Господа о неподобающей помощи, на что способен только закоренелый атеист, стал набирать номера друзей.

Никто не подходит.

Занято!

«А, старик, привет! Лежу вот дома — ногу сломал...»

Опять занято!!

Спас журналист, с которым Калязин много лет назад, еще при советской власти, познакомился во время турпоездки в Румынию. Потом они несколько раз пересекались на презентациях и пресс-конференциях, обнимались, договаривались «собраться и посидеть», но от слов к делу так и не перешли. За эти годы Саша сменил уже штук пять истрепавшихся книжек, но телефон журналиста каждый раз старательно переписывал — словно чувствовал...

Тот сначала даже не сообразил, кто звонит, потом понял и долго выслушивал сбивчивую, витиеватую мольбу, смысл которой сводился к тому, что если он на два часа предоставит Саше свою квартиру, то Калязин в благодарность готов отдаться чуть ли не в пожизненное рабство.

— Так приспичило? — удивился квартирохозяин. Ему, как холостяку с собственной жилплощадью, была непонятна и смешна эта истерическая горячка женатого мужчины, схватившего за хвост долгожданную птицу супружеской измены. — Ладно, — согласился он великодушно. — Такса — коньяк. Хороший. Сэкономишь — больше не звони. Ключ будет за дверцей электрощита. Записывай адрес! Да... Забыл... Еще одно условие!

— Какое?

— Черномырдина за хвост не дергать!

— Кого?

— Кота.

Калязин вбежал в приемную, зажимая в потной руке бумажку с благословенным адресом, и радостно крикнул:

— Вот... Я договорился!

— Хорошо, — спокойно ответила Инна. — Сейчас отправлю факс — и поедем.

* * *

Дверь долго не открывалась. Отчаявшись и вспотев, Саша сообразил наконец, что ключ надо вставить до упора. В прихожей их встретил черный кот, судя по размерам, кастрированный. Инна тут же взяла это покорное существо на руки и стала гладить, долго, с удовольствием. В какой-то момент Калязину показалось, будто вся Иннина ласка достанется сегодня исключительно Черномырдину. Но он ошибся — ему тоже перепало...

Исстрадавшийся Саша был бурно-лаконичен. Инна сдержанно-отзывчива. Почти сразу она встала с дивана, с удовлетворением оглядела себя в зеркале и начала медленно, собирая разбросанные по комнате вещи, одеваться, а он, лежа, со священным ужасом следил за тем, как постепенно скрывается под одеждой только что принадлежавшая ему нагота. Застегнув блузку, Инна поправила перед зеркалом волосы и спокойно сказала:

— На этом, полагаю, мы и закончим наш служебный роман.

— Почему?

— Вы сделали то, что хотели. И я сделала то, что хотела...

— Я люблю вас... — вдруг бухнул Калязин, еще минуту назад не собиравшийся говорить этих слов ни сейчас, ни в обозримом будущем.

— Ах вот оно как? — удивленно улыбнулась Инна. — Ты понимаешь, что ты сейчас сказал?

— Понимаю.

Она пожала плечами и медленно начала расстегивать блузку...

После той, первой близости острое любовное помешательство перешло у Саши в неизлечимую хронику. Вся его жизнь превратилась в одно знобящее ожидание этих свиданий на квартире журналиста, который теперь при желании мог открыть небольшой коньячный магазинчик.

Калязин отвозил Инну в Сокольники и, едва развернувшись, чтобы ехать на Тишинку, начинал жить мечтами о новой встрече.

На следующий день Гляделкин с утра вызвал к себе Сашу и строго спросил:

— Ну, получилось?

— Что? — зарделся Калязин.

— Что... что... Аннотация к мемуарам этой старой профуры! — буркнул однокурсник и поглядел на него с обидой.

Наверное, Левка сразу обо всем догадался и, зная Инну, ревниво, в деталях представлял себе, как это у них происходит.

А происходило нечто невообразимое, испепеляющее калязинские чресла и душу. Нет, в их объятиях не было ничего неизведанного. Неизведанной была запредельная, порабощающая нежность, которую он испытывал к возлюбленной. Порой Саша с усмешкой вспоминал убогие сексуальные исповеди, сочиненные когда-то для «Нюши», и поражался. Оказывается, он не знал об этом ничего! Или почти ничего... Если оставалось немного времени до возвращения журналиста, они расслабленно лежали, курили и обсуждали издательские сплетни и интриги. В этих разговорах Гляделкин никогда не назывался ни по имени, ни по фамилии, просто — «Он». Инна рассказывала Саше о себе, о матери, о сестренке, о том, как в десятом классе в нее влюбился молодой учитель физики, а однажды очень подробно изложила и всю историю своих отношений с военным переводчиком. Спокойно, даже с иронией, она сообщила, что в больницу попала, потому что хотела покончить с собой.

— Знаешь, мама меня на подоконнике поймала...

— Разве можно из-за этого?.. — удивился Саша.

— А из-за чего же еще? — удивилась она.

Кстати, военный переводчик впутался потом в какие-то нехорошие махинации с военным имуществом за границей, вылетел из армии, развелся, страшно запил и даже приползал к ней на коленях — умолял простить.

— Знаешь, что я ему сказала?

— Что?

— Я его спросила: «Вова, что полагается в армии за предательство?» Он ответил: «Высшая мера». А я — ему: «В любви тоже...»

— И что стало с этим Вовой? — спросил Калязин.

— Зашился и снова женился на чьей-то дочке, — равнодушно сообщила она. — Что ты еще хочешь знать обо мне — спрашивай!

— Нет, все понятно...

— Неужели тебе совсем не интересно, что у меня было с Ним?

— У всех что-то было... — отозвался он с трудно давшимся равнодушием. — Было и прошло...

— И тебя даже не волнует, любила ли я его? Спрашивай — я отвечу!

— Нет, это не важно. Теперь. Мне гораздо важнее знать, любишь ли ты меня?

— Не торопись! Я боюсь этих слов. Мне они приносят несчастье...

На самом деле ему было болезненно важно знать, что у них было, как у них это все происходило, какие слова она ему при этом говорила и главное — любила ли... Но услышать «любила» — значило навсегда получить в сердце отравленную занозу. А услышать «не любила» — еще хуже: гадай потом, солгала она тебе, пожалев, или была слишком исполнительной секретаршей.

— Скажи мне только: он для тебя хоть что-то еще значит? — осторожно подбирая слова, спросил Калязин.

— Ни-че-го. Полагаю, этого достаточно? — ответила она с вызовом.

— Конечно... Не обижайся!

Нет, ему было недостаточно! Ему очень хотелось спросить, например, вот о чем. Когда Он вызывает ее к себе в кабинет и дает обычные секретарские поручения, что она чувствует, зная, что этот вот человек выведал некогда все ее потайные трепеты и все ее изнемогающие всхлипы? А она сама, записывая в блокнотик задание и холодно поглядывая на Него, неужели никогда исподволь не вспоминает его лежащим в постели и бормочущим в ее разметавшиеся волосы какую-то альковную чушь... Но Саша прекрасно знал: спрашивать такое у женщины недопустимо. Скорее всего, просто не ответит. А если и ответит? Куда потом, в какие глухие отстойники души затолкать ее ответ?

Из-за этих мыслей, составлявших неизбежную, а может, даже и необходимую часть обрушившегося на него счастья, Калязин начинал ненавидеть Гляделкина — его хитрый прищур из-под тонких золотых очков, остатки кудрей на вечно лоснящейся лысине, ненавидеть даже его дружеское расположение. А вот к вероломному военному переводчику, первому, надо надеяться, Инниному мужчине, так жестоко с ней поступившему, Саша не испытывал никакой ненависти — даже, скорее, благодарность. Ведь если бы он женился на ней, увез ее за границу... Но об этом даже не хотелось думать.

...Зазвонил телефон. Иннин голос удивленно спросил:

— Александр Михайлович, вы забыли? Он вас ждет!

— Иду...

Калязин встал, взял папочку с договорами и, пройдя мимо глянувшей на него с еле заметным осуждением любовницы, зашел в кабинет директора.

Гляделкин по телефону вдохновенно ругался с карельским комбинатом, опять взвинтившим цены на бумагу. Увидев Калязина, он кивнул на стул. Саша сел и некоторое время вслушивался в разговор, рассматривая появившееся в витрине рядом с мундирчиком обглоданное гусиное перо — якобы пушкинское.

Надо признаться, Гляделкин был мастером телефонных баталий: он то переходил на жесткий, почти оскорбительный тон, то вдруг обращал весь разговор в шутку с помощью уместного анекдота или изящного начальственного матерка. Вот и сейчас директор, кажется, уже почти добился того, чтобы эту партию бумаги комбинат все-таки отпустил издательству по старым расценкам. На минуту отвлекшись от разговора, Гляделкин сочувственно подмигнул Калязину.

Саше это сочувствие не понравилось. Левка никогда не показывал ему свою осведомленность, но, как передавали, в кругу особо приближенных, в разговорах с главным бухгалтером и замом по коммерции, например, именовал главного редактора не иначе как «наследник Тутти» и восхищался «Инкиной хваткой». Жалкие люди! Ничтожества! Их деловитые аорты разорвались бы, как гнилые водопроводные трубы, доведись им хоть раз испытать то счастье, которое переполняет сейчас Сашу...

— Ну как дела, Саш? — спросил Гляделкин, довольный одержанной над бумажниками победой.

— Нормально. Договора подпишешь?

— Завтра. А вот скажи-ка мне, как ты относишься к семейным катастрофам?

— К чему? — оторопел Калязин и на минуту вообразил, что Татьяна по старой советской методе приходила к Левке и жаловалась на свою беду.

— А знаешь, есть такая передача — «Семейные катастрофы»?

— Ну, знаю... И что?

— Будь другом — выручай! Сегодня запись... Я обещал. А теперь не могу. Из Сибири распространители приехали. Надо в баню вести... Съезди, пофигуряй перед камерами и обязательно покажи им нашу «Энциклопедию семейных тайн»! Бесплатная реклама. По дружбе. Рейтинг у передачи чумовой. Договорились?

— Если надо...

— Конечно надо! Первым делом, сам понимаешь, самолеты... Ну а девушки, как догадываешься, потом... — Сказав это, Левка посмотрел на него не с обычной хитрецой, а с каким-то унизительным сочувствием. — Спасибо, друган! Жене привет!

«Еще, гад, издевается!» — зло подумал Саша, встал и исполнительно улыбнулся.

Пока Калязин жил в семье, Гляделкин никогда не передавал Татьяне приветов.

В приемной Саша остановился возле секретарского стола и сказал деловито, чтобы не привлекать внимания возившейся у факса сотрудницы:

— Инна Феликсовна, если меня будут спрашивать, я на телевидении, а оттуда сразу домой... — И, поймав ее настороживнийся взгляд, шепотом разъяснил: — В Измайлово...

И незаметно положил на стол ключ от квартиры.

— Я буду ждать... — беззвучно, одними губами предупредила она. — Я тебя люблю...

В отличие от Саши, постоянно признававшегося ей в любви, сдержанная Инна эти слова говорила ему только дважды. В первый раз — когда он сообщил о своем намерении объясниться с женой. Во второй — совсем недавно, когда он, рассвирепев, под утро замучил ее до блаженных рыданий, до счастливого женского беспамятства.

Это был третий раз. Самый главный...

3

Передача «Семейные катастрофы» и в самом деле пользовалась чудовищным успехом. Вел ее странный дурашливый тип, зачем-то наголо обритый. Во времена советского Сашиного детства такая прическа называлась «под Котовского». Кроме того, знаменитый шоумен носил в ухе серьгу, но не маленькую — гейскую, а большую — почти цыганскую. Фамилия ему была Сугробов. В последнее время он сделался популярен до невероятности: на баночках с детским питанием и упаковках памперсов красовались его портреты и надписи: «От Сугробова с любовью!» Даже Татьяна, редко смотревшая телевизор, эту передачу старалась не пропускать.

Калязину раньше никогда не приходилось бывать в Останкинской телестудии. Он с невероятным трудом припарковался, втиснув свою обшарпанную «девятку» между серебристым шестисотым «мерседесом» и огромным бронированным «лендровером», которому для полного сходства с боевой машиной не хватало только пулемета на крыше.

«Вот они где, народные денежки!» — зло подумал Саша, окинув взором бескрайние ряды дорогих автомобилей, и направился к 17-му подъезду. Там было оживленно: вбегали и выбегали какие-то люди с камерами, сновали длинноногие соплюшки с мобильными телефонами, диковатого вида старикан развернул на груди, словно гармонь, лист ватмана с корявой надписью, требовавшей немедленного удаления евреев из русского эфира.

Вооруженный автоматом милиционер отыскал Сашину фамилию в длинном списке, благосклонно кивнул, и Калязин боязливо прошел сквозь контур металлоискателя, который, разумеется, подло пискнул, среагировав на ключи — от служебного кабинета и от тишинской квартиры. Калязин полез в карман, но охранник снисходительно кивнул: мол, чего уж там — проходи!

Телестудия своими бесконечными коридорами и табунами спешащего во всех направлениях люда напомнила Домодедовский аэропорт. Саша успел заметить две-три эфирные знаменитости и подивиться тому, какие они наяву незаманчивые. Так бывает в магазине: прилюбуешься к какой-нибудь вещичке на витрине, а возьмешь в руки — категорическое не то...

Поплутав, Калязин все-таки нашел на втором этаже четвертую студию и обнаружил возле нее необычайное даже для Останкина скопление народа. Люди толклись в холле и напоминали пассажиров, уже сдавших багаж и теперь в «накопителе» нетерпеливо ожидающих вылета. Саша устроился у большого окна, откуда виднелась серая телебашня с черными следами недавнего пожара. Прислушался к разговорам: толпа шумно обсуждала какого-то мерзавца, укравшего у матери сына и увезшего его в религиозно-трудовую коммуну в Сибирь. Саша подивился такому единодушию разношерстной публики, но недоумение вскоре разъяснилось. К нему робко приблизился коренастый лысый мужичок с большим портфелем, постоял молча рядом, видимо, собираясь с духом, и наконец спросил:

— Вы тоже на «Катастрофы»?

— Угу, — ответил Калязин, не расположенный к беседе.

— Из Москвы? — осторожно поинтересовался незнакомец.

— Угу, — отозвался Саша, надеясь этим невежливым угуканьем отшить привязчивого мужичка.

— А я из Людинова. Знаете? В Калужской губернии...

— Знаю. Людиновское подполье... — кивнул Саша, когда-то редактировавший сборник воспоминаний о героях-партизанах для социалистических стран.

— Господи ты боже мой! — покраснел от радости мужичок. — Вы первый человек в Москве, который знает про Людиново!

И, сделавшись от восторга еще словоохотливее, людиновец вывалил на Сашу целый ворох сведений самого разнообразного свойства. Он сообщил, что раньше, при советской власти, был начальником автохозяйства и членом бюро райкома, а теперь владеет двумя шиномонтажными мастерскими и живет вполне прилично: построил дом, закупил недавно итальянские вулканизаторы, но бардак в стране его просто убивает. В Москву же он приехал, чтобы показать знающим людям свой трактат о том, что только крепкая семья спасет Россию. А сюда, на передачу, прорвался именно потому, что здесь-то как раз и можно встретиться со знающими и влиятельными людьми, в обычной жизни совершенно недоступными. Сегодня он тут с самого утра. Оказывается, в день они снимают целых четыре передачи, так как аренда студии стоит страшных денег. До обеда записывали: «Моя жена не умеет готовить...» и «Я люблю зятя...».

— Ох, вас не было! — восхищенно докладывал людиновец. — Явилась одна! Про свои шуры-муры с зятьком рассказывала! Ох, баба! Я бы и сам такую тещу... А вы сколько дали?

— Чего?

— Денег.

— Зачем?

— Чтобы на передачу пустили. Я — сто долларов!

— Я — ничего...

— Наверное, москвичам бесплатно, — вздохнул людиновец и продолжил рассказ: — После обеда обсуждали одного козла, который сына у жены умыкнул и в Сибирь увез... А сейчас будет — «Я ушел от жены...».

— Как? — обомлел Калязин.

— Как уходят — с вещичками, — разъяснил мужичок.

Но Саша уже не слушал его, а гневно думал о том, что Гляделкин нарочно подстроил ему эту передачу, придумав распространителей из Сибири. Но зачем? Как — зачем? Жаба его душит, что Инна теперь с ним, с Калязиным. Вот и мстит, мерзавец!

Тем временем из толпы ожидающих вынырнула немолодая дама в кожаном брючном костюме с органайзером в руках. Ее лицо показалось Саше знакомым. Она явно кого-то выискивала в толпе. Поколебавшись, дама подошла к Калязину:

— Простите, вы случайно не из издательства «Маскарон»?

— Да.

— Александр Михайлович?.. — Она заглянула в органайзер. — Калязин?

— К вашим услугам.

— Замечательно! А то наш ассистент вас на входе прозевал. Я – Нина Трусковецкая, редактор передачи. – И она протянула ему руку.

— Очень приятно!

Ее пальцы были так густо унизаны кольцами и перстнями, что Калязину показалось, будто он пожал стальную рыцарскую перчатку.

— «Энциклопедию семейных тайн» не забыли?

— Нет. — Саша похлопал по полиэтиленовому пакету.

— Только очень коротко. А то рекламщики меня убьют. Скажут: «джинса»...

— Что?

— Левая реклама. Стойте здесь и никуда не уходите! — приказала Трусковецкая и умчалась, мелко подергивая бедрами.

Саша глянул на людиновца и обнаружил, что тот смотрит на него со священным трепетом:

— Вы из издательства?

— Да.

— Вот повезло! Я понимаю, вас интересуют в основном пищевые продукты. Но в моем трактате есть большой раздел о семейном питании! Сейчас покажу...

— Почему продукты? — удивился Саша.

— Ну как же! Издательство ваше «Макарон» называется?

— «Маскарон».

— А что это?

— Каменная маска на фасаде дома...

— Тем более! — обрадовался людиновец. — У меня тут даже чертеж идеального дома для семьи есть...

Пока он, сопя, извлекал из портфеля трактат, Калязин злорадно подумал о том, что завтра обязательно расскажет про этот «макарон» Гляделкину, чрезвычайно гордившемуся редкостным названием своего издательства.

— Вот! — Мужичок наконец достал из портфеля толстенную красную папку. — Десять лет писал! — гордо доложил он. — С двумя женами из-за этого развелся...

— Видите ли, — начал Калязин, опасливо косясь на рукопись, — мы издаем литературу несколько иного плана...

— Не волнуйтесь! Я заплачу, — пообещал людиновец и полез в боковой карман.

Выручила Трусковецкая — она внезапно выскочила из толпы и подбежала к Саше. Лицо ее было перекошено ужасом:

— Что вы со мной делаете, Александр Михайлович!

— Я?!

— Вы давно уже должны сидеть во втором ряду с экспертами!

Она схватила Сашу за рукав, протащила сквозь толпу и поволокла по лабиринту узких проходов между фанерных перегородок, с которых свисали клочья разноцветной материи. Наконец они оказались в ярко освещенной студии. Посредине высился круглый подиум. На нем стояли три массивных кресла, а рядом — большой розовый куст в керамической кадке. Розы, судя по всему, были искусственные. С одной стороны подиума возвышался сложно изломанный задник с переливающейся огромной надписью «Семейные катастрофы». Причем гигантская буква «А» представляла собой довольно сложную конструкцию. Верхний треугольник являлся отверстием в человеческий рост, а нижняя, трапециевидная часть циклопической буквы образовывала лестницу, по которой, очевидно, спускались к зрителям герои ток-шоу. С противоположной стороны был амфитеатр, составленный из желтых пластмассовых сидений. По сторонам съемочной площадки на специальных возвышениях торчали две камеры, и возле них возились операторы с большими наушниками на головах. Третья камера была укреплена на длинной — метров шесть — ажурной стреле вроде тех, что бывают у передвижных подъемных кранов. Благодаря какой-то хитрой механике два паренька управляли стрелой таким образом, что камера плавно перемещалась по всему подиуму и зрительному залу.

Трусковецкая усадила Сашу во втором ряду между тяжко дышавшим толстяком в массивных очках и крашеной блондинкой, одетой почему-то в генеральскую форму времен Отечественной войны 1812 года.

— Знакомьтесь, наши эксперты! — представила Нина. — Великий магистр белой магии Данилиана Юзбашьянц.

— Великий магистр высшей белой магии! — строго поправила Данилиана и кивнула.

— Конечно, великий и, разумеется, высшей... — поправилась Трусковецкая. — Извините!

— Калязин... — отрекомендовался Саша.

— А это профессор сексопатологии Константин Сергеевич Либидовский.

— Калязин... Издательство «Маскарон». — Саша пожал мягкую влажную руку сексопатолога.

— Это у вас выходила книжка Хуппера «Алиса в Заоргазмье»? — спросил он, борясь с одышкой.

— У нас.

— И напрасно. Хуппер не сексопатолог, а шарлатан.

Зал тем временем заполнился. Подбежал патлатый паренек и показал, как следует держать микрофон, если захочется что-нибудь сказать, — не далеко ото рта, но и не впритык.

— Скажите что-нибудь! — приказал он Калязину.

— А что я должен сказать?

— Звук нормально! — раздался зычный голос откуда-то сверху, и паренек умчался.

Следом появилась девчушка в клеенчатом передничке. Обмакнув в пудру большую кисточку, она легко обмахнула лицо Калязину, потом долго возилась с потной физиономией Либидовского. К Данилиане гримерша даже не притронулась, ибо над недвижным лицом магессы уже основательно поработал даже не гример, а, наверное, скульптор.

— Будем начинать! — распорядилась Трусковецкая и спросила в микрофон: — Что со светом?

— Свет — нормально! — ответил громовой голос сверху.

— Где Альберт?

— Сейчас освободится. Дает интервью американцам...

— Каким еще американцам? — возмутилась она. — Через час нас выгонят из студии к хренам собачьим!

— А ты пока зал погрей! — посоветовали сверху.

Трусковецкая тихо выругалась и с нелегко давшейся ей балетистостью взбежала на подиум:

— А вот сейчас мы проверим, как вы будете приветствовать нашего ведущего! Представьте, что я — это он. Итак, встречаем: Альберт Сугробов — автор и ведущий телешоу «Семейные катастрофы»!

Зал зааплодировал.

— Неплохо, — похвалила она. — Но как-то безрадостно. Еще раз. Встречаем: автор и ведущий телешоу «Семейные катастрофы» Альберт Сугробов!

Зал снова захлопал.

— Уже лучше! Но без огонька. А теперь еще раз и с огоньком!

Это повторялось раз семь и напомнило Калязину новогодние елки детства, когда вот так же неуемный Дед Мороз с садисткой Снегурочкой заставляли ребятишек отбивать ладошки, чтобы зловредная елочка наконец-то зажглась.

Внезапно на подиум выбежал хмурый Альберт Сугробов. Зрители встретили его шквалом аплодисментов. Удовлетворенная Трусковецкая спустилась в зал и села на свободное место впереди Саши.

Шоумен был одет в длинный красный пиджак с белыми муаровыми лацканами и черные брюки в облипку, напоминавшие скорее спортивное трико. Его наголо обритая голова сияла, как чугунное ядро. Глядя в зал с умело скрываемой ненавистью, он терпеливо переждал овацию, расправил плечи, оснастился ребяческой улыбкой и начал:

— Добрый день, дорогие телезрители! В эфире ток-шоу «Семейные катастрофы»! Хочу напомнить, что спонсор нашей программы — самый крупнейший во всем мире производитель детского питания фирма «Чайлдхудфудинтернейшнл»!

Выкрикнув последнее слово с восторженным надрывом, он указал рукой на висевшую в воздухе на тросиках эмблему фирмы — румяного карапуза с прожорливо разинутым ртом.

— Стоп! Еще раз! — гаркнул злой голос сверху.

Дело в том, что в этом, прямо скажем, непростом слове «Чайлдхудфудинтернейшнл» уставший от многочасового говорения шоумен допустил некую не совсем приличную невнятность... Сидевшая впереди Трусковецкая передернула плечами, оглянулась, встретилась взглядом с Калязиным и, видимо, ища сочувствия, тяжко вздохнула. Саша понимающе кивнул. Сугробов тем временем прошелся по подиуму взад-вперед, поигрывая плечами, точно готовясь к теннисной подаче.

— Работаем! — приказали сверху.

— Добрый день, дорогие телезрители! В эфире ток-шоу «Семейные катастрофы»... Хочу напомнить, что спонсор нашей программы — крупнейший в мире производитель продуктов для детей фирма «Чайлдхудфудинтернейшнл»... — Выговорив опасное слово, шоумен торжествующе глянул вверх и продолжил: — Сегодня мы поговорим о таком тяжелом случае, как уход мужа из семьи в целях... в целях... Стоп! Сначала... — Он замахал руками, достал из кармана шпаргалку, исследовал ее сначала молча, а потом прочитал вслух: — «...в целях создания новой семьи или в поисках свежих сексуальных ощущений...» Кто это написал?! — заорал он. — Голову оторву!

Трусковецкая дернулась, снова повернулась к Саше и поделилась:

— Дебил! Двух слов выучить не может... Когда я была диктором Центрального телевидения, он работал осветителем... Маразм!

— М-да-а... — Калязин покивал и сразу вспомнил, откуда ему знакомо лицо редакторши.

На ходу поправили текст, и с третьей попытки Сугробов одолел вступление. Но тут выяснилось, что парчовый галстук ведущего сбился набок, и пришлось делать еще один дубль. Наконец шоумен перешел к сути дела.

— Брошенная, оставленная на произвол судьбы жена! — В его голосе появились патетические подвывания. — Что чувствует она? Как мыкает свое горе? Как борется за утраченное счастье? Об этом нам расскажет домохозяйка Ирина! Встречаем: брошенная жена Ирина!

Натренированный зал взорвался аплодисментами, показавшимися Саше совершенно кощунственными в данном конкретном случае, и он в знак протеста хлопнул только два раза, да и то еле слышно.

Тем временем в верхней части буквы «А» в луче прожектора возникла женщина и, смущаясь, стала неловко спускаться по лестнице. Ей было около сорока. Чуть располневшая фигура скрадывалась скромным, но со вкусом выбранным платьем. На милом, еще вполне привлекательном лице застыла скорбь семейной драмы. Особенно понравились Калязину ее глаза — темные, глубокие и чем-то знакомые. Саша вздрогнул: брошенная жена Ирина напомнила ему собственную брошенную жену. Нет, не внешне, хотя и Татьяна в последнее время от своих бесконечных лежачих телефонных переговоров немного располнела. Похожими их делал тот особый неброский шарм, очень редко встречающийся, который когда-то свел Калязина с ума и который с годами не исчезает, а становится тоньше, сообщая женщине некое позднее, прощальное благородство. Конечно, в Татьяне этого шарма Саша давно уже не замечал, но сейчас, глядя на печальную Ирину, он словно бы в смутном зеркальном отражении увидел свою жену...

— Фрустрационный аффект... — пробормотал справа Либидовский.

— Что вы сказали? — уточнил Саша.

— Это я так...

Ирина медленно, глядя себе под ноги, прошла по подиуму и села в кресло, бессильно уронив руки на колени.

— Скажите, Ирина, — задушевно спросил, выдержав пространную паузу, Сугробов, — что-нибудь предвещало вашу семейную катастрофу?

— Нет, ничего... — тихо ответила она, стараясь не смотреть в зал.

— Пожалуйста, громче!

— Нет, ничего... — Голос ее задрожал. — У нас была прекрасная семья. Мы знакомы с мужем со школы. И он всегда был так внимателен. Не пил, мастерил что-нибудь по дому. Соседи завидовали... Мама даже говорит: сглазили...

Данилиана слева удовлетворенно хмыкнула.

— У вас есть дети? — спросил Сугробов.

— Да. Коля недавно женился... Леночке — десять лет... Очень послушная девочка, безумно любит отца...

Это случайное совпадение — недавно женившийся сын — наполнило Калязина нехорошим предчувствием.

— И ничто не предвещало беду? — зловеще удивился Сугробов.

— Все было так хорошо! Муж устроился на новую работу в банк. Он экономист, очень опытный... Стал прилично получать. Я даже ушла с работы. Я была воспитательницей в детском саду... У нас появились деньги... Мы поменяли мебель... Я стала одеваться... Вот, платье купила... — Она всхлипнула и, чтобы скрыть волнение, расправила подол.

— Так что же случилось?

— У него появилась другая женщина. Его секретарша... Молоденькая... Не то что я теперь... Она буквально его приворожила...

— Дисморфомания, — пробурчал справа Либидовский.

Данилиана слева победно засопела.

«Идиотизм какой-то! — внутри душевно содрогнулся Калязин, и на минуту ему показалось, что это шоу специально устроено, чтобы унизить и оболгать его. — Но не мог же Гляделкин организовать все это специально? Это ведь стоит безумных денег, а он за копейку удавится! Нет, простое совпадение...»

— Когда вы узнали об этом? — решительно спросил брошенку Сугробов.

— Сначала я догадалась...

— Каким образом?

— Я не знаю, как об этом сказать... Здесь...

— Я вам помогу. Муж к вам охладел?

— Да, охладел, — облегченно подтвердила она. — Он приходил домой, отдавал деньги, но как женщина я его больше не волновала...

— И что вы сделали?

— Ничего. Ждала, пока нагуляется...

— А он не нагулялся?

— Нет. Однажды он пришел с работы раньше обычного, позвал меня на кухню, чтобы Леночка не слышала, и сказал, что уходит от меня...

— И чем же он мотивировал этот поступок?

— Мотивировал? Да, мотивировал... Он сказал, что в банке многое понял, что у него теперь новая жизнь и в этой новой жизни ему нужна другая женщина, которая его понимает и помогает ему... И такая женщина у него теперь есть...

— А вы ему, значит, не помогали?

— Помогала! В институте я ему конспекты переписывала...

— Вот она, мужская неблагодарность! — воскликнул Сугробов и впился взором в зал, ища сочувствия.

Зрители, надо сказать, уже возмущенно роптали. Калязин на минуту представил себе, что вместо Ирины в кресле сидит Татьяна, — и ему стало горько.

— Печальный случай, — покачал головой ведущий. — Но подозреваю, тут дело сложнее. Наверное, вы в какой-то момент перестали соответствовать его жизненным стандартам. Ведь так?

— Я села на диету... — вымолвила женщина.

— Наверное, этого оказалось недостаточно?

— Наверное...

— И с тех пор вы с мужем не виделись?

— Нет, он собрал вещи. Оставил мне квартиру. Даже из новой мебели ничего не взял, кроме своего письменного стола. Деньги он мне присылает по почте...

— А вы бы хотели его увидеть?

— Хотела бы, — прошептала она безнадежно. — Но он больше не придет...

— Не придет? — победно возвысил голос Сугробов. — То, что невозможно в жизни, возможно на телевидении! Встречаем: Анатолий, муж, бросивший Ирину!

И зал снова зааплодировал, вызвав у Калязина приступ тошноты. Из буквы «А» решительно вышагнул и ловко сбежал по лестнице невысокий подтянутый Анатолий, одетый в характерный для банковских служащих дорогой костюм с изящным — не в пример ведущему — галстуком. У Анатолия было узкое лицо, крупный нос и близко поставленные глаза, смотревшие настороженно. Увидев его, Ирина страшно побледнела, губы ее задрожали, она судорожно вцепилась в брошь на груди и отвернулась, чтобы не смотреть на блудного мужа. Он сел рядом с бывшей женой и машинально отодвинулся вместе с креслом.

— Не двигайте стул! — раздался суровый окрик сверху. — Свет собьете!

Блудный муж неохотно вернул кресло на прежнее место. Сугробов подошел к нему и некоторое время молча смотрел с осуждающим любопытством.

— Здравствуйте, Анатолий, — наконец заговорил Сугробов. — Спасибо, что согласились принять участие в нашей передаче!

— Пожалуйста, — ответил тот, бросив короткий взгляд на Ирину.

— Скажите, Анатолий, неужели вам не жаль разрушенной семьи?

— Жаль.

— Так, может быть, вы совершили ошибку и вот сейчас, на глазах у многомиллионных телезрителей исправитесь? Ирина, вы бы простили Анатолия?

— Простила бы... — еле слышно отозвалась она, мертво глядя в угол студии. — Ради детей...

— Громче! — потребовал голос сверху.

— Не могу я громче, не могу! — закричала она и забилась в истерике.

Зал нехорошо зашумел. Пока помреж бегал за водой, а сексопатолог, борясь с одышкой, лазил на подиум и щупал пульс у рыдающей Ирины, Сугробов стоял возле розового куста, меланхолически поглаживая бутоны. А Калязин в смятении вспоминал свой последний разговор с Татьяной и особенно то, как она впивалась в него ледяными пальцами, вглядывалась в его глаза и шептала, плача: «Са-аша, какой ты жесто-окий!»

Наконец все угомонились.

— Скажите, Анатолий, — строго спросил ведущий, оставляя в покое розы, — вы готовы вернуться к Ирине?

— Нет!

Зал ахнул.

— Почему же?

— Это невозможно. Я не хочу возвращаться в прошлую жизнь. Я встретил другую женщину... Алену. Мне с ней хорошо.

— А с Ириной вам было плохо?

— Неплохо... Не знаю даже, как сказать. Мне с ней было никак.

— Всегда?

— Теперь я понял, что — всегда.

Данилиана слева коротко хохотнула.

— Диапазон приемлемости, — шепнул справа Либидовский.

— А с Аленой вам хорошо?

— Да.

— Что же это за Алена такая волшебная? Чем же она так хороша?

— Тем, что я ее люблю.

— А Ирину не любите?

— Нет, не люблю... Я благодарен ей за все хорошее, что у нас было. За детей... Но жить с женщиной, которую не любишь, по-моему, безнравственно...

— А жену с детьми бросать нравственно?! Гаденыш! — злобно крикнула из зала какая-то вполне приличная женщина.

Трусковецкая оглянулась и поискала глазами нарушительницу телевизионной дисциплины.

— Во-первых, давайте без взаимных оскорблений! — призвал Сугробов. — На нас смотрят миллионы. А во-вторых, мы дадим слово и вам, уважаемая. Но позже... Потерпите! Что вы на это скажете, Анатолий?

— Скажу: если бы вы хоть раз увидели Алену, то не называли бы меня «гаденышем»...

— Ах так?! Будь по-вашему!! — радостно завопил шоумен. — Встречаем: разлучница Алена!

Зал взвыл от такой наглости и бешено зааплодировал. По ступенькам уже спускалась молодая длинноногая особа в черных брючках. У нее были короткие рыжие волосы, и эта мальчишеская стрижка вкупе с узкими подвижными бедрами пикантно противоречила ее большой груди, волновавшейся под полупрозрачной кофточкой без всяких утеснений.

— Предклимактерическая девиация с фрагментарной гомосексуальностью... — вздохнул справа Либидовский.

Данилиана слева презрительно фыркнула, а Калязин с облегчением отметил, что эта хищная разлучница совершенно не похожа на Инну, разве что четкой, поставленной секретарской походкой.

Алена решительно подошла к креслу, села рядом с Анатолием и успокаивающе погладила его напряженную руку. Пальцы у нее были длинные, с ярко-красными острыми ноготками. Угрюмое, почти злое лицо неверного мужа потеплело. А потрясенная Ирина смотрела на соперницу в каком-то жалком оцепенении, точно только сейчас наконец поняла всю бессмысленность надежд на возвращение мужа...

— Хороша-а стерва! — шепнула, обернувшись, Трусковецкая.

— Хороша! — кивнул сексопатолог.

— Не в моем вкусе, — отозвался Саша.

Данилиана только пожала эполетами. Сугробов несколько раз обошел вокруг Алены, облизнулся и спросил:

— Алена, вам не стыдно?

— А почему мне должно быть стыдно? — Она нахмурила тонко выщипанные брови.

— Вы разрушили семью!

— Нельзя разрушить то, что уже разрушено!

— Ну и бесстыжая! — взвизгнула в зале все та же вполне приличная женщина.

— Выведу! — сурово пообещал Сугробов, найдя взглядом оскорбительницу, и снова обернулся к Алене: — Поясните, что вы имели в виду?

— Семья должна помогать мужчине состояться в жизни, а не наоборот...

— Что значит — наоборот?

— А то! Анатолий — человек выдающихся способностей. В банке его считают одним из лучших, и я уверена — он сделает блестящую карьеру. Это для него главное! А знаете, чем его заставляли заниматься в прежней семье?

— Вы нас пугаете... Чем же?

— Обои клеить! — с гадливостью сообщила она.

— Что же в этом плохого? — картинно изумился Сугробов.

— А что плохого в том, если компьютером гвозди забивать! — тонко улыбнулась Алена.

— Я думала... ему нравится... по дому... — пробормотала Ирина, совершенно раздавленная происходящим.

— А как вы познакомились? — полюбопытствовал шоумен.

— Мы вместе работаем. Толя мне сразу понравился... Я восхищалась его талантом и работоспособностью. Я ему старалась во всем помогать. Мы сблизились. Сначала просто как коллеги... Потом поехали вместе в командировку. И так получилось...

— Что получилось?

— Мы стали близкими... людьми...

— Кто сделал первый шаг?

— Не помню. Мы оба этого хотели... Когда все случилось, я поняла еще одну вещь: он был несчастен как мужчина...

— То есть вы хотите сказать, в прежней семье Анатолий был неудовлетворен сексуально?

— Да, именно это я и хочу сказать.

Лицо Ирины исказилось беспомощной гримасой, и слезы заструились по щекам. Она закрыла лицо руками.

Зал зароптал. И тут раздался по-базарному истошный вопль:

— Тварь ты гулящая, а не помощница! — Это вопила, вскочив со своего места, все та же приличная дама.

— Я полагаю, нам лучше уйти! — сказала Алена, густо покраснев, и резко встала. — Толя, мы немедленно уходим!

— Нам гарантировали, что все будет в рамках приличий! — добавил, поднимаясь из кресла, Анатолий.

— Прошу... Умоляю вас остаться! — заегозил Сугробов. — А вас, гражданочка, я, кажется, предупреждал...

Он махнул рукой. Откуда-то возникли три дюжих охранника в черном. Под руководством сорвавшейся с места Трусковецкой они стащили бузотерку с кресла и повлекли к выходу. Почти уже утащенная за выгородку, ругательница вдруг на мгновение извернулась и, перед тем как исчезнуть навсегда, плюнула в сторону разлучницы Алены:

— Будь ты проклята, лярвь паскудная! Из-за такой же суки я одна троих детей подымала!..

Зал возмущенно шумел, выражая солидарность с выведенной.

— Сублимативная аффектация по истероидному типу, — доверительно пояснил Либидовский, наклонившись к Саше.

Трусковецкая тем временем решительно схватила микрофон и строго предупредила:

— Если сейчас же не успокоитесь, остановлю съемку!

Но зал ревел.

К счастью, голос сверху объявил, что нужно поменять кассеты и поэтому объявляется перерыв — пять минут. Это было очень кстати. Трусковецкая метнулась в ряды, стыдя и отчитывая наиболее горлопанистых зрителей. Сугробов грудью заступил дорогу Анатолию и Алене, которые, взявшись за руки, направились к выходу. Он их жарко убеждал, а гримерша тем временем обмахивала кисточкой его вспотевшую от переживаний лысину. Данилиана четким военным шагом поднялась на подиум, подошла к рыдающей Ирине и стала делать успокаивающие пассы над ее головой, время от времени стряхивая со своих пальцев что-то очень нехорошее.

Калязин смотрел на все происходящее с тошнотворным ужасом. Ему померещилось, что в кресле плачет никакая не Ирина, а неутешная, истерзанная Татьяна, что это его, Сашу, а не замороченного банкира пытается увести с подиума неумолимо-хваткая Алена. Ему даже показалось, что вот сейчас она возьмет и скажет Инниным голосом: «Анатолий, не разочаровывай меня!» Он вдруг словно прозрел — и внезапно увидел жуткую, неприличную, непоправимую изнанку своего нового счастья... Конечно, он знал об этой страшной изнанке, не мог не знать, но теперь увидел — и содрогнулся...

Наконец все потихоньку успокоились и воротились на свои места. Голос сверху сообщил, что кассеты заменены и можно продолжать съемку. Сугробов веселой трусцой сбежал с подиума и направился к зрителям. Его густо запудренный голый череп напоминал уже не чугунное, а каменное ядро.

— Ну а теперь давайте послушаем зал! И прежде всего я хотел бы услышать мнение известного специалиста в области семьи и секса профессора Либидовского!

Профессор взял микрофон, старательно определил его не далеко и не близко ото рта — именно так, как положено, и долго, с лекционной монотонностью говорил про то, что половой деморфизм, в принципе осложняющий взаимоотношения мужчины и женщины, особенно обостряется после многих лет супружества и зачастую ведет к стойкому несовпадению диапазонов сексуальной приемлемости, а это в конечном счете чревато стертым воллюстом у мужчин и аноргазмией у женщин. И хотя отношения между супругами регулируются прежде всего психоэмоциональными и иными внегенитальными, в том числе социальными факторами, тем не менее нарушение гармонии коитуса может привести не только к распаду нуклеарной семьи, но и к опасным половым девиациям и тяжелым психическим расстройствам. Однако всего этого можно счастливо избежать, если своевременно обратиться за консультацией в возглавляемый им, Либидовским,

Центр брачно-сексуального здоровья «Агапэ». А словом «Агапэ» древние греки называли...

— Константин Сергеевич, — с мягким раздражением перебил Сугробов. — Надеюсь, вы еще не раз придете к нам в гости, и мы обязательно спросим у вас и про агапэ, и про коитус, и про катарсис... А сейчас, дорогие телезрители, давайте выслушаем мнение великого магистра высшей белой магии, несравненной Данилианы!

Либидовский нехотя передал микрофон, увенчанный большим поролоновым шаром, посуровевшей магессе. У нее оказался низкий, почти мужской голос и сильный кавказский акцент. С усмешкой глянув на профессора, она заявила, что там, где бессильна наука, на помощь людям приходит безгрешное колдовство, освященное — в ее конкретном случае — благословением митрополита Кимрского и Талдомского Евлогия.

Далее Данилиана гарантировала всем обратившимся к ней полный отворот от разлучника или разлучницы, пожизненный приворот к законной семье, снятие порчи, сглаза, а также родового проклятия с попутной корректировкой кармы и, наконец, установку стопроцентного кода на удачу в деньгах и личной жизни...

— Значит, вы можете вернуть Анатолия к Ирине?! — воскликнул Сугробов.

— Пусть зайдет! — кивнула Данилиана и странно усмехнулась, обнаружив полный рот золотых зубов.

Сугробов осторожно, словно боясь сглаза или порчи, забрал у нее микрофон и заметался по амфитеатру, выясняя мнение зрителей. А мнения разделились. Большинство шумно кляло похотливого Анатолия и жестокую Алену. Некоторые осуждали Ирину, проморгавшую мужа, а теперь вот пришедшую на телевидение — жаловаться. Третьи философски рассуждали о любви как о разновидности урагана, сметающего и правого, и виноватого...

Калязин даже немного подуспокоился, выяснив, что есть, оказывается, люди, способные понять безвинное непротивление обрушившейся на него любви. Но это был уже не тот покой, не та уверенность в своей сердечной и плотской правоте, с которыми он час назад приехал в Останкино.

Сугробов порхал между рядами, поднося микрофон то одному, то другому желающему. Наконец он остановился возле юноши, сидевшего, низко опустив голову.

— Ну а вы, молодой человек, ничего не хотите сказать?

— Хочу! — дерзко выкрикнул парень, вскочил и вырвал микрофон у опешившего ведущего. — Отец, ты нас предал!

Зал застонал и заухал, заметив, насколько юноша похож на Анатолия: то же узкое лицо с крупным носом, те же близко поставленные глаза, те же волосы... Банкир дернулся, точно ему дали пощечину. Алена выпрямилась и гневно потемнела лицом. А Ирина смотрела на сына с мольбой, будто хотела спросить: «Зачем ты здесь? Зачем?»

— Да, дорогие телезрители! — скороговоркой спортивного комментатора разъяснил обстановку Сугробов. — Сын Ирины и Анатолия — Коля тоже решил прийти на нашу передачу... И мы не посмели ему отказать! Простите, Коля, что перебил вас! Так что вы хотели сказать отцу?

— Я... я... — покраснел сбитый с толку юноша, но справился с собой и крикнул, срывая свой неокрепший басок: — Ты предал нас! Я никогда не прощу тебе того, что ты сделал с мамой! У тебя больше нет сына!!

С этими словами, плача и расталкивая потрясенных зрителей, Коля бросился вон.

— Снято! — весело крикнули сверху. — Давай финал. Потом — перебивки.

Зал оцепенел. Трое несчастных недвижно сидели в креслах. А Саша совершенно некстати вспомнил одну давнюю и очень обидную Татьянину шутку. Она была уже на шестом месяце, а молодой, горячий Калязин все никак не мог утихомириться, клятвенно обещая быть ювелирно осторожным.

«Ладно, — вздохнув, согласилась жена. — Надеюсь, после рождения ребенок будет видеть тебя так же часто...»

«Что-о?!» — одновременно обалдев и охладев, вскричал он.

«Извини, я неудачно пошутила...»

«Ты... Ты думаешь, что я?.. Я способен...»

«Я ничего не думаю. Я тебе верю...»

Тем временем Сугробов медленно вернулся на подиум, несколько раз в раздумье обошел розовый куст и наконец с усилием, словно одолевая горловой спазм, проговорил:

— Да, я понимаю... Это жестоко... Это горько... Но, может быть, катастрофа, разрушившая эту семью, научит нас с вами хоть чему-нибудь... Спасибо, что были с нами! До новых встреч... Ирина, Анатолий, Алена, простите меня!..

Он наклонился и, положив к их ногам микрофон, словно странный черный цветок к подножию скорбного памятника, тихо удалился.

Измученный, Калязин невольно подумал о том, что в этом дурацком Сугробове все-таки что-то есть, какой-то особенный — паскудный и печальный — талант.

Юпитеры погасли. Народ потянулся из студии к выходу, обсуждая увиденное. Несколько женщин окружили Данилиану, выспрашивая адрес ее колдовского офиса. Людиновец с пухлой папкой под мышкой увязался за сексопатологом. Алена, крепко схватив под локоть, увела с подиума Анатолия, ставшего сразу каким-то жалким и неуклюжим. И только Ирина все так же сидела, уронив руки на колени, и неподвижно смотрела в пустеющий зал. Подойти к ней никто не решался.

— А вы чего ж не выступили, Александр Михайлович? — участливо спросила Трусковецкая.

— Я... Зачем? — вяло отозвался Саша, вспомнив, что так и не выполнил гляделкинское задание.

— У вас неприятности? — посочувствовала редакторша и вдруг заметила, как кто-то из зрителей пытается на память отщипнуть бутон от розового куста.

— Да как вам сказать...

— Не трогайте икебану! — взвизгнула она. — Извините, Александр Михайлович! — И умчалась наводить порядок.

Калязин побрел к выходу. Проходя мимо все еще сидевшей в кресле Ирины, Саша остановился и тихо сказал:

— Не расстраивайтесь! Он одумается и обязательно вернется. Я знаю...

Прямо из Останкина Калязин поехал домой, но не в Измайлово — к Инне, а на Тишинку — к Татьяне.

Он тихо открыл дверь своим ключом и тут же почувствовал запах родного жилища. Нет, не жилища — жизни. Неизъяснимый словами воздух квартиры словно вобрал и растворил в себе всю Сашину жизнь до самой последней, никчемной мелочи. Ему даже почудилось, будто он ощущает вольерный дух кролика по имени Шапкин, купленного когда-то, лет пятнадцать назад, ко дню рождения Димки. Шапкин давным-давно издох от переедания, но в веяньях квартирных сквозняков осталось что-то и от этого смешного длинноухого зверька.

Жена была на кухне — стряпала. На сковородке шипели, поджариваясь, как грешные мужья в аду, котлетки. Увидев Калязина, она сначала растерялась, стала поправлять передничек, подаренный мужем к Восьмому марта, но быстро взяла себя в руки. От той, прежней Татьяны, униженно соглашавшейся на все, даже разрешавшей ему иметь любовницу, ничего не осталось. В лице появилась какая-то сосредоточенная суровость.

— Здравствуй! — тихо сказал он.

— Здравствуй!

— Как дела?

— Нормально...

— Закончила со Степаном Андреевичем?

— Нет, не закончила. — Татьяна удивленно посмотрела на мужа. — Он умер. Снял паркет и от расстройства умер...

— Жаль...

— Очень жаль! Хороший был дядька. Фронтовик. Ты за вещами?

— Нет...

— Если пригнал машину, то напрасно. Мы с Димой посоветовались — нам от тебя ничего не надо. Проживем...

— Нет... Я вернулся...

— Что значит — вернулся?

— Насовсем...

— Сначала ушел насовсем. Теперь вернулся насовсем. Так не бывает!

— Бывает. Я хочу вернуться, — поправился Калязин, — если простишь...

— А любовь? Неужели кончилась?! Так быстро?

— Не было никакой любви. Я же тебе объяснял: я просто хотел пожить один...

— Ну и как — пожил?

— Пожил.

— Не ври! Гляделкин мне все рассказал. У вас прямо с ним какая-то эстафета получилась!

— Не надо так, Таня!

— А как надо?

— Не так...

— Только так и надо. Наблудился?

— Мне уйти?

— Как хочешь... Но лучше уйди!

— Почему?

— А ты не понимаешь? От тебя за версту этой твоей Инной... или как ее там... разит. Проветрись, Саша!..

Но по тому, как она это сказала, Калязин понял, что жена его простит, не сразу, конечно, не сейчас, но простит обязательно.

— Я пошел? — спросил он, жадно глядя на шипящую сковородку.

— Иди. Котлеток дать с собой?

— Не надо.

— Значит, кормленый? — усмехнулась жена.

— Можно, я завтра после работы приду?

— Можно.

Он направился к двери.

— Подожди! — Татьяна подошла к нему, брезгливо глянула на несвежий воротничок сорочки и ушла в спальню.

Вернулась она оттуда с двумя аккуратно сложенными рубашками. Отдала их мужу.

— Спасибо...

— Какой же ты, Коляскин, дуролом! — сказала грустно жена и легонько щелкнула его по носу.

Ему показалось, что вот сейчас она бросится ему на шею и никуда не отпустит, но Татьяна подтолкнула его к двери:

— Иди! Я тебе позвоню в Измайлово. И если... Учти, я по твоему голосу сразу пойму!..

— Зачем ты меня обижаешь?

— Иди, обидчивый, проветрись! И Димке позвони. Стыдно перед мальчиком...

Калязин вышел из подъезда, постоял немного в скверике возле грузинского памятника. Ехать в Измайлово за вещами он не мог. Надо было, конечно, хотя бы позвонить Инне, предупредить, чтобы не ждала. Но в ушах, набухая, шумело ее беззвучное «Я тебя люблю!». Наверное, подскочило давление. Он побрел по Васильевской к Тверской, соображая, у кого бы из друзей переночевать.

Проходя мимо Дома кино, Саша вспомнил про котлеты, снова почувствовал голод и решил поужинать. В киношный ресторан он иногда захаживал по-соседски, если появлялись лишние деньги. Когда-то сюда было невозможно попасть — пускали только своих, и Саше приходилось предъявлять издательское удостоверение, ссылаясь на служебную необходимость. Но теперь настали другие времена — и каждому желающему потратиться радовались, как родному.

Здесь они с женой отмечали двадцатилетие совместной жизни. В День строителя, разумеется. За соседним столиком гуляли настоящие строители, шумно пили за какой-то таинственный «объект». Один из них, сильно захмелев, стал заглядываться на Татьяну, а когда заметил, что Калязину это не нравится, встал, пошатываясь, подошел и с преувеличенной пьяной вежливостью обратился к Саше:

«Я извиняюсь... Я всего лишь навсего имею честь заявить, что у вас оч-чаровательная жена! Хочу, чтоб вы знали!»

«Спасибо, я знаю», — сдержанно отозвался счастливый обладатель.

«А что, если не секрет, отмечаете?»

«День строителя!» — кокетливо улыбнулась явно польщенная Татьяна и под столом ущипнула мужа.

«Да вы что?! — озарился незнакомец. — Да вы же наши люди! За “объект” — до дна!»

На следующее утро Саша очнулся в том потустороннем состоянии, когда мир приходится познавать заново, соображая, к примеру, как надеваются брюки.

Калязин заглянул в кошелек и установил, что на выпивку с закуской хватит. Он поднялся на четвертый этаж, сел за свободный столик в уголке, заказал графинчик водки, соленья, «киевскую» котлету и в ожидании стал листать записную книжку, прикидывая, к кому бы ловчее напроситься на ночлег. При этом у него в голове уже начали выстраиваться обрывки будущего разговора Инной. Он отмахивался от этих обрывков, убирал куда-то вглубь, но они снова вылезали наружу, как иголки из мозгов Страшилы — так вроде звали соломенного человечка в «Волшебнике Изумрудного города».

«Инна, ты должна меня понять... Жизнь человека состоит... И прожитые годы... Нет, не так! Инна, давай рассуждать здраво: мне сорок пять, тебе двадцать пять... Я тебя же люблю, но пойми... И потом, ты прости, но Он всегда будет... между нами... Нет, этого нельзя говорить ни в коем случае!.. И вообще ничего говорить не надо! Она сама все поймет, презрительно засмеется и скажет: “На этом, полагаю, наш с вами служебный роман можно закончить...” А если не скажет?.. Господи, у всех нормальных людей сердце как сердце: “Да—да... Нет—нет...” А у тебя, слизняка: “Если—если—если...”»

Тем временем в ресторанную залу ввалилась шумная компания, судя по возгласам, собиравшаяся что-то немедленно отметить. Калязин поднял глаза и обмер: это были Ирина, Анатолий, Алена и Коля из сегодняшнего телешоу. Да, именно они, два часа назад чуть не разорвавшие Саше душу своими муками. Но только сейчас все они были веселы, шумливы, радостно кивали сидящей за столиками знакомой киношной публике, даже кое с кем, как это водится у творческих работников, обменивались мимолетными поцелуями. Ирина, переодевшаяся в короткое малиновое платье с глубоким вырезом и совершенно не похожая теперь на безутешную брошенку, пронзительно визжа, повисла на шее у какого-то смутно узнаваемого актера. Алена собственнически держала Колю под руку, а возбужденный Анатолий поощрительно трепал его по волосам, громко хваля за органику и одновременно советуя в следующий раз не переигрывать...

Сомнений не оставалось: они были актерами, и актерами, конечно, хорошими, если до сих пор от их подлой игры там, в Останкине, у Саши болело сердце!

Наконец принесли водку. Калязин выпил две рюмки подряд и понял, что сегодня лучше всего ему переночевать на вокзале...

Подземный художник

Повесть

Но есть минуты, темные минуты...

Н. Гоголь. «Портрет»

1

Эта история началась в душный июльский день, когда жара, точно изнурительно пылкая любовница, преследует и мучит, не оставляя в покое ни дома, ни на службе, ни за городом...

Темный, отливающий рыбьей синевой «мерседес» остановился на углу Воздвиженки и Арбатских Ворот, в самом, что называется, неположенном месте. Постовой милиционер, радостно помахивая жезлом, заспешил к нахальному нарушителю. Но, увидав номер, содержавший какую-то, наверное, только ГАИ внятную тайну, поморщился, отвернулся и стал высматривать иную поживу, побезопаснее.

Открылась автомобильная дверца, и наружу вылез плечистый, коротко остриженный парень, одетый в черный костюм, в каких обычно ходят телохранители и похоронные агенты. Нос у парня был когда-то сломан самым чудовищным образом. Он поежился, будто из прохладного предбанника попал в жаркую парную, и, почтительно склонившись, помог выбраться из машины молодой женщине, точнее — даме.

Она была хороша! Высокая, стройная, но без той подиумной впалой членистоногости, которая почему-то выдается теперь за совершенство. Наоборот, ее узко перехваченная в поясе фигура обладала всеми необходимыми слабому полу обогащениями, волнующе очевидными под беззащитным летним шелком. Собранные в узел темнозолотистые волосы открывали высокую шею, перетекавшую в плечи таким необъяснимым изгибом, что просто дух перехватывало.

Выйдя из машины, женщина тут же надела большие темные очки, поэтому залюбовавшийся прохожий мог оценить лишь тонкий прямой нос, нежный подбородок и ярко-алые губы, нарисованные с художественной основательностью –такую могут себе позволить лишь немногие женщины, для которых тратить время и тратить деньги — примерно одно и то же.

В прежние годы подобных красавиц можно было встретить в кино, на улице и в общественном транспорте. По этому поводу кто-то даже сочинил двустишие:

Затосковал? В метро сходи ты!
Там обитают афродиты...

Но пришли новые времена. Одни красавицы уехали за обеспеченным счастьем в дальние страны, другие заселили телевизор, а третьи заточены теперь в подмосковных замках, окруженных трехметровыми заборами, и в город приезжают разве что в дорогих машинах с непроницаемыми стеклами. Очевидно, их мужья и любовники ни в коем случае не желают делиться со всем остальным миром ухваченной по случаю красотой. Нет, конечно, на столичных улицах еще можно иной раз увидеть совершенство, разглядывающее витрину бутика, но в подобных редких случаях автор этих строк, к примеру, чувствует себя орнитологом, обнаружившим на ветке дворового тополя жар-птицу.

Дама огляделась и тихим беспрекословным голосом приказала телохранителю:

— Костя, вы останетесь здесь!

— Но, Лидия Николаевна, Эдуард Викторович меня уволит...

— Я вас тоже могу уволить!

— Увольняйте!

Она пожала своими необъяснимыми плечами, вздохнула и сказала уже не так строго:

— Но вы можете хотя бы постоять в стороне? Вы же всех распугаете!

— Это входит в мои обязанности.

— Костя! — Она уже почти просила.

— Ладно. Но если что-нибудь...

— Все будет хорошо!

Женщина поправила волосы и пошла к подземному переходу.

— Куда это она? — поинтересовался, высунувшись из машины, водитель.

— Хочет, чтобы ее нарисовали, — объяснил Костя с развязностью, с какой обслуга, оставшись наедине, обсуждает хозяев.

— В такую жару?!

— Чудит! — Телохранитель недоуменно хрюкнул перебитым носом и двинулся следом.

Лидия Николаевна — чуть боком, из-за высоких каблуков, но все равно грациозно — спустилась вниз и подошла к тому месту, где на складных стульчиках сидели художники с большими папками на коленях. Возле каждого на треногах красовались рекламные портреты, обязанные очаровывать и заманивать легкомысленных прохожих. На рисунках были изображены в основном знаменитости: например, Алла Пугачева, так широко разинувшая поющий рот, точно хотела проглотить микрофон. Но если, хоть и с большим трудом, все-таки можно предположить, что великая эстрадница когда-то ненароком, из озорства и забредала в этот переход, то обнаженный по пояс мускулатурный Сталлоне едва ли появлялся тут со своим огромным ручным пулеметом. А уж Мадонна с младенцем и подавно...

В подземном переходе веяло бетонной прохладой, и, наверное, поэтому художники, обыкновенно мающиеся в ожидании клиентов, были заняты работой: с внимательной иронией они вглядывались в лица граждан, застывших перед ними на складных стульчиках, и чиркали по ватману остренькими карандашиками, угольками или пастельками. И только к одной треноге вместо рекламной фантазии был прикреплен небольшой простенький портрет девочки-школьницы, улыбающейся и в то же время страшно расстроенной.

«Наверняка, паршивка, получила двойку, — подумала женщина, — а родителям наврала, что пятерку. Может, даже в дневнике переправила, как Вербасова. За это ее повели сюда — рисоваться, а она сидит и переживает...»

Художника около треноги не оказалось. Лидия Николаевна снова вздохнула и стала прогуливаться по переходу, сравнивая изображение на листах с лицами оригиналов, замерших в ожидании сходного результата и еще не ведавших о предстоящем разочаровании. Никто из подземных художников явно не обладал чудесным талантом портретиста, способного, как сказал поэт Заболоцкий, «души изменчивой приметы переносить на полотно». Некоторые из них, заметив богатую скучающую клиентку, явно заторопились. Один, напоминавший Сезанна, но только лысиной и бородой, даже крикнул:

— Минуточку, мадам, я заканчиваю!

Посадив на лист несколько совершенно необязательных штрихов, он схватил баллончик с лаком для волос и попшикал на портрет, потом несколько раз взмахнул ватманом в воздухе и вручил его растерянной юной провинциалке, позировавшей, намертво зажав между ног большую дорожную сумку. Лидия Николаевна не случайно обратила на девушку внимание: именно такой, испуганной и больше всего на свете боящейся остаться без багажа, она сама почти десять лет назад приехала в Москву из Степногорска.

— Разве это я? — удивилась провинциалка.

— А кто же еще? — хрипло засмеялся псевдо-Сезанн и выхватил из ее пальцев заготовленные деньги.

— Не похоже...

— Как это — не похоже? Вы просто никогда не смотрели на себя со стороны!

Он отобрал рисунок и продемонстрировал коллегам. Портрет не имел ни малейшего сходства с натурой, разве что рисовальщику удалось схватить страх перед столичными ворами, который внушала девушке родня перед поездкой в Москву. Однако подземные художники дружно закивали: мол, похоже, очень даже похоже, и сделались точь-в-точь как рыночные продавцы, единодушно расхваливающие недоверчивому покупателю явно несвежий продукт соседа по прилавку. Пристыженная провинциалка забрала рисунок, свернула в трубочку и поволокла прочь свою сумку.

— Садитесь, мадам! — Халтурщик указал на освободившееся место. — Сейчас я вас изображу!

— Нет, не изобразите, — покачала головой Лидия Николаевна.

— Почему это — не изображу? В любом виде изображу!

— Вы не умеете.

— Что значит не умею? Я Суриковку закончил!

— Дело не в том, кто что окончил, а в том, кто на что способен.

— Да идите вы! — помрачнел псевдо-Сезанн. — Не мешайте работать! Кто следующий?

Но лучше бы он этого не говорил. На стульчик перед ним тяжело уселся Костя:

— Я — следующий. И не дай бог мне не понравится!

Суриковец испуганно посмотрел на громилу-телохранителя, быстро заправил чистый лист и засуетился карандашом. Тем временем освободился еще один художник, но, едва Лидия Николаевна двинулась к нему, он отрицательно помотал головой:

— Вам лучше Володю Лихарева подождать.

— А где он?

— Пошел куда-то. Вернется. Но он рисует только тех, кто ему понравится...

— А вы?

— Мы — всех, кто платит. Присядьте, вон его место. — И художник указал на пустовавшие стульчики около треноги с портретом школьницы.

Она просидела минут десять, наблюдая за тем, как на ватмане псевдо-Сезанна стало вырисовываться нечто очень отдаленно, но весьма льстиво напоминающее Костину изуродованную физиономию.

— Вы хотите портрет?

Лидия Николаевна обернулась на голос: перед ней стоял худощавый, почти тощий молодой человек в потертых джинсах и вылинявшей майке. Его впалые щеки и подбородок покрывала короткая бородка, а длинные волосы были собраны в косичку. Он внимательно и чуть насмешливо смотрел на женщину, расправляя длинные нервные пальцы, точно виртуоз перед выходом на сцену.

— Да, я хочу портрет!

— А почему здесь? Приходите ко мне в мастерскую! Я дам адрес.

— Нет, здесь! — капризно сжав губы, ответила Лидия Николаевна.

— Ну что ж, здесь так здесь. Давайте попробуем...

— Значит, я вам понравилась?

— Понравились. Но должен вас предупредить: я беру дорого.

— Это неважно. Я заплачу столько, сколько скажете, если и мне понравится!

— Договорились.

Он разложил на коленях папку и несколько раз провел ладонями по чистому листу, точно стряхивая невидимые соринки, потом долго в задумчивости осматривал карандаш.

— Вы хотите, чтобы я нарисовал вас в этих темных очках?

— Нет, конечно! Я просто забыла...

— Ну разве можно прятать такие глаза? — улыбнулся Володя. — Они у вас цвета вечерних незабудок.

— Почему вечерних?

— Потому что, когда солнце прячется, все цветы грустнеют. Как вас зовут?

— Лидия.

— Меня — Володя.

— Я знаю. Вы не похожи на остальных...

— Что ж в этом хорошего? Непохожим живется трудней. У вас есть тайна?

— Что?

— Тайна.

— У каждого есть какая-нибудь тайна...

— Нет, вы меня не поняли. Есть у вас нечто такое, что вы скрываете ото всех? От вашего мужа, например?

— А почему вы решили, что я замужем? Из-за кольца?

— Кольца? Честно говоря, я не заметил вашего кольца. Просто у вас лицо несвободной женщины.

— Почему — несвободной?

— Мне так показалось.

— Володя, вы хотите выяснить мое семейное положение или нарисовать меня? Да, я замужем. Этого вам достаточно?

— Достаточно. Но должен вас предупредить: портрет может выдать вашему мужу что-нибудь такое, что ему знать совсем даже не следует.

— У меня нет тайн от мужа.

— Не сейчас — так потом, когда тайны появятся.

— По-моему, вы преувеличиваете ваши способности.

— Я честно вас предупреждаю. Может быть, не будем рисковать?

— Нет у меня никаких тайн. И не будет. Рисуйте! — Щеки Лидии Николаевны вспыхнули, а тщательно выщипанные брови гневно надломились.

— Замечательно! Ах, какие у вас теперь глаза!

— Какие?

— Цвета предгрозовой сирени.

— Все вы это выдумываете!

— Стоп! Постарайтесь не шевелиться!

Взяв карандаш в ладонь, Володя сжал его большим и указательным пальцами, потом сделал быстрое круговое движение, точно наложил надрез на бумагу, и начал рисовать, изредка вглядываясь в сидящую перед ним женщину. При этом он чуть заметно улыбался, словно всякий раз находил в ее лице подтверждение тому, что знал про нее заранее.

«Зольникова, ты идиотка! За каким чертом надо было тащиться в этот переход? Сказала бы Эдику: «Хочу портрет!» Весь бы Союз художников выстроился в очередь. Нет, все у тебя не по-людски! А зачем ты стала оправдываться перед этим рублевым гением? «Нет у меня никаких тайн и не будет!» Ты бы ему еще про свои эрогенные зоны рассказала! Встань и уматывай! Мол, передумала...»

«Ни в коем случае! Надо уважать чужой труд. Володя — человек явно талантливый и необычный. Очень даже интересно, что у него получится. А вот про то, что у тебя нет тайн, говорить действительно не следовало. Ты же умная девочка, а ведешь себя иногда будто из пятнадцатой школы. Во-первых, его твои тайны не касаются, а во-вторых, женщина без тайны — это как... это...»

«Как любовь без минета!»

«Господи, как не стыдно!»

— Замолчите обе! — тихо и зло приказала Лидия Николаевна.

— Что вы сказали? — Володя оторвался от листа.

— Нет, я так... сама себе... — смутилась молодая женщина.

— Ясно. «Тихо сам с собою я веду беседу...» — улыбнулся Володя и снова углубился в работу.

Эту странность Лида Зольникова помнила в себе с детства. В ней как бы обитали, оценивая все происходящее, две женщины. Очень разные. Первая была самой настоящей Оторвой, и в разные периоды жизни она говорила разными голосами. В детстве — голосом Люськи Кандалиной, страшной хулиганки, вечно подбивавшей одноклассниц, в том числе и скромную Лидочку, на разные шалости. Брусок мела, пропитанный подсолнечным маслом и подложенный завучу, или мышь, запущенная в выдвижной ящик учительского стола, были ее самыми невинными проделками. После восьмого класса, к всеобщему облегчению, Люська поступила в швейное училище и исчезла из Лидиной жизни. И тогда неугомонная Оторва заговорила голосом Юлечки Вербасовой, переведенной к ним в воспитательных целях из другой школы. Юлечка в свои четырнадцать лет уже болезненно интересовалась мужчинами и однажды заманила подруг в какую-то подвальную музыкальную студию к старым патлатым лабухам. Один из них, выпив, набросился на Лиду и наверняка лишил бы бедную девочку невинности, если бы не ее отчаянные вопли и его огромный тугой живот. В результате первым Лидиным мужчиной стал — что бывает, согласитесь, не так уж и часто — любимый, неповторимый, ненаглядный Сева Ласкин. Хотя, впрочем, ничего хорошего из этого тоже не вышло...

А вот с тех пор как Лида поступила в театральное училище, Оторва стала говорить голосом Нинки Варначевой, однокурсницы и единственной, по сути, подруги. Именно Варначева обращалась к Лиде по фамилии — Зольникова.

Зато Благонамеренная Дама (или просто Дама) всегда, с самого детства, говорила голосом мамы — Татьяны Игоревны, потомственной учительницы, женщины настолько собранной и правильной, что Николай Павлович, покойный Лидин отец, переступая порог дома, сразу чувствовал себя проштрафившимся учеником. Ему-то чаще всех и доставался этот упрек: «Ну прямо из пятнадцатой школы!» Он страшно обижался и переживал, потому что в 15-й школе учились умственно неполноценные дети. Кстати, когда Лида, вдохновленная победой в городском конкурсе красоты, объявила матери, что едет в Москву сдавать экзамены в театральное училище, расстроенная Татьяна Игоревна твердила про 15-ю школу до самого отъезда дочери. Отец на всякий случай помалкивал.

Зато влюбленный в Лиду одноклассник, Дима Колесов, твердо верил в успех задуманного. Он где-то прочитал интервью известного московского режиссера, горько сетовавшего на острую нехватку красивых молодых талантливых актрис, и считал, что именно его подруга восполнит этот бедственный столичный дефицит. Они встречались на тайной скамеечке в зарослях одичавших вишен, и Дима, сорвав неумелый девичий поцелуй, повторял, задыхаясь:

— Ты даже не понимаешь, какая ты красивая! Не понимаешь!

«А ты уверена, что у тебя есть талант?» — поддавшись материнским опасениям, выпытывала Дама.

«Не дрейфь, прорвемся!» — успокаивала Оторва.

Два эти голоса — Оторва и Дама — вели меж собой постоянный спор, доказывая каждая свою правоту, а Лиде оставалось только делать выбор, что было непросто. Узнав о благополучном поступлении дочери (Лида очень понравилась принимавшему экзамены Баталову), Татьяна

Игоревна была крайне удивлена и вместо поздравлений зачем-то стала по телефону рассказывать дочери про то, что Колесов с треском провалился в институт и теперь Димина мамаша с ней не здоровается, так как убеждена: сын не поступил, потому что голова у него была забита несвоевременными любовными глупостями. Зато Николай Павлович, игравший когда-то в студенческом театре, пришел в неописуемый восторг. Родители часто оставляют детям в наследство свои неосуществленные мечты. И напрасно.

Через полчаса художники, побросав клиентов, сгрудились вокруг почти оконченного портрета.

— Ну и гад же ты, Лихарев! — восхищенно вздыхал псевдо-Сезанн.

Володя, побледневший и весь покрытый испариной, тихо распорядился:

— Лак!

Ему тут же подали баллончик с надписью «Прелесть». Он выпустил коническое облачко, и в воздухе запахло парикмахерской.

— А это зачем? — спросила Лидия Николаевна.

— Чтобы рисунок не стерся со временем, его надо зафиксировать.

— А почему лаком для волос?

— Для красоты. Хотите взглянуть?

— Конечно хочу!

Володя еще раз внимательно посмотрел на рисунок и медленно повернул папку. Несколько минут Лидия Николаевна вглядывалась в лицо, живущее на бумаге. Сходство художник схватил изумительно, причем сходство это было словно соткано из бесчисленных, нервно переплетенных линий. Казалось, линии чуть заметно колеблются и трепещут на бумаге. Но больше всего поразило ее выражение нарисованного лица, исполненное какой-то печальной женской неуверенности, точнее сказать — ненадежности.

— Непохоже? — улыбнулся Володя.

— Похоже... Разве я такая?

— Да, такая. Я вас предупреждал. Давайте лучше я оставлю рисунок у себя!

«Пусть оставит у себя!» — маминым голосом посоветовала Дама.

«Щас! Может, этот Володя потом прославится. И будешь рвать на себе волосы эпилятором! Забери, но от Эдика спрячь...» — распорядилась Оторва.

— Костя, возьмите портрет! — приказала Лидия Николаевна. — Сколько с меня?

— А сколько не жалко! — Художник изобразил дурашливый лакейский поклон.

— Костя, заплатите пятьсот долларов!

Подземные художники, услышав сумму, зароптали.

— Ско-олько? — опешил телохранитель. — Лидия Николаевна, да у них тут красная цена — пятьсот рублей! За свой я вообще двести отдал! — И он показал хозяйке лист, с которого гордо смотрел супермен-красавец с эстетично травмированным носом.

— Делайте, что вам говорят!

— Тогда вместе с папкой давай! — скрипучим голосом приказал охранник, протягивая художнику деньги.

Тот взял и глянул на богатейку с грустным лукавством, будто заранее извиняясь за какой-то не очевидный до поры подвох.

— Лидия Николаевна, — улыбнулся Володя, аккуратно уложив доллары в напоясную сумочку. — Я пошутил про тайну...

— Зачем?

— Просто так...

Выйдя из подземного перехода на раскаленную московскую поверхность, женщина остановилась.

— Забыли что-нибудь? — спросил телохранитель.

— Костя, — поколебавшись, сказала она, — я хочу попросить вас об одной услуге!

— На то и приставлены.

— Не надо рассказывать Эдуарду Викторовичу про этот портрет!

— Почему?

— Потому. Возьмите себе пятьсот долларов — и пусть это останется между нами.

— А инструкция?

— Что вам важнее: инструкция или моя просьба?

— Ладно, не скажу...

«Мерседес» с синеватым рыбьим отливом медленно тронулся, пересек сплошную разметку и, свернув направо, исчез в тоннеле. На его место, видимо, сбитый с толку, тут же пристал обшарпанный «жигуль» с калужскими номерами. Постовой радостно встрепенулся и хозяйственной поступью направился к простодушному нарушителю.

2

Две дамы, закутанные в белые махровые халаты, сидели в плетеных креслах у края бассейна с минеральной водой, доставляемой в Москву из Цхалтубо специальными цистернами. На столике перед ними стояли высокие бокалы с черно-красным, как венозная кровь, свежевыжатым гранатовым соком. На головах у женщин были тюрбаны, а лица светились той младенческой свежестью, которую сообщают коже целебные косметические маски, стоящие бешеных денег.

Одна из них, уже известная нам Лидия Николаевна, улыбаясь, слушала подругу.

— Ты представляешь, Рустам просто очертенел от ревности! Отобрал у меня мобильник.

— А телефон-то зачем отобрал?

— Зольникова, ты действительно не понимаешь или прикидываешься?

— Не понимаю.

— Рустамке рассказали, как одному банкиру жена изменяла. С помощью мобильника.

— Как это?

— А вот так это! Он ее запер от греха, а она что придумала! Договорилась с любовником, тот ей звонил, ну и...

— Что «ну и...»?

— У тебя в голове мозги или тормозная жидкость? Телефон-то с виброзвонком! Ясно?

— Да ну тебя! Вечно ты...

— Вечно не вечно, а телефон Рустамка у меня отобрал. Просто какой-то горный Отелло! Слушай, а Эдик ревнивый?

— Конечно.

— Слушай, неужели ты ему еще ни разу не изменила?

— Зачем?

— Вот и я каждый раз думаю: зачем? У нас во дворе были качели. С них одна девчонка упала и разбилась. Об асфальт. Мама мне запрещала к ним близко подходить. А я все равно качалась — тайком. Потом шла домой и думала: зачем? Ничего не меняется — все как в детстве. Только качели разные...

— Смотри не расшибись!

— Это ты, Зольникова, смотри не расшибись! С Мишенькой...

— Что?

— Ой, только перед подругой не надо! И он тебе нравится. Я-то вижу!

— Ну и что, если нравится? Иногда попадаются интересные мужчины. Смотришь и думаешь: если бы у меня была еще одна жизнь, то, возможно, я провела бы эту жизнь с ним.

— А если смотаться на недельку в ту, другую жизнь — и назад. Как?

— Нет, я так не умею. Но даже если бы умела... Нет! Эдик сразу догадается.

— Дура ты, Зольникова! Ни у одного Штирлица не бывает таких честных глаз, как у гульнувшей бабы! В Библии так и написано: не отыскать следа птицы в небе, змеи на камнях и мужчины в женщине...

— В Библии? И давно ты читаешь Библию?

— Ну ты спросила! Я что, старуха? Я в Марбелле с одним журналистом познакомилась. Отличный парень. Бисексуал. Он про церковь разоблачительные статьи пишет. Библию наизусть знает. В этом году опять туда приедет. Ты-то собираешься?

— Не знаю. Я еще Эдику ничего не говорила.

— Давай я скажу?

— Не надо, я сама. Плавать пойдем?

— Не хочется.

— А мне хочется.

Лидия Николаевна встала, размотала тюрбан, сбросила халат и потянулась с той откровенностью, какую могут себе позволить только женщины, одаренные безупречной наготой. Нинка посмотрела на подругу с завистливым восхищением.

— А подмышки чего не бреешь? Опять, что ли, модно?

— Просто забыла. – Она пожала голливудскими плечами, с разбега нырнула в минеральную синеву и поплыла под водой.

«Будь осторожна! – предупредила Дама. – Если это уже заметила Нина, скоро заметят все!»

«А что они заметят? Баба должна нравиться мужикам, – вмешалась Оторва. – Пусть Эдик тоже немного подергается, а то, понимаешь, купил себе рабыню Изауру. Как он тебя еще к гинекологу отпускает?»

Лидия Николаевна плыла, радостно одолевая тяжелую нежность сопротивляющейся воды. Она наслаждалась своим молодым, свежим и сильным телом. Но в этом монолитном телесном счастье брезжила какая-то тайная, мучающая ее трещинка. И чем полноценнее была радость плоти, тем болезненнее ощущалась эта внутренняя тоска.

Когда она подплыла к краю бассейна, Нинка протянула ей мобильник:

— Майкл!

— Меня нет...

— А где ты?

— Не знаю.

— Ну и дура! – покачала головой Нинка и сообщила в трубку: – Сэр, интересующая вас дама в душе. Примите искренние соболезнования. А я не могу заменить вам ее хотя бы частично? Очень жаль! До свидания!

— Чего он хотел? – вытираясь пушистым полотенцем, спросила Лидия Николаевна.

— Тебя.

— А почему звонил тебе?

— Потому что он настоящий джентльмен и заботится о репутации замужней женщины. О таком любовнике, Зольникова, можно только мечтать!

— Нет, он просто знает, что Эд смотрит распечатки моих разговоров, и боится.

— Слушай, я давно тебя хотела спросить, кто лучше: Эдик или Сева?

— В каком смысле?

— В том смысле, от которого сливки скисли! — захохотала Варначева.

— А разве это можно сравнивать?

— Или! Мужики-то нас все время сравнивают. Только тем и занимаются.

— Не знаю, в голову не приходило.

— Врешь, Зольникова!

Одеваясь, Лидия Николаевна вдруг вообразила себя в постели с мужчиной, который странным образом был одновременно и Севой Ласкиным, и Эдиком, и еще немножко Майклом Стар ком...

«Ужас!» — истерично крикнула Дама.

«Да брось ты! Ничего страшного, — успокоила Оторва. — Женщины почти никогда не осуществляют своих сексуальных фантазий!»

«Откуда ты знаешь?»

«В книжках написано!»

3

Как обычно, к вечеру съезд с Окружной на Рублевку был забит машинами. К застрявшему в пробке «мерседесу» подбежал чернявый оборвыш и грязной тряпкой принялся протирать чуть запылившееся боковое зеркало. Костя ругнулся, нажал кнопку — темное стекло уехало вниз, и перед мальчонкой возникло страшное лицо с перебитым носом. На мгновение ребенок от ужаса замер, а потом пискнул, как мышь, и бросился наутек.

— Костя, ну зачем вы так? — упрекнула Лидия Николаевна. — Он же маленький!

— Подождите, вырастет! Лет через десять эти хохлоазеры всем покажут!

— Кто покажет?

— Хохлоазеры.

— Какие еще хохлоазеры? Откуда они возьмутся?

— Уже взялись. На рынках кто торгует? Хохлушки. А хозяева у них кто? Азербайджанцы. Сами понимаете, чем они там по вечерам в своих контейнерах занимаются. Бабы жалостливые: рожают. А дети потом, как крысята, бегают. Москва для них — большая помойка. Мы — враги. Одного гаденыша поймали — гвоздь в тряпку спрятал и вроде как пыль с машин стирал. Одно слово — хохлоазеры!

— Замолчите! — Лидия Николаевна посмотрела в окно и увидела все того же оборвыша, с показной старательностью драившего стекла «БМВ». — Пойдите и дайте ему денег!

— Не пойду.

— Почему?

— Он меня не подпустит.

— Леша, выйди и дай ему сто рублей.

Водитель хмыкнул, вылез из машины, подкрался к мальчику и ловко схватил за шиворот. Ребенок сжался, словно ожидая удара. Получив вместо тумака деньги, он посмотрел на странный «мерседес» с угрюмым любопытством и спрятал купюру в карман. В это время пробка пришла в движение, стоявшие сзади машины нервно засигналили, и Леша бегом вернулся к рулю.

— Зря вы это, Лидия Николаевна, — проворчал он, трогаясь. — Все равно пахану отдаст.

Вырулили на извилистое ухоженное Рублевское шоссе, стиснутое соснами и особняками. Здесь даже асфальт был ровнее и покойнее, чем в Москве. Казалось, к искусственной кондиционерной прохладе, заполнявшей автомобиль, прибавился запах живой хвои. Зазвонил мобильный телефон. Это был муж.

— Ты где? — спросил Эдуард Викторович.

— Уже на Рублевке. Скоро приедем.

— Я жду тебя.

Лидия Николаевна за три года брака успела хорошо изучить своего повелителя и знала: слова «Я жду тебя» вместо «Я тебя жду» означают, что он чем-то недоволен.

Она даже и не мечтала стать женой миллионера. К зависти Нинки, Лида собиралась замуж за их однокурсника, необыкновенно талантливого актера Севу Ласкина, которому преподаватели прочили славу второго Смоктуновского. Чем-то Сева был похож на этого художника... Володю Лихарева. И волосы тоже стягивал косичкой. В дипломном спектакле он сыграл Несчастливцева — и все просто рыдали от восторга.

Сева происходил из интеллигентного московского клана, известного большими революционными заслугами: во время нэпа его прадед был заместителем председателя Концессионного комитета. Но Ласкин рано лишился отца, считавшегося в роду мечтательным неудачником, и жил в коммуналке с вечно хворавшей матерью. Однажды он повел невесту на день рождения к своему двоюродному брату, и Лида долго не могла оправиться от увиденного. Она даже не представляла себе, что бывают такие огромные квартиры, заставленные и завешанные музейным антиквариатом. Богатые родственники, тем не менее, относились к бедному Севе с трогательной заботой и гордились его грядущей актерской славой.

Лида, принятая вместе с Ласкиным в один академический театр, уже готовила себя к трудной, но почетной роли возлюбленной помощницы гения, но буквально на первой же репетиции гордый Сева, осерчав на какое-то справедливое замечание, поссорился с главрежем — безусловным классиком и живой легендой сопротивления коммунистическому произволу в области искусства. Впрочем, это не помешало живой легенде нахватать при советской власти кучу орденов и премий, включая Ленинскую. Ласкин заявил классику, что он, «старый брехтозавр», не умеет даже толком поставить актеру задачу. Главреж, конечно, не простил — и Севы попросту не стало. Нет, он, разумеется, жил, ходил на собрания труппы, готовился к свадьбе — и в то же время его не было, во всяком случае для театральной общественности, еще недавно носившей его на руках.

— Видите ли, Лидочка, — объяснила огорченной невесте одна известная театроведша, прокуренная, как старая боцманская трубка. — В Москве есть три телефонных номера. Всего три. Позвонив по ним, можно сделать актера знаменитым, но можно и уничтожить. Навсегда.

— А талант?

— Талант как взятка. Нужно еще уметь всучить...

Севу пытались спасти. Богатые родственники, имевшие с главрежем каких-то общих витебских предков, умоляли простить неразумного мальчика, и тот вроде бы уже начал смягчаться, но тут Сева, в жилах которого кипела неугомонная революционная кровь, попытался поднять в театре мятеж и оказался на улице. Мать, не выдержав позора, умерла от инфаркта. Ласкин сорвался — запил, потом сел на иглу и превратился в высохшего неврастеника, живущего от дозы до дозы.

Лида сначала боролась за него, водила по врачам, нянчила во время ломок и даже обрадовалась, обнаружив, что беременна. Ей казалось, что, узнав про будущего ребенка, Сева изменится, соберется с силами и выздоровеет.

«Какая ты молодец! — старательно подхваливала ее Дама. — Надо бороться за любимого до последнего!»

«Ага, до последней нервной клетки! — ругалась Оторва. — Брось его! Спасать пропащего — самой пропасть...»

Но Сева отнесся к своему грядущему отцовству с тупым безразличием умирающего. В конце концов, застав Ласкина в постели с какой-то изможденной наркоманкой, Лида поняла бесполезность этой борьбы и сделала аборт, хотя врач, ссылаясь на критический срок, всячески ее отговаривал и предупреждал о последствиях.

«Ты убила человека!» — вопила Дама.

«Правильно! — успокаивала Оторва. — Нечего безотцовщину разводить!»

Потом вдруг из Иерусалима приехала Севина дальняя родственница, объявила, что в Земле обетованной, в отличие от этой дикой России, наркомания лечится, и увезла его с собой. Там Ласкина действительно вылечили, он пошел в армию и обезвредил арабского террориста. Об этом даже сюжет по НТВ показывали: в кадре Сева улыбался и обнимал пышноволосую, одетую в военную форму израильтянку — свою жену. Лида проплакала всю ночь, а через несколько дней с отвращением переспала с известным актером, давно и безрезультатно ее домогавшимся. Но когда вскоре он заявился к ней в театральное общежитие и, памятливо улыбаясь, выставил на стол бутылку молдавской «Лидии», Зольникова его попросту выгнала.

«Молодец!» — похвалила Дама, решительно не одобрявшая этот постельный проступок.

«Ну и хрен с ним, — поддержала Оторва. — Все равно он жадный и противный!»

Из театра Лида вскоре ушла, вовремя поняв, что, щедро укомплектовав ее безукоризненной фигурой и милой мордашкой, скаредная природа явно сэкономила на драматическом таланте. Два года она подрабатывала на третьестепенных ролях в сериалах и рекламе. Один ролик даже пользовался популярностью. Лида изображала спящую в хрустальном гробу мертвую царевну. К ней подкрадывался смазливый королевич Елисей и нежно целовал в губы, но летаргическая дева продолжала спать, как говорится, без задних ног. Тогда королевич доставал из-за пазухи упаковку жевательной резинки «Суперфрут. Тройная свежесть», отправлял в рот сразу две пластинки и, старательно поработав челюстями, снова лобзал царевну. Та, конечно, тут же открывала глаза и томно спрашивала: «Где я?» В ответ счастливый Елисей угощал Лиду чудодейственной жвачкой и пристраивался рядом с ней в хрустальном гробике.

Личной жизни после катастрофы с Ласкиным у нее почти не было. От безрассудной женской неуемности Господь ее оберег, а к тому, что Варначева называла «мужеловством», она всегда относилась с презрением и только отшучивалась, когда прокуренная театроведша сокрушалась при встрече:

— Лидочка, вы же красотка! Вам выпал счастливый лотерейный билет, а вы используете его как книжную закладку! В Москве есть серьезные мужчины, которые могут ради вас позвонить по всем трем телефонам. Помните, я вам объясняла? Не теряйте времени! У женской красоты срок годности недолгий, как у йогуртов.

Неожиданно налетела загорелая, взвинченная очередным курортным романом Нинка и сообщила, что в средиземноморском круизе познакомилась с режиссером, уже почти нашедшим деньги на экранизацию бальзаковских «Озорных рассказов».

— Они же неприличные! — засомневалась Лида.

— Деньги зато приличные! Блин, такое впечатление, что ты монастырскую школу закончила. Тогда возвращайся в свой Степногорск и не морочь людям голову!

— Голой я сниматься не буду!

— Кому ты нужна голая? Это мягкая эротика. Ну, очень мягкая... Режиссер — голубой. У него из осветителей гарем. Не волнуйся!

Пробы прошли на ура, в толпе длинноногих соискательниц Лиду заметили сразу, и постановщик оглядывал молодую актрису с восторгом антиквара, за копейки купившего на толкучке яйцо Фаберже. После кастинга к ней подошел невысокий узколицый мужчина лет сорока, чем-то похожий на вечно не выспавшегося бухгалтера, который в театре выдавал актерам их нищенскую зарплату. Но по тому, как он вел себя, становилось ясно: этот человек имеет дело с совсем другими, огромными деньгами. И не чужими, а своими собственными. У него были странные глаза: умные, грустные и блекло-прозрачные, как водяные знаки на купюрах.

— Меня зовут Эдуард Викторович, — представился он и добавил строго: — Я приглашаю вас поужинать со мной.

— Спасибо, но я не ужинаю. Мне нужно держать форму.

— Вы это серьезно?

— Абсолютно.

— Ну как знаете... — Он посмотрел на Лиду с суровым недоумением и добавил, намекая на тот дурацкий рекламный ролик: — Вероятно, вы еще не проснулись!

— Разбудить некому! — с вызовом ответила она.

«Правильно, Лидочка!» — восхищенно прошептала Дама.

«Зольникова, ты идиотка!» — констатировала Оторва.

— Ты чем думаешь: головой или выменем? — возмущалась, узнав о случившемся, Нинка. — Это же он финансирует весь проект! И знаешь, ради чего?

— Ради чего?

— Подругу ищет. У него недавно любовница на машине разбилась.

— Откуда ты знаешь?

— От верблюда! Ты что читаешь?

— Сейчас — Чехова.

— Ох и навернешься ты когда-нибудь со своего мезонина мордой в грязь! Читай лучше «Московский комсомолец» — и все будешь знать. Завтра тебя поблагодарят за участие в кастинге и дадут пенделя по твоей идеальной заднице, весталка ты хренова!

— Ну и пусть.

Однако, к всеобщему изумлению, роль Лиде дали, но не главную, как хотели вначале, а эпизодическую — служанки, охраняющей покой своей блудливой госпожи, которую играла, естественно, Нинка.

Фильм снимали в Крыму. Пока летели в самолете, Варначева, набитая всевозможной информацией, как щука фаршем, выболтала Лиде все, что знала об Эдуарде Викторовиче. В той прежней, уравнительной до тошноты жизни он был каким-то занюханным инженером-системщиком с единственным выходным костюмом и полунакопленным взносом за кооперативную квартиру. Потом, когда все стало можно, организовал страховую фирму «Оберег», а затем очень удачно поучаствовал в общеизвестной финансовой пирамиде, но вовремя соскочил и купил целый порт.

— Какой порт?

— Тебе-то что? Или ты к нему грузчицей хочешь устроиться?

— Не хочу.

— Женат, между прочим. Трое детей. Недавно его супружницу в «Женских историях» показывали. Обрыдаешься: вместе учились, носил за ней портфель. Впервые поцеловались на выпускном вечере. Нет, представляешь? Я после выпускного первый аборт сделала. Детей любит до потери самосознания! В общем, образцовый семьянин.

— Какой же он образцовый, если у него любовница была?

— Нет, ты точно дура в собственном соку! Мужчина становится образцовым семьянином только тогда, когда заводит любовницу. До этого он просто зануда и производитель грязного белья!

— Значит, я правильно сделала, что никуда с ним не пошла, — сказала Лида и уткнулась в иллюминатор.

Внизу светилось море, похожее сверху на зеленоватую фольгу, сначала скомканную, а потом неровно разглаженную и расстеленную до самого горизонта.

На фильм было отпущено всего двадцать съемочных дней. Лудили почти без дублей и репетиций — чуть ли не с листа. Свет дольше устанавливали. Нинку через неделю чуть не выгнали за то, что все время забывала текст и строила глазки одному из осветителей. Режиссер оказался визгливым садистом и матерщинником. Вежливым и подобострастным он становился лишь тогда, когда на съемочной площадке внезапно, без предупреждения возникал Эдуард Викторович. Он совсем недолго смотрел на происходящее своими грустными бесцветными глазами, равнодушно кивал замершему от благоговения постановщику и исчезал так же внезапно, как и появлялся. Поговаривали, будто он прилетает из Москвы на собственном аэроплане.

День ото дня на площадке становилось все меньше Бальзака и все больше пропеченной крымским солнцем женской голизны. Но раздевались в основном Нинка и стареющая кинобарышня с силиконовыми бивнями вместо бюста, да еще молоденькие потаскушки из симферопольского кордебалета, каждый вечер уезжавшие куда-то в компании коротко остриженных местных авторитетов.

Однако дошла очередь и до Лиды. В фильме имелся эпизод, по просьбе режиссера присобаченный к Бальзаку сценаристом — угрюмым алкоголиком, весь съемочный период пребывавшим в состоянии вменяемого запоя. Когда требовалось что-то досочинить, за ним посылали в гостиницу, он появлялся, распространяя окрест алкогольное марево, и слушал указания постановщика с таким выражением лица, словно давно уже задумал убить этого кинотирана и только выбирает подходящий момент. Тем не менее на следующий день заказанный эпизод был уже написан и разыгрывался актерами под истерические крики режиссера.

Сцена, выпавшая на долю Лиде, поначалу не содержала в себе ничего предосудительного: служанка с корзиной белья шла к речке – полоскать, а ее подкарауливал ненасытный барон, не удовлетворенный любвеобильной госпожой. Далее сластолюбец набрасывался на несчастную девушку, но на шум прибегала баронесса и била изменщика древком алебарды.

– Откуда у нее алебарда? – попытался соблюсти историческую достоверность сценарист.

– Не твое дело, пьяная морда! – свернул творческую дискуссию постановщик. – По местам!

И вдруг, когда установили свет, режиссер, заглянув в глазок камеры, крикнул не «Мотор», а совсем другое: «Зольникова, раздевайся!»

– Как – раздеваться? – опешила она.

– Совсем.

– Но этого нет в сценарии!

– Сценарий нужен, чтобы на нем колбасу резать! А я кино снимаю! – заорал постановщик. – Это в советском кино бабы все время стирают. А у меня ты будешь купаться! Голой!

– Не буду!

– Еще как будешь! Раздевайся, к растакой-то матери! Выгоню!

Лида посмотрела на замершую в ожидании группу, надеясь увидеть похотливое предвкушение мужской половины и мстительное торжество женской. Но увидела только деловитое неудовольствие по поводу ее неуместного здесь, на производстве, упрямства.

«Раздевайся, ненормальная!» – приказала Оторва.

«В воде... Один раз... Наверное, все-таки можно... – замямлила Дама. – Помнишь, “Купание Дианы” Коро?»

«Да и черт с вами, смотрите!» – решилась Лида и начала расшнуровывать бутафорский корсет из дурно пахнущего кожзаменителя. Но тут за большим камнем она увидела Эдуарда Викторовича. Он смотрел на нее с насмешливым сочувствием и ждал, болезненно сжав губы.

— А идите вы сами к распротакой матери! — крикнула Лида, заплакала, содрогнувшись от собственной грубости, и убежала — собирать вещи.

Нинка пыталась ее отговаривать — бесполезно. Она вспоминала насмешливый взгляд миллионера, дрожала от омерзения и с размаху швыряла в чемодан свои немногочисленные тряпки.

«Правильно! Уезжай из этого вертепа!» — поддерживала Дама.

«Пожалеешь!» — предостерегала Оторва.

— Зольникова, вернись! — кричала вслед Варначева. — Они передумали: обойдутся без твоей задницы!

На полпути к аэропорту дребезжащее такси обогнала и перегородила дорогу красная спортивная машина. Из нее легко выпрыгнул Эдуард Викторович.

— Лидия Николаевна, можно вас на минуточку?!

— В чем дело? — Она вышла из такси и только сейчас заметила, что выше его чуть ли не на голову. — Я не вернусь!

— И не надо. Я хочу сказать, что вы поступили правильно. Нагота, которую видят все, омерзительна и недостойна. А режиссер просто хам, и фильма не будет.

— Как это не будет?

— Обыкновенно. Я закрыл проект. Мне не понравилось, что он сделал из Бальзака.

— А как же все?

— Не переживайте, им заплатят. Можно, я вам позвоню?

— У вас не получится.

— Почему?

— Потому что у меня нет телефона. Я снимаю квартиру без телефона. Так дешевле.

— Я все равно вам позвоню! — улыбнулся Эдуард Викторович.

Она удивилась, что у него не белая челюсть, которой торопятся обзавестись все новые русские, а желтоватые неровные зубы, чуть вогнутые внутрь, как у хищных рыб.

Был конец сезона, да еще какие-то перебои с керосином. Лида смогла улететь только под утро. Когда вечером она добралась до своей квартиры, то увидела в прихожей на тумбочке новенький мобильник. Вскоре он зазвонил, и знакомый голос произнес:

— Доброе утро! Я вас не разбудил?

— Нет. Я уже встала.

— Лидия Николаевна, Петер Штайн привез в Москву Еврипида. Не соблаговолите ли принять мое приглашение на спектакль?

— Соблаговолю, — засмеялась она.

— Почему вы смеетесь?

— Слово хорошее — «соблаговолите».

— Я знаю много таких слов. Поверьте!

Она поверила. Ухаживал Эдуард Викторович вдумчиво и изобретательно. Нет, он не обрушивал на нее всю мощь своего немыслимого богатства, а напротив, приобщал ее к нему потихоньку, точно исподволь, ненавязчиво балуя милыми услугами, сюрпризами или необходимыми подарками, вроде того же телефона или нового платья, без которого ну никак нельзя показаться на загородном коктейле у знакомого банкира. Лишь потом она узнала от опытной Нинки, что наряд этот стоит столько же, сколько автомобиль.

— Ну и как он в постельном приближении? — спрашивала сгоравшая от любопытства Варначева.

— Не знаю. До этого еще не дошло.

— Правильно, прежде чем раскинуть ноги, надо пораскинуть мозгами. Проси квартиру и машину. Я тут видела на улице миленький розовый «мерсик». Я бы за такой, Лидка, черту лысому отдалась! Век оргазма не видать! Он тебе хоть нравится?

— Не знаю.

— Но хоть не противно с ним?

— Не противно, — нахмурилась Лида.

— Ну ты, сучка болотная! Нашла миллионера, с которым не противно, и еще рожу в гармошку складываешь! Держись за него обеими руками и ногами, а то уведут.

— Никуда он не денется.

— Ого! Тогда подумай: мартель-мотель-постель — это одно. А любовь-морковь с такими мужиками — совсем другое. Собственники! Может, нам с тобой, подруга, подштопаться?

— Что?

— А что слышала! Тут за мной один горный баран, по кличке Рустам, увивается. Замуж зовет. Богатый. Конечно, не такой промиллионенный, как твой, но это даже лучше. Спокойнее. Ну, сама посуди, хорошая итальянская фата стоит тысячи две баксов. А вновь обретенная невинность в клинике «Гименей-плюс» — штуку. Постоянным клиенткам скидка. Давай, подруга, за компанию! А? И в загс с новой плевой! Плевое дело!

— Нин, у тебя как с головой?

— С головой лучше, чем с девственностью. Ладно, сама знаю: мой не поверит. Мне надо другую версию отработать. Что-то вроде мучительных проб и роковых ошибок. А тебе поверит, фригидочка ты моя недоцелованная!

Этот дурацкий разговор Лида вспомнила, когда после самого первого раза, случившегося на круглой кровати в дорогущем отеле на Лазурном Берегу, она лежала и по дыханию пыталась определить, спит ли Эдуард Викторович. Они оба знали, зачем летят всего на одну ночь в Ниццу. Беспостельный этап их романа затянулся настолько, что стал уже напоминать какую-то особенно изощренную и пустую эротическую игру.

«Хватит ломаться!» — давно уже твердила Оторва.

«Ты же его не любишь!» — предупреждала Дама.

«Ласкина ты любила. Ну и что вышло?» — настаивала Оторва.

«Отдаться за деньги! Это же отвратительно!» — не унималась Дама.

«Что значит — отдаться? Считай, что вступаешь в деловые отношения. Каждый вкладывает в дело то, что имеет. Он — деньги. Ты — себя. Вот и все...»

«Какая гадость!»

«Я тебя когда-нибудь удавлю, ханжа! — орала Оторва. — Это самое невинное из того, что люди делают за деньги! Решайся, Зольникова!»

И она решилась. Любовником он оказался тщательным и всю ночь с бухгалтерской дотошностью до самых мелочей оприходовал Лидино тело.

— Тебе было плохо? — спросил Эдуард Викторович, выкурив сигарету.

— Почему вы так решили?

— Ты! Говори мне: ты! Не решил, а почувствовал...

— Вы... Ты неправильно почувствовал. Просто у меня совсем маленький опыт. И, наверное, я не успела стать настоящей женщиной.

— Опыт, — поморщился он. — Или любовь?

— Мог бы и не спрашивать. Без любви я этого никогда не делала, — соврала она.

— Дождался все-таки!

— Чего дождался?

— Наконец и ты призналась мне в любви. Неужели я тебя разбудил?

— Я? — удивилась Лида и спохватилась: — Конечно, а как же иначе! Я собиралась замуж. Но он заболел, а потом уехал. Понимаешь?

— Не надо мне ничего говорить про твоего артиста. Но ты даже не представляешь, сколько бы я заплатил, чтобы у тебя не было опыта. Никакого! Жаль, что за деньги нельзя купить прошлое и уничтожить его.

— А будущее можно купить за деньги?

— Конечно! Настоящее и будущее. Иди ко мне!

Потом он, кажется, уснул, а Лида, замученная им до тупой трудовой усталости, лежала и думала о том, что мужчины относятся к прошлому совсем иначе, чем женщины, и что не такие уж сумасбродки эти постоянные клиентки, многоразовые девственницы, получающие скидку в клинике «Гименей-плюс».

4

«Мерседес» с рыбьим отливом свернул с Рублевки в лес, проехал метров триста по дорожке, вымощенной темно-красной брусчаткой, и остановился перед большими бронированными воротами. На высоком кирпичном заборе были установлены видеокамеры, похожие на хищных птиц, неторопливо выслеживающих добычу. Через минуту ворота медленно отъехали в сторону, и открылся настоящий английский парк с большим викторианским особняком в глубине. Охранники, одетые в черную форму и вооруженные помповыми ружьями, отдали хозяйке честь.

Возле искусственного грота стояла косуля и смотрела на приехавших со спокойным любопытством — так кошки смотрят на воротившихся домой хозяев.

Лидия Николаевна взбежала по широкой лестнице, украшенной львами. В огромном холле, отделанном черным деревом, у горящего камина в глубоком кожаном кресле сидел Эдуард Викторович и разглядывал портрет жены.

— Добрый вечер, Эд! — сказала она.

— Добрый вечер, Ли! — отозвался он.

Он начал звать ее так наутро после той первой ночи на Лазурном Берегу и попросил, чтобы она называла его Эдом. Ей стало смешно, но она не решилась возражать, а потом как-то привыкла. Эдуард Викторович оказался страшным англоманом. Его дети от первого брака учились в Оксфорде. В Брайтоне он содержал большой дом в колониальном стиле — окнами на море, и когда летал проведать детей, останавливался там. Любимой его книгой была «Сага о Форсайтах», он перечитывал ее постоянно и каждый раз страшно переживал за Сомса, обманутого женой.

— Послушай, Ли, а почему ты мне ничего не сказала про этот портрет? — спросил он и внимательно посмотрел на нее.

— Я хотела сделать тебе подарок ко дню рождения! — нашлась она. — А Костя проболтался...

— Нет, не Костя. И я его накажу! Я узнал от водителя. Почему ты не объяснила, что хочешь портрет? Я бы заказал у какой-нибудь знаменитости. У этого... со странным именем и обычной фамилией...

— У Никаса Софронова?

— Ну да.

— Прости, Эд! Но я не хотела никакого портрета... Просто ехала за покупками и вдруг вспомнила, как бегала по этому переходу и каждый раз думала: вот когда-нибудь и меня нарисуют. Я не знала, что это тебя обидит!

— Тебе нравится портрет?

— Да, по-моему, художник очень талантлив.

— И поэтому ты спрятала рисунок от меня?

— Я же объяснила, Эд...

— Не надо обманывать! Ты не поэтому спрятала портрет.

— Почему же?

— Потому что эта женщина, — он ткнул пальцем в рисунок, — меня не любит!

— Эд! Что ты говоришь?

— Говорю то, что вижу. Не любит. Эта женщина вообще никого не любит!

— Неправда!

— Что именно — неправда?

— Все — неправда.

— Надеюсь. Иди переоденься к ужину! Постой! Ли, если мы, даже мы, начнем друг друга обманывать, тогда все бессмысленно. Все! Иди и подумай об этом хорошенько!

Лидия Николаевна по резной дубовой лестнице поднялась в свою комнату. Нижний ящик большого антикварного комода, где она прятала портрет, был выдвинут. Прежде Эдуард Викторович никогда не рылся в ее вещах. Переодеваясь к ужину, она думала о том, что с тех пор, как в их жизни появился этот американец Майкл Старк, многое изменилось — и далеко не к лучшему.

Впрочем, неприятности начались раньше. В 98-м из-за дефолта муж потерял свой банк «Золотой кредит», а позже и страховую компанию «Оберег». Тогда резко сократились морские перевозки, и, чтобы сохранить порт, он продал часть акций Майклу, до этого занимавшемуся поставкой в Россию автомобилей «Крайслер». Лидия Николаевна впервые увидела Старка на приеме, устроенном в рублевском имении по случаю дня рождения мужа.

Все было как обычно: подъезжали дорогие машины,

гости вносили увитые лентами коробки с подарками и букеты, которые своими чудовищными размерами, надо полагать, соответствовали степени уважения к хозяину дома. Гости обнимали Эдуарда Викторовича и отпускали заранее придуманные комплименты его красавице-жене. Взвод вышколенных официантов разносил напитки и легкую закуску. Лидия Николаевна всегда поражалась тому, как буквально за несколько лет на смену общепитовским теткам в несвежих фартуках явились эти рыцари серебряных подносов.

Вечер был продуман до мелочей. Пел вдохновляемый заранее врученным пухлым конвертом знаменитый юный тенор с лицом школьного ябедника. Два депутата-антагониста, прославившихся безобразной дракой в прямом эфире, мило беседовали, чокаясь и похихикивая над доверчивостью избирателей. Популярный прозаик-постмодернист обаятельно шакалил меж гостей в поисках новых связей и впечатлений. Узнаваемый киноактер, старательно напившись, лез целоваться к новорожденному, попеременно величая его то Мамонтовым, то Дягилевым. Он прекрасно понимал, что пьяные слюнявости забудутся, а Мамонтов с Дягилевым западут в память богача.

Майкл опоздал. Лидия Николаевна беседовала с неуморимым героем театрального сопротивления, канючившим у нее деньги на постановку «Конармии». Кони предполагались настоящие. Попрошайничал он с той же изящной настырностью, с какой прежде выцарапывал в ЦК свои премии и награды.

— Ли! — позвал Эдуард Викторович. — Можно тебя на минуту?

Она с облегчением покинула живую легенду и подошла к мужу. Рядом с ним стояли знаменитый зодчий, усеявший Москву этажерчатым новостроем, и высокий темноволосый незнакомец, одетый, как и все, в смокинг. Но если архитектор напоминал сдувшийся дирижабль в морщинистой черной оболочке, к которому для смеха прилепили галстук-бабочку, то на незнакомце костюм сидел так, словно мама в младенчестве надевала на него не распашонки, а крошечные детские смокинги.

— Ли, познакомься! Это Майкл Старк — мой новый компаньон.

— Лидия. — Она протянула ему руку.

— Майкл, — ответил он и обнажил крупные белые зубы дамского хищника. — Можно просто Миша.

Старк преподнес ей совсем небольшой букет, составленный из безумно дорогих тропических цветов. Эдуарду Викторовичу он, как выяснилось, подарил весьма пикантный рисунок Бердслея. Его-то как раз и рассматривал, вздыхая, зодчий, известный не только затейливой пространственной изобретательностью, но и чудовищной скупостью.

— Вы хорошо говорите по-русски, — заметила она, отнимая руку.

— Я русский. Родители уехали из России, когда мне было пять лет. И тогда меня звали Мишей Старковым. Я сын Романа Старкова. Помните?

— Нет, не помню...

— Ну, как же! Знаменитая бессрочная сухая голодовка правозащитников на Красной площади в семьдесят четвертом, — разъяснил присоединившийся к ним режиссер и, завладев ухом Эдуарда Викторовича, увлек миллионера в уголок, где принялся расписывать эскадрон конармейцев, который будет гарцевать по зрительному залу. Архитектор подозвал пробегавшего мимо постмодерниста, и они заспорили о том, сколько может стоить бердслеевский рисунок.

Лидия Николаевна и Майкл остались вдвоем.

— И как долго длилась голодовка? — полюбопытствовала она.

— Пять минут, — улыбнулся Майкл. — Отца отправили в психушку. А через год обменяли на советского шпиона.

— Зачем же вы вернулись?

— Как зачем? Делать деньги.

— А в Америке разве нельзя делать деньги?

— Можно. Но там все делают деньги. Конкуренция...

— А в России нет конкуренции?

— Нет.

— Почему?

— Потому что в России нет бизнеса. Только нажива. Вы, кажется, актриса?

— Да, была актрисой. Теперь просто жена.

— Вы не можете быть просто женой.

— Почему же?

— Вы для этого слишком красивы!

Говоря это, Старков смотрел на нее с таким откровенным вожделением, что Лидия Николаевна смутилась.

Вернулся муж. Судя по недовольному выражению лица, живой легенде все-таки удалось выпросить у него денег.

— Майкл, — внимательно глянув на жену, сказал Эдуард Викторович, — пойдемте, я познакомлю вас с министром транспорта, пока он еще не напился...

После десерта смотрели фейерверк, озарявший парк красными, желтыми и зелеными огненными брызгами. Когда в воздухе повисли, сыпля бенгальскими искрами, две четверки (новорожденному стукнуло сорок четыре) и Лидия Николаевна, как и положено любящей жене, нежно прижалась к мужу, она вдруг почувствовала чью-то руку, осторожно гладящую ее распущенные по спине волосы. Она оглянулась и увидела Майкла, улыбавшегося с детским простодушием.

«А он нахал!» — хохотнула Оторва.

«Какая наглость!» — возмутилась Дама.

Лидия Николаевна лишь укоризненно покачала головой.

Вот, собственно, и все. Потом она часто встречалась со Старковым на приемах и пикниках. Он был неизменно вежлив и почтителен, но смотрел на нее так, словно их связывает давняя любовная тайна.

Серебряный колокольчик позвал к ужину. Ели вдвоем, сидя в разных концах длинного стола. Наверное, когда-то, в нищей юности, муж насмотрелся фильмов про аристократов и теперь воплощал свои великосветские фантазии в жизнь. Прислуживал настоящий негр в ливрее. Бедный парень закончил в Москве сельскохозяйственную академию, но в его родной африканской стране случился переворот, президентом стал вождь враждебного племени, и возвращаться на родину было никак нельзя — съедят...

Эдуард Викторович брезгливо ковырял вилкой в тарелке: с недавних пор он стал вегетарианцем и ел исключительно овощи, выращенные в маленькой ферме на краю парка, причем на экологически безупречных удобрениях. Забота о здоровье превратилась у него в ежедневный изматывающий труд. По утрам он бегал по парку, а потом изнурял себя амосовскими упражнениями. За ужином выпивал только бокал выдержанного бордо, очищающего, как его уверяли, кровь. Он даже бросил курить, лишь изредка позволяя себе послеобеденную сигару. Единственное, в чем муж не знал меры, так это в выполнении супружеских обязанностей.

«Каждую ночь? — восхищалась Нинка. — Ну, он у тебя гиперсекс! Даже мой Рустам Кобелинзаде на такое не способен. Счастливая ты баба!»

«А разве в этом счастье, Нин?»

«Не нравишься ты мне, подруга!»

«Я сама себе не нравлюсь...»

«Ты должна ему срочно изменить!»

«Зачем?»

«Как зачем? Измена — от какого слова?»

«Изменять».

«Дура! От слова — «изменяться». Женщина после этого меняется. Моя парикмахерша просто извелась, потом переспала с массажистом и теперь снова мужа любит, как на первом году службы!»

Эдуард Викторович допил чай из тибетских трав, снова внимательно посмотрел на портрет, установленный на каминной полке, и сказал:

— Иди в спальню, Ли! Я скоро приду. Мне нужно посмотреть договора.

— Хорошо. Я буду ждать... Мы куда-нибудь поедем в этом году?

— Я не знаю. В порту неважные дела. А ты поезжай!

— Может быть, я дождусь, когда ты освободишься?

— Боюсь, не скоро. Поезжай с Ниной и Рустамом.

— Ладно, поеду...

— Только помни, что мы обещали друг другу!

И он снова посмотрел на портрет.

Еще бы не помнить!

Любовниками они были почти два года. Эдуард Викторович купил ей квартиру в новом фешенебельном квартале на Зоологической улице и розовый джипик. Он навещал ее два раза в неделю: прибывал часов в семь и убывал ровно в одиннадцать. Возвращаясь из командировки, он обычно заезжал прямо из аэропорта и оставался на ночь. Иногда, очень редко, Эдуард Викторович брал ее с собой в деловые поездки. У него был свой самолет. Когда они приземлялись в пункте назначения, он непременно звонил жене, сообщая: «Сели. Всё в порядке!» — и строго смотрел Лидии Николаевне в глаза. Она в ответ понимающе улыбалась.

Однажды после долгих просьб он взял ее с собой в Северомысск. Порт всегда представлялся ей шумной толчеей загорелых докеров среди огромных бочек и ящиков, обвитых просмоленными канатами. Но она увидела бескрайний причал, заставленный разноцветными, как детские кубики, контейнерами, — их переносили портовые краны, напоминавшие чудовищных размеров лабораторные манипуляторы. Людей почти не было, а грузовые суда смахивали на современные кварталы, прибитые океаном к причалу. Сам же городок, прилегавший к порту, являл печальное зрелище и напоминал ее родной Степногорск: почерневшие длинные бараки, облупившиеся блочные пятиэтажки, лобастая голова Ленина на замусоренной центральной площади и плохо одетые жители, провожавшие кавалькаду начальственных автомобилей хмурыми взглядами.

По возвращении в Москву Лидия Николаевна затосковала. Нет, речь не о сладко изматывающей сердечной тоске, когда каждый час, проведенный без милого, кажется бессмысленно потерянным. Так было у нее с Ласкиным. Она даже могла расплакаться, если назначенная заранее встреча с Севой срывалась или откладывалась. Теперь же Лидия Николаевна страдала от другого: с некоторых пор она стала ощущать себя всего лишь обязательным пунктом плотного делового расписания Эдуарда Викторовича. А чувствовать себя частью, пусть и очень важной, чужого жизненного распорядка — горько и унизительно.

Заметив ее упадочное настроение, любовник посоветовал вернуться в театр и дал живой легенде денег на «Чайку». Спектакль вышел грандиозный и безумно дорогой. Сцена представляла собой бассейн, заполненный водой, где плавали надувные лодки в форме огромных чаек. У каждого персонажа имелась своя лодка: и у Аркадиной, и у Треплева, и у Тригорина, и у всех остальных. Только у Нины Заречной, которую играла Лида, лодки не было, и она весь спектакль прыгала с одного плавсредства на другое. В этом-то и заключался, как говорится, главный художественный цимес. Щедро проплаченные критики взорвались вулканом восторгов. После третьего спектакля Лида отказалась от роли.

— Почему? — удивился Эдуард Викторович. — Всем так нравится!

— Я — чайка? Нет, не то... — усмехнулась она.

Однажды он заночевал у нее после командировки, а когда утром зашел на кухню, Лида смотрела в окно.

— Что-нибудь интересное?

— Нет, все как обычно. Время содержанок.

— О чем ты, Ли?

— О том, что вижу. Раньше всех уезжают чиновники — в восемь. Потом — бизнесмены, около девяти. А сейчас двенадцать — час содержанок...

Эдуард Викторович выглянул в окно — и действительно: на широком дворе садились в машины, дружески приветствуя друг друга, сразу несколько молодых, длинноногих, дорого одетых девиц.

— Ты тоже обычно выходишь в двенадцать?

— Нет. Не хочется чувствовать себя содержанкой.

— Никогда больше не произноси этого слова! Никогда. Ты не содержанка. Ты женщина, которую я люблю...

— Конечно! Я женщина, которую ты любишь и содержишь...

— Не надо так! Поверь, я очень хочу на тебе жениться. Но я не могу!

— Я тебя никогда об этом не просила.

— А почему ты не просишь?

— Во-первых, потому, что проситься замуж нелепо. Просятся собаки на двор...

— А во-вторых?

— А во-вторых, у тебя жена, дети. И я не собираюсь ломать твою жизнь.

— Что же ты собираешься?

— Собираюсь быть с тобой, пока нам хорошо вместе.

— А если тебе станет со мной плохо?

— Но ведь ты тоже уйдешь, когда тебе станет со мной плохо!

— Мне никогда не станет с тобой плохо! Запомни это как следует!

— Ну что ж, значит, я всегда буду твоей любовницей, а твоя жена будет твоей женой.

— Да, моя жена всегда будет моей женой! Я поклялся.

— Ты? Поклялся?! Это на тебя не похоже...

— Ты просто плохо меня знаешь.

— На чем же ты поклялся? На Библии или на контрольном пакете акций?

«Фу, как нехорошо!» — возмутилась Дама.

«Давай, Зольникова, дожимай!» — похвалила Оторва.

— Остроумно! — после долгого молчания проговорил Эдуард Викторович. — Я поклялся здоровьем детей.

— Зачем?

— Я не могу тебе объяснить. Оля сделала для меня очень много. Она родила мне троих детей. А потом, после операции...

— Она болела?

— Да, очень сильно. После операции она сама предложила, чтобы я себе кого-нибудь нашел.

— И ты нашел себе Ли?

— Не сразу. Оля меня любит и хочет, чтобы я не испытывал никаких... проблем.

— Ого! Значит, я не простая любовница...

— В каком смысле?

— Я разрешенная любовница. У тебя замечательная жена. Я восхищена! Это же настоящее агапэ!

— Какое еще агапэ?

— Греки называли так жертвенную любовь.

— Откуда ты знаешь?

— В училище нам читали античную литературу. Я запомнила.

— Значит, с Ласкиным у тебя было агапэ?

— Нет, иначе я бы его не бросила — жалким и распадающимся... Дети здоровы?

— Что? Да, конечно...

— Ну и слава богу! Она знает обо мне?

— Знает. Она видела тебя на сцене.

— Значит, как в анекдоте? Наша — лучше всех...

— Ли, зачем ты так?

— Я не Ли. Меня зовут Лидия. Запомни!

После этого объяснения Эдуард Викторович не показывался у нее две недели. И не звонил. Нинка, узнав от подруги про ссору, посерьезнела и сказала очень значительно:

— А ведь ты его подсекла, кальмара этого! Теперь главное, чтобы не сорвался!

Нинка постоянно ездила на рыбалку с Рустамом и вся была в древнем искусстве ужения.

— Не хочу я за него замуж! — совершенно искренне воскликнула Лида. — Я его не люблю...

— А любовь-то тут при чем? Он должен на тебе жениться... Ты женщина или надувная кукла? А женщин мужики видят в нас только в тот момент, когда надевают кольцо на палец! До этого мы для них всего лишь более или менее удачная комбинация первичных и вторичных половых признаков. Поняла, Зольникова?

— Что я должна понять?

— Рожай от него — вот что! Чем богаче мужик, тем больше у него должно быть детей. Для справедливости!

— Ни за что!

Благонамеренная Дама без устали твердила, что Лида не имеет права разрушать чужую семью и уводить мужа у жены и отца у троих детей.

«Ты должна с ним расстаться!» — требовала она.

Но Оторва тоже времени зря не теряла: «Зольникова, не будь дурой!»

Эдуард Викторович появился через две недели и подарил Лиде старинное кольцо с изумрудом. И все пошло вроде бы по-старому. Но это только на первый взгляд. Дама убеждала, что нужно или уйти от него, или смириться с жизнью на обочине чужого семейного счастья. Она посоветовала Лиде вызубрить все домашние праздники любовника и даже заставляла покупать подарки его жене и детям к дням рождения и именинам. Тем временем Оторва вела строжайший учет каждой неловкости или небрежности Эдуарда Викторовича, будь то чересчур нежный разговор с женой по телефону в ее, Лидином, присутствии или два выходных дня, проведенных им в семье. (По молчаливому уговору суббота принадлежала любовнице, а воскресенье – супруге.) Оторва научила Лиду изображать в постели страстное исступление с последующим тихим отчаянием: вот, мол, ты сейчас уедешь к ней, а я, а я, а я...

«Может, заплакать?» – советовалась Лида.

«Ни в коем случае! – предостерегала Оторва. – Наоборот, надо встать с постели и сразу превратиться в чужую, в абсолютно чужую! Чтобы он смотрел на своего полпреда и спрашивал: “Парень, а может, это все нам с тобой приснилось?”»

«Да ну тебя!»

«Не “да ну”, а делай, что говорят!»

«Как?»

«А это уж ты сама придумай – как!»

И она придумала: когда потом они ужинали, Лида заставляла себя вспоминать Севу Ласкина, еще здорового, нежного, неутомимого.

«Молодец! – хвалила Оторва. – Мужик должен изредка догадываться о том, что женская память – братская могила его предшественников!»

– Ли, о чем ты думаешь? – раздраженно спрашивал любовник.

– Я? Да так... О разном, – доверчиво улыбалась она.

– А все-таки?

– Сказать?

– Скажи!

— Я хочу от тебя ребенка. Испугался?

— Не возражаю.

Это странное слово «не возражаю» он произнес со спокойной готовностью, лишь внимательно глянув на Лиду своими умными бесцветными глазами. Очевидно, Эдуард Викторович все заранее продумал и подготовился к такому повороту событий. Среди новых русских, надо сказать, организовалась своеобразная мода на многосемейственность, которая служила дополнительным свидетельством их финансовой и мужской могучести. Где-нибудь на Французской Ривьере можно было встретить, к примеру, отдыхающего от финансовых махинаций президента Н-ского банка, окруженного оравой разновозрастных ребятишек, произведенных на свет несколькими мамашами, обладающими всей полнотой супружеских кондиций, кроме, разумеется, отметки загса в паспорте. И случайному знакомому банкир за рюмкой раритетной малаги мог подробно и с удовольствием рассказывать о своем разветвленном чадолюбии, не скрывая живых подробностей:

— А вот тот беленький, Гордей, знаешь, от кого?

— От кого?

— От Стручковой.

— Так вот почему она больше не поет!

— А то!

Скорее всего, Лиду ожидала судьба именно такой почетной матери-одиночки, но желательная беременность не обнаруживалась с упорством, с каким она обычно наступает, если ее не хотят. Наверное, из-за того давнего рискованного аборта. Эдуард Викторович несколько раз заводил речь про обещанное потомство, а Лида только пожимала плечами: мол, очевидно, ребенок предвидит свою внебрачность и потому не спешит зачинаться. Любовник мрачнел, все больше запутывался в их отношениях и созревал для окончательного решения. Скорее всего, для разрыва. Тем более что их связь вступила в тот опасный период, когда свежесть обладания уже притупилась, а неотъемлемая привязанность, именуемая иногда «настоящей любовью», еще не настала.

Он даже завел интрижку с топ-моделью от Славы Зайцева, о чем моментально доложила осведомленная Нинка:

— Восемнадцать лет. Грудь своя. Ноги — от гипоталамуса!

— Наверное, это к лучшему! — вздохнула Лида.

Но тут, как на грех, из Израиля прилетел Ласкин — он теперь торговал косметической грязью Мертвого моря. Они встретились на приеме по случаю Дня независимости. Эдуарда Викторовича каждый год непременно звали на это торжество, потому что в 91-м он за свой счет снарядил защитников Белого дома грузовиком водки. А Севу затащил на фуршет двоюродный брат — заместитель министра чего-то там очень ресурсоемкого.

Ласкин, кажется, совсем выздоровел, но в его глазах осталась надломленность человека, побывавшего на краю душевного и физического распада. Увидев его, Лида почувствовала в сердце давно забытое сладкое стеснение, но быстро взяла себя в руки и, следуя совету Дамы, хотела пообщаться с ним с той теплой иронией, какую напускают на себя при случайной встрече давние любовники, расставшиеся без подлостей и взаимных оскорблений. Но все испортила Оторва. Она заставила Лиду побледнеть, пролепетать нечто постыдно трогательное и даже памятливо дрогнуть всем телом. Наблюдавший эту картину Эдуард Викторович позеленел, как доллар, и тут же увез Лиду домой.

— Потос? — спросил он в лифте.

— Что?

— Ты забыла лекции по античной литературе?

Она действительно забыла и, когда любовник, втолкнув ее в квартиру, ушел, хлопнув дверью, отыскала старую студенческую тетрадку и прочитала, что «потосом» греки называли безрассудную страсть.

«Молодец!» — похвалила Оторва.

«Он не вернется. И это к лучшему!» — констатировала Дама.

На следующий день у Севы нашли в гостинице героин и со скандалом выслали в Израиль без всякого права бывать в России. А двоюродный брат, пытавшийся помочь, обнаружил вскоре в популярной газете такие разоблачения, касавшиеся его служебной деятельности, что надолго с головой ушел в показательное служение Державе.

«Ты должна уехать!» — посоветовала Дама.

«Как ни странно, она права, — согласилась Оторва. — Вали, Зольникова, в Степногорск!»

И она поехала на родину — к матери. Татьяна Игоревна, с некоторых пор получавшая немалые денежные переводы и, конечно, догадывавшаяся о появлении у дочери состоятельного друга, отнеслась к ее приезду со строгим сочувствием. Мол, а чем же еще все это могло закончиться! Лида побывала на могиле отца, повидалась со школьными подругами, повыходившими замуж, нарожавшими детей и мыкавшими свое беспросветное провинциальное счастье. Но особенно ее потрясла встреча с Димой Колесовым.

Она, конечно, знала, что, не попав в институт, он пошел в армию и потерял в Чечне ноги. Но Лидия Николаевна просто остолбенела, узнав в грязном и пьяном околомагазинном бомже своего первого сердечного друга.

— Зольникова! — крикнул он. — Это ты? А это я! Поцелуемся!

Она убежала, а Дима весь вечер разъезжал под ее окнами на своей колясочке, отхлебывал из горлышка водку и орал что-то бессвязно-страшное.

На следующий день у подъезда их пятиэтажки появился милицейский «жигуленок» с нарядом. Тем же вечером мэр города, бывший инструктор горкома партии, нанес Зольниковым визит вежливости и распорядился покрасить в подъезде стены. Свое внимание к землячке он мотивировал заботой о незабвенной победительнице городского конкурса красоты, о котором на самом деле все давно позабыли. Лида ни минуты не сомневалась, кто на самом деле скрывается за этой отеческой опекой.

Эдуард Викторович позвонил через неделю и потребовал:

— Возвращайся! Нам надо серьезно поговорить.

На Казанском вокзале ее встретил Костя, и по его особенной предупредительности она догадалась: что-то произошло. Так и оказалось: любовник сделал ей предложение.

— Нет, я не могу разрушать твою семью! — ответила она. — Пусть все будет по-прежнему. Мне с тобой и так хорошо.

— По-прежнему уже не будет. Я поговорил с Олей...

— И что?

— Она сказала, что давно к этому готова.

Бракоразводный процесс прошел без осложнений. Готовилась грандиозная свадьба с венчанием и последующим гуляньем в рублевском имении. Лида специально слетала с Нинкой в Париж и купила там себе такое платье, по сравнению с которым все эти каталожные свадебные чудеса просто сиротские фуфайки.

Но случилось иначе. Брошенная Оля впала сначала в депрессию, сменившуюся чудовищным приступом мести, и в этом приступе она, в прошлом инженер-химик, накормила младшего сына, одиннадцатилетнего Женю, какой-то отравой. Мальчика еле спасли в реанимации. Когда ее увозили в сумасшедший дом, она кричала, размазывая по исцарапанному лицу кровь и слезы:

— Он клялся здоровьем детей! Он клялся здоровьем детей!

В больнице Оля снова впала в совершенно растительную, необратимую, как говорили врачи, депрессию, и Эдуард Викторович услал ее в высокогорную швейцарскую лечебницу, откуда обычно не возвращались. А детей отправил учиться в Англию.

На улаживание скандала ушло два месяца. Нинка, поддерживавшая все это время подругу, снеслась со своим церковным разоблачителем, и тот, как специалист, венчаться пока отсоветовал. Эдуард Викторович не настаивал: он слишком страдал от случившегося. Тихо расписались в Грибоедовском и устроили небольшой — человек на семьдесят — ужин в Белом зале ресторана «Прага». Вызванная из Степногорска Татьяна Игоревна в своем люрексовом учительском костюме чувствовала себя неуютно и терялась от предупредительной назойливости официантов. А когда про бога Гименея запел специально приглашенный знаменитый бас, мать посмотрела на дочь с благоговейным ужасом. Добила же ее сидевшая рядом Нинка:

— Сволочь! Меньше штуки баксов за арию не берет.

— Откуда вы знаете? — сдавленно спросила Татьяна Игоревна.

— Он у нас на свадьбе тоже пел. Скажи, Рустик!

Рустам в подтверждение высокогорно цокнул языком.

После свадьбы улетели в Ниццу и провели первую брачную ночь в том же отеле и в том же номере, где когда-то впервые соединились телесно. Наутро Эдуард Викторович, осунувшийся и постаревший от переживаний, тихо сказал молодой жене:

— После всего, что мы натворили, единственное наше оправдание — любовь. Если мы ее предадим...

— Никогда не предадим! — прошептала Лида.

Благородная Дама внутри ее содрогнулась и заплакала. Оторва промолчала. Она попросту исчезла. Если бы навсегда!

Все это Лидия Николаевна вспомнила, дожидаясь мужа в их огромной спальне с зеркальным потолком. Но он так и не пришел. Наверное, в тот вечер ему нужно было просмотреть слишком много договоров...

5

Эдуард Викторович заказал изящную золоченую рамку и повесил портрет в столовой. Лида старалась не смотреть на рисунок подземного художника, а муж, напротив, отрываясь от вегетарианской снеди, вглядывался в изображение, а потом, точно сравнивая, переводил взгляд на жену и мрачнел.

Дела у него шли не лучшим образом: министра транспорта сняли за совсем уж неприличную взятку, обидевшую всех остальных своей бесшабашной громадностью. Новый министр, стажировавшийся некогда в Америке, оказался приятелем Старкова. Отношения с Майклом, судя по обрывкам разговоров и другим приметам, все более осложнялись, и порт неумолимо переходил под его контроль. Эдуард Викторович нервничал. Лидия Николаевна несколько раз слышала, как он, разговаривая с

Майклом по телефону, срывался на брань. В газетах стали появляться статьи с названиями «Битва за Северомысск» или «Два медведя в одном порту». Не прерывая показательного служения Державе, двоюродный брат Севы Ласкина изловчился и в отместку за давнюю подставу тоже нагадил — мощно, но по-аппаратному изысканно. Однажды Эдуард Викторович вернулся из Белого дома в совершеннейшем бешенстве: ему посоветовали не упорствовать и уступить порт Старкову.

Они ужинали в полном молчании. Эдуард Викторович, по обыкновению, долго смотрел на портрет, а потом сказал:

— Наверное, мы скоро уедем из России.

— Почему?

— Здесь слишком много американцев...

Вместо Марбеллы Лидия Николаевна полетела в Крым. Одна. Эдуард Викторович обещал присоединиться попозже. Рустам ради смеха снял дачу, где когда-то отдыхали члены Политбюро. Огромную, поросшую соснами территорию огораживали высокие стены из бежевого кирпича. Въезд вовнутрь только через КПП, почти военный. Номера были большие, трехкомнатные, но бестолковые, обставленные с убогой советской роскошью. От сквозняка тихо позванивали хрустальными подвесками совершенно театральные люстры. На мебели сохранились жестяные инвентарные бирки, а в туалетных комнатах нет-нет да пробегал юркий тараканчик.

Каменная лестница, обсаженная розовыми кустами, спускалась к морю. Прежде здесь был великолепный песчаный пляж. Но лет двадцать назад какой-то умник додумался со дна бухты драгами черпать песок для строительных надобностей, и злопамятное море утащило сыпучую благодать в глубину, чтобы затянуть свои донные раны. Пришлось машинами завозить гальку.

Рустам пробыл с ними три дня. Эдуард Викторович дважды звонил, говорил, что вылетает, но потом все отменялось. Лидия Николаевна с интересом наблюдала, как Нинка управляется с мужем. Рустам был худощав и длинноволос — эдакий декадент с лицом кавказской национальности. Его отец еще при советской власти работал главным гаишником в южной автономии, где правила дорожного движения не соблюдают принципиально, и, будучи человеком небедным, дал сыну хорошее московское образование. Рустам свободно говорил по-английски, одевался с броской восточной элегантностью и до встречи с Нинкой вел жизнь вагинального коллекционера.

Лидия Николаевна всегда удивлялась, как подруге удалось приручить этого горного плейбоя. Понаблюдав супругов на отдыхе, она многое поняла. Варначева виртуозно играла роль сварливой невольницы: злила Рустама дурацкими шуточками, подколами и капризами, на которые тот поначалу не обращал внимания, потом начинал мрачнеть, и, наконец, его терпение лопалось, тонкое лицо перекашивалось гневом, и он издавал странный гортанный звук:

— Э-э-х-а!

И тут Нинка преображалась, прямо на глазах превращаясь в льстивое, льнущее, заглядывающее мужу в глаза гаремное существо. Рустам ее, конечно, прощал, и через некоторое время они, загадочно переглянувшись, удалялись в свой номер. По возвращении Рустам имел гордый вид кровника, осуществившего сладкую месть, а Нинка светилась томностью жертвы, получившей долгожданное наказание. Через час-другой она снова начинала целенаправленно злить мужа, Рустам снова простодушно бесился — и все повторялось.

— Сына хочет, — доверительно сообщила подруге Нинка. — Старается!

Оставшись одна, Лидия Николаевна бродила по пляжу и вспоминала свою первую поездку к морю вместе с родителями. Они отдыхали по профсоюзным путевкам на турбазе «Солнечная» в третьем ущелье, близ Пицунды, и жили в легком бунгало, рассчитанном на две семьи. За тонкой перегородкой поселились молодожены, упивавшиеся брачной новизной так шумно, что наутро Татьяна Игоревна, решительная общественница, отправилась к ним, долго вела переговоры и строго условилась: они, семья Зольниковых, каждый вечер обязуются ходить в кино, независимо от того, какой фильм показывают, а молодожены в свою очередь должны окончательно насладиться друг другом в их отсутствие и ночью спать, как положено нормальным людям.

За двадцатичетырехдневный отдых Лида накиношилась до одурения. Фильмы были разные — в основном, конечно, советские, с выверенным семейно-производственным конфликтом в начале и с торжеством справедливости в конце. Наверное, именно эта с детства внушенная вера в неизбежную справедливость и погубила многих простодушных людей, когда в Отечестве объявили капитализм. Случались, правда, и зарубежные ленты, одна даже детям до шестнадцати. В нескольких местах, где страстные поцелуи героев внезапно обрывались, отец хмыкал и говорил тихонько:

— Вырезали!

— И правильно! — строгим шепотом отвечала мать.

После фильма они еще гуляли вдоль ночного моря, тихонько ворочавшегося в своих галечных берегах. Лунная дорожка была похожа на косяк светящихся золотых рыбок, уплывающих к горизонту. Отец возмущался тем, что за него, взрослого человека с высшим образованием, государство решает, что ему можно смотреть, а что нельзя, а это унизительно — и когда-нибудь весь этот детский сад с баллистическими ракетами, занимающий одну шестую часть суши, развалится со страшным грохотом.

— Ну прямо из пятнадцатой школы! — обрывала его мать.

— Почему же из пятнадцатой? — обижался отец.

— Да потому! Ребенок слушает...

Молодожены оказались приличными людьми, соглашение старались соблюдать, а если и нарушали, то тихонько-тихонько. Татьяна Игоревна качала головой и возмущенно вздыхала, как она обычно делала, проверяя тетрадки учеников и обнаруживая какие-то совершенно несусветные ошибки.

На второй день по приезде Лида сгорела на солнце до волдырей, ходила вымазанная простоквашей, и соленый запах моря навсегда смешался в ее сознании с запахом скисшего молока. Отец нырял с маской, а она сидела на берегу, укрытая большим полотенцем, и ждала, когда он приплывет и положит к ее ногам очередного краба, который тут же старался смыться бочком назад в море. Николай Павлович страстно увлекался подводной охотой. В тот год в ущелье приезжал иностранец — один из постояльцев высившихся на самом мысу интуристовских башен. У него были огромные, похожие на перепончатые лапы динозавра ласты, замечательный черно-желтый подводный костюм и фантастическое ружье, бившее под водой, как уверял отец, метров на двадцать. Он завистливо вздыхал и обещал Лиде, что когда-нибудь обязательно купит себе такое же снаряжение. Тем не менее из своего дешевенького резинчатого ружья ему удалось подстрелить однажды здоровенного лобана. Николай Павлович договорился на кухне, и на ужин, к зависти остальных отдыхающих, им вынесли на блюде зажаренную целиком рыбину. Отец резал добычу на куски и говорил, что если бы они такую же заказали в ресторане, то это стоило бы не меньше двадцати пяти рублей — большие по тем временам деньги.

Ведущий конструктор Зольников был добрым и совершенно некорыстолюбивым человеком, но имел странную привычку все оценивать в деньгах. Например, когда они возвращались на электричке с грибами из леса, он совершенно серьезно прикидывал, сколько стоила бы такая корзинка на рынке, а поклеив в их двухкомнатной квартирке обои, долго высчитывал и докладывал за ужином, сколько бы с них слупила фирма «Заря».

Отец умер совсем молодым — в 94-м. После того как закрылся оборонный НИИ, куда он пришел сразу после окончания института, удалось устроиться только ночным сторожем на мебельный склад. Николай Павлович страшно переживал эту перемену в своей жизни — и вскоре заболел раком. У матери, правда, имелась своя версия ранней смерти мужа. Она где-то прочитала, что из Польши одно время по дешевке гнали в Россию мебель, изготовленную с какими-то чудовищными экологическими нарушениями и выделявшую вследствие этого в воздух канцерогенные вещества. Они-то и погубили отца.

Однажды, кажется в Испании, Лида с Эдуардом Викторовичем зашли в большой спортивный магазин, где целый этаж был отдан под экипировку для подводной охоты. Увидав точно такой же черно-желтый костюм, о каком мечтал покойный отец, Лида заплакала.

Мать, всегда относившаяся к мужу со снисходительным неудовольствием, точно к бестолковому ученику, после его смерти сильно сдала, превратившись из цветущей, полногрудой женщины в преждевременную старушку. Больше всего она переживала, что второпях взяла на кладбище слишком маленький участок, да еще возле водопроводного крана, и там все время толклись родственники усопших с банками и ведрами. Деньги, которые ей присылала Лида, она отдавала в основном на восстановление храма, где до этого много лет был завод безалкогольных напитков.

Лида, выйдя замуж и став полноправной хозяйкой рублевского имения, долго уговаривала мать переехать к ним и наконец уговорила. Татьяна Игоревна, выйдя из машины, долго стояла на мраморной лестнице, оглядывая парк и огромный викторианский дом.

— Богато живете! — только и вымолвила она.

Причем слово «богато» мать произнесла с нарочитым южным «г», отчего фраза прозвучала обидно и даже унизительно. Прогостив неделю, Татьяна Игоревна уехала назад в Степногорск, на прощание посмотрев на Лиду так, словно именно дочь и была виновата во всем, что случилось с отцом...

Бродя по берегу в ожидании наказанной Нинки и отмщенного Рустама, Лидия Николаевна нашла на берегу пустую крабью клешню, и приставленный к ней даже на отдыхе Костя изготовил по ее просьбе амулет, наподобие тех, что делал много лет назад отец. Николай Павлович заливал хитиновую полость горячим сургучом, вставлял проволочную петельку и продевал леску. Увидев подругу с амулетом на шее, Нинка стала звать ее “Нептуновной”.

Рустам улетел в Африку на сафари, и Лида с Нинкой остались вдвоем, если не считать телохранителя, который целыми днями сидел в дежурке с охранниками, пил вино, вспоминал с ними первую чеченскую войну и играл в нарды. Эдуард Викторович позвонил и объявил, что никак не сможет вырваться даже на день. Он ждал обещанной аудиенции у президента и возлагал на нее большие надежды.

Подруги загорали совершенно голые — за заборчиком, увитым виноградом. Иногда они замечали, как над оградой смотровой площадки появлялись осторожные головы охранников, подглядывавших за ними.

— Опять! — возмущалась Лидия Николаевна.

— Не обращай внимания! — успокаивала Нинка.

Лида вспомнила еще одну поездку к морю, когда ей было уже лет тринадцать и ее недавно совершенно мальчишеская грудь стала еле заметно припухать. Она объявила родителям, что без лифчика купаться не станет.

— Не ерунди! — оборвала мать. — Ничего еще не заметно...

Обнаружив, что девочки, даже моложе ее, купаются, разумеется, в полноценных купальниках, Лида расплакалась, убежала в бунгало и отказалась выходить на пляж. Она лежала на кровати и обиженно читала взятые в библиотеке затрепанные, пахнущие соленой сыростью книжки. Но Татьяна Игоревна была неумолима:

— Ну прямо из пятнадцатой школы! Запомни: меня не переупрямишь!

На второй день родители поссорились, отец обозвал жену «унтером Пришибеевым в юбке», взял из спрятанных в матрас «фруктовых» денег десять рублей, поехал в пицундский универмаг и вернулся с пестрым, в цветочках, жутким купальником, который вдобавок оказался еще и велик. Татьяна Игоревна, потрясенная мужниным бунтом, безмолвно взяла купальник и ушила. Наутро Лида вышла и гордо проследовала к воде, удивляясь, почему никто из разлегшихся на берегу не замечает, что она теперь уже совсем как взрослая.

Над оградой смотровой площадки вспыхнул ослепительный блик: охранники рассматривали их уже в бинокль.

— Надо Косте сказать! — взорвалась Лида, закрываясь полотенцем.

— Да брось ты, Нептуновна! — отозвалась Нинка. — Костя заодно с ними. Тебе жалко? Пусть мужики посмотрят, пока есть на что!

От скуки они читали дурацкие дамские романы, сочиненные полными идиотками, и цитировали друг другу особенно восхитительные своей мезозойской глупостью места:

— Лидк, вот слушай: «Он долго целовал ее отзывчивое тело, словно хотел губами изучить каждый миллиметр этой бархатной, пьянящей кожи, а потом властно, почти грубо вошел в нее...»

— И заблудился...

— И заблудился! — подхватывала Нинка, хохоча. — Слушай, Лидк, а может, нам с тобой стать лесбиянками?

— Зачем?

— Ну так... для разнообразия. Знаешь, ко мне на втором курсе приставала эта... как ее? Сцендвижение у нас преподавала...

— Елена Леопольдовна?

— Ага, Елена Леопольдовна. Я тогда молодая была, глупая, ничего не понимала, а недавно вдруг сообразила, что она за мной, оказывается, ухаживала.

— А как ухаживала?

— Показать?

— Иди к черту!

— Какая-то ты все-таки, Лидка, грубая, нелесбическая, честное слово!

Лидия Николаевна подолгу плавала в море, ныряла как можно глубже и старалась понять, что чувствовал отец, охотясь в зеленом подводном сумраке, среди поросших длинными бурыми водорослями скал, которые словно раскачивались в такт пробегавшим наверху волнам. Иногда она воображала, что если навсегда сдержать дыхание, перетерпеть страх, то в организме произойдут волшебные изменения — и она превратится в русалку. Но в русалку она, конечно, не превращалась, а выскакивала на поверхность и долго не могла надышаться, потом выходила из воды, валилась на песок, еще оставшийся кое-где возле сосен, и мокрое тело покрывалось влажной сыпучей коркой.

А если песок пристанет к коже навсегда, фантазировала Лида, и она вернется к мужу в таком вот наждачном состоянии, интересно, бросит ее Эдуард Викторович?

Как-то вечером они с Нинкой поехали в ресторан «Моллюск», вылепленный из цветного бетона в виде гигантской раковины с циклопическими шипами. Когда подруги вышли из машины, прибрежные альфонсы буквально бросились им навстречу, но, завидев страшенную физиономию Кости, сразу остыли и с тоской наблюдали их одинокий ужин, не отваживаясь даже пригласить на танец.

В углу ресторанной залы имелась небольшая сцена, уставленная аппаратурой. Сначала сцена пустовала, но потом на ней появились простолицая, скромно одетая девушка и длинноволосый парень в джинсах и майке. Завидев их, Нинка сначала даже поморщилась: «Ну вот, пожрать спокойно не дадут!» Но пела девушка замечательно. Репертуар ее состоял в основном из курортных шлягеров. И хитренькая девушка начинала каждую песню именно так, как исполняла ее какая-нибудь звезда, — временами казалось даже, что она просто старательно раскрывает рот под «фанеру». Но потом хитрунья, лукаво и нежно переглянувшись с длинноволосым парнем, мороковавшим у синтезатора, вдруг обнаруживала необыкновенно сильный, изощренный голос и начинала вытворять такое, что столичные аранжировщики поиздыхали бы от зависти в своих миллионных студиях. После каждого исполнения ресторан взрывался аплодисментами, и восхищенные курортники несли певице деньги, которые она не брала — лишь величественно кивала на корзиночку, стоявшую на одном из усилителей, а потом, улучив мгновение, исподтишка взглядывала в ожидании похвалы на своего аккомпаниатора. Тот благосклонно улыбался, но было заметно, что корзиночка интересует его куда больше, нежели влюбленная певица.

— Талантливая! — восхищенно сказала Лида, отправив с официанткой сто долларов, перемещение которых от сумочки до корзиночки было тщательно отслежено длинноволосым.

— Супер! Московские курлыкалки отдыхают! — согласилась Нинка, отрывая взгляд от понравившегося ей бармена, похожего чем-то на Харатьяна. (Она, кажется, совсем уже позабыла свои однополые фантазии...)

— Неужели ее до сих пор никто здесь не заметил?

— Кто? Талант — это укор бездарностям. А их всегда больше. Разве пустят?

— Но ведь кто-то же прорывается?

— Конечно! Некоторые и до Москвы добираются. Автостопом — на попутных кроватях. Но у этой не получится. На мордочку ее посмотри! Будет здесь всю жизнь глотку драть, кормить своего патлатого, заведет от него ребеночка, и ку-ку... Талант должен доставаться стервам!

— Жаль.

— Жизнь безжалостна, как нож гинеколога! — вздохнула подруга.

В перерыве певица подсела к стойке и залпом осушила бокал красного вина.

— Вот, а потом сопьется, — буркнула Нинка.

Странно, что она это вообще заметила, так как вовсю переглядывалась с барменом. В самый разгар переглядываний позвонил из Африки Рустам и сообщил, что застрелил льва.

Выйдя из ресторана, подружки решили прогуляться по широкой, уходившей вдаль аллее, недавно проложенной, вымощенной белыми плитами и обсаженной по сторонам молодыми кипарисами. Никто за ними не увязался: их тыл надежно прикрывал угрожающий Костя. В воздухе веяли головокружительные ночные ароматы, где-то мерно шуршало море, а звезды над головой сияли, словно иллюминация в далеком небесном городе. Аллея оборвалась внезапно. Из-за последнего кипариса выскочил непонятно как оказавшийся впереди Костя и предупредил:

— Дальше — грязь!

И в самом деле, впереди была огромная, полная звезд лужа.

Старков возник неожиданно — за день до отъезда. Он тихо вошел на пляж и замер, сравнительно разглядывая обнаженных подружек. Первой заметила его Лидия Николаевна.

«Закройся!» — взвизгнула Дама.

«Не так быстро!» — очнулась Оторва.

Глядя, как подруга набрасывает на себя полотенце, Нинка, наоборот, раскинулась еще завлекательнее и томно упрекнула нежданного гостя:

— Майкл, как вам не стыдно находиться в обществе голых дам одетым?

Он радостно улыбнулся, стянул шорты вместе с плавками, показательно игранул мышцами и с разбегу нырнул в воду.

— Хорош, хомо самец! — вздохнула Нинка. — К тебе приехал...

— Ты с ума сошла! — Лида быстро натягивала купальник. — Зачем ты его заставила раздеться?

— Ага, такого заставишь! А нудизм, подруга, единственное утешение в нашей нудной жизни!

Лида встала и положила полотенце у самой воды. Миша выходил из волн, словно молодой бог, простодушно не ведающий срама. Увидев полотенце, Старков снисходительно улыбнулся и неторопливо обернулся им, давая возможность по достоинству оценить содержимое загорелых чресел. Нинка, вняв возмущенным взглядам подруги, прикрылась книжкой с целующейся парочкой на обложке и весело спросила:

— Какими судьбами, мистер Старк, в наш женский монастырь?

Оказалось, Миша был в Ялте по делам очень важного груза, надолго застрявшего там из-за незалежной упертости хохляцких таможенников, а дальше его путь лежал в Севастополь, где ему под видом металлолома обещали продать свеженький противолодочный крейсер, заказанный и уже частично оплаченный китайцами. И вот он, так сказать, по пути решил проведать очаровательных дам.

— Майкл, ты, наверное, шпион? — засмеялась Нинка.

— Конечно, меня зовут Бонд. Джеймс Бонд. И я очень люблю красивых женщин!

— Эдуард Викторович знает, что вы здесь? — тревожно спросила Лида.

— Разве я похож на самоубийцу? — захохотал Старков.

Ужинать поехали в «Моллюск». По пути наперебой расхваливали Майклу необыкновенную певицу.

— Если вы не преувеличиваете, то это интересно! У меня есть знакомый продюсер — ищет таланты...

Но в тот вечер, как назло, пела совсем другая девушка, восполнявшая полное отсутствие вокальных данных буйной автономией роскошных ягодиц. Денег ей несли еще больше, и она благодарно вминала их в свой бездонный лифчик.

Когда проходили мимо бара, Нинка кивнула белокурому двойнику Харатьяна, словно старому знакомому. В тот вечер она была томно рассеянна, жаловалась на духоту и несколько раз выбегала из-за стола якобы подышать свежим воздухом. Майкл рассказывал о том, как жил с родителями в Америке и долго, поначалу безуспешно, учился быть нерусским. Со временем научился и однажды, затащив в постель студентку соседнего колледжа, наутро признался ей, что приехал из России.

— Сначала эта воспиха обалдела и подумала, что я ее разыгрываю...

— Кто? — не поняла Лида.

— WASP — white Anglo-Saxon protestant, — объяснил Старков. — Жуткие зануды! Потом она страшно испугалась и прямо от меня, кажется, побежала в ЦРУ...

— А разве в Америке тоже стучат? — удивилась Нинка, в очередной раз вернувшаяся с воздуха.

— Вау! Так стучат, как в доме во время ремонта!

Весь ужин он смотрел на Лидию Николаевну с нескрываемым вожделением, и она всячески корила себя за то, что надела платье с глубоким вырезом.

«А ведь я тебя предупреждала!» — ворчала Дама.

«Нормально, — успокаивала Оторва. — Тебе же приятно!»

«Ничего приятного! У этого Майкла ухмылка сексуально озабоченного тинейджера!»

«А по-моему, у него очень милая детская улыбка...»

Нинка объявила, что у нее страшно болит голова и что Костя отвезет ее, а потом сразу вернется за ними. Оставшись вдвоем, они еще долго разговаривали. Майкл рассказывал, как страшно испугался, когда после ареста отца к ним ввалились с обыском и перерыли всю квартиру в поисках запрещенной литературы. Он даже стал заикаться, и вылечили его только в Америке — старенький логопед из военной еще эмиграции. У него на стене в кабинете висел портрет генерала в очках — Власова.

— Теперь я заикаюсь, только когда очень в-в-волнуюсь! — с улыбкой сказал Майкл и под столом положил руку ей на колено.

«Пощечину! Дай ему пощечину!» — заголосила Дама.

«Зачем? Тебе же нравится!» — хмыкнула Оторва.

— Значит, сейчас вы волнуетесь? — спокойно спросила Лидия Николаевна.

— К-конечно! — рассмеялся Старков, и его теплая ладонь осторожно двинулась дальше.

— Уберите руку! — тихо приказала Лидия Николаевна.

— Почему? Я же вас люблю! Давно. Вы же знаете.

— Нет, не знаю. Надеюсь, Эдуард Викторович тоже не знает.

— Надеюсь, — помрачнел Майкл и убрал руку.

— Скажите, Майкл, что происходит у вас с моим мужем? — очень серьезно спросила она.

Эта серьезность происходила, наверное, от стыда и недовольства собой, потому что на том месте, где побывала его ладонь, остались теплые благодарные мурашки.

— Эдуард, к сожалению, не может понять, что теперь время цивилизованного бизнеса.

— Он очень переживает из-за порта.

— Вы, русские, странные люди. Переживать надо из-за другого. Вот я переживаю из-за того, что совсем вам не нравлюсь. — Майкл отхлебнул вина и внимательно посмотрел Лидии Николаевне в глаза. — Я правильно вас понял?

— Я замужем, — вытерпев его взгляд, ответила она.

— Вы просто как наши воспихи! Они, конечно, изменяют мужьям, но потом очень переживают.

— Мне эти переживания не грозят.

— Жаль. А Эдуард просто не умеет управлять портом. Это может плохо кончиться, и я этого никогда не допущу. Я вложил в дело слишком много денег.

Когда они покидали ресторан, за стойкой хлопотал совершенно другой бармен. Костя довез их, лихо вписываясь в извилистые повороты. Казалось, машина мчится не по шоссе, а скользит, словно по монорельсу, по белой разделительной полосе. Лидия Николаевна, поблагодарив за ужин, направилась в свой номер, а Майкл остался около машины и о чем-то заговорил с телохранителем.

Она была немного пьяна, возбуждена, хотела перед сном поболтать с Нинкой, но дверь подруги оказалась заперта, и на стук никто не откликался. Огорченная, Лидия Николаевна долго сидела на балконе, прислушиваясь к странным таинственным звукам, какие может рождать только сонное море. По телу блуждали нежные безымянные воспоминания, вызывавшие в душе умиротворяющую тоску. Потом она легла в холодную и чуть влажную постель, но спать не хотелось. Лидия Николаевна дочитала книжку, закончившуюся, как всегда, сногсшибательной свадьбой героев, выключила ночник и уже почти задремала, когда скрипнула дверь. Она открыла глаза: на пороге — совершенно голый — стоял Старков и улыбался с детским лукавством. В свете заоконного фонаря его тело напоминало вырезанного из черного дерева языческого идола, а готовность к любви поражала могучей заблаговременностью.

— Вы с ума сошли! Уходите сейчас же! — почти закричала она. — Если Эдуард Викторович узнает...

— Не узнает. Я заплатил Косте.

— При чем здесь Костя?

— Не бойся! Никто ничего не узнает! — Он медленно подошел к кровати и встал на колени. — Нам будет очень хорошо. Очень!

— Я закричу!

— Обязательно закричишь! Я обещаю...

— Нет! — Она с размаху ударила его по лицу.

Он поймал ее руку и поцеловал.

«А он нахал!» — возмутилась Оторва.

«Заткнись, дура!» — совершенно Нинкиным голосом ответила ей Благонамеренная Дама.

Старков в самом деле оказался необычайным постельным искусником, обладающим почти спортивной сноровкой, и поначалу Лидия Николаевна чуть не потеряла сознание от неведомой прежде остроты содроганий, но ближе к утру она испытывала уже тошнотворное состояние человека, объевшегося деликатесами.

— Ты не разочарована? — спросил Миша во время недолгого тайм-аута.

— Я устала, — ответила Лидия Николаевна.

Светало, когда Старков, еще раз основательно продемонстрировав свою неутомимость, поднялся с постели и пошел к двери. На минуту он задержался у зеркала и, с восхищением оглядев себя, игранул могучей грудной мышцей. Лидии Николаевне стало так стыдно, так горько и противно, как никогда еще в жизни.

— Ничего не было! Запомни: ничего не было! — прошептала она.

— Конечно, ничего! — ответил он, озирая ее с тем профессиональным удовольствием, с каким, наверное, легкоатлет смотрит на планку, которую долго не мог преодолеть и вот наконец взял.

И вышел.

В ту же минуту она бросилась под душ, пустила горячую воду, почти кипяток, и долго смывала с себя случившееся. Ей казалось, если его остропахнущий спортивный пот впитается в кожу, Эдуард Викторович обязательно почувствует и обо всем догадается.

К завтраку она вышла поздно.

— Ну и зря! — сказала Нинка.

— Что — зря? — похолодела Лидия Николаевна и со стыдом ощутила свою жаркую женскую натруженность.

— Не далась такому мужику! О чем на пенсии вспоминать будешь, неуступчивая наша?

— Ты его видела?

— Ну да! Я как раз вернулась, когда он уезжал. Плакал, как ребенок, говорил, что в Америке таких верных жен нет...

— А ты? — спросила Лидия Николаевна, краснея. — Как ты?

— Что я? Качели... — угрюмо ответила Нинка.

Перед отлетом они хотели съездить на базар, но Костя не подал вовремя машину: заигрался с охранниками в нарды.

— В чем дело? — возмутилась Лидия Николаевна.

— Пардон, мадам! — ответил он с очевидной хамоватостью.

— Ты что, денег накопил? — обозлилась Нинка.

— Накопил! — ухмыльнулся Костя и обидно хрюкнул перебитым носом.

6

В самолете Лидия Николаевна несколько раз доставала зеркальце и выискивала в лице, в глазах приметы давешней измены.

— Прыщи — от морской воды, — успокоила ее Нинка.

В аэропорту их ждали две машины. Вторая с охраной.

Когда медленно открылись бронированные ворота усадьбы и они подъехали к дому, Лидия Николаевна заметила, что одетых в черное охранников стало больше.

— Что-нибудь случилось? — спросила она водителя.

— Пока вроде нет, — ответил Леша.

Эдуард Викторович встретил ее холодно и даже поцеловал в щеку с видимым усилием.

— Что происходит? — встревожилась она.

— Просто устал...

За едой, как обычно, сидели напротив друг друга в разных концах стола. Муж был угрюм.

— Что президент? — спросила она.

— Занят.

— Как дела в порту?

— Плохо. Старков оказался негодяем.

— Что-то еще можно сделать?

— Делаю. Как ты отдохнула?

— Очень хорошо. Жаль, что ты не выбрался. Погода была прекрасная. Я загорала без купальника. Увидишь!

— Это все?

— Нет, не все... Нинка склоняла меня к лесбиянству.

— Склонила?

— Это же шутка, Эд!

— Ах, шутка?

Муж молча прихлебывал тибетский чай. Лидия Николаевна ела фруктовый салат и думала о том, что сегодня будет с ним необыкновенно нежна, но, конечно, не настолько, чтобы чрезмерной отзывчивостью выдать свою вину. Оглядывая залу, она посмотрела на портрет и вздрогнула от неожиданности: в глазах нарисованной женщины появилась блудливая поволока.

— Теперь заметила? — спросил муж.

— Что?

— Когда протирали пыль, повредили графит. Рисунок был плохо зафиксирован. Иди к себе!

— Ты придешь?

— Попытаюсь...

Поднявшись в спальню, Лидия Николаевна снова долго смотрела на себя в зеркало, стараясь уловить случившиеся в ней предательские перемены, потом ей показалось, что от тела все-таки исходит еле уловимый запах курортного соития, и она натерлась ароматическим кремом, который купила когда-то в Париже, но так ни разу им и не воспользовалась. Потом вдруг спохватилась, что именно этот неведомый мужу запах может вызвать подозрения, и долго смывала крем с кожи, до красноты натираясь мочалкой.

Эдуард Викторович все не шел. Она, чтобы отвлечься, позвонила Нинке и выяснила, что Рустам подхватил в Африке жуткую кишечную инфекцию и стал «настоящим санузником».

Муж так и не появился. Ночью ее разбудили крики. Она припала к окну и увидела, как по освещенной лестнице несколько охранников протащили какого-то человека, изуродованного до кровавой неузнаваемости. Только по сломанному носу можно было догадаться, что волокли они Костю. Она забилась в угол и, дрожа от ужаса, ждала, когда придут за ней.

«Вызывай милицию!» — истошно вопила Благонамеренная Дама.

«Какая милиция! У него вся милиция куплена! — злорадно отвечала Оторва. — Раньше надо было думать!»

— Пропадите вы пропадом! — заплакала Лидия Николаевна. — Суки!

Снаружи что-то происходило: слышались отрывистые команды, хлопанье автомобильных дверей, рокот моторов, но подойти к окну было страшно. Потом все стихло. Выждав с час, она спустилась в холл. В камине чуть шевелились дотлевавшие угли. Лидия Николаевна подошла и заметила золотой уголок от сгоревшей рамки.

Утром приехала Нинка, необычно серьезная и бледная.

— Телевизор смотрела? — спросила она с порога.

— Какой телевизор?

Нинка молча включила огромный плоский экран. Заканчивалась популярная гастрономическая передача «ВИП-кухня», которую вел популярный некогда бард. В гостях у него был известный правозащитник, в прежние времена прославившийся всемирно известной антисоветской голодовкой, кажется, вместе с Романом Старковым. Теперь он показывал телезрителям, как готовится его любимое блюдо.

«А лучок?» — с усмешкой умного грызуна спрашивал бард.

«А лучок мелко пошинкуем. Без лучка никак нельзя!» — весело отвечал бывший диссидент, орудуя большим ножом.

«Ножичек чувствуете? — не унимался бард. — Фирма "Золлинг". Рельсы можно пилить...»

«Чувствую!»

Наконец пошли новости. В самом конце диктор с добродушным удовлетворением сообщил, что ночью в Москве снова произошло громкое смертоубийство: в перестрелке погибли несколько человек, и среди них — совладельцы одного крупного российского порта. Имена совладельцев в интересах следствия пока не называются. Подробности трагедии в следующем выпуске новостей. Сказав все это, диктор быстро глянул на зрителей, давая понять, что разве только идиот не догадается, о ком именно идет речь.

— Вот козлы! — прошептала Нинка. — Из-за денег!

Лидия Николаевна почувствовала в теле тошнотворную легкость и потеряла сознание.

7

После похорон мать, непривычно ласковая и заботливая, увезла ее в Степногорск. Конечно, никакой милицейский «жигуленок» уже не дежурил у подъезда и никто не наносил визиты вежливости. Только Дима Колесов, чистый и трезвый, пришел к ним, скрипя новенькими, подаренными, кажется, Соросом, протезами, и принес давнюю фотографию конкурса красоты, на котором Лида была избрана королевой.

— Не пьешь? — строго спросила Татьяна Игоревна.

— Зашился, — ответил он и безнадежно посмотрел на одноклассницу.

Месяц она прожила словно в оцепенении, горстями пила таблетки, которыми ее снабдила Нинка, но все равно просыпалась среди ночи и мучилась воспоминаниями. В этих воспоминаниях смешалось все: и глумливая усмешка диктора, сообщающего о смерти мужа, и победная улыбка Старкова, выходящего из ее номера, и недоверчивая ухмылка следователя, домогавшегося, зачем все-таки Майкл Старк, будучи в непримиримой ссоре с Эдуардом Викторовичем, навещал ее в Крыму.

Но самым невыносимым было воспоминание о похоронах. Нинка не оставляла подругу ни на минуту. Вместе они собирали вещи, чтобы отвезти в морг. Варначева долго стояла, вздыхая, перед открытым стенным шкафом, где, словно в магазине, теснились бесчисленные костюмы убитого. «Сколько же нужно живому! — подумала Лидия Николаевна. — А мертвому — всего один костюм. Навсегда...»

В морге они встретили старшего сына Эдуарда Викторовича — Лёню. Она никогда его не видела, но сразу узнала: на рабочем столе мужа стояла большая фотография, запечатлевшая всю их дружную и счастливую некогда семью. Лёня глянул на мачеху такими же бесцветными, как у отца, глазами и отвернулся. С ним был красномордый бородач в золотых очках и кожаном пиджаке. Он хамовато разъяснил, что все хлопоты и расходы, связанные с похоронами, семья берет на себя, а вдова (это слово он произнес с ухмылкой), если хочет, может прийти на отпевание.

— А кто вы, собственно, такой? — возмутилась Нинка.

— Скоро узнаете! — пообещал бородач.

В Елоховском храме народу собралось немного: родственники, сотрудники и какая-то правительственная мелочь. Да еще несколько прихожан, узнавших, что отпевать будут «того самого», остались после утренней службы, перешептывались и рассматривали траурную Лиду с осуждением, а детей убиенного с сочувствием. Смысл перешептываний сводился к тому, что настоящая вдова сидит в сумасшедшем доме, а эта, в черном, — так, приблудная.

Из Лондона на похороны прилетели также дочь и младший сын Эдуарда Викторовича, и Лидия Николаевна постоянно ловила на себе их гадливые взгляды. Красномордый все время что-то шептал на ухо Лёне, а тот согласно кивал. Нинка сообщила, что навела справки: бородач — известный адвокат с роскошным имиджем и очень нехорошей репутацией.

Эдуард Викторович лежал в дорогом дубовом гробу, точно в огромной полированной шкатулке с откинутой крышкой. Серое лицо его было спокойно, а фиолетовые губы чуть искривлены в загадочной покойницкой усмешке.

Она вспомнила, как, выйдя из Лувра, они долго гуляли по весеннему Парижу и рассуждали о загадочной улыбке Моны Лизы.

«Ничего загадочного, — говорил Эдуард Викторович. — Она тихонько изменила мужу и смеется над ним!»

«Фу, как не стыдно! — возмущалась Лидия Николаевна. — При чем тут измена?»

«Ладно! Вторая версия, — легко согласился он. — Ее смешит совсем другое: мужчины поклоняются красивым женщинам, как богиням, а у богини в это время живот пучит...»

«Ну и что? — пожала плечами Лидия Николаевна. — Античные боги страдали человеческими недугами и все-таки оставались богами, потому что были бессмертны...»

«Что значит “были бессмертны”? У бессмертия нет прошедшего времени!»

«Да, действительно глупо!» — согласилась она.

И вот сейчас, глядя на неживое лицо мужа, Лидия Николаевна вдруг поняла: у Моны Лизы тоже, оказывается, мертвая улыбка — и в этом вся разгадка...

Подошел деловитый батюшка и зарокотал привычной скороговоркой. Лидия Николаевна не вслушивалась в слова, неумело крестилась следом за матерью и вздрагивала всем телом, когда певчие подхватывали тоненькими голосами: «Покой, Господи, душу усопшего раба Твоего Михаи-и-ила!» Ей казалось, что отпевают не мужа, лежащего в гробу, а совсем другого человека с неведомым именем Михаил. Ведь она знала, чувствовала, принимала в себя только вот это теперь уже холодное тело по имени Эдуард Викторович, а о существовании нетленного «Михаила» даже и не подозревала.

Когда прощались, она склонилась над мужем, но так и не решилась прикоснуться губами к бумажному венчику, прикрывавшему холодный лоб. Похоронили его на Новокунцевском кладбище между скромной могилой знаменитого физика и черно-мраморным обелиском, где в полный рост красовался широкогрудый улыбающийся браток, а на цоколе были выбиты слова: «Любим, помним, отомстим».

Живя у матери, Лида почти не выходила из квартиры. Вечером, вернувшись с работы, Татьяна Игоревна рассказывала дочери школьные новости, потом садилась проверять тетрадки и тяжело вздыхала, горюя то ли над неистребимыми ученическими ошибками, то ли над жизнью, безжалостной и невосполнимой.

Как-то днем возле их дома остановились два джипа. Из одного вылез одетый в длинную шубу красномордый адвокат, а из другого выскочили плечистые ребята в меховых куртках. Лидия Николаевна была дома одна. Они ввалились в квартиру и долго с удивлением оглядывали невзрачную обстановку. Наконец адвокат достал из крокодилового портфеля пачку бумаг и вежливо сказал:

— Подписывайте!

— Что это?

— Подписывай! — вдруг заорал он, багровея. — А то подложим тебя к Эдику, чтоб не скучал!

Она подписала. У нее оставались только квартира на Зоологической и розовый джипик, да еще драгоценности, в разное время подаренные мужем. В Москву Лидия Николаевна вернулась весной, когда улицы были уже почти летние, но в подворотнях дотаивал грязный снег. Она сидела дома и смотрела в окно на содержанок. Иногда заходила беременная Нинка, озабоченная тем, что будущий ребенок может оказаться блондином, катастрофически непохожим на Рустама.

— Вот сволочь! — ругалась Варначева. — Сына ему подавай! То не хотел, а теперь приспичило!

— Кажется, бармен был крашеным, — успокаивала ее Лидия Николаевна.

Следствие все еще тянулось, ее постоянно вызывали на Петровку и выспрашивали, например о том, куда мог бесследно исчезнуть служивший в охране Эдуарда Викторовича Константин Сухарев, бывший десантник и отец двоих детей. Она в ответ только пожимала плечами: мол, делами мужа не интересовалась и ничем следствию помочь не в состоянии.

Однажды, собравшись с силами, Лидия Николаевна съездила на кладбище. На обелиске братка появилось свежевыбитое слово «Отомстили!». Она убрала просевшую за зиму могилу и зашла в мастерскую — прицениться, сколько будет стоить памятник. Но ей ответили, что памятник уже заказан, и даже показали большую глыбу белого мрамора, из которого его скоро начнут тесать.

По дороге с кладбища Лидия Николаевна, повинуясь неодолимому желанию, остановилась в том же самом месте, на углу Воздвиженки и Арбатских Ворот, вышла из машины и спустилась в переход. Там все было по-прежнему, только уголок, где сидел Володя, теперь занимала художница в кожаной куртке, обмотанная ярко-зеленым в красных маках платком. Навстречу поднялся изнывающий без работы псевдо-Сезанн:

— Кого ищем, мадам?

— А где Володя?

— Какой Володя?

— Вон там сидел...

— Ах, Лихарев! Так его давно нет.

— Нет? А что с ним случилось? — испугалась она.

— Может, за границу умотал. Он же мастер! А сюда так, для баловства ходил...

— Жаль.

— Чего же жаль? Давайте я вас изображу!

— Вы так не умеете, — ответила Лидия Николаевна и, сдерживая слезы, быстро пошла к выходу.

Поднявшись наверх, она все-таки не выдержала и разрыдалась. Предвкушавший поживу молоденький постовой, увидев плачущую хозяйку розового джипика, растерялся, махнул жезлом и отпустил ее восвояси...

Грибной царь

Роман

ТОМ I

1

Он бродил с корзиной в ельдугинском лесу, в том месте, которое дед Благушин называл Ямье. Наименование это происходило от двух десятков квадратных впадин, превращавшихся весной и осенью в омутки со своей лягушачьей и плавунцовой жизнью. В сентябре по закраинам ям росли ворончатые чернушки, истекавшие на сломе белым горьким соком. Когда-то, в войну, здесь стоял пехотный полк. Стоял недолго: солдатики только и успели понарыть землянок, нарубить дров, изготовиться к зимовью и пустить дымы, как вдруг началось наступление. Что стало с полком? Дошел ли кто из приютившихся в землянках бойцов до Берлина? Воротился ли домой? Неведомо. Колхозницы развезли по хозяйствам дрова, разобрали накаты из толстых бревен, а почва принялась год за годом заживлять, заращивать военные язвины. Но рукотворность этих впадин все еще была очевидна, и дед Благушин показывал возле овражков маленькие приямки – прежние входы в землянки...

Не обнаружив чернушек, он побрел дальше и даже не заметил, как привычный некрупный березняк перерос в чуждое, неведомое чернолесье. Огромные замшелые дерева, каких в ельдугинской округе сроду не видывали, подпирали тяжкий лиственный свод, почти непроницаемый для солнечных лучей. Где-то вверху, в далеких кронах, шумел ветер. Этот гул спускался по стволам вниз, и, ступая на толстые узловатые корни, расползшиеся по земле, он чувствовал под ногами содрогание, будто стоял на рельсах, гудевших под колесами близкого поезда.

Чаща была безлюдная, даже какая-то бесчеловечная, и его охватило ведомое каждому собирателю тревожно-веселое предчувствие заповедных дебрей, полных чудесных грибных открытий. Однако грибов-то и не было. Совсем! Несколько раз, завидев влажную коричневую шляпку в траве, он бросался вперед, но это оказывался либо обманно извернувшийся прошлогодний лист, либо глянцевый, высунувшийся изо мха шишковатый нарост на корне. Ему даже вспомнилась читанная в детстве сказка про мальчика, который неуважительно вел себя в лесу: ломал ветки, сшибал ногой поганки, кидался шишками в птичек, — поэтому грибы в знак протеста построились рядами и покинули свои, так сказать, места исконного произрастания. Юный вредитель с лукошком долго и безуспешно искал по обезгрибевшему лесу хоть какую-нибудь дохлую сыроежку, пока не догадался совершить добрый поступок (какой именно — напрочь забылось). Тогда грибы, встав в колонны, радостно вернулись в лес и сами набились исправившемуся отроку в корзинку.

Иронично решив, что тоже, наверное, стал жертвой грибного заговора, он начал прикидывать, в какую сторону возвращаться домой, но вдруг заметил среди стволов просвет и поспешил туда. Перед ним открылась обширная прогалина, странно округлая и неестественно светлая, словно откуда-то сверху, как в театре, бил луч прожектора. Он сделал еще несколько шагов и обмер: поляна была сплошь покрыта грибами. Исключительно белыми! Поначалу у него даже мелькнула странная мысль, будто бы он набрел на остатки древнего городища, наподобие тех, что находят иной раз в индийских джунглях, и перед ним — проросшая травой старинная мостовая, сбитая из темно-коричневых, посверкивающих росой булыжников, необычайно похожих на шляпки боровиков.

И все-таки это были грибы!

Сердце его от радости заколотилось так громко и беззаконно, что стало трудно дышать. Ему пришлось прислониться к дереву и сделать несколько глубоких вдохов животом, как учил доктор Сергей Иванович. Не сразу, но помогло. Успокоившись, он присел на корточки и вырвал из земли первый гриб — тугой и красивый, именно такой, как изображают на картинках в красочных руководствах по «тихой охоте». Шляпка была лоснящаяся, шоколадная, только в одном месте немного подпорченная слизнем, но ранка уже успела затянуться свежей розоватой кожицей. Подшляпье, которое дед Благушин, помнится, называл странным словом «бухтарма», напоминало нежный светло-желтый бархат, а с толстой ножки свисали оборванные мохеровые нити грибницы, обметанные комочками земли и клочками истлевших листьев. Он долго любовался грибом и наконец бережно положил его в свою большую корзину, предварительно выстелив дно несколькими папоротниковыми опахалами.

Вдруг ему почудились чьи-то далекие ауканья, он вскинулся и застыл, напрягая слух, но ничего не уловил, кроме ровного лесного шума и электрического стрекота кузнечиков, засевших в ярко-лиловых зарослях недотроги. Нет, показалось... Тем не менее им овладела боязливая, горячечная торопливость, словно с минуты на минуту сюда должны нагрянуть толпы соперников и отобрать у него этот чудесно найденный грибной Клондайк. Он заметался по поляне, с жадной неряшливостью вырывая грибы из земли и швыряя их в корзину, становившуюся все тяжелее. Наконец ему пришлось оставить неподъемную ношу на середине поляны, рядом с выбеленной солнцем закорючистой корягой, и собирать боровики в свитер, который когда-то ему связала Тоня, Она в ту пору только-только осваивала (как сама любила выражаться) «спицетерапию», не рассчитала — и свитер получился слишком длинный, бесформенный, годный лишь для леса и рыбалки.

Когда грибы заполняли подол, он подбегал к коряге, ссыпал добычу в корзину и снова собирал, собирал, собирал... В одном месте ему вместо боровиков попалась семейка обманчивых молоденьких валуев, он рассмеялся и мстительно раздавил притворщиков каблуком. Наконец на поляне не осталось вроде бы ни одного белого. Внимательно оглядевшись, он опустился возле переполненной корзины, потом, сминая отцветший зверобой, лег на спину и долго наблюдал за плавной жизнью облаков. Высоко-высоко в небе метались, совершая немыслимые зигзаги, птицы, похожие отсюда, с земли, на крошечных мошек. Он долго с завистью следил за их горним полетом, пока не догадался, что на самом деле это и есть какие-то мошки, крутящиеся всего в двух метрах от его лица. А догадавшись, рассмеялся такому вот философическому обману зрения.

Внезапно ему пришло в голову, что, если оставить несорванным хотя бы один боровик и дать ему время, из него может вырасти Грибной царь. Он даже вскочил и еще раз пристально обошел поляну: увы, все было собрано подчистую. Ну и ладно! Во-первых, вряд ли удастся снова отыскать это удивительное место, а во-вторых, даже если оно и отыщется, где гарантия, что кто-нибудь не найдет оставленный на вырост боровик раньше? И тогда Грибной царь попадется случайному лесному прохожему!

Он, кряхтя, поднял тяжеленную корзину. От рывка самый верхний белый скатился наземь. Подобрав его и стараясь пристроить понадежнее, он вдруг замер в недоумении: этот последний гриб был точь-в-точь похож на самый первый. И не только размером! Та же лоснящаяся, темно-коричневая шляпка с проединой, затянутой розоватой кожицей, та же светло-желтая бархатная бухтарма, те же белые, обметанные комочками земли и клочками истлевших листьев мохеровые нити, свисающие с толстой ножки. Он внимательно посмотрел на корзину и с тошнотворной отчетливостью понял, что все собранные им грибы абсолютно одинакового размера, цвета и у каждого в одном и том же месте — поджививший, затянувшийся след от слизня...

Вдруг ему показалось, будто грибы в корзине еле заметно шевелятся. Пытаясь сомнительной улыбкой развеять глупое наваждение, он решил изучить поднятый боровик и с недоумением почувствовал, как тот чуть подрагивает в руке, словно внутри гриба идет какая-то невидимая, мелочная, но очень опасная работа. Он осторожно разломил шляпку и обомлел: вся мякоть была пронизана сероватыми червоточинами, однако вместо обыкновенных желтых личинок внутри копошились, извиваясь, крошечные черные гадючки. Ему даже удалось разглядеть нехорошие узоры на спинках и злобные блестящие бусинки глаз. Одна из тварей изогнулась и, странно увеличившись в размерах, прянула прямо в лицо.

Вскрикнув, он отбросил гриб и, не разбирая дороги, забыв про корзину, побежал сквозь чащу. Ветки хлестали по лицу, липкая паутина набивалась в глаза, а папоротник, как живой, наворачивался на сапоги. Споткнувшись о корень, похожий на врытую в землю гигантскую крабью суставчатую клешню, он кубарем скатился на дно оврага, а когда встал на четвереньки и попытался выкарабкаться, с ужасом увидел, как по самому дну лесной промоины вместо обычного ручейка медленно струится странный слоистый туман. Нет, не туман, а густой, удушающий табачный дым, отдающий почему-то резким запахом женских духов. Ему стало трудно дышать, а грудь пронзила жуткая боль, словно кто-то сначала зажал его сердце в железные тиски, а потом с размаху вогнал в него гвоздь. Он рванул на себе свитер и увидел, что множество гадючек, неведомым образом перебравшихся на его тело, уже успели прорыть серые, извилистые ходы под левым соском...

Он страшно закричал и тотчас проснулся.

2

Перед ним в креслах сидели две курящие девицы — блондинка и брюнетка, одетые по-рабочему: лаковые туфли на высоченных каблуках, короткие — по самую срамоту — юбки и воздушные кофточки с глубоким вырезом. Сквозь матовую, полупрозрачную материю, как сквозь запотелое банное стекло, проглядывала загорелая нагота. На одной были черные колготки со змеиным узором, вторая оказалась голоногой.

— Кажется, проснулся! — тихо сказала брюнетка и, отдав подруге длинную дымящуюся сигарету, наклонилась к нему.

Ее лицо бугрилось той нездоровой свежестью, какую сообщает коже недавно наложенный изобильный макияж. Девица погладила проснувшегося клиента по голове и выпустила в него серую никотиновую струйку.

— Не надо! — взмолился он, поняв, что вечор нанес по своему организму чудовищный алкогольно-никотиновый удар.

Блондинка понятливо усмехнулась и, напоследок глубоко затянувшись, направила табачный дым себе под кофточку, прямо в ложбинку между грудями. Ткнув сигарету в пепельницу с кучей окурков, отвратительно похожих на опарышей для рыбалки, она закинула ногу на ногу — и стали видны маленькие фиолетовые синяки, оставшиеся на бедре от чьей-то требовательной пятерни.

— Жив, папочка? — сочувственно спросила брюнетка.

— Кажется... — вздохнул он.

— Вы так кричали во сне, Михаил Дмитриевич! Мы даже испугались! — сообщила блондинка с недобрым и насмешливым сочувствием.

Девица, конечно же, специально назвала клиента по имени-отчеству, стервозно намекая на некую его постыдную несолидность, свидетельницей, а может быть, и соучастницей которой она стала этой ночью.

— Кричал? Да... Мне приснилось... Чепуха... Грибы со змеями... — сбивчиво объяснил он.

— Вы, наверное, до нас в китайский ресторан ходили? — подбавила ехидства блондинка.

— Почему в китайский? Ах, ну да... — сообразив, кивнул он и с трудом огляделся.

Генеральный директор фирмы «Сантехуют» Михаил Дмитриевич Свирельников лежал в большом гостиничном номере на широкой истерзанной кровати. Из одежды на нем не присутствовало ничего, кроме черных носков, стягивавших щиколотки, которые страшно от этого чесались. Во рту была тлетворная сухость — такую же, наверное, ощутила бы египетская мумия, удивительным образом очнувшись к новой жизни через три тысячи лет. Все тело страдало от ночных излишеств: в голове перекатывалось чугунное ядро боли, сердце колотилось возле самого горла, туда же, кажется, подступала и печень. А душа... душа безысходно маялась утренним позором.

Из провала памяти, точно из адской расщелины, доносились клики давешнего разгула и вырывались подсвеченные грешным пламенем тени содеянного. Теперь оставалось сообразить, как его сюда занесло. Кажется, вчера он помирился с Весёлкиным... Или приснилось? Нет, точно: помирился! Михаил Дмитриевич вспомнил, как ему позвонил Вовико и запел: мол, негоже двум боевым товарищам враждовать из-за каких-то унитазов, мол, пришло время встретиться и, по-мужски поговорив, заключить мир. Без всяких-яких! Свирельников согласился: свара между бывшими компаньонами тянулась давно, всем надоела — да и стоила недешево.

Встречу назначили в ресторане «Кружало», где посреди большого накуренного зала в стеклянном стойле жует сено и помахивает хвостом настоящий ослик, а между столами мечутся официанты, наряженные под гоголевских парубков. Пили горилку с перцем, закусывали тонко нарезанным, завивающимся, как стружка, салом, солеными пупырчатыми огурчиками и кровяной чесночной колбасой. Вовико от избытка примирительных чувств одной рукой бил себя в грудь, а другой наливал рюмку за рюмкой. Михаил Дмитриевич, размякнув, раз пять заказывал ошароваренным бандуристам песню про рушник: ее очень любил и часто певал во хмелю покойный отец:

Ридна маты моя,
Ты ночей недоспала...

Почему отцу, простому русскому, даже, точнее сказать, простому московскому человеку прилюбилась эта хохляцкая песня — поди теперь догадайся! Но ни одно семейное застолье не обходилось без «Рушника». Пил незабвенный Дмитрий Матвеевич редко, но, как говорится, метко: после пения обыкновенно впадал в буйство, стучал по столу кулачищем так, что брызгала в разные стороны посуда, и костерил мать за какого-то давнего, досвадебного, но, видимо, добившегося своего ухажера. Обычно, набушевавшись и намучившись прошлым, отец сам затихал, уронив голову на стол. Правда, бывали случаи, когда скликали соседей вязать буяна полотенцами. Несколько дней после этого отец ни с кем из домашних не разговаривал, а потом, придя с работы, молча ставил на стол, в середку скатертного узора, флакон советских духов, чаще всего «Ландыш». Это был знак примирения. Мать прятала счастливую улыбку и разрешала Мише с братом погулять допоздна. Много лет спустя, после женитьбы, переезжая из родительской квартиры, Свирельников во время сборов нашел в диване десяток нераспечатанных «Ландышей», завернутых в старый материнский халат.

Когда отец умер, эти бешеные вспышки запоздалой ревности забылись, а вот любимая песня осталась, и Михаил Дмитриевич слушал ее в прокуренном «Кружале», роняя слезы:

И рушник вышива-а-аный
На щастя, на до-олю дала-а-а...

Когда принесли жареного поросенка, похожего на загадочного застольного сфинксика, Веселкин торжественно объявил, что отказывается от всяких притязаний на «Фили-палас».

— А еще я тебе изобретателя подарю! Тако-ое придумал!
— Какого изобретателя?
— Фантастика! Для себя берег. Бери, без всяких-яких!
— Пусть зайдет.
— Когда?
— Завтра. Вечером.
— Не пожалеешь!

Потом они обнялись и в знак окончательного примирения больно стукнулись потными лбами.

«А может, это тоже приснилось? — засомневался Свирельников и для достоверности поглядел на девиц. — Нет, не приснилось!»

Две вагинальные труженицы являли собой живое подтверждение вчерашнего соединения врагов. После пьяных поцелуев и плаксивых клятв («Если тебе понадобится моя жизнь, приди и возьми ее!..») Веселкин предложил ослабевшему Михаилу Дмитриевичу закрепить вечную дружбу каруселью с девчонками. Зачем Свирельников, постановивший не изменять Светке, согласился? Зачем? На этот вопрос память, представлявшая собой постыдную невнятицу, ответа не давала.

— Сильно мы вчера?.. — осторожно спросил он девиц, сел в постели, дотянулся и с упоением почесал щиколотки.

— А вы, Михаил Дмитриевич, разве ничего не помните? — надменно ухмыльнулась блондинка.

— Откуда? Папочка вчера такой бухатенький был! — необидно засмеялась брюнетка.

Нет, кое-что он, конечно, запомнил. Например, как вышли из «Кружала» — и ночной город показался колеблющимся роем жужжащих и светящихся насекомых. Потом они мчались в гостиницу в свирельниковском джипе, Вовико оглядывался, показывал пальцем на какой-то упорно следовавший за ними «жигуль» и хитро улыбался, а Михаил Дмитриевич с пьяной обидой уверял восстановленного друга в том, что вообще никого не боится и никакой охраны не нанимал. Веселкин же хохотал и повторял:

— Ты... ты думал, что я... тебя... могу... из-за «Филей»... пух-пух?! Ну, ты козел! Без всяких-яких!

Еще запомнилась «мамка», доставившая девочек, — строгая и значительная бабенка в кожаной двойке, похожая чем-то на разводящего: «Пост сдан/Пост принят». Пока клиенты оценивающе оглядывали товар, она внимательно осмотрела номер, словно собиралась обнаружить там, кроме двух загулявших приятелей, засаду из дюжины озабоченных мужиков. Потом «разводящая» тщательно пересчитала аванс и заставила Веселкина заменить надорванную пятисотку безупречной купюрой. В завершение, кивнув на улыбающихся девочек, она заученно объявила, что садизм и анальный секс не входят в число гарантированных таксой удовольствий.

— А если очень захочется? — хихикнул Вовико.

— Если очень захочется, договоритесь! — уже из дверей ответила «мамка». — Мое дело предупредить, чтобы не было потом... Ну, сами знаете — не маленькие!

— Строгая! — проводив ее взглядом, сочувственно заметил Веселкин.

— Раньше ничего была, — вздохнула брюнетка. — А после Нинкиной свадьбы — озверела...

— А кто есть Нинка? — почему-то с немецким акцентом спросил Вовико.

— Подружка ее.

— В каком смысле? — уточнил он.

— В том самом! — скривила накрашенные губы блондинка,

— А вы тоже подружки?

— В каком смысле? — хохотнула брюнетка.

— В том самом! — заржал Веселкин.

— Мы нормальные! — холодно ответила блондинка.

— А за деньги?

— Да ну вас! — вопросительно посмотрев на напарницу, заколебалась брюнетка. — Только это как в кино будет. Не по-настоящему...

— Я люблю кино! — обрадовался Вовико.

— Нет! — отказалась блондинка.

Свирельников помнил, как Веселкин уговаривал девиц, вынимая для убедительности из бумажника деньги. Брюнетка соглашалась и что-то долго шептала на ухо блондинке, но та поначалу только мотала головой. Наконец на ее лице стало постепенно проявляться выражение равнодушной безотказности. Наблюдая переговоры, Михаил Дмитриевич сообразил, что слово «лесбиянки» можно составить, сложив «лес» и «Бианки». Так странно звали писателя, сочинившего книжку «Лесная газета», которую в детстве мама читала маленькому Мише. Однако в тот самый момент, когда блондинка почти уже согласилась показать «кино», обрадованный Вовико подмигнул соратнику с таким глумливым предвкушением, что неуступчивая девица, заметив это, поджала губы, выпятила подбородок и отказалась. Наотрез.

— Тогда раздевайся! — повелел разозлившийся Веселкин.

Блондинка, мелькнув гладко выбритыми подмышками, сняла через голову блузку и, глядя исподлобья, огладила ладонями свои большие, тугие еще, с длинными коричневыми сосками груди. Потом она стряхнула с ног туфли, привычно вышагнула из юбчонки и осталась в одних обтягивающих тонкую талию трусиках — спереди трогательно кружевных, а сзади суженных до бретельки, затерявшейся меж богатых ягодиц.

— Правда, папочка, она у нас красивая? — спросила брюнетка.

— Угу, — согласился Свирельников, стараясь понять, что же именно не нравится ему в этом почти совершенном теле.

А не нравилась ему, говоря по-армейски, «бэушность» обнажившейся плоти, очевидная с первого взгляда, несмотря на косметику и уход. Когда он после школы попал в армию, под Воронеж, в их Втором Померанском краснознаменном артиллерийском полку вовсю шла борьба с дедовщиной. Незадолго перед этим чеченцы и кумыки до полусмерти, каким-то особенно постыдным образом избили сержанта, призванного из Норильска и пытавшегося обуздать горноаульное безобразие у себя в отделении. Поскольку сержант так и не признался, кто бил, решено было после санчасти откомандировать его куда-нибудь подальше от греха.

Однако за день до выписки он пробрался в казарму и заточкой, изготовленной из автоматного шомпола, убил во сне трех самых отмороженных чеченцев, которых боялись даже офицеры. Парня арестовали и отправили на принудительное лечение, поскольку преступление он совершил, будучи не в себе. Бойцы горных национальностей с тех пор вели себя тише воды ниже травы, потому что с удивлением обнаружили: покладистые славяне тоже могут вот так убийственно сходить с ума. История дошла до министра обороны, сняли командира полка и замполита, а новое начальство, согласно закрытому приказу, объявило неуставным отношениям нещадную войну.

Но тщетно, ведь «неуставняк» не сводился к мордобою или глумлению «стариков» над «салабонами». Существовали еще некие законспирированные традиции и тайные обычаи, украшавшие заунывную службу. Например, уважающий себя «дед» обязан был вернуться на гражданку непременно в новом обмундировании. Зачем? Ведь дома в лучшем случае в чулане повесит, а то еще и ритуально сожжет во дворе для куража и соседской потехи. Но традиция есть традиция. В конце концов, невесты белое платье тоже на один день шьют.

А как добыть новьё, если старшина бдит? И вот над старенькой шинелью, прослужившей два, а то и более годков, совершались чудеса обновления: ее отпаривали, вычесывали, дотошно реставрировали... Все это делалось для того, чтобы начальство не заметило подмены, не угадало, что «дембеля» на последнем разводе перед убытием на «гражданку» стоят в новых шинелях, а «салаги», которым еще служить, как медным, — в старых, отреставрированных. И все-таки, несмотря на немалые ухищрения, достаточно было бросить косвенный взгляд, чтобы сразу понять, где «б/у», а где «новьё». Вот эта самая неустранимая, невосполнимая «бэушность» и чувствовалась в теле блондинки...

Тем временем разделась и брюнетка, огорчив ранней обвислостью своих достопримечательностей.

— Ну-с, — по-жеребячьи заржал Веселкин, — приступим к телу! Право первого выстрела предоставляется...

В это время в номер принесли шампанское. Вовико встряхнул бутылку и пенной струей окатил девушек. Брюнетка радостно завизжала, а блондинка посмотрела́ на выдумщика почти с ненавистью. Остатки допили.

Шампанское на какое-то время снова вырвало Михаила Дмитриевича из реальности, и следующее, что сохранил мозг, — это голый Вовико, с мстительным пыхтением осваивающий блондинку. Еще Свирельников запомнил, как брюнетка сидела на полу возле него и, отчаявшись привести пьяного клиента в отзывчивое состояние, рассказывала о своем страшно ревнивом муже, разрушившем маниакальной подозрительностью семью и вынудившем ее, оставив ребенка матери, уехать из Ростова в Москву на заработки. «Недавно приезжал — умолял вернуться!» — сообщила она. «А ты?» — «Может, и вернусь...» — «А он знает, чем ты зарабатываешь?» — «Не-е! Кроме сестры, никто не знает...»

Блондинка, опершись на локти и содрогаясь всем телом от таранных ударов Вовико, прислушивалась к россказням напарницы и снисходительно усмехалась.

Далее последовала полная самозабвенность, из которой Свирельникова вернул к жизни страшный сон о грибах и дым от сигареты.

— Ну, Михаил Дмитриевич, платить будем? — строго спросила блондинка.

— За что? — удивился он.

— За все!

— А разве не заплатили?

— Нет. Друг ваш только аванс отдал.

— Странно! — удивился Свирельников, хотя это было как раз в стиле Веселкина, воинствующего халявщика. — Сколько я должен?

— Значит, так... — Брюнетка посмотрела на часы. — Сейчас без пятнадцати семь. Сколько за час — помнишь?

— Помню, — соврал он.

— Значит, вы нас взяли в половине двенадцатого. Умножаем на восемь и еще на два...

— Почему на два?

— Нас же двое.

— А-а-а! Ну конечно...

— Вычитаем задаток — получается...

Сумма, названная брюнеткой, оказалась немаленькой.

— Ты хорошо считаешь! — через силу улыбнулся Свирельников.

— Я бухгалтерские курсы окончила, — гордо сообщила девица.

Он поискал глазами свой пиджак и обнаружил его висящим на спинке стула. Догадливая блондинка встала и, покачивая бедрами, отправилась за пиджаком. Михаил Дмитриевич ощутил запоздалую похмельную похоть и сильное сердцебиение. «Проститутка — бактериологическое оружие дьявола!» — вспомнил он любимое выражение доктора Сергея Ивановича и взял себя в руки. Девица, издевательски присев в книксене, подала пиджак.

Бумажник явно отощал, из чего Свирельников заключил, что и за ужин тоже пришлось раскошелиться ему.

Ну Вовико, ну жлобиссимо!

Он расплатился. Брюнетка ловко пересчитала деньги, переворачивая и складывая бумажки с бухгалтерской тщательностью. Блондинка тем временем внимательно посмотрела ему в глаза и строго спросила:

— А за вредность?

— За какую еще вредность? — изумился Свирельников.

— За какую? За «анал»...

— За два «анала»! — уточнила брюнетка.

— Я?! — покраснел Михаил Дмитриевич.

— Нет, ты, папуля, даже на «орал» не годился, — по-родственному засмеялась она и обнажила темные кариесные зубы.

При мысли о том, что с этим антисанитарным существом у него что-то было, директор «Сантехуюта» почувствовал тошноту, начинавшуюся от ступней.

— Дружок твой постарался! — уточнила блондинка.

— Боевой папашка! — добавила подруга.

— А где он?

— Уехал. Давно. Сказал, жена ждет.

— Какая жена? Он холостой!

— Значит, наврал! — понимающе усмехнулась блондинка.

— Сколько я должен?

— Сколько не жалко...

Он снова полез в бумажник. Девицы обрадованно схватили деньги и заторопились к дверям.

— Эй, постойте! — окликнул он. — А я? Со мной... Что-нибудь было?

— Ничего серьезного! — весело отозвалась брюнетка.

Напарницы переглянулись, прыснули, как школьницы, сбежавшие с урока, и скрылись.

3

Свирельников посмотрел на часы: 6.49. Он разрешил себе полежать до семи, потом с трудом поднялся и пополз в ванную. Зеркало подтвердило худшие опасения: то, что еще вчера вечером было лицом неплохо сохранившегося сорокапятилетнего мужчины, превратилось в гнусную похмельную рожу. От мятной пасты, выдавленной из маленького гостиничного тюбика, его чуть не стошнило. Отравленный организм принципиально отказывался от гигиенического обновления и возвращения к здоровой жизни. Конечно, выход имелся: заказать бутылку водки с острой закуской, поправиться и залечь в номере, предаваясь медоточивой похмельной медитации. Но именно сегодня делать это было никак нельзя.

Он доплелся до телефона, долго, с тупой дотошностью изучал гостиничный проспект и наконец позвонил в рецепцию, чтобы выяснить, где находится сауна. Через пять минут ему внесли в номер белый махровый халат, тапочки и запечатанную душевую шапочку. Свирельников искренне порадовался фантастическим переменам в Отечестве. Он прекрасно помнил суровые советские гостиницы, где среди немногих развлечений значились: коллективная вечерняя охота на тараканов и несуетное командировочное пьянство. А если удавалось урвать одноместный номер, то провести мимо дежурной к себе на ночь девушку было нисколько не легче, чем прошмыгнуть обстреливаемую пулеметами контрольно-следовую полосу.

В сауне он оказался один. Принимая душ, Михаил Дмитриевич долго и придирчиво осматривал своего выдвиженца и на основании некоторых внятных опытному мужчине примет постарался убедить себя в том, что, кажется, ничего не было. А вся эта негаданная вакханалия и в самом деле ограничилась для него рассказом о ревнивом муже, исполненным брюнеткой для охмурения клиента и удовлетворения собственной мечтательности. Хорошо бы! Ведь из-за Веселкина ему уже однажды пришлось лечиться. Еще при советской власти.

В 85-м Свирельников и Тоня как раз вернулись по замене в Москву из Германии и буквально через месяц поссорились. Конечно, не так чудовищно, как в ту чертову новогоднюю ночь, но тоже довольно серьезно. Началось все с обычных упреков: мол, Свирельников совершенно не занимается дочерью, не помогает по дому, а закончилось обвинениями в полной никчемности, которая давно привела бы их семью к жизненному краху, если бы не «святой человек» — Валентин Петрович. Именно он отправил непутевого родственничка после окончания «Можайки» служить не на Камчатку, как предписала комиссия, но в Дальгдорф, что в десяти, между прочим, километрах от Западного Берлина. И теперь вот вынужден снова пристраивать его не куда-нибудь, а в Голицыно, в Центр управления полетами!

Наслушавшись всякого, Михаил Дмитриевич обиделся, собрал чемодан и ушел, хлопнув дверью. Мать, Зинаида Степановна, на постой его, конечно, не пустила. К невестке она относилась с опаской и понимала, что Антонина вмешательства в свою семейную жизнь не простит. Поэтому брачный отщепенец осел у одноклассника и друга Петьки Синякина: тот только успел отдать ключи, показать, где перекрывается газ и хранится тайный манускрипт. С тем и отбыл в творческую командировку на БАМ — собирать материал для продолжения романа о молодых гвардейцах пятилетки «Горизонт под ногами».

Оставшись один в квартире приятеля, Свирельников обнаружил в торшерной тумбочке приличный бар и основательно нализался диковинной в ту пору текилой: Петька только-только вернулся из Мехико с международной конференции «Молодая литература в борьбе за мир». Потом беглый муж лежал в счастливом расслабоне, слушая магнитофонные записи неведомого, но восхитительно антисоветского барда, обладавшего пронзительным ресторанным баритоном, и листал рукопись Петькиного романа, точнее, неприличную версию этого произведения. Поскольку сочинять книжку про ударников пятилетки было делом занудным, Синякин для собственного развлечения каждую героическую главу освежал каким-нибудь совокупительным паскудством. Например, если описывалось собрание, на котором бамовцы брали повышенные обязательства, то в самом конце озабоченный автор живописал, как комсомольцы, приняв проект постановления, тут же в зале под руководством старших партийных товарищей буйно предавались свальному греху. А если молоденькая ударница шла набираться передового опыта в соседнюю бригаду, то возвращалась она оттуда, можно сказать, переполненная самыми изощренными сексуальными впечатлениями.

Срамная версия романа хранилась, разумеется, втайне, доступная лишь друзьям, а к публикации в издательстве готовился правильный, вполне соцреалистический и скучный до икоты вариант. Оставляя другу свое сочинение, Петька просил по прочтении убрать манускрипт назад в нижний ящик стола, запереть, а ключик положить в вазочку. Однако Свирельников инструкцию не выполнил, сунул папку на полку, и благодаря этой оплошности Синякин впоследствии прославился, став родоначальником целого направления в литературе.

Утром беглец наслаждался одиноким похмельем, не потревоженным Тониными упреками, читал, томясь мужским одиночеством, Петькину срамоту, а к вечеру заскучал, позвонил матери — узнать, ищут ли его, и на всякий случай оставил свой телефон. Мать клятвенно пообещала сообщить номер Антонине по первому же требованию. Однако жена на связь не выходила, выдерживая характер. К концу третьего дня Свирельников уже совсем затосковал и сам бы вскоре пошел сдаваться, если бы не Веселкин. Он как раз вернулся в Москву из Улан-Удэ, куда его законопатили после «Можайки». Получив от Зинаиды Степановны телефон друга, Вовико позвонил, примчался и обнаружил однокурсника, тоскливо дочитывающего синякинскую порнуху. Пробежав глазами несколько страничек, Веселкин возбудился и со словами «без всяких-яких» куда-то ускакал, а вскоре притащил двух сестричек-лимитчиц. Он познакомился с ними в аэропорту и наврал, будто у него есть на примете квартира, сдающаяся по совершенно смешной цене. За крышу над головой девушки были готовы на все. Это «все», которое Веселкин называл почему-то братанием, удивило Свирельникова культмассовой безрадостностью и изобретательной деловитостью: «Делай раз! Делай два! Делай три!» У Петьки в романе то же самое выглядело гораздо заманчивее, романтичнее, а главное — не вредило здоровью.

Во время братания раздался звонок из Тынды от автора. Синякин взволнованно сообщил, что получил от издателей телеграмму: «Для ускорения подготовки к печати срочно требуется второй экземпляр рукописи!» (Впоследствии оказалось: редактор, едучи со службы в Переделкино, по пьяни забыл роман в электричке.) Петька объяснил, где лежит дубликат, и попросил друга срочно доставить его куда следует. Михаил же Дмитриевич, ошалевший от новых впечатлений и алкоголя, по ошибке схватил с полки папку со срамным вариантом. Когда он ехал в метро и от скуки рассматривал попутчиков, ему мерещилось, будто все они повязаны общей развратной тайной: те, что поугрюмее, возвращаются с братания, а те, что повеселей, туда как раз и направляются.

Стало тоскливо и захотелось к Тоне, в преданные моногамные объятья.

В издательстве никто его не ждал, рассеянный редактор ушел во внеочередной творческий отпуск. По указанию надменной секретарши Свирельников оставил папку в братской груде рукописей, которыми был завален бесхозный стол.

Через два дня Веселкин, выпроваживая девиц, объяснил им, что хозяин приготовленной для них квартиры — мужик подозрительный, адрес свой давать никому не разрешает, только телефон. Написав номер на бумажке, Вовико вытолкал сестричек с хамоватой галантностью, какую обычно позволяют себе мужчины по отношению к отосланным женщинам. Вернулся он хохоча.

— Ты чего? — спросил Свирельников.

— А я им дал телефон справочной Киевского вокзала. Там всегда занято...

К Веселкину, естественно, после той «карусели» ни черта не прилипло, а вот Михаил Дмитриевич схватил, научно выражаясь, «специфическую инфекцию», не очень серьезную, но довольно противную. Отомстили сестрички! Но почему-то не проходимцу Вовико, отбывшему к месту новой дислокации в Манино, а неповинному Свирельникову. Какое счастье, что обнаружилось это почти сразу и он еще не успел помириться с Тоней! А тут очень кстати воротился Петька. Опытным взором молодого литератора, собирающего материал для своих книг в самых нездоровых закоулках жизни, он определил заболевание как «гусарский насморк» и отвел товарища к подпольному доктору, пользовавшему неразборчивую в связях творческую интеллигенцию. Тот гарантировал исцеление и, главное, заверил, что никакая информация в кожно-венерологический диспансер, а значит, и к месту службы не просочится.

Пришлось сдавать позорные анализы и горстями пить антибиотики. Тут, в самый разгар лечения, позвонила жена, предлагая мир и дружбу. Недостойно хворый Свирельников изобразил глубоко обиженную личность, которая не может вот так сразу забыть нанесенные оскорбления и просит немного подождать, покуда зарубцуются нравственные раны. Тоня вспылила, снова наорала на него и швырнула трубку. Обрадованный Михаил Дмитриевич понял, что у него теперь есть по крайней мере неделя, чтобы вернуться в брачный секс излеченным.

Синякин тем временем хватился своего тайного сочинения, и Свирельников, помогая товарищу в бесплодных поисках, предположил, что рукопись увез с собой в Манино шкодливый Веселкин, дабы скрасить серость гарнизонной жизни. На самом деле ему сразу все стало понятно, и он тайком спрятал правильную папку под ванну, подальше от гневных хозяйских глаз. Петька же, собираясь в Дубулты на всесоюзный творческий семинар «Положительный герой молодой литературы», страшно ругался и требовал, чтобы к его возвращению блудливый манускрипт лежал на своем законном месте, в противном случае дружбе конец. Едва Синякин отбыл, Свирельников помчался в издательство, чтобы заменить эротоманский апокриф на канонический вариант, но там ему сообщили: «Горизонт под ногами» ввиду важного общественного значения включен в экспресс-план и передан для срочной редактуры другому, более опытному сотруднику. Это была полная катастрофа...

Страдая, что так гадко подставил друга, Михаил Дмитриевич почти не обрадовался полной капитуляции Тони, не подозревавшей в своем муже такой твердости: все предыдущие ссоры и размолвки заканчивались его покаянием и исправительными внутрисемейными работами. Более того, потом в течение многих лет она, помня тот мужнин уход, старалась не доводить домашние размолвки до серьезных ссор. В общем, иногда заболевания, передающиеся половым путем, укрепляют брак.

Во второй раз он попал в подобную переделку уже со Светкой, не предполагая, что столь юное существо может оказаться носителем инфекции. Но это, как, впрочем, и триумф Петькиного срамного романа, совсем другая история...

Свирельников долго парился в одиночестве: до изнеможения лежал на раскаленном полке, затем, весь в поту, выбегал и опрокидывал на себя жбанчик воды, такой холодной, что все тело на мгновенье мертвело. Потом в сауну заглянула удручающе зрелая немка, вежливо пропела «гутен морген», размотала простынку, расстелила ее на нижнем ярусе и раскинулась — неувлекательно голая. Он исподтишка рассмотрел обнаженную даму, заметил на животе шрам, должно быть, от кесарева сечения, и принялся думать о том, что ребенок, родившийся от этой операции, к примеру мальчик, наверное, стал совсем уже взрослым и, возможно, именно в этот момент занимается с кем-нибудь бодрым утренним сексом. А его родительница тем временем лежит в жаркой сауне в чем мать родила рядышком с русским бизнесменом... Это немудреное в общем-то соображение внезапно вызвало у Михаила Дмитриевича яркое, радостное, посещающее человека только с похмелья изумление, почти переходящее в предчувствие скорейшего и окончательного постижения тайного смысла бытия.

После сауны ему стало гораздо легче. Он оделся и спустился в холл. В рецепции с него приветливо слупили не только за номер, но еще за шампанское, шоколад и фрукты, заказанные Веселкиным. (Вовико даже в порыве примирения не поступился своими скобарскими принципами. Ай, молодца!) Деньги у Свирельникова принимала пожилая дама с суровым лицом гостиничной церберши, в давние времена жестоко выгонявшей из номеров робких советских путан и наводившей ужас на озабоченных командированных.

Выдав квитанцию, которую он тут же сообразил провести по статье «представительские расходы», дама щедро улыбнулась и, пригласив заглядывать, протянула визитную карточку:

«МАНОН»
Клуб телесной радости
Исполнение всех желаний в течение часа

Михаил Дмитриевич вышел на улицу и догадался, что находится неподалеку от Патриарших прудов, а блудили они с Веселкиным в гостинице, где в прежние времена селились исключительно делегации дружественных коммунистических и рабочих партий.

Он достал из кармана и включил мобильник с позолоченной передней панелькой и модным нынче сигналом, имитирующим дребезжащий звонок старенького аппарата. Номер этого полусекретного телефона не выявлялся никакими определителями и был известен лишь самым доверенным и нужным людям. Имелась, правда, еще одна «труба», общедоступная, но ее директор «Сантехуюта» обычно оставлял водителю, принимавшему необязательные звонки.

Уже рассвело, и рыжее сентябрьское солнце просовывало между тесно стоящими домами холодные утренние лучи. Но прохожих и машин почти не было. Только на противоположной стороне переулка бритоголовый парень, одетый в джинсы и красную ветровку, рылся в багажнике серых «жигулей», показавшихся Свирельникову странно знакомыми.

Решив, что это обычное похмельное дежавю, Михаил Дмитриевич помотал головой и направился к своему черному «лендроверу». Водитель Леша спал, откинувшись в кресле и выставив кадык. Именно так в давнишние годы откидывался, подставляя беззащитное горло лезвию, отец, любивший бриться в парикмахерской, несмотря на неудовольствие матери, которая считала это расточительством. Оставаясь один дома, маленький Ишка (так его иногда звали в семье) играл в парикмахерскую: взбивал отцовским помазком в мыльнице пену и брился перед зеркалом плоской, закругленной на концах палочкой, сбереженной от съеденного эскимо.

Свирельников подергал ручку дверцы — заперто. Тогда он постучал по лобовому стеклу. Водитель встрепенулся, открыл глаза, бессмысленно, даже пренебрежительно глянул на хозяина, затем узнал, виновато заулыбался и, окончательно проснувшись, щелкнул замком. Уходя с Веселкиным в номера и думая, что уложится в час-полтора, пьяненький Михаил Дмитриевич приказал ждать, а потом просто забыл позвонить шоферу на мобильный и отпустить домой. Но босс никогда не должен виниться перед подчиненным.

— Ты чего домой не поехал? — строго спросил он, усаживаясь.

— Так вы не велели, — заробел водитель.

— Что я тебе не велел? Что я тебе сказал?

— Жди...

— А если бы я послезавтра пришел? Ждал бы? — Леша пожал плечами.

— Позвонить надо было! — наставительно разъяснил Свирельников, страдая от собственного занудства.

— Я думал, вы заняты...

— Думаю я! — зло гаркнул Михаил Дмитриевич, потому что в слове «заняты» ему почудилась глубоко упрятанная насмешка. — Звонки важные были?

— Из «Столичного колокола» вас искали.

— Ладно, поехали!

— Куда?

— Домой! Надо же мне после бл...й переодеться!

Когда они отъезжали от гостиницы, бритоголовый как-то особенно посмотрел им вслед и торопливо вскочил в машину. Свирельников сначала забеспокоился, но потом вспомнил майора-пропагандиста, с которым вместе служил в Германии: тому после хорошей пьянки в гаштете мерещились везде агенты НАТО. А замполит Агариков, наоборот, всегда говорил, что бдительность и «бздительность» — вещи разные. Хороший был мужик, смешной! Михаил Дмитриевич улыбнулся и мысленно пообещал организму заслуженный отдых...

4

Уйдя от Тони, Свирельников оставил ей квартиру на Плющихе, а себе подобрал хорошую «двушку» на Беговой в кооперативе творческой интеллигенции «Колорит». На большее после дефолта 98-го денег не было: начинал тогда чуть ли не с нуля, даже новую дачу в Здравнице пришлось загнать. Жилплощадь ему продал словоохотливый наследник, похожий на внезапно постаревшего и поседевшего очкастого вундеркинда. Он ради этого прилетел из Америки и по-русски тараторил не то чтобы с акцентом, но с каким-то неуловимым иностранным излишеством. Мебель наследник уже пристроил хорошим людям (на вытертом паркете виднелись большие ровные пятна сохранившегося лака), картины у него оптом купил Чукотский национальный банк (на выцветших обоях темнели прямоугольники). Наверное, не очень-то преуспевая за океаном, он был чрезвычайно доволен совершенными здесь, на бывшей Родине, сделками и весело рассказывал покупателю про своего усопшего деда, прохорохорившегося на белом свете аж девяносто девять лет.

В 21-м году дедуля, тогда юный студент Вхутемаса, во время встречи молодежи с Лениным пробрался к самой сцене и нарисовал вождя. Нарисовал, надо сказать, плохо и совсем не похоже. Но поскольку натурных портретов Ильича осталось вообще немного, даже и этот неудачный рисунок помещали во все альбомы и иллюстрированные издания. Автора же включали в разные советы и комиссии, принимавшие в эксплуатацию очередной ленинский бюст, памятник или эпическое полотно, должное украсить Дом культуры либо зал заседаний руководящего учреждения. От деда как от очевидца требовалось одно — посмотреть и сказать: похож или не похож. И бывший вхутемасовец жил дай бог каждому! Из ресторанов не вылезал — приглашали, угощали и умоляли: «Будь человеком, скажи: похож!» Сам он почти ничего не писал, разве что изредка для удовольствия баловался советскими ню: «На Днепре. Доярки после смены». Кстати, на Беговой, в кооперативе «Колорит», заслуженный лениновидец оказался потому, что свою пятикомнатную квартиру на Тверской, напротив Моссовета, оставил дочери, зятю и внукам.

— А что с той квартирой? — полюбопытствовал Свирельников.

— Продали еще в восемьдесят девятом, когда в Америку уезжали...

— А дед чего не уехал?

— Не захотел. Сказал: здесь я Ленина видел, а там я кому нужен?

— А в Америке как?

— Негров много. Редкие твари! Но говорить об этом можно только здесь. Там нельзя: политкорректность долбаная!

После 91-го за то, за что до этого выдвигали и холили, деда задвинули. Он, правда, ерепенился, пытался пристегнуться к новой жизни, даже опубликовал воспоминания о том, какое неприятное впечатление произвел на него Ленин при встрече — маленький, рыжий, суетливый, брызжущий слюной. И теперь, мол, пришло время объявить правду: он, юный вхутемасовец, рисуя, сознательно исказил вождя мирового пролетариата — так сказать, из классовой мести, потому что у них до революции был ювелирный магазин, а большевики все отняли! Старичку позвонили и пригласили в день рождения Ильича на телепередачу, посвященную тому, какой Ленин был, в сущности, всемирно-исторический мерзавец и морально-бытовой сколопендр-двоеженец. Дед в прямом эфире охотно подтвердил и про мерзавца, и про сколопендра, вспомнил даже похотливые взгляды, которые вождь бросал на юных краснокосынчатых вхутемасовок. Но это не помогло.

Про деда забыли. Навсегда. А как жить? Пенсия никакая. Кормился тем, что присылали родственники из

Америки, да по мелочи распродавал имущество. Пока не обокрали, пускал на постой приезжих с Белорусского вокзала. Они-то и довели квартиру до полусортирного состояния. Особенно Свирельникова как специалиста поразил унитаз, треснувший в нескольких местах и обмотанный от распада скотчем, бинтами, бумажными полосами для заклейки окон и даже шпагатом, каким в магазинах раньше завязывали коробки с тортами.

Окончив рассказ про выдающегося деда, наследничек объявил цену — такую, что Михаил Дмитриевич обалдел:

— За что?

— За вид.

— За какой еще вид?

Бывший вундеркинд движением фокусника отдернул тяжелую пыльную портьеру. Свирельников обомлел: буквально в двадцати метрах от него, взметая пыль, пронесся запряженный в «качалку» рысак. В глаза бросились вдохновленная беговым азартом лошадиная морда и равнодушное лицо жокея. Окно выходило прямо на ипподром, на взрытую копытами дорожку.

— Ну? — спросил наследник.

— Беру! — тут же согласился директор «Сантехуюта».

Покупая квартиру, Михаил Дмитриевич думал, что, сидя у окна и созерцая скачки, он будет иметь регулярный релакс и отдых от своей суетливой предпринимательской жизни, но получилось иначе: уходил он на работу утром, а возвращался за полночь, и лишь по воскресеньям ему выпадало насладиться бурной состязательной жизнью ипподрома. Кроме того, он вступил в ту пору жизни и в ту фазу финансового благополучия, когда мужские радости уже не могут и не должны являть собой некую шкодливую внебрачную суету. Богатый человек тем и отличается от малоимущей шелупони, что уважает свои желания, в том числе похоть. Однако девушки по вызову довольно быстро надоели — после них оставалось ощущение какого-то подлого прилюдного самоудовлетворения. (Это чувство после длительного перерыва снова посетило Свирельникова нынешним грешным утром.)

Тогда он решил сменить ориентацию и стал зазывать к себе подпивших на фуршетах вполне приличных бизнес-дам, охотно клевавших на рассказы про уникальный вид из окна. Почти все они потом перезванивали и выражали готовность вновь насладиться из кровати зрелищем мчащихся за стеклом бешеных упряжек и даже сымитировать их постельный вариант. Некоторым Михаил Дмитриевич шел навстречу. Однако и это скоро наскучило. От деловых женщин, самых изощренных и страстных, веяло непреодолимой самодостаточностью. Даже в роскошно бурные мгновенья было не ясно, к чему они на самом деле все время прислушиваются — к назревающему в их разгоряченных чреслах оргазму или к мобильному телефону, оставшемуся в сумочке...

А потом появилась Светка. Все случилось внезапно и буднично: она заехала к нему за деньгами, которые называла «шпионскими», ахнула, увидав в окне мчащиеся упряжки, сообщила, что всегда мечтала ездить верхом, как принцесса Ди, потом выпила немного мартини и без особых смущений оседлала Михаила Дмитриевича. После Светка ходила по квартире голая и рассказывала, что ее всегда тянуло к взрослым мужчинам, а Свирельников ей сразу понравился — с первой встречи.

Дней через десять он забеспокоился и, решив, что застудил простату, когда возил юную подружку купаться в аквапарк, отправился к своему доктору Сергею Ивановичу. Тому хватило одного взгляда, брошенного на предъявителя, чтобы укоризненно покачать головой:

— Ай-ай-ай! Без презерватива?!

— Я думал...

— Как ребенок! Ну разве вы по грязи без ботинок ходите?

— Нет, — сознался Свирельников. — Не хожу...

— А ведь случайные связи — та же грязь! О проститутках даже не говорю: это — бактериологическое оружие дьявола!

— Это не случайная связь! — обидчиво возразил Михаил Дмитриевич.

— Любовь?

— Ну, любовь, наверное, громко сказано... Увлечение.

— Возраст увлечения?

— Две недели. Чуть меньше...

— Дорогой мой, не пытайтесь казаться хуже, чем вы есть! Сколько лет девушке?

— Девятнадцать.

— Студентка?

— Да.

— Опаснейший контингент: в голове и промежности ветер, вагинальный опыт катастрофически опережает опыт жизненный. Когда был контакт?

— Вчера.

— Это последний. А первый?

— Дней десять...

— Скорее всего, хламидиоз, — покачал головой Сергей Иванович. — Разве так можно!

— А что же делать?

— То же самое, что делают другие обеспеченные мужчины. Полюбили, увлеклись, осознали, что душевная склонность требует непременной физической близости, — и сразу же бегом к Василию Моисеевичу. Он берет у девушки экспресс-анализ. Да вас заодно проверяет. Пролечились оба-два, сделали «контрольку», восстановили флору — и безумствуйте ночи напролет! Все серьезные люди давно уже так живут!

— Но ведь девушка может обидеться!

— На что — на гигиену? Если умная, наоборот, порадуется: основательный мужчина попался.

— А если она... ну... чиста?

— Как ангел? В литературе такие случаи описаны. Лично я не встречал. Зато знаю другие ситуации. Тут один англичанин ко мне ходит. Привел пассию: влюбился. Проверили: шесть инфекций, хроника с осложнениями. Посчитали: с реабилитацией курс лечения пять штук баксов. Взял он на размышление три дня. Потом позвонил и говорит: нет, она таких денег не стоит. Вот вам западный образ жизни! Пойдемте!

Сергей Иванович отвел Свирельникова в пристройку. К двери была прилеплена табличка «Центр интимного здоровья». На стульях в коридоре сидели в основном молодые, модно одетые женщины, безмятежные и значительные, словно дожидались они приема не венеролога, а косметолога. Одна даже преспокойно вязала, постукивая спицами. Средних лет пара весело перешептывалась, поглядывая на горной наружности гражданина, который нервно мерил шагами помещение, бормоча под нос проклятья, состоявшие из гортанной невнятицы с частыми вкраплениями русского мата.

— Ну вот, пока очередь подойдет, ваш ангел и подлетит. Звоните! — распорядился доктор.

Светка примчалась быстро, ничуть не смущаясь, уселась рядом со Свирельниковым и шепотом спросила:

— Мы болеем?

— Да, — тихо и сурово ответил он.

— Из-за меня? — мило нахмурилась она.

— Скорее всего...

— Ну, Никеша, скотина!

— Что?

— Нет, ничего... Ты меня простишь? Это до тебя было. Честное слово!

Конечно же он простил. А что ему оставалось делать?

5

...Добравшись до дома, Свирельников отпустил Лешу домой — умыться и позавтракать. У подъезда консьержка Елизавета Федоровна — заслуженный работник культуры и бывшая актриса — кормила на ступеньках бездомных кошек. Истомившись за ночь без человеческого общения, она бросилась к Михаилу Дмитриевичу, объявив хорошо поставленным трагическим голосом, что нынешние режиссеры умеют только уродовать классику, а выпускники «Щуки» не способны даже держать второй план. Директор «Сантехуюта» спорить не стал. В этот момент его гораздо больше интересовали серые «жигули», которые медленно проехали вдоль соседнего дома и скрылись за поворотом.

«Нет, это, кажется, не похмельные глюки!» — сообразил он.

Похоже, с самого утра, а точнее даже, со вчерашнего вечера за ним следили! Но кто и зачем?

Торопливо согласившись с Елизаветой Федоровной, что вечный худрук некогда знаменитой «Таганки» впал в очевидный творческий маразм, Свирельников метнулся к лифту. Через мгновенье, как по заказу, створки разъехались — из кабинки стремглав выскочила бодрая извилистая такса и, напрягая поводок, потащила на прогулку еще не проснувшуюся толстушку с восьмого этажа. Поднимаясь к себе, Михаил Дмитриевич некоторое время слышал гулкий голос бывшей актрисы, громившей телепередачу «Дог-шоу» за низкопоклонство перед западным собачьим питанием.

Войдя в квартиру и вдохнув родной воздух, Михаил Дмитриевич ощутил долгожданное домашнее расслабление. Наверное, нечто подобное испытывал древний человек, когда, удрав от саблезубого тигра или голодных каннибалов, забивался в свою родную пещерку и чувствовал себя в первобытной безопасности. Свирельников отдернул оконную штору: беговое поле было пустынно. Он сбросил пиджак, осторожно, через голову, чтобы не повредить узел, снял галстук и включил автоответчик. Сообщения были еще вчерашние: загуляв с Веселкиным, он поставил «золотой» мобильник на режим переадресации.

Первой звонила секретарша Нонна. Подчеркнуто официально, но с неуловимой иронической интонацией, какую позволяют себе помощницы, состоящие с шефом в интимной близости, она сообщала, что обтрезвонились из газеты «Столичный колокол» и просили срочно с ними связаться. Дергались они, сообразил Михаил Дмитриевич, скорее всего, из-за неоплаченной рекламы. Это уже случалось, и гендиректор «Сантехуюта» злобно наметил: сегодня же накостылять бухгалтерии.

Вторым оказался отец Вениамин. Он душевно поздравлял с Анной Пророчицей, передавал именинные приветы дочери, забыв, очевидно, что зовут ее не Анна, а Алена, и напоминал — уже в который раз — про болтики. «Черт! — выругался про себя Михаил Дмитриевич. — Сегодня же надо забрать и отвезти!» — мысленно постановил он. «Пусть Господь посетит тебя Своей милостью! — словно услышав его, обрадовался пастырь. — Ну, храни тебя Бог!»

Третьей была мать. Она достаточно связно прорыдала, что Федька опять запил, и попросила незамедлительно приехать на помощь брату. «Вот мерзавец!» — заскрипел зубами Свирельников, но, почуяв в собственном теле подлую похмельную невнятность, смягчился: надо будет к ним сегодня заскочить.

Четвертым шел Алипанов. «Все в порядке! — спокойно сообщил он. — Передаю трубку...» И тут же в автоответчике забился плачущий голос Фетюгина, который обещал завтра (значит, уже сегодня) в девять часов доставить долг прямо домой. «Очень кстати!» — обрадовался Свирельников: ему предстояло (если все наконец сложится) занести большую взятку руководителю департамента. Потом снова заговорил Алипанов: «Позвони, когда все будет в порядке! Жду».

Пятой объявилась Светка: «Ты — врун и обманщик! Я изменю тебе с сантехником! Прямо сейчас!.. Заходите, заходите, молодой человек! Ну конечно же я дома одна. Совсем одна...» От этих слов Михаила Дмитриевича бросило в жар. Нет, не потому, что он поверил в ее смешную угрозу, а оттого, что Тоня почти с такой же интонацией, когда ссорились, полушутливо-полусерьезно обещала наставить ему рога с каким-нибудь исключительным ничтожеством. Впрочем, и в этом случае он тоже сам виноват: обещал приехать к Светке вечером, еще не зная, что закаруселит с Веселкиным, и обманул. А мог ведь позвонить и соврать что-нибудь про срочные переговоры. Почему не позвонил? Почему? Да, был пьян и вовлечен в непотребство. Ну и что? Все равно надо было набрать и наврать! Это жены бесятся, когда пьяный муж звонит за полночь и с пятого раза выговаривает слово «задерживаюсь». А любовницам, наоборот, нравится: «Ах, он даже в таком виде про меня не забывает!» Конечно, надо было звонить и врать! Ложь украшает любовь, как хороший багет линялую акварельку. Если мужчина перестает женщине врать, значит, он ею больше не дорожит и скоро разлюбит, если уже не разлюбил.

«Срочно ехать и — мириться!»

Последний «месседж» оказался очень странным: кто-то прерывисто дышал в трубку, и доносился отчетливый автомобильный гул. Звонили с улицы. Потом раздались гудки. Михаил Дмитриевич взглянул на зеленый дисплейчик и обнаружил, что звонок был сделан уже сегодня, минут десять назад, когда он поднимался в лифте. Озадаченный Свирельников еще раз прослушал последнюю запись, но дополнительно ничего, кроме скрипучей милицейской сирены, звучавшей в отдаленном машинном шуме, не уловил. Поначалу он хотел сразу же набрать Алипанова и рассказать обо всех этих нехорошестях, но решил дождаться Фитюгина, а потом уже звонить.

Чтобы успокоиться и отогнать мысли о подозрительном «жигуленке», Михаил Дмитриевич несколько раз прошелся по комнате, задержался возле тележки-бара, повертел в руках черного «Джонни Уокера» и даже заранее ощутил во рту теплую освобождающую алкогольную горечь. Но сегодня с утра пить было нельзя. Он нехотя вернул бутылку на тележку и включил телевизор.

Шла шутейная утренняя передача «Вставай, страна огромная!», которую вела развязная дама с фиолетовыми волосами, похожая на Карлсона без пропеллера. Звали ее Ирма. Она сообщила, что сегодня, 11 сентября, по православному календарю день Иоанна Предтечи, и принялась бойко рассказывать про то, как Саломея в обмен на сексапильный танец выпросила у Ирода голову Крестителя...

«А теперь у меня вопрос к директору Института библейской истории, действительному члену АГУ, Академии гуманитарного универсализма, господину Коллибину. — Ведущая на вращающемся кресле резко повернулась к гостю. — Кирилл Семенович, так можно ли утверждать, что именно Саломея заказала Иоанна Предтечу?»

Изнуренное знанием морщинистое лицо академика потемнело в мыслительном усилии, и он медленно, как бы размышляя вслух, заговорил:

«Видите ли, Ирмочка, формально — да, так как именно Саломея, падчерица и одновременно племянница Ирода Антипы, потребовала от него: “Хочу, чтобы ты мне дал теперь же на блюде голову Иоанна Крестителя!” И царю, прилюдно поклявшемуся выполнить любую ее просьбу, ничего не оставалось, как послать палачей в темницу. Однако мы должны помнить, что, услышав обещание царя, Саломея выбежала из залы, чтобы, так сказать, проконсультироваться со своей матерью Иродиадой, которая и приказала дочери: проси голову Крестителя!..»

«Ага! — радостно воскликнула фиолетовая ведущая, начавшая уже тосковать и ерзать ото всех этих подробностей. — Значит, Предтечу заказала Иродиада?!»

«Понимаете, Ирмочка, формально мы можем это предположить, — кивнул универсальный академик. — Действительно, Иоанн Креститель решительно осуждал брак царя с Иродиадой, потому что ее первый муж был еще жив. Да и собственная жена царя тоже была жива, но убежала от него к своему отцу. Поэтому царица питала к Иоанну далеко не дружественные чувства...»

«Как же у них там все запущено! — кокетливо хохотнула Ирма. — Что ж, давайте перейдем...»

«Разрешите закончить мысль?» — попросил Коллибин.

«Покороче!»

«...Иосиф Флавий сообщает, что царь заключил Иоанна в тюрьму, боясь, как бы страстные проповеди не спровоцировали народные волнения. Поэтому мы не можем исключить, что коварный Ирод Антипа, зная ненависть своей жены к Крестителю, сознательно пообещал падчерице выполнить любую ее просьбу, предвидя, какова будет эта просьба. Таким образом, ему удалось откровенное политическое убийство замаскировать под месть оскорбленной женщины. Это был тонкий расчет...»

«Совершенно с вами согласна! — перебила ведущая. — Брак по расчету может оказаться счастливым только в том случае, если расчет был верным. Итак, академик Коллибин считает, что Крестителя заказал царь Ирод! А теперь...»

«Ирмочка! Мы еще не рассмотрели с вами возможный след Синедриона в этом деле. Ведь поначалу Ирод весьма сочувственно прислушивался к советам Иоанна. Однако

Креститель, как сказано в Евангелии, “все положил к ногам Иисуса Мессии, которому должно было расти, а ему, Иоанну, умаляться”. А это не могло не вызвать озабоченности влиятельного священничества, которое...»

«Кирилл Семенович, — ненавидяще улыбаясь, оборвала его фиолетовая ведущая, — надеюсь, вы еще не раз придете к нам в студию, и мы, конечно, расскажем телезрителям и про кровавый след Синедриона, и про кровосмесительные нравы того времени, а сейчас пора узнать, как отмечали день усекновения главы Иоанна Предтечи на Руси! И расскажет нам об этом, как всегда, Старичок Боровичок!»

В углу экрана вдруг возникло некое как бы избяное помещение. На фоне авангардно нарисованной печи сидел странный человечек в широкополой соломенной шляпе, похожий на Карла Маркса, из озорства вырядившегося то ли гусляром, то ли бандуристом. Задумчиво облокотившись о настоящую самопрялку и поигрывая резным вальком для белья, он всем своим видом выражал ожидание.

«Боровичо-ок!» — игриво позвала ведущая, глядя почему-то в другой угол экрана.

«Ирма?!» — с готовностью отозвался тот.

«Боровичок, вы в эфире!»

«Иван постный — осени отец крестный! — балагуристо затараторил гусляр. — Иван постный пришел — лето красное увел. Иван Предтеча гонит птицу за море далече! С Ивана постного убирали репу. Однако с этим днем связан запрет кушать все круглое...»

«А это еще почему?»

«А вот почему. Нельзя есть яблоки, картошку, капусту, арбузы, лук, — в общем, все то, что напоминает человеческую голову. Считалось грехом брать в руки нож и резать что бы то ни было...»

«Ой, а я хлеб резала!» — расстроилась Ирма.

«Бог простит! — пообещал Боровичок. — Но я надеюсь, вы сегодня не пели?»

«Нет!»

«И правильно! Ведь запрет на песни и пляски связан с тем, что Саломея именно таким образом выпросила у Ирода голову Иоанна Крестителя. Ирма?!»

«Спасибо, Старичок Боровичок, за подробную информацию! – поблагодарила ведущая и, оставшись в кадре одна, вздохнула огорченно. – Ну что ж, если нельзя петь и плясать, остается послушать последние известия. Казимир?!»

Камера дала общий план, и на том месте, где прежде сидел академик, теперь обнаружился безукоризненно одетый молодой человек с лицом, искаженным какой-то давней, очевидно родовой, травмой. Героический доктор, тащивший его щипцами, и помыслить не мог, что помогает появиться на белый свет будущему телевизионному диктору.

«Ирма?!» – отозвался Казимир, отрываясь от ноутбука.

«Что нового в мире?»

«Сегодня в США пройдут траурные мероприятия, посвященные второй годовщине террористического акта на Манхэттене. В Россию с частным визитом прибывает экс-президент Джордж Буш-старший с супругой Барбарой. Свое турне он начнет с Санкт-Петербурга, планирует также посетить Москву и Сочи и, конечно же, встретиться со своим другом экс-президентом Горбачевым...»

Поняв, что ничего заслуживающего внимания в мире не произошло, Михаил Дмитриевич стал переодеваться, прикидывая, как складывается день. Директор «Сантехуюта» никогда не записывал свои планы в ежедневник, но помнил все по минутам – привычка, оставшаяся с армейских времен. В 9.30 для ежемесячного осмотра его ждал доктор Сергей Иванович. Как ни странно, после такой пьянки Свирельников чувствовал себя вполне прилично, если исключить естественную оторопь в организме. Поначалу он хотел позвонить и перенести осмотр, боясь опоздать к следователю или, что еще хуже, не успеть на вручение даров, назначенное на 12.00, Но потом, прикинув и рассчитав расстояния, решил не ломать график.

Михаил Дмитриевич отодвинул зеркальную панель шкафа-«стенли» и, немного поколебавшись, выбрал костюм попроще, так как глава департамента был чрезвычайно скромен, строг и придирчив. Ведь чиновник, известное дело, чем больше берет, тем болезненнее относится к наглядной роскоши входящего в кабинет бизнесмена. У него, чиновника, может быть, тоже дома гардероб набит «гуччами» да «версачами», а лишний раз не наденешь — враги только и ждут повода!

Некоторое время Свирельников стоял перед зеркалом, соображая сорочку и галстук. В этом он ничего не понимал, а малолетняя Светка, носившая исключительно джинсы да майки, — тем более. В прежние, семейные времена галстуки ему выбирала и повязывала, разумеется, Тоня — большая специалистка. Сам он так и не научился: полжизни проходил «по форме» с уставной «селедкой», имевшей вечный узел да еще застежку на резиночке — для удобства. Захолостяковав, Михаил Дмитриевич стал наряжаться по наитию, однако сегодня, очевидно с похмелья, интуиция тупо отказывалась участвовать в процессе одевания. И тут ему пришла в голову спасительная мысль — директор «Сантехуюта» снова обернулся к телевизору.

«...В Министерстве образования, — докладывал Казимир, — заканчивается прием отзывов на новый стандарт образования, и вскоре он поступит на утверждение в Думу. Программы школьных предметов разработчики постарались максимально насытить знаниями, необходимыми для повседневной жизни. В курс биологии, к примеру, добавили тему «Съедобные и несъедобные грибы», на уроках географии дети смогут познакомиться с денежными знаками основных стран мира, а в курс математики введена теория вероятности, которая поможет каждому школьнику оценить свои шансы при игре в лотерею...»

На дикторе были сине-полосатая рубашка и стального цвета однотонный атласный галстук. Михаил Дмитриевич выключил ящик и стал рыться в шкафу, проклиная свое невежество и страдая оттого, что вынужден подражать этому деформированному телевизионному щеголю. А куда деваться? Не приучили... Отец сроду галстуков не носил — среди шоферни этого вообще не понимали. При галстуке Михаил Дмитриевич видел его только один раз, когда хоронил. Дмитрий Матвеевич отрулил тридцать семь лет без единого серьезного ДТП, и его, как самого опытного в хозяйстве водителя, отправили в Чернобыль. Чуть ли не в виде поощрения, суки! Что уж он там возил на своем самосвале, кто теперь расскажет? Стал прихварывать. Потом обнаружили рак, прооперировали на Каширке, объяснились с родственниками и отпустили умирать домой, а ему сообщили, будто опухоль доброкачественная и бояться нечего. Почти до последнего дня он радовался за себя и переживал за соседей по палате (у них-то, в отличие от него, везунчика, рак самый настоящий!) и очень удивлялся, что домашние хоть и разделяют его радость, но как-то неуверенно. К концу он так высох, что мать, которая всегда была против кремации, махнула рукой и сказала: «Жгите! Все равно ничего не осталось...»

6

Свирельников умел завязывать только пионерский галстук. Были такие — из алого шелка, частицы, можно сказать, революционного знамени, обагренного кровью борцов за лучшее будущее. «Красиво умели детишек морочить!» — подумал он, внутренне напевая:

Вот на груди алый галстук расцвел.
Юность бушует, как вешние во-оды.
Скоро мы будем вступать в комсомол,
Так продолжаются школьные го-оды!

А почему, собственно, морочить? Что тут плохого? Ну, партию разогнали, может, и за дело. Ведь никто же не заступился. Никто! И хрен с ней! А пионеров-то за что? Они-то со своими горнами и барабанами кому мешали? Ну и маршировали бы себе дальше, собирали металлолом, бабушек через дорогу переводили, советовались бы там в своих отрядах! Кому это вредило? Значит, вредило! Значит, правильно Федька говорит, что где-то там, в закулисье... Стоп! «Закулисье» — «закут лисий». Тонька бы оценила!.. Так вот, значит, в этом самом «закуту лисьем» решили: не хрена с детства к коллективу приучать, не хрена товарищей-выручальщиков плодить! Человек — волк-одиночка! Нет, сначала волчонок, а потом уже волк! Брат правильно говорит. Вообще, Федька в первый день запоя много правильных вещей говорит. Это потом он уже начинает нести совершенную чепуху, вроде того, что евреи на самом деле никакие не евреи, а засланные из другой галактики биороботы с единым центром управления и задачей подчинить себе человеческую цивилизацию. Лечить надо брата. Опять надо лечить!

Самого Свирельникова, кстати, долго не принимали в пионеры. Во время сбора металлолома он проявил, как выразилась на собрании учительница Галина Остаповна, «хищнические наклонности». А дело было так: в Татарском дворе, возле Казанки, стояла раскуроченная «инвалидка» — трехколесная машинка, из тех, что предназначались увечным фронтовикам. Ветеран, видимо, одиноко помер, а его средство передвижения долго ржавело у забора, летом зарастая огромными московскими лопухами, а зимой превращаясь в сугроб. И вдруг в Краснопролетарском районе объявили соревнования под девизом «Металлолому — вторую жизнь!». По классам метался старший пионервожатый Илья, похожий на очкастого Шурика из «Кавказской пленницы», и вдохновенно рассказывал, как старый бабушкин утюг или ржавая труба могут превратиться в броню боевого танка и даже сопла ракеты, летящей к Марсу. Но что еще важней, было обещано: класс, собравший больше всего лома, поедет на Бородинское поле, где до сих пор находят медные солдатские пуговицы и даже побелевшие от времени пули величиной с лесной орех.

Маленький Миша страшно воодушевился и сразу вспомнил про «инвалидку», за которой иногда прятался, играя с друзьями в войну. Однако про нее еще раньше вспомнили мальчишки из 3-го «А», но не смогли даже сдвинуть с места, поэтому поставили часового и побежали за подмогой. Конечно, можно было позвать своих ребят, дать часовому по шее и утащить машину. Но пацаны из 3-го «А» поступили очень хитро: они поручили стеречь добычу Равильке. Грамотное решение, потому что двор назывался Татарским совсем не случайно: в полуразвалившемся флигеле обитала многочисленная и горластая семья дворника дяди Шамиля, большеголового татарина с недобрым взглядом, гонявшегося за мальчишками с метлой, если кто-нибудь обижал задиристого Равиля.

И тогда в голове малолетнего Свирельникова созрел изысканный план. Дело в том, что отец обычно обедал дома — подъезжал на своем самосвале и питался. Миша отыскал ближайший автомат и набрал номер, обойдясь, разумеется, без двух копеек. Этим нехитрым искусством владели почти все мальчишки: когда на том конце провода отвечали, надо было просто придавить рычаг, на который вешается трубка, до первого, еле слышного щелчка. Весь секрет заключался в чувствительности пальцев: чуть передавишь — и отбой. Телефон в их большой коммунальной квартире висел в коридоре, и никто обычно не торопился к дребезжащему черному аппарату, предпочитая, чтобы это сделали соседи. Но Мише повезло — трубку снял Григорий Валентинович, пожилой холостяк, работавший бухгалтером на «Физприборе», в двух кварталах от дома. Иногда в обеденный перерыв он со своей сослуживицей забегал попить чаю, и наивный Свирельников никак не мог понять возмущение матери, которая была яростно убеждена в том, что молодая замужняя женщина не имеет никакого личного права пить чай наедине с товарищем по работе, тем более таким старым.

Итак, Григорий Валентинович снял трубку и сообщил, что Дмитрий Матвеевич только-только закончил обед и спустился к машине. Миша взмолился:

— Дядя Гриша, верните папу!

Сосед с явным неудовольствием согласился.

— Что сотряслось? — минут через пять раздался в трубке отцов голос.

Он всегда говорил именно «сотряслось», а не «стряслось». И уж конечно, не от бескультурья, потому что вырастила его бабушка, до революции служившая гувернанткой в хороших семьях. Однажды Миша даже спросил отца, почему тот не стал учиться дальше, а пошел шоферить. Дмитрий Матвеевич, улыбаясь, ответил, что на трассе есть знаки и указатели, на крайний случай — регулировщики, а вот в других профессиях, особенно умственных, полный бардак и безответственность. Но откуда взялось это самое «сотряслось», он у отца так ни разу и не поинтересовался. Жаль, ведь за любимыми, смешно переиначенными словечками скрываются обычно какие-нибудь незабываемые жизненные обстоятельства. И кто знает, может, там, в посмертных эфирных скитаниях, души узнают друг друга именно по этим, переиначенным словечкам.

«Что сотряслось, сынок?» — спросит, быть может, бесплотного Свирельникова сгусток света, похожий на промельк противотуманных фар, выскочивший из-за поворота раньше самого автомобиля.

«Это ты, папа?»

«А кто же еще!»

И они сблизятся и сольются, как два солнечных зайчика, пущенные разными зеркалами...

Михаил Дмитриевич поежился от холодного похмельного морока, пробежавшего по телу, и успокоился, вспомнив, что видел нечто подобное недавно по телевизору в «Засекреченных материалах».

В общем, отец спросил, что «сотряслось», а Миша горячо и радостно рассказал про бесхозную «инвалидку», которую надо подцепить к грузовику и подтащить к школе, — тогда весь их класс поедет на Бородинское поле. Отец, поколебавшись, согласился. Теперь оставалось избавиться от Равильки. И малолетнего хитреца снова осенило. Им овладело чувство веселого могущества, когда все придумывается и ладится так легко, словно этот мир — часть тебя, твой молодой, бодрый, послушный орган. Подобное состояние за жизнь нисходило на него всего несколько раз. А в тот день — впервые, наверное, потому и запомнилось так крепко.

Миша набрал «02» и вполне испуганным голосом доложил «дяденьке милиционеру», что в Татарском дворе возле шестого дома дерутся пьяные. Дежурный, даже не переспрашивая, бодро ответил: «Высылаем наряд». Он свое дело знал: Татарский двор был общеизвестным местом мордобоя и других антиобщественных поступков. В длинной желтой пятиэтажке, тянувшейся вдоль Балакиревского переулка, жили еще с довоенных времен серьезные люди из Наркомата путей сообщения. А в бараках, отделявших двор от автохозяйства, обитали грузчики и ремонтники с Казанки. По праздникам работяги пьянствовали и дрались между собой. Насельники желтого дома смотрели на это отчужденно-печально, в особо кровавых случаях вызывая милицию.

Получив от дежурного обнадеживающий ответ, Миша покинул будку и, торопливо проходя мимо Равильки, бросил так, между прочим: мол, соседи узнали, что пионеры собираются спереть «инвалидку», и вызвали милицию. Татарчонок лишь презрительно ухмыльнулся: мол, с помощью такой дешевой дезинформации «бэшникам» не удастся заполучить вожделенную поездку на Бородинское поле. Свирельников буркнул «как знаешь» и скрылся в кустах сирени, оставшихся тут еще с давних, палисадных времен, «органы» в те годы работали споро, да и отделение располагалось недалеко: через несколько минут во двор лихо въехал наряд на тарахтящем мотоцикле с коляской. Равиль бросился наутек. Милиционеры оглядели двор, пожали плечами и, решив, наверное, что драка умордобоилась сама собой, утарахтели.

Едва они скрылись, во двор, рыча и наполняя округу серыми, вонючими выхлопами, вполз самосвал. Отец выпрыгнул из кабины, дал сыну ласковый подзатыльник и обошел «инвалидку», оглядывая это транспортное ничтожество с превосходством человека, который водит огромный, могучий грузовик.

— Ругаться не будут? — спросил он.

— Нет! Она ничейная! — искренне соврал сын.

Дмитрий Матвеевич достал трос, подцепил «инвалидку» и кивнул: садись. Миша очень любил ездить с отцом, и тот, зная это, иногда баловал. В кабине пахло бензином и маслом, а все остальные машины сверху казались маленькими суетливыми подданными высокородного ЗИЛа. Оставляя на асфальте скрежещущий след, они потащили добычу к школьному двору. И надо же было случиться, чтобы навстречу им попался тот самый мотоциклетный наряд, решивший, наверное, на всякий случай, раз уж вызвали, пропатрулировать округу. Старшина махнул рукой, и самосвал покорно прижался к поребрику, а «инвалидка» осталась посреди неширокого Балакиревского переулка. Дмитрий Матвеевич спрыгнул на землю и посеменил с той показательной виноватостью, какая бывает только у нашкодивших собак, укоряемых хозяевами, и у проштрафившихся шоферов, остановленных стражами закона.

— Куда тащим? — спросил старшина.

— Вот, пионерам помогаю...

— А! — улыбнулись милиционеры, видимо, осведомленные о металлоломном мероприятии в районе.

Сзади засигналили машины, которым «инвалидка» перегородила путь. Старшина успокаивающе поднял руку.

— Давай за нами! — приказал он.

Они медленно подползли к перекрестку, свернули с Балакиревского в Переведеновский и вот так, предводительствуемые мотоциклетным нарядом, въехали в школьные ворота. А там, на спортплощадке, уже высилось несколько холмиков железного лома, из которых торчали шесты с табличками: 3 «А», 3 «Б», 4 «А», 4 «Б»... И так до самых десятых классов.

Навстречу грузовику, волокущему «инвалидку», с криками побежали ребята.

— Принимайте! — козырнул старшина, по-ковбойски привстав на сиденье.

Отец отсоединил трос, убрал его и, подмигнув сыну, полез в кабину: не хотел, очевидно, мешать триумфу. Самосвал взревел, осторожно сдал назад, объезжая «инвалидку», и выполз в Переведеновский, перегородив узенький переулок.

Дмитрий Матвеевич выправил машину и уехал в сторону Спартаковской площади.

Под ликующие крики друзей Миша сдал победный лом. «Инвалидку» подхватили множество рук, потащили, взгромоздили — и куча 3-го «Б» сразу стала выше остальных. Старший вожатый Илья торжественно поднял вверх Мишину руку, словно победителю-боксеру. Все поздравляли, а девчонки широко раскрытыми глазами смотрели на героического ломодобытчика, чей отец к тому же работает на огромном грузовике...

По традиции на следующий день к стенду у раздевалки должны были прикрепить красочное объявление о том, какой класс собрал больше всех и, следовательно, поедет на Бородинское поле. Однако утром Миша объявления не обнаружил, и у него появилось нехорошее предчувствие, а потом его прямо с урока вызвали к директору.

«Это за махаловку!» — успокаивал он сам себя, спускаясь с четвертого этажа на первый.

В те годы в школу ходили исключительно со сменной обувью, которую носили в сатиновом мешке на длинной стягивающей горловину веревке. Мешки оставляли внизу на вешалках. Поздней весной и ранней осенью, пока не подоспели пальто и курточки, раздевалка напоминала фантастический лес, где на никелированных ветвях висели сотни сатиновых мешков, похожих на сморщенные почерневшие груши.

Часто, усидевшись на уроках, мальчишки устраивали «махаловку», отдаленно напоминавшую рыцарский поединок из кинофильма «Крестоносцы»: портфель служил щитом, а мешок с тапочками — молотильным оружием, обрушивавшимся на соперника. Обычно махались, уже выйдя из школы, во дворе. Но накануне Миша схватился с Петькой Синякиным прямо в вестибюле, едва переобувшись. Именно в этот момент появился директор — суровый седой железнозубый Константин Федорович, всегда ходивший в одном и том же коричневом двубортном костюме с орденскими планками.

— Свирельников и Синякин! — Он знал по фамилиям всех учеников. — Отставить! Я с вами еще поговорю! Тоже мне — лыцари!

— А почему «лыцари»? — спросил любопытный Петька.

— Потом объясню! — сурово пообещал директор.

Но, едва войдя в кабинет, Миша понял, что «махаловка» тут ни при чем. Константин Федорович нервно шагал из угла в угол, курил папиросу, а в гостевом кресле, солидно развалившись, сидел тщедушный лысый гражданин в очках.

На его лацкане испуганный Свирельников сразу заметил красно-голубой флажочек и, даже не зная, что это за значок, детской интуицией понял: в нем-то, флажочке, вся и беда.

— Ну, Свирельников, рассказывай! — сурово потребовал директор.

— Что?

— Не догадываешься?

— Не-ет...

— Наглец! Рассказывай, как ты товарищей обманул и обокрал!

— Я не обманывал, — покраснел Миша.

— Па-азвольте, молодой человек! — вступил в разговор значкастый. — Вы сказали представителю 3-го «А» класса, что соседи запрещают вывозить инвалидную мотоколяску на металлолом. Не так ли?

— Я не говорил... — растерялся победитель соревнования, почувствовав в этом странном обращении на «вы» страшную опасность.

— Может быть, вам устроить очную ставку с Равилем?

— Не врать! — грозно проговорил директор, тяжело дыша. — Говорил или нет?

— Говорил... — кивнул Миша, знавший, что такое «очная ставка», по фильмам об угрозыске.

— Зачем?

Маленький и жалкий, Свирельников молчал и, глядя в пол, от безысходности просверливал пальцем дырку в кармане.

— А я скажу зачем! — с каким-то глумливым сочувствием покачал головой значкастый. — Чтобы присвоить себе то, что принадлежит другим. Разве ты нашел эту «инвалидку»?

Миша промолчал и лишь чуть заметно помотал головой: в этом внезапном переходе на «ты» сквозила еще большая угроза.

— Правильно! Первым нашел ее мой сын... Точнее сказать, первым догадался сдать в металлолом. Мы живем напротив. — Он объяснительно повернулся к директору, продолжавшему шагать из угла в угол. — Я специально опросил соседей — и никто не возражал. А ты, мальчик, сподличал! Ведь сподличал?

— Отвечай, когда тебя спрашивает депутат районного совета! — гаркнул директор. — Ты нашел первым?

— Нет, не я... — еле слышно промолвил Миша.

— Громче!

— Не я... — повторил он срывающимся голосом.

— А ты знаешь, мальчик, как это называется? — ласково спросил значкастый.

— Не знаю...

— Я тебе скажу: это называется подлый антиобщественный поступок! — торжественно объявил депутат. — А еще ты втянул в это преступление своего отца. Отца тоже надо бы вызвать! — Он повернулся к директору.

— Вызовем! — решительно пообещал Константин Федорович.

— Я для класса... — начал оправдываться Свирельников и заплакал. — Не надо отца... Он думал, она ничейная...

— Ну вот, и папу ты обманул! — всплеснул руками депутат. — А ведь ты лгун!

— Позор! — багровея лицом, зарокотал директор. — Стыд, Свирельников, и позор! Класс ты опозорил и подвел. А ты знаешь, что и без твоей «инвалидки» из младших классов вы больше всех собрали? Знаешь?

— Не-ет...

— Так вот знай! Но из-за твоего поступка на Бородинское поле поедет теперь 3-й «А». Иди! Постой! Телефон дома есть?

— Есть... — не посмел соврать Миша.

— Диктуй!

— Б-6–84–69...

Константин Федорович, скрипя самопиской, быстро чиркнул номер на листочке, а значкастый удовлетворенно кивнул.

На следующий день Свирельникова прорабатывали в классе. То, что его клеймили за антиобщественный поступок девчонки, еще недавно им восхищавшиеся, полбеды: эти всегда готовы шумно разочароваться во вчерашнем герое. Но потом к доске стали выходить друзья и, медленно подбирая какие-то чужие, газетные слова, обвинять его «в индивидуализме». А когда обличать вызвался лучший друг Петька Синякин, Свирельников не выдержал и заплакал. Учительница Галина Остаповна (по прозвищу "Гестаповна") наблюдала за всем этим со строгим умилением дирижера, который после долгих репетиций добился слаженности оркестрантов. Выслушав последнего проработчика, Гестаповна поднялась из-за стола во весь свой недамский рост, одернула плотно облегавший ее костюм джерси и громко объявила, что позор смывают не слезами, а делами, и предложила проголосовать за то, чтобы не принимать злоумышленника в пионеры. Руки взметнули все, кроме Нади Изгубиной, в которую Миша был тогда секретно влюблен.

— Ты воздержалась? — возмущенно удивилась учительница.

— Да, — ответила девочка, потупившись.

— Почему?

— По-моему, Свирельников уже раскаялся... — тихо ответила она.

Воцарилось молчание. Скорее всего, оттого, что никто из третьеклассников еще просто не знал такого слова — «раскаялся». А если и знал, слышал, то еще никогда не произносил сам.

— Не раскаялся, а распустился! Садись! — обозлилась Гестаповца.

В общем, постановили: в пионеры похитителя «инвалидки» не принимать, хотя он уже сдал 80 копеек на галстук и даже выучился отдавать салют. Поначалу Миша не обратил на это внимания, так как весь был поглощен ожиданием куда более страшной катастрофы — вызова в школу отца. Он даже спрятал в диван армейский ремень, справедливо рассудив, что Дмитрий Матвеевич, пока будет искать инструмент возмездия, немного остынет, а тут еще, привлеченная шумом, вмешается мать. В результате наказание, возможно, окажется не столь суровым.

В течение недели всякий раз, когда из коридора доносилось дребезжание общественного телефона, Миша вздрагивал, и по телу разбегались отвратительные мурашки, но из школы никто не звонил. Измученный ожиданием, он даже уже собрался сам все рассказать отцу, надеясь честным признанием облегчить свою участь. Но Дмитрий Матвеевич за воскресным обедом с таким удовольствием рассказывал родне о том, как они под почетной охраной милиции тащили «инвалидку», что Миша отбросил самоубийственный вариант раскаянья. Оставалось покорно ждать рокового звонка...

Через несколько дней весь класс, кроме Свирельникова, уже пижонил в алых галстуках. Мальчишки восторженно вспоминали Музей Калинина, где их принимали в пионеры, и особенно, конечно, маленький личный браунинг всесоюзного старосты, выставленный в витрине. Но самым обидным оказалось другое: Гестаповна велела Мише остаться после уроков, вынула из клеенчатой хозяйственной сумки (она всегда приходила на уроки с сумкой) завернутый в газету новенький галстук и отдала:

— Вот, пусть пока у тебя полежит. Назад не берут... Только носить не смей!

По утрам он перед зеркалом тщательно повязывал галстук, стараясь, чтобы узел вышел квадратным и без морщин, а заостренные концы равнобедренно свешивались по сторонам. Потом шел по улице, распахнув пальто, дабы все видели его пионерскую принадлежность, и только если навстречу попадался кто-то из одноклассников, быстренько застегивался. Лишь около школы, за углом, он снимал галстук и прятал в портфель.

Отца директор так и не вызвал.

Примерно месяца через три, когда случай с «инвалидкой» почти забылся, в класс заглянул Константин Федорович. Он любил обходить школу во время занятий: внезапно открывалась дверь, в проеме возникал директор в своем неизменном коричневом костюме и делал рукой успокаивающий жест учителю, собиравшемуся поднять для приветствия класс: мол, ничего, продолжайте. Потом он внимательно оглядывал помещение и учеников, а перед тем как удалиться, хмуро или добродушно кивал. Если хмуро, то учителя, страшно его боявшиеся, урок уже продолжать не могли, а давали какую-нибудь наскоро придуманную самостоятельную работу, чтобы собраться с мыслями и вычислить, за что им будет устроен разнос на ближайшем педсовете.

Константин Федорович умер от инфаркта, когда Свирельников учился в седьмом классе. В школе делали ремонт — и пропала большая бочка половой краски. Директор, узнав про это, страшно кричал на лепетавшего что-то невразумительное завхоза, тряс его за грудки, потом пил таблетки и был после второй перемены увезен «скорой помощью». Поначалу гроб хотели выставить в актовом зале, чтобы вся школа могла проститься, начали сколачивать помост и привезли лапник, отчего классы пропахли хвоей. Но вдруг примчался значкастый и объявил, что вид мертвого директора может нанести его сыну, а также другим детям непоправимую психическую травму, — и дело ограничилось траурным митингом возле большой фотографии с черной ленточкой. С портрета лихо смотрел молодой командир с грудью, полной орденов. Выступали не только учителя, «значкастый», начальник из РОНО, но и однополчанин усопшего, служивший с ним в дивизионной разведке и рассказывавший о необычайной храбрости и хладнокровии, которые проявлял Константин Федорович, отправляясь в тыл врага. Миша так и не сумел понять, как это хладнокровный разведчик мог помереть из-за украденной краски.

«Значкастого», сильно постаревшего, но бодрого, Свирельников увидел через много-много лет, совсем недавно, — по телевизору. На лацкане у него снова был депутатский флажок, только другой формы, и он прочувствованно рассказывал двадцатилетнему лохмачу-ведущему о том, как трудно, но мужественно и благородно жила наша научная интеллигенция под железной пятой коммунистической деспотии. А лохмач кивал в ответ с таким пониманием, будто и сам только-только вылез из-под пресловутой пяты.

Но это произошло много позже, а тогда живой и бодрый Константин Федорович заглянул во время урока в 3-й «Б», с удовольствием осмотрел красногалстучный коллектив, но, заметив Свирельникова, вдруг помрачнел, тяжко глянул на учительницу и резко вышел из класса. Гестаповна от огорчения осела на стул, и до конца урока все самостоятельно учили басню про квартет. А после уроков Мишу срочно вызвали на совет дружины, где старший пионервожатый Илья деловито спросил:

— Галстук есть?

— Есть! — Миша полез в портфель и вынул оттуда свою законную частицу красного знамени, пропитанного, очевидно, не только кровью борцов, но и слезами незаслуженно обиженных.

Вожатый повязал ему галстук, пожал руку и призвал:

— Будь готов!

— Всегда готов! — сглотнув подступивший к горлу комок, ответил мальчик и качественно отсалютовал.

Вскоре Константин Федорович встретил опионеренного Мишу в коридоре, остановил, поправил сбившийся набок галстук и спросил, пристально глядя в глаза:

— Ты все понял?

— Все...

— А милицию тогда ты, что ли, вызвал?

— Я...

— Ишь ты, смышленый! В армии в разведку просись!

Собственно, это очень важное для его жизни воспоминание прошмыгнуло в сознании Свирельникова, когда он в задумчивости разглядывал галстуки, выбирая похожий на тот, что повязал себе телевизионный уродец Казимир. Прошло уже немало времени, как Михаил Дмитриевич ушел от жены, а узлы были еще завязаны ею — многие залоснились. И директор «Сантехуюта» вдруг до звона в ушах изумился непостижимой хитросплетенности жизни. Первая любовь — Надя Изгубина, отважно защищавшая его от Гестаповны, после четвертого класса ушла в спецшколу, и больше они никогда не виделись. Через много лет, познакомившись с Тоней, Свирельников на мгновенье решил, что перед ним повзрослевшая, похорошевшая Изгубина. Он даже назвал ее Надей. Возможно, именно это сходство и стало неизъяснимым поводом к любви и почти двадцатилетнему совместному бытию, от которого остались дочь и вот эти галстучные узлы, да еще иногда накатывающее после пробуждения чувство неуловимой жизненной ошибочности, исчезающее обычно во время бритья...

Как говаривал замполит Агариков, жизнь любит наоборот.

7

Ровно в девять раздался истерический звонок в дверь.

«Ну и какого хрена я плачу этой старой суфлерской будке?! – возмутился Свирельников. – Ведь так любая сволочь может зайти в дом и натворить черт знает чего!»

Согласно договору, который заключило домовое товарищество с Елизаветой Федоровной, она обязана была каждого незнакомого посетителя спрашивать, в какую квартиру он направляется, а потом по внутренней связи непременно выяснять, ждут ли его в этой самой квартире. Однако из-за нездоровой любви к бездомным кошкам и столь же нездорового желания оповестить каждого входящего и выходящего жильца о необратимом кризисе современного театра эти обязанности выполнялись ею отвратительно. Среди жильцов созрело и даже перезрело недовольство небдительной консьержкой. Ее давно бы выгнали, но этому препятствовали два обстоятельства. Во-первых, дом населяли в основном деятели культуры, та особенная разновидность человечества, которая в искусстве может быть сурова до сокрушительности, сметая системы и режимы, но в частной жизни предпочитает улыбчивую интригу с гадостями за спиной и комплиментами в лицо. Во-вторых, все знали, что именно Елизавета Федоровна довела до рокового сердечного приступа художественного руководителя своего театра. В результате никто так и не решился высказать ей претензии...

Звонок повторился – в нем дребезжали ярость и бессильная обида.

«Ну, я-то не засрак! Я-то ей все сегодня скажу!» — сам себе пообещал Михаил Дмитриевич и пошел открывать.

На пороге стоял Фетюгин, похудевший, даже полысевший от переживаний. Благородно кивнув и не подав хозяину руки, он прошел на негнущихся ногах в квартиру, молча шлепнул на стол кейс, отщелкнул крышку, достал черный полиэтиленовый пакет и вытряхнул тринадцать десятитысячных пачек в банковской упаковке.

— Вот! — вымолвил Фетюгин, при этом лицо его обрело совершенно эшафотное выражение.

— А еще десять кусков? — строго спросил Михаил Дмитриевич.

— На следующей неделе. Аренда подойдет...

— Напоминальщиков присылать больше не надо?

— Не надо, — с плаксивой твердостью ответил должник. — Зачем ты так?!

— Как?

— Не по-людски!

— А полгода от меня прятаться — по-людски?

— А если я попал? Что тогда?

— Ты попал — твои проблемы. Я тебя предупреждал: дом подозрительный. Но ты же умней всех! А почему я должен из-за тебя попадать? Ты брал у меня на полгода. Сегодня какое число? Какое, я тебя спрашиваю?

— Одиннадцатое...

— Правильно. Месяц какой?

— Сентябрь.

— Вот именно!

— Все равно не по-людски, — тихо произнес Фитюгин. — Квартиру... новую... только ремонт сделал... даром отдал... — Он махнул рукой, всхлипнул и, пошатываясь, пошел вон.

— Прятаться не надо! — вдогонку крикнул Свирельников и ощутил совестливое неудовольствие собой.

Фетюгин занял у него под проценты приличную сумму, а когда пришло время возвращать, начал динамить самым наглым образом: прятался, ложился в больницу, уезжал за границу, отключал телефоны... Конечно, не из вредности: по случаю купив на Каланчевке выселенный дом, он хотел переоборудовать его в склад-магазин, а зданьице оказалось с обременением. Ни туда ни сюда... Тяжелый случай. Каждый может так попасть. Если бы Фетюгин пришел и честно повалялся в ногах, Михаил Дмитриевич, может быть, и потерпел бы — процент-то идет. Но игра в прятки возмутила его до глубины души, и он попросил Алипанова поторопить мерзавца. Поторопили его вполне убедительно: отловили возле квартиры, которую тот втихаря снимал в Печатниках, дали подержать «магнум», а потом объяснили, что ствол рабочий. Если в течение недели долг не будет возвращен, запросто можно, не сделав ни единого выстрела, стать знаменитым киллером, за которым давно охотится весь МУР.

Вот деньги сразу и нашлись.

Но Фетюгина, хнычущего, разорившегося, ничтожного, все равно было жалко. Нечто похожее чувствуешь, например, к уличному калеке, ведь и ты в любой момент можешь стать таким! Зацепить спьяну от проститутки какой-нибудь жуткий вирус... Или попасть под машину — и сделаться недвижным, беспомощным, гадящим под себя бревном. Или, пока эта старая театральная зараза кормит своих кошек, получить в подъезде по голове — и превратиться в хихикающего идиота, вроде Гладышева. А ведь какой был звездный мальчик: МГИМО, три языка, ушу, теннис, пенис, жена — бывшая мисс Удмуртия! На всех гламурных обложках:

ВИТАЛИЙ ГЛАДЫШЕВ —
секс-символ российского среднего бизнеса.

Империя закусочных «Русский чайник»
Виталия Гладышева.

Торжественное открытие первого
«Русского чайника» в Лондоне.

Ну и что? Ничего. Ладно бы еще за дело, а то просто перепутали в подземном гараже с каким-то кидалой, съездили по голове бейсбольной битой — и вот вам пожалуйста: перелом основания черепа, паралич, потеря памяти и слюнявое недоумение на всю оставшуюся жизнь. Чайниковую империю, ясное дело, тут же растащили друзья-соратники. Обобрали до нитки. Ничего у Гладышева не осталось — одна мисс Удмуртия. Декабристка: возит мужа в коляске, кормит с ложечки и сопли утирает. А вот интересно: если бы, не дай господи, с ним такое случилось — Тонька возила бы в коляске? Наверное, все-таки возила бы! А Светка — нет, Светка до ближайшей помойки...

«Может, это Фетюгин нанял бритого в “жигуленке”? Чтобы не отдавать...» — невпопад подумал Свирельников и даже вспотел от этой простой мысли.

Но тогда почему вернул деньги? Или, как Гладышева, с кем-то перепутали? Нет, без специалиста не разберешься!

Михаил Дмитриевич набрал номер.

— Алло! — после первого же гудка отозвался Алипанов.

Впрочем, он говорил не «алло», а какое-то насмешливое «аллю». И даже не «аллю», а скорее «аллёу!».

Голос у него был низкий, неторопливый, с южным оттенком и мягким «г». С «г-фрикативным», как сказала бы Тонька.

— Это я. Все в порядке! — доложил Свирельников. — Отдал. За ним еще десятка осталась. Обещал на следующей неделе.

— Ну вот, а ты боялся!

— Готов соответствовать.

— Давай завтра. В обед.

— А если сегодня? Есть проблемы.

— Что такое?

— Сам не пойму...

— С Фетюгиным?

— Нет, со мной.

— Серьезные проблемы-то?

— Если мне с похмелья не мерещится, то — серьезные.

— Та-ак, — задумался Алипанов. — В десять где будешь?

— В поликлинике.

— Заболел?

— Профилактика.

— Все болезни от профилактики. Где поликлиника?

— Большой Златоустинский переулок.

— Что-то знакомое...

— Это как от Маросейки идти к Мясницкой. Слева по ходу будет арка...

— Погоди! Златоустинский... Как он раньше-то назывался?

— Большой Комсомольский.

— Так бы сразу и сказал: иду по Большому Комсомольскому от Богдана Хмельницкого к улице Кирова... Слева арка. Дальше?

— Проходишь через арку и видишь дом с колоннами. Это поликлиника. Я тебя у клумбы, на лавочке буду ждать.

— Договорились. А что, Фетюгин здорово вибрировал?

— Здорово.

— Это хорошо!

8

Михаил Дмитриевич познакомился с Алипановым, когда тот еще служил на Петровке и примчался с бригадой расследовать обстоятельства жуткого взрыва, погубившего Валентина Петровича, мужа покойной Тониной тетки Милды Эвалдовны. Погибший был без преувеличения «святым человеком», чутким, как писали в советских характеристиках, отзывчивым и до оторопи морально устойчивым. Работал он в отделе культуры ЦК партии, собирал сувенирных зайчиков, а по выходным, выехав на казенную природу, читал по-английски детективы. Когда в 91-м его буквально пинками вышибли из кабинета на Старой площади, а заодно и со служебной дачи, у него, вдового и бездетного, не осталось ничего, кроме квартиры в хорошем доме на Плющихе и любимой коллекции.

Милда Эвалдовна умерла незадолго до Перестройки. Ее положили в кардиологическое отделение «кремлевки» на обследование и занесли жуткую инфекцию — синегнойную палочку. Потом выяснилось: медсестра мухлевала с одноразовыми шприцами — кипятила использованные, что строго запрещалось, и пускала их повторно в дело, а сэкономленные продавала. Тогда в стране трудно было со шприцами, это теперь они во всех скверах под ногами хрустят. Вскоре ее на этом безобразии поймали, и вышел тихий, но страшный скандал, стоивший кое-кому должностей. А Валентин Петрович доверительно сказал Свирельникову за рюмкой коньяку: «Если, Миш, такое творится в “кремлевке”, то дела в государстве совсем плохие!» Как в воду глядел...

Когда хоронили Милду, на Новокунцевское кладбище пришло много старых большевиков, потому что не каждый день провожают в последний путь дочь легендарного Красного Эвалда. Конечно, про знаменитого латыша Михаил Дмитриевич кое-что знал из рассказов Тони и тещи, но во время похорон и особенно на поминках услышал много нового. Начинал свою сознательную жизнь Эвалд Оттович ничтожным батраком на хуторе, затем, в германскую, стал латышским стрелком, сражался на Гражданской войне, командовал полком, дорос до первого секретаря Уральского обкома ВКП(б), потом был переведен в Москву с повышением и уничтожен за то, что посмел возразить Сталину на одном очень важном пленуме. Точнее, сначала Красный Эвалд заспорил с Иосифом Ужасным, а только потом был повышен и расстрелян. В общем, хотел этот честный, благородный латыш остановить надвигавшийся Большой Террор, но в результате сам одним из первых угодил в кровавые жернова. Жена его, Софья Генриховна, жгучая витебская красавица, пропала в лагерях, а дочерей отправили в специальный детский дом. Потом, в Оттепель, они вернулись в Москву и поступили учиться: старшая, Полина, — в университет, а младшая, Милда, — в театральное училище.

На экзаменах она и познакомилась с Валентином Петровичем, в ту пору стройным, плечистым, голубоглазым красавцем, приехавшим после армии с Урала поступать «в артисты». И оба прошли: он имел льготы как демобилизованный, она — снисхождение как дочь знаменитого репрессированного. Отец Валентина, между прочим, тоже беззаконно погиб в лагере, и это общее сиротство особенно сблизило молодых людей.

Поженились они еще студентами, а в дипломном спектакле играли (наверное, преподаватели сговорились подшутить) супругов Яровых: была такая очень популярная пьеса драматурга Тренева про большевичку, которая выдала на смерть своего обожаемого мужа, оказавшегося, так сказать, по другую сторону классовых баррикад. «Любовь Яровую» в советские годы часто крутили по телевизору, и Свирельникову казалась страшной нелепостью вся эта явно придуманная для иллюстрации обострения классовой борьбы душетерзательная история двух влюбленных супостатов.

О том, что это вовсе не придумка, но жуткая правда беспощадной революционной жизни, Михаил Дмитриевич догадался только в 91-м, когда чуть не дрался с Тоней в супружеской постели из-за Ельцина, которого она буквально боготворила. А с братом год не разговаривал после расстрела Белого дома, потому что Федька, наблюдая по телевизору весь этот кошмар, радостно хлопал рюмку за рюмкой по поводу каждого танкового залпа, вышибавшего из закопченного здания куски фасада. Да еще дал, болван, радостное интервью Би-би-си.

Творческая судьба у актерской четы не сложилась. Милда, конечно, во всем винила завистливых коллег и развратных режиссеров, которые, не раздев начинающую актрису, не способны рассмотреть ее дарование. А Валентин Петрович, будучи однажды в философическом настроении, сказал Свирельникову: «В искусстве, Миш, побеждают или чудовищно бездарные, или страшно талантливые. Просто талантливым и просто бездарным там делать нечего!» Сам он стал активным общественником, его заметили и направили по партийной линии — в Краснопролетарский райком. Милда же, судя по глухим семейным обмолвкам, как-то очень неловко, а главное — безрезультатно изменила мужу с худруком, отчаялась, ушла из театра и стала вести драмкружок во Дворце пионеров на Спартаковской площади.

И вот однажды, когда на этом детском учреждении открывали мемориальную доску (там однажды Ленин говорил рабочим речь), на церемонию приехал очень большой руководитель, вроде без малого член Политбюро. Нарядная Милда, торжественно стоявшая в толпе сотрудников, вгляделась и с изумлением узнала в нем отцовского помощника, который часто заходил к ним в гости и даже качал ее на коленке, напевая:

Мы красные кавалеристы,
И про нас
Былинники речистые
Ведут рассказ...

Она вспыхнула, заволновалась, попыталась приблизиться, но райкомовцы грубо не подпустили, и тогда у нее от обиды случилась истерика: нервы-то еще с детдомовских времен были ни к черту. Шум, слезы, визг, смятение в праздничных рядах. Кремлевец оказался человеком простым и сострадательным, встревожился, приказал подвести к нему рыдающую красивую женщину.

А когда подвели, глянул и, чуть отшатнувшись, прошептал:

— Соня?

Милда в самом деле была очень похожа на мать. Тут, конечно, все разъяснилось, он осознал, заулыбался, прослезился, вспомнил тревожную молодость, обнял потомицу своего старшего друга-соратника и пригласил заходить к нему запросто. Именно он устроил Милду на хорошую должность в Министерство культуры, а Валентина отправил учиться в Высшую партийную школу и потом следил за его карьерой, помогая расти не вкривь или вкось, но все выше и выше. Одним словом: Благодетель! Полине тоже перепало от высоких щедрот: ей, матери-одиночке, брошенной скоротечным «целинным» мужем, он помог переехать из коммуналки в отдельную квартиру на Большой Почтовой улице.

Раз в год, 8 ноября, Благодетель приглашал сестер в Серебряный Бор на свою служебную дачу. Они гуляли по усыпанному прелым осенним золотом берегу Москвы-реки, жарили на углях мясо, пили удивительное грузинское вино, присланное тамошними друзьями-руководителями, закусывали редкостной снедью из распределителя, вспоминали Красного Эвалда и пели, еле сдерживая добрые слезы, революционные песни. Через некоторое время Благодетель помог организовать музей и установить памятник на площади в Староуральске, где Красный Эвалд начинал свое смертельное восхождение к власти, будучи секретарем уездкома.

Умер Благодетель буквально через два месяца после выхода на пенсию, куда его вышвырнул Брежнев, заподозрив в тайном сочувствии председателю КГБ, якобы готовившему партийный переворот. К тому времени Валентин Петрович и сам уже стал вполне значительным, необратимо растущим функционером, а Милда Эвалдовна превратилась в прокуренную минкультовскую даму. Обычно по сигналам с мест ее срочно бросали на искоренение «аморальной и антиобщественной атмосферы», сгустившейся в том или ином областном театре. И знали: пощады не будет никому!

И все шло хорошо. Правда, один раз в карьере «святого человека» наметилась крупная неприятность: будучи завсектором в ЦК, он, вопреки мнению гэбэшных кураторов, взял да и подписал разрешение на творческую загранкомандировку одному экспериментальному режиссеру. Тот прославился тем, что удивительным образом инсценировал роман «Как закалялась сталь»: Павка Корчагин излагал зрителям свое героическое житие, лежа спеленутым, как мумия, причем не на больничной койке, а в настоящем саркофаге. Все остальные действующие лица спектакля в соответствии с этой странной египетской трактовкой появлялись на сцене в масках: положительные — в птичьих, отрицательные — в шакальих. Постановка имела грандиозный успех, но кто-то из бдительных критиков усмотрел в ней насмешку над революционной героикой, законспирированную под творческий поиск. Да еще, как на грех, во время прежней загранкомандировки режиссер имел недоразумение на таможне: пытался провезти из Японии почти порнографический альбом «Гейши как они есть» и попался. Реформатора рампы сделали не то чтобы «невыездным», а как бы с трудом выпускаемым.

В поисках справедливости проштрафившийся новатор зашел в кабинет к Валентину Петровичу, преподнес фарфоровую крольчиху в кимоно, а затем, просясь на гастроли в Америку, пал перед ним на колени в буквальном смысле слова. Ну, «святой человек» и дрогнул. Надо ли говорить, что театральный гений потребовал в Штатах политического убежища и даже опубликовал книгу «Мельпомена в ГУЛАГе». Карьера Валентина Петровича несколько недель висела на волоске, тем более что грошовую крольчиху попытались представить как крупную взятку. «Святой человек» сносил удары судьбы мужественно, а вот Милда Эвалдовна страшно нервничала, плакала, билась в истерике — в итоге сорвала сердце, которое потом, через несколько лет, и захотела, к своему несчастью, подлечить в «кремлевке». В конце концов наверху разобрались, крепко пожурили, но оставили незадачливого зайцелюба при должности. Однако в результате номенклатурного стресса в его организме произошел какой-то, видимо, гормональный сбой. До этого худощавый, спортивный, он начал неудержимо толстеть и буквально за год сделался неправдоподобно тучным. Ему даже на самолет брали теперь два билета, ибо в одном кресле он не помещался.

После смерти супруги Валентин Петрович так больше и не женился, а на вопросы, не скучно ли ему одному в трехкомнатной квартире, отвечал, ласково улыбаясь: «Ну, кому я такой толстый нужен?» На старости лет у него осталась единственная радость — зайчики. Про его хобби знали все: сослуживцы, родственники, друзья — и отовсюду везли ему сувенирные изваяния этих длинноухих зверьков. А поскольку чиновником он был влиятельным, зайчики порой были из весьма дорогих материалов и представляли собой некоторую художественную ценность. Коллекция постепенно разрослась, пришлось выделить под нее целую комнату, бывшую супружескую спальню, и заказать специальные стеллажи с подсветкой. Прямо-таки настоящий музей!

Свирельников, приходя в гости к Валентину Петровичу, любил брать с полок ушастые экспонаты и рассматривать: успокаивало. Каких там только не было! Но больше всех ему нравился серебряный заяц, одетый как совершеннейший принц Гамлет: берет с пером, складчатый плащ-накидка, широкие рукава камзола с фестончатыми буфами, на боку меч с резным эфесом, задние лапки затянуты в штаны-чулки с двумя гульфиками на завязках — там, где у всех, и сзади — для хвостика. В передних лапках, как и положено принцу, зверек держал череп, причем волчий. Работа изумительная: на эфесе размером с кедровую скорлупку виден тончайший растительный узор, а на пушистом опахале позолоченного пера можно рассмотреть каждую ворсинку. Особенно умиляла Михаила Дмитриевича скорбно-лукавая мордочка этого «зайца датского» и его трогательные уши, свисавшие из-под берета в метафизическом изнеможении.

Тем временем в стране обозначилась Перестройка. Жизнь начала меняться с невнятной, но радостной поспешностью. В страну воротился театральный гений и опубликовал в «Огоньке» интервью, в котором рассказал про то, как, стоя в ЦК на коленях перед Валентином Петровичем, он внутренне хохотал над партийным держимордой. Все это, конечно же с указанием фамилии и должности, было подхвачено, разукрашено, много раз пропечатано в газетах и сообщено по телевизору. А поскольку «святой человек» выглядел неприятно толстым, как-то сам собой подзабылся тот неоспоримый факт, что именно он выпустил гения за рубеж и даже по этой причине пострадал.

Мало того, журналисты пустили утку, будто не кто иной, как Валентин Петрович разрешил ленинградскому партийному сатрапу Романову сервировать столы на свадьбе дочери эрмитажными императорскими сервизами, в результате чего пьяное гульбище побило груды бесценной посуды. И никого почему-то не заинтересовало, каким образом скромный заведующий сектором мог что-то разрешать или запрещать всемогущему члену Политбюро. А опубликованного через год крошечными буквами на последней странице «Столичного колокола» опровержения, что, мол, в Эрмитаже не пропало ни единого блюдечка, вообще никто не заметил.

На некоторое время тучный образ Валентина Петровича стал, кочуя из газеты в газету, своего рода символом коммунистического надругательства над свободолюбивой творческой интеллигенцией. Огорченный очередной карикатурой, изображавшей его, например, безобразно разжиревшим Гулливером, расплющивающим гигантским задом Большой театр, он приходил домой, шел к зайчикам, перебирал их, гладил – и утешался. Вскоре, наиздевавшись всласть, про него забыли и всем скопом шумно набросились на провинциальную доцентшу, имевшую глупость сообщить общественности через центральную газету о своем нежелании поступаться принципами.

Между тем начали открывать секретные архивы, и неожиданно обнаружилось, что, оказывается, Красный Эвалд был арестован и расстрелян по доносу помощника – Благодетеля. Полина Эвалдовна чуть не сошла с ума от чудовищной правды, а потрясенный Валентин Петрович все повторял, что, мол, слава богу, Милда не дожила до этого ужаса, и однажды спросил Свирельникова:

– Миш, как ты думаешь, они там... – он потусторонне махнул рукой, – знают о том, что у нас тут теперь происходит?

– Нет, конечно.

– Хорошо бы так!

Но этим дело не кончилось: архивы продолжали ворошить, и выяснилось, что Красный Эвалд поругался со Сталиным на пленуме совсем не из-за Большого Террора. Точнее, именно из-за него и поругался, но на Большом Терроре настаивал не будущий генералиссимус, а как раз бывший латышский стрелок. Он категорически выступил против того, чтобы очередные выборы в Советы проводились, как говорят нынче, на альтернативной основе. А именно такую коварную каверзу и затевал Иосиф Ужасный с подручными. Ему давно уже надоели революционный бардак на местах и самоуправство героев классовых битв, каждый из которых втайне мнил себя будущим пролетарским Наполеоном. С помощью хитроумно-свободных выборов он и хотел потихоньку избавиться от осточертевшего наследия славного баррикадного прошлого. Надвигалась война — страну нужно было срочно строить и укреплять.

Однако местные партийные рубаки-парни, знавшие друг друга еще с Гражданской, почуяв неладное, тут же сгрудились вокруг Красного Эвалда. Он-то и объявил с трибуны, что свободные выборы — предательский нож в спину Мировой Революции, так как несознательные массы навыбирают в Советы перекрасившихся оппозиционеров, затаившихся белогвардейцев, недобитых эсеров и сладкоголосых попов. А это — фактический конец приближающемуся коммунизму! Посему не послабления теперь нужны — напротив, железная пролетарская метла! И, подавая пример остальным, потребовал от Политбюро для своей губернии ликвидационный лимит на 15 тысяч человек! Больше, кажется, запросил только Хрущев для Московской области. И пленум, что характерно, почти единодушно поддержал Эвалда Оттовича.

Сталин сразу сообразил, что проигрывает партию и может запросто переехать из кремлевского кабинета в подвал Лубянки. Плюнув на свободные выборы, он пообещал взалкавшей террора ленинской гвардии таких репрессий, что мало никому не покажется. На том и порешили... Слово свое Иосиф Ужасный, как известно, сдержал: к 39-му в живых не осталось почти никого из тех, кто хотел помахать железной пролетарской метлой...

Собственно, об этом и рассказывала большая статья, приготовленная для публикации в «Правде». Но потом, собрав наверху закрытое совещание, рассудили: советский народ еще не готов к запутанной и непонятной правде о том странном времени, люди привыкли к тому, что во всем виноват Сталин, и теперь, на сложном политическом повороте, морочить общественность хитросплетениями давней политической борьбы совсем даже не стоит. К тому же среди прорабов, мастеров и подмастерьев Перестройки числилось немало потомков погибших соратников Красного Эвалда, и обижать их в трудную эпоху ускорения было бы непростительной ошибкой. В общем, постановили: поскольку от исторической правды в конечном счете все равно никуда не деться, отложить обнародование этой самой правды до лучших в познавательном смысле времен.

Валентин Петрович, участвовавший в том закрытом совещании, вышел из зала, как раненый. «Святой человек» сразу осознал, что именно по тому кровавому лимиту, выбитому на пленуме Красным Эвалдом, и был арестован на Урале его отец, Петр Викентьевич, земский врач, мобилизованный белыми, как доктор Живаго, в 1919 году. Потом послужил он и красным, даже заведовал горбольницей, но своей пули все-таки дождался, пусть и через много лет после окончания Гражданской войны. Обессиленный всем этим, Валентин Петрович сказался больным и несколько дней не выходил из комнаты с зайчиками, обсуждая, наверное, с этими понятливыми зверьками глумливую жестокость жизненных обстоятельств и то, над какими невероятными безднами носятся людские судьбы, гонимые мусорными ураганами истории. Потом он как ни в чем не бывало появился на службе, но портрет покойной жены с его рабочего стола исчез навсегда.

Никому из родственников Валентин Петрович про свое невольное открытие, разумеется, не сказал ни слова. Только на общесемейных праздниках, когда целинница Полина Эвалдовна, воспылав, принималась романтично рассуждать о том, какой бы прекрасной была судьба Отечества, если бы ленинской гвардии удалось одолеть Иосифа Ужасного, «святой человек» лишь печально улыбался и молча отводил в сторону глаза. А ежели восторженная свояченица заводила под гитару «комиссаров в пыльных шлемах», тяжело вставал и шаркал на кухню — заваривать чай. Свою тайну он так и унес в могилу.

И только в середине 90-х в журнале «Секретное досье» появилась двухполосная статья «Кровавый Эвалд. Тайна Большого Террора», обнародовавшая наконец все то, о чем не решилась когда-то поведать газета «Правда». Сенсационный материал украшала фотография, с которой — обнимая красивую брюнетку и двух очаровательных девчушек — грустно смотрел на читателей скуластый бритоголовый усатый человек во френче. Нет, он даже не обнимал их, а судорожно прижимал к себе, словно чувствовал, что скоро у него отберут все: и власть, и детей, и жену, и саму жизнь.

Для Полины Эвалдовны эта публикация была страшным ударом. Тяжелее всего она страдала даже не от самой статьи, а от того жуткого обстоятельства, что собственноручно передала в журнал сокровенный семейный снимок. Оказывается, ей позвонили из редакции и жизнерадостно сообщили: мол, в ближайшем номере идет «эксклюзив» к юбилею того самого печально знаменитого пленума, на котором ее отважный родитель схлестнулся со Сталиным. Вот она, доверчивая, и отослала фотографию, а потом даже с гордостью сообщила Тоне: мол, наконец-то среди этого капиталистического бреда вспомнили о папе и его революционных заслугах. Лучше бы не вспоминали...

Несколько недель после появления статьи теща плакала и боялась выходить на улицу: ей казалось, все сразу узнают дочь Кровавого Эвалда, бросятся мстить за жестокого родителя и разорвут на части. Но никто даже не позвонил... Потом она постепенно убедила себя в том, что отец, конечно, ни в чем не виноват, все это людоедство подстроил подлый Благодетель, губивший людей из природного садизма. А когда из «Секретного досье» прислали денежный перевод за публикацию фотографии, с ней случился первый приступ. Очень быстро из подтянутой дамы, посещавшей аэробику, она превратилась в истерическую изможденную старуху, без конца твердившую о людском вероломстве и о том, что завтра пойдет подавать в суд на клеветнический журнал. Ни в какой суд она, конечно, не пошла, а потом случился инсульт, и Полина Эвалдовна до самой кончины почти год неподвижно пролежала на кровати, еле слышно бормоча одной ей понятные проклятья. Тоня ходила за ней самоотверженно и очень подурнела за это время...

Кстати сказать, убийственный «эксклюзив» задним числом кое-что прояснил и в странном предсмертном поведении «святого человека». Валентин Петрович погиб в

94-м, незадолго до роковой публикации в «Секретном досье». Разгром Центрального Комитета толпой озверевших младших научных сотрудников и потерю работы он перенес философски. Даже с особым удовольствием повторял Михаилу Дмитриевичу: «У меня, Миш, теперь, как у латыша: хрен да душа!» Но это, конечно, для красного словца. Хорошо зная английский, «святой человек» заключил авансовый договор с издательством «Маскарон» и сел переводить какой-то особенно срамотнющий роман Генри Миллера. Жил он размеренно: работал каждый день по пять-шесть часов. Если попадался слишком уж непотребный пассаж, трудно перелагаемый на целомудренный русский язык, шел советоваться к зайчикам. По утрам непременно спускался к набережной и в течение полутора часов медленно прогуливался до Лужников и обратно.

Однако жестокая судьба уже взяла его в свое неумолимое перекрестье. Квартиру напротив купил новый русский, в прошлом директор гастронома, а теперь хозяин одного из первых в столице оптовых продовольственных рынков. Тогда в Москве элитного жилья строили совсем мало, и самым шиком считалось вселиться в «сталинский» дом или в «цековский» — из бежевого кирпича. Оптовик, предпочтя цековский вариант, сторговал квартиру у бывшего союзного министра заготовок, который давно мечтал разъехаться с пьющим зятем. Почти год новый владелец делал роскошный евроремонт и загадил весь подъезд вместе с лестницами. По дому витали слухи, будто в гостиной нувориш установил настоящий мраморный фонтан, но подтвердить доподлинно это вызывающее обстоятельство никто не мог. Зато все жильцы могли ежедневно созерцать установленную богатеем бронированную дверь, похожую на те, что Свирельников видел в финских бетонных дотах на Карельском перешейке.

Эта дверь и погубила Валентина Петровича. Неизвестные враги оптовика прикрепили к ней бомбу, рванувшую так, что в округе осыпались стекла и взвыли сигнализации всех окрестных иномарок. Но броня выдержала, а взрывная волна, наткнувшись на преграду, ринулась в обратную сторону, вышибла деревянную дверь «святого человека» и разметала, сокрушила, перемолола все, что было в квартире. Музейные стеллажи разнесло в щепки, а из зайчиков уцелели лишь металлические фигурки, да еще некоторые, изготовленные из прочных пород камня.

Когда грянул взрыв, Валентин Петрович совершал безмятежную утреннюю прогулку вдоль Москвы-реки. Воротившись, он обнаружил полный двор милиции и пожарных. Лифт не работал. Гонимый страшным предчувствием, несчастный, забыв про одышку, побежал вверх по лестнице, чего из-за своего неподъемного веса не делал уже много лет. Достигнув уничтоженной квартиры, он сразу двинулся в пролом, увидел под ногами крошево, еще недавно бывшее его знаменитой коллекцией, всхлипнул от ужаса и рухнул замертво. Милиционеры вызвали «неотложку», врачи констатировали смерть, а соседи позвонили Свирельниковым. Михаил Дмитриевич сразу же примчался и помогал ругавшимся санитарам тащить на носилках тяжеленный труп, а потом намучился, заказывая «двойной» гроб, потому что тучное тело усопшего в обычный не помещалось.

Когда в разгромленной квартире работала следственная бригада с Петровки под руководством Алипанова, в письменном столе, в выдвижном ящике, нашли пятьсот долларов. К деньгам с чисто аппаратной тщательностью Валентин Петрович канцелярской скрепкой присовокупил сопроводиловку — розовый квадратный листочек с надписью: «На мои похороны». Ниже стояли его подпись и дата. В том же ящике обнаружилось и нотариально заверенное завещание. По нему квартира и все имущество отходили Тоне. К завещанию был подколот приватизационный документ. Увидав эти бумаги, кавказистого вида участковый милиционер, крутившийся возле оперов, погрустнел и ушел.

Но больше всего Свирельникова удивило найденное там же похожее на студенческую зачетную книжку кладбищенское свидетельство, удостоверявшее, что Валентин Петрович является владельцем «могило-места» на Хованском кладбище. А ведь Милда Эвалдовна, одна-одинешенька, очень престижно и просторно покоилась на

Новокунцевском, возле центральной аллеи, рядышком с артистами, генералами и академиками! Чтобы не возникло никаких недоразумений, в корочки с той же бюрократической дотошностью была вложена розовая бумажка: «Прошу похоронить меня согласно свидетельству!» И снова: подпись, дата. Что ж, воля усопшего — закон.

Коротать вечность в одной могиле с дочерью человека, который погубил его отца, Валентин Петрович не захотел...

9

Свирельников посмотрел на себя в зеркало и остался доволен: в темно-сером костюме от «Сквайера», дымчато-полосатой рубашке от «Бугатти» и скромном, стального цвета галстуке от «Меркурия» он выглядел как человек скорее состоявшийся, нежели состоятельный. Поколебавшись, директор «Сантехуюта» снял с руки мудреный штурманский «Брайтлинг» с синим циферблатом и заменил на скромный тысячедолларовый «Раймонд Вейл», подаренный бывшей женой ко дню рожденья. В таком виде он был готов предстать перед чиновником, от которого зависело будущее его бизнеса.

Из квартиры Михаил Дмитриевич вышел, держа в руке кейс с документами и деньгами, а под мышкой — бархатную коробку со старинным кавказским кинжалом. Спускаясь в лифте, он, поразмыслив, решил отложить суровый выговор консьержке до лучших времен. Был еще, конечно, вариант бросить ей на ходу какую-нибудь тонкую художественную гадость, но ничего оригинального в голову не пришло, и это наводило на мысль, что алкоголь, помимо печени, почек и прочих жизненно важных органов, поражает также и ту часть головы, которая ведает чувством юмора.

Как говорил замполит Агариков: «Совсем мозги допил!»

Не успел Свирельников вышагнуть из лифта — ему навстречу бросилась взволнованная Елизавета Федоровна:

— В нашем подъезде готовится ограбление!

— Почему вы так решили?

— Я только что разговаривала с этим... с наводчиком!

— А как вы определили, что он наводчик?

— Понимаете, я отошла, чтобы покормить белую кошечку. Такую маленькую. Она никогда вместе с другими к блюдечку не подходит. Индивидуальность! Я тоже, знаете, в театре держалась немного в стороне. Меня за это считали гордячкой. Но это не так! Я просто не люблю толпу... Конечно, если бы я вела себя по-другому, у меня были бы настоящие роли. И творческая судьба сложилась бы иначе! Но продавать себя даже за интересные роли?! Никогда!

«Актерский талант — это емкая глупость», — вспомнил Свирельников вещие слова Валентина Петровича и спросил консьержку:

— А что же наводчик?

— Да, разумеется, — спохватилась она. — Я уже сказала, что отошла покормить беленькую кошечку. Она всегда прячется в золотых шарах. Возможно, ей просто нравится запах этих растений. Запахи, кстати, имеют огромное значение в жизни. Знаете, в меня был страстно влюблен один очень известный кинорежиссер, предлагал руку, сердце и роли, но мне ужасно, просто до мигрени, не нравился его запах, и я ему отказала. Вы читали «Парфюмера» Зюскинда?

— Нет, не читал... — ответил Михаил Дмитриевич с раздражением: про этого чертова «Парфюмера» ему когда-то говорила Тоня, а совсем недавно спрашивала Светка, и он даже, грешным делом, подумал: может, от него как-нибудь не так пахнет...

— Напрасно! Очень поучительная книга... Значит, я пошла искать беленькую кошечку в золотые шары, а под дверь подложила камень, чтобы не захлопнулась...

— Ах, камень! — ехидно кивнул Свирельников, догадавшись, каким образом плакса Фетюгин незамеченным вошел в подъезд.

— Да, камень. У меня есть специальный булыжник. Кругленький. На всякий случай. Даже странно, что такими булыжниками была раньше вымощена вся Москва! Я вот иногда думаю, куда они все подевались с тех пор, как положили асфальт? Это же миллионы булыжников! Я помню, рабочие их выковыривали, грузили на машины и увозили. А куда? Но с другой стороны, куда подевались миллионы людей, умерших с тех пор, как положили асфальт, мне совсем не интересно... Странно, правда?

— Ничего странного. Куда девались люди, мы с вами знаем. А булыжники... В Москве миллионы дверей, если каждую подпирают камнем, когда идут кормить кошечек... — Он посмотрел на часы.

— Насколько я понимаю, это ирония? — нахмурилась бывшая актриса.

— Возможно.

— Ну да, а время — деньги. Поговорить с человеком уже некогда... Мне тут этот... арт-директор... с шестого этажа заявил: «Мой час стоит сто долларов!» Дожили: человечку грош цена в базарный день, а час у него стоит сто долларов!

— Я бы с удовольствием с вами поговорил, но я к врачу записан... Так что с наводчиком?

— Мой первый муж всегда говорил: у хороших людей болит сердце, а у плохих — желудок... Он умер от диабета. А наводчик увидел, что дверь открыта, и шмыг! Я ему кричу: «Молодой человек, вы к кому?» А он делает вид, что не слышит. Я поставила блюдечко и догнала его у самого лифта. Снова спрашиваю: «Вы к кому?» Он: «К знакомой...» Я: «В какой квартире проживает ваша знакомая?» Он: «Не ваше дело!» А я: «Нет, как раз мое дело! Мне за это деньги платят!»

— Неужели? А как он был одет?

— В джинсах и в красной ветровке...

— Бритоголовый? — почувствовав болезненное стеснение в груди, уточнил Свирельников.

— Да! Вы его знаете?

— Нет. И куда же он делся?

— Ушел. Я пригрозила: вызову милицию, он сказал, что сам из органов, и ушел. А вот объясните мне, Михаил Дмитриевич! Раньше тоже брились наголо. Но это мне понятно: работали, Отечеству так служили, что шевелюрой заниматься некогда! И ведь порядок был! А эти-то зачем бреются? Они-то чем таким уж заняты? Страну развалили, кругом жулики, предатели и агенты влияния... Может, в милицию позвонить, спросить, работает у них такой?

— Не надо.

— А что делать?

— Дверь булыжником не подпирать! — сурово посоветовал Михаил Дмитриевич и решительно направился к своему джипу.

Алексей, выйдя из автомобиля, поприветствовал босса странным, словно бы извиняющимся полупоклоном. Несколько лет назад он возил турецкого строительного подрядчика и, видимо, именно тогда усвоил эти восточные деликатности. Турок в свое время восстанавливал изуродованный расстрелом Белый дом и очень радовался тому, что Россия сама себя так по-идиотски раскурочила, а ведь в 45-м советские танки могли запросто въехать в Стамбул. Леша часто вспоминал этого подрядчика...

— К тебе никто не подходил и ничего про меня не спрашивал? — спросил, сев в машину, Свирельников.

— Нет...

— А ты давно подъехал?

— Три минуты.

— Ладно — давай к доктору!

Когда они въезжали в тоннель под Ленинградским проспектом, Михаил Дмитриевич оглянулся и сразу заметил позади знакомые серые «жигули».

Правильно, что он позвонил Алипанову! Вообще хорошо, когда есть такой друг. И, как это чаще всего случается, самые надежные и ценные знакомства образуются совершенно случайно.

В день взрыва, погубившего «святого человека», следственная бригада скоренько (словно квартиры каждый день взрывают!) осмотрела место происшествия: что-то замерили, что-то соскребли со стен, что-то насыпали в целлофановые пакетики, опросили свидетелей, составили протокол... А тут как раз, узнав о происшествии, примчался из загородного дома оптовик, и сыщики перешли к нему в квартиру для серьезного разговора. Туда же, в надежде наконец увидеть баснословный фонтан, ломанули и толпившиеся на месте происшествия соседи. Остался только лысоватый, плечистый опер в кожаной куртке с таким количеством латунных молний и разнокалиберных карманов, словно пошивщики строчили ее не для человеческого ношения, а для Книги рекордов Гиннесса по разделам «Молнии» и «Карманы».

Он помогал Свирельникову подбирать рассыпавшиеся по полу заячьи осколки, сопереживал, вздыхал, прикладывал кусочки друг к другу и успокаивал, что некоторые фигурки можно склеить. Разговорились — и выяснилось: сочувственного опера с Петровки зовут Альберт Раисович Алипанов, и он тоже, оказывается, много лет собирает зайцев. Когда под перевернутым креслом Михаил Дмитриевич обнаружил целехонького ушастого Гамлета, Алипанов восхищенно поцокал языком, оценив оригинальность замысла и совершенство исполнения. На Тонин вопрос, с кого спрашивать компенсацию за погром, опер разъяснил, что злоумышленников, конечно, не найдут, хотя, в принципе, вычислить, кому мешал оптовик, не так уж и сложно, но в подобных случаях конкуренты разбираются сами, а милиция старается не встревать. Поэтому в ближайшее время можно ожидать в Москве очень похожее происшествие, но — не исключено — с более очевидным исходом.

— Умный рынок сам все наладит! — усмехнулся Альберт Раисович, обнажив золотые зубы, словно специально вставленные под цвет молний на куртке.

Трогательно заботясь о потерпевших, Алипанов предупредил, что сегодня же необходимо вставить новую дверь, а то к утру могут растащить полквартиры. Тут же сам позвонил в ДЭЗ, представился и строгим голосом приказал срочно прислать рабочих с инструментами. Михаил Дмитриевич, тронутый заботой, подарил оперу (к неудовольствию Тони) на память одного из уцелевших зайчиков — пластмассового, в шотландской юбочке, с волынкой. Остальных коллекционных зверьков жена предусмотрительно сложила в спортивную сумку и отнесла в машину. Алипанов расчувствовался, сердечно благодарил, а узнав, что Свирельников занимается бизнесом, оставил свою визитную карточку. Мол, если кто обидит — звоните: «Мы поможем, мы все время на посту».

Через полгода мастера «Сантехуюта» мостили теплые полы одному омерзительному мужику, который держал несколько пиво-водочных палаток на площади трех вокзалов. И тот, очевидно большой специалист по «кидалову», сначала выдал скромный аванс, а потом, когда работу сделали, объявил, будто полы нагреваются неравномерно, и расплачиваться наотрез отказался. Михаил Дмитриевич тогда только разворачивался, учился азам бизнеса на собственных ошибках и работал без серьезных договоров, практически под честное слово. Он, наверное, махнул бы рукой: не такие уж большие деньги, но его страшно возмутило, как пивоводочник, издевательски глядя в глаза, сказал: «Если не согласны, подавайте в суд!» Ну, а какой, на хрен, суд в стране, где председатель аж Конституционного умоляет похмельного президента: «Вернитесь в правовое поле!» А тот в ответ — из пушек по парламенту...

И тогда Свирельников вспомнил про коллекционера с Петровки. Алипанов обрадовался звонку, назначил встречу, вник в ситуацию и через неделю принес деньги, сняв, разумеется, свои проценты. После того случая директор «Сантехуюта» к нему неоднократно обращался в тех сложных ситуациях, когда нужно было припугнуть и надавить. А что сделаешь, если эти скоты реформаторы (и все, между прочим, из приличных семей!) устроили дикий рынок? Дикий рынок — дикие нравы!

Как говорил замполит Агариков, капитализм — джунгли человечества.

Со временем Алипанов уволился из органов, так сказать, по собственному желанию начальства: его следственная бригада занималась убийством знаменитого шоумена, который вел на телевидении передачу «Где взять миллион?», и докопалась до таких интересных вещей, что разогнали сразу весь отдел. Позвонил кто-то из кремлевских околосемейных и страшно орал. В общем, всем приказали написать заявления, да еще предупредили: если в прессу просочится какая-нибудь информация о причинах смерти популярного ведущего, то за их собственную жизнь, а также за безопасность родственников никто не даст и рваного «мавродика». Альберт Раисович особенно не переживал, решив, что в стране, где за расследование преступлений наказывают суровее, чем за совершение оных, лучше в органах не работать. Он ушел с Петровки и открыл собственную охранную фирму «Ятаган». Но занимался Альберт Раисович не только охраной и выколачиванием долгов...

«Ну, конечно же!.. — Свирельников вдруг оглушительно понял, кто за ним следит, и даже вспотел от своей догадки. — Господи, ведь знал же, знал, что этим закончится!..»

Несколько лет назад Алипанов без звонка заехал к нему в офис и предложил прогуляться. Он всегда так делал, если нужно было обсудить что-то серьезное. Они вышли на улицу, дошли до Сретенки и двинулись к бульвару. Возле двухсаженного памятника Крупской бывший опер задержался, оглядел серую, устремленную вперед фигуру и сказал, качая головой:

— Вот ведь, разве думала Надежда Константиновна, что после смерти у нее столько мужей будет!

— Каких мужей? — не понял Свирельников.

— Ну, как же, ей сколько памятников поставили? Один. А Ленину — тысячи. Получается, многомужняя она...

— Да, действительно, — согласился Михаил Дмитриевич, каждый день проходивший или проезжавший мимо этого памятника, но ни разу ни о чем подобном даже не помысливший.

— А ты как к чеченской войне относишься? — вдруг спросил Алипанов.

— Плохо отношусь. Ермолова на них нет.

— Да, война — штука отвратительная. Но на ней можно хорошо заработать. На мире так не заработаешь. Хочешь?

— Я оружием не торгую.

— Ну, ты сказал! И кому сказал... Ай-ай-ай! Мне оружия не надо — мне нужны твои унитазы.

— Какие — отечественные или импортные?

— Бумажные... — Бывший опер златозубо усмехнулся. — Я внятен?

В общем, он предложил Свирельникову за очень приличный откат оформить задним числом договор и прокачать через счета «Сантехуюта» бюджетные деньги за полное сантехническое оборудование новой городской больницы в Грозном: чтобы и наряды монтажных работ, и платежки, и вся прочая документация были как настоящие. Все это нужно сделать срочно, потому что больницу две недели назад в щебенку разнесли неизвестные террористы, а за потраченные казенные деньги, выделенные на восстановление, надо отчитываться.

— Вот сволочи! — выругался Михаил Дмитриевич, сердечно возмущенный таким кощунственным воровством.

— Сталина на них нет! — согласился Альберт Раисович.

Пока они шли по бульвару от Крупской к Грибоедову, он сумел убедить сомневавшегося Свирельникова в том, что риска никакого: здание полностью сгорело, и определить, была ли там установлена сантехника, невозможно. Более того, бывший опер, понизив голос, сообщил, что подобную услугу уже оказали заинтересованным лицам известная строительная фирма, якобы поставившая столярку и проведшая отделочные работы, а также знаменитая американская компания, как бы оснастившая больницу новейшим диагностическим оборудованием.

— Соглашайся! Америкосы в плохое дело не полезут! Этой больницей занимаются большие люди. Очень большие. А когда едят великаны, лилипуты сыты крошками...

Свирельников любовно покрутил в голове сумму, названную Алипановым, и решился...

«Идиот, кретин, козел, тварь безмозглая!»

10

— М-да, уважаемый герой капиталистического труда! — огорченно молвил доктор Сергей Иванович. — Не бережете вы себя!

Говоря это, он как бы невзначай кивнул на пластмассовый человеческий череп, купленный, наверное, в магазине наглядных медицинских пособий.

— А что такое? — рассеянно спросил Свирельников.

Он продолжал внутридушевно материть себя за то, что поддался на уговоры Алипанова и теперь, судя по всему, за ним следят то ли фээсбэшники, то ли обэповцы.

— М-да, — вздохнул врач. — Относитесь вы к организму с преступной халатностью!

«Халатность, халатность... — Михаил Дмитриевич поежился от холодных прикосновений стетоскопа к груди. — Наверное, от слова «халат». Ну да: когда на человеке не рабочая одежда, а какая-нибудь домашняя хламидия, он и к делу относится соответственно — халатно. Нет, не хламидия, а хламида. Хламидии — это то, от чего лечил Василий Моисеевич. Если бы он еще и от глупости лечил! Так подставиться!..»

Михаил Дмитриевич достаточно долго прожил с филологиней, чаще заглядывавшей в этимологический словарь Фасмера, чем в книгу о вкусной и здоровой пище, и успел пристраститься к словокопанию. Тоня окончила филфак МГУ, работала редактором в разных издательствах и, переписывая неудачные рукописи, существовала в бесконечном поиске синонимов и переносных значений. Она могла проснуться среди ночи, растолкать мужа и спросить: «Как ты думаешь, “раб” и “холоп” — синонимы?» Сначала он злился, но потом и сам заразился этой болезнью. Когда они уже почти договорились пойти в суд, Свирельников задумчиво сообщил ей:

— Странное слово «развод»...

— Почему? — удивилась Тоня.

— Ну, в одном смысле понятно: людей как бы разводят в разные стороны...

— А в другом смысле?

— В другом: как бы отпускают на развод. В смысле — размножение...

— Чисто мужская этимология. Заходи, если устанешь от размножения! Все-таки не чужие! — И она посмотрела на него с тоскливой надеждой.

— Зайду...

Но в суд они так и не пошли. Сначала передумала Тоня, надеялась, что муж отбесится и вернется. Потом, когда она наконец согласилась, у Михаила Дмитриевича началась ссора, а потом и дележ с Веселкиным, и разумнее было фирму и «дочки», оформленные на жену, пока не трогать. Тем более что она мало что знала. Догадывалась, подписывая доверенности, что муж химичит, но ведь все химичили. Что такое 90-е? Большая химия.

Стетоскоп уже нагрелся, и теперь Свирельникову казалось, будто по спине осторожно переступает теплыми ножками гном.

— Шумы-то у вас нехорошие, — сообщил доктор Сергей Иванович.

— Неужели так плохо? — спросил Михаил Дмитриевич с улыбчивым испугом.

Врач оставил стетоскоп, вернулся к столу, еще раз расправил гирлянду кардиограммы и долго ее рассматривал.

— Нездорово! — наконец вымолвил он.

— Что делать?

— Для начала — ничего не делать. По крайней мере — недельку. Стрессы были?

— Конечно. Как же без стрессов? Но ваши таблеточки я пил. Каждый день. Уже кончаются...

— Таблеточки я выпишу. Не проблема. Но беречь себя когда будете? Чем вчера занимались? Выпивали?

— Заметно?

— А то! Выхлоп за метр чувствуется! Еще что было?

— Поозорничали... — зарделся Свирельников.

— Надеюсь, с презервативом?

— Конечно. И вообще я только пил...

— Точно? — Доктор пытливо посмотрел ему в глаза.

— Насколько я помню — точно... Можно, конечно, на всякий случай провериться.

— На всякий случай, Михаил Дмитриевич! Про СПИД, чай, слыхали?

— Конечно, — кивнул Свирельников, сообразив, что пращуры, называя нехорошего человека «аспид», возможно, предчувствовали этот грядущий бич соития.

«А ведь и “бич” — почти ВИЧ», — с неуместной радостью додумал он.

— Напрасно улыбаетесь! Мы живем с вами в эпоху даже не эпидемии, а пандемии вензаболеваний! — полекторски продолжал доктор. – Вирусы мутируют так, что мочеполовая инфекция, от которой лет пятнадцать назад вы избавились бы с помощью десятка таблеток, теперь требует упорного лечения и дает тяжелейшие осложнения. Девяносто процентов населения с мочеполовыми инфекциями. Девяносто! Разве можно так рисковать? Вспомните, дорогой, для чего двадцать лет назад вы использовали омерзительный советский, пахнувший галошами презерватив?

– Чтобы детей не было, – признался Свирельников.

– Вот именно! Выпил, познакомился с девушкой на танцах, пошел провожать, вступил в половой контакт на скамеечке без всякого, скажем, предохранения. И о чем думаешь наутро? – Сергей Иванович внимательно глянул на пациента. – Совершенно верно: чтобы она к тебе на работу за алиментами не прибежала! Так ведь?

– Так.

– А теперь презерватив нужен не для ограничения рождаемости, а, наоборот, для продолжения жизни на земле! Такой вот парадокс! Вы думаете, почему после античного сексуального беспредела, когда трахнуть любое способное к совокуплению существо было привычным делом, пришли упертые христиане с их умерщвлением плоти и осуждением похоти? Да потому, что человечество таким образом спасало себя от исчезновения! Вспомните, как умирали римские императоры! Они покрывались язвами и страдали отеками! Явные последствия непролеченных половых инфекций. А вы?! Разве так можно! – Доктор перевел дух и улыбнулся. – Напугал?

– Напугали...

– Точно предохранялись?

– Точно.

– Это хорошо!

– Черт его знает, – пожал плечами Свирельников. – В кино ведь как показывают: познакомились в баре, выпили по коктейлю, ну и...

– Да мало ли что в кино показывают! – снова возмутился Сергей Иванович. – Там и дерутся все время. Бьют, дубасят друг друга, потом расходятся как ни в чем не бывало. А ведь после одного такого удара на самом деле реанимацию нужно вызывать. Пили-то столько зачем? Тоже в кино насмотрелись?

— Не рассчитал.

— Михаил Дмитриевич, если вы не научитесь рассчитывать силы, то очень скоро я ничем не смогу вам помочь. И никто не сможет! Понимаете?

— Конечно.

— Надо вам срочно передохнуть.

— А я и собирался. В Испании...

— Знаем мы этот отдых в Испании. Жара, вино и «коитус континиус».

— Это по-латыни?

— Почти. Означает — непрерывный секс. Обследоваться вам надо хорошенько. До Испании! Поняли? До!

— Обязательно. Возьму отдельную палату в ЦКБ и обследуюсь. Заодно отдохну.

— Не верю я этим «кремлевкам», — вздохнул доктор.— «Полы паркетные, врачи анкетные». Заглядыванием в глаза еще никого не вылечили.

— У меня там тетку жены... бывшей жены... залечили.

— Обычное дело! У меня там тоже друг работает. Прибегает к нему шкаф, знаете, такой с золотой якорной цепью на шее. Явно из «быков». Где-то на Ленинградке подцепил девушку. Оказалась с душком. Ну, сами понимаете... Ему объясняют: надо на анализ кровь взять. А тот ни в какую. Говорит: даю штуку баксов, чтобы без крови. С детства боюсь кровь сдавать...

— Смешно.

— В интимной жизни, — Сергей Иванович посмотрел на Свирельникова со значением, — рекомендую не перенапрягаться.

— Совсем?

— Почему — совсем? Если без эксцессов, физическая любовь оздоровляет организм, повышает иммунитет, уменьшает содержание холестерина...

Врач присел в кресло на колесиках и придвинулся к столу. Большой докторский живот сработал как амортизатор — и кресло немного отъехало назад.

— И похудеть вам необходимо, — добавил он, выписывая рецепт. — Мне, кстати, тоже. Хотя... Тут у меня батюшка был на приеме. Поругался с епархиальным начальством, сердце прихватило. Я ему тоже стал про лишний вес говорить, а он: «Живот — это ничего, это нормальное православное телосложение. Интриги все...» Мне понравилось: «православное телосложение». Но худеть нам с вами, Михаил Дмитриевич, все равно надо. Одевайтесь!

Получив гонорар, доктор привычным жестом снял с черепа макушку, словно крышку с чайника, и спрятал деньги внутри пустоглазого пособия. Свирельников распрощался и вышел. В коридоре собралась довольно большая очередь. Пациенты были по преимуществу ветхие и суровые. Поликлиника когда-то обслуживала исключительно старых большевиков и чиновных пенсионеров. Потом ее сделали вроде бы коммерческой, но заслуженных стариков продолжали пользовать бесплатно, правда, без былого уважения. Это их страшно задевало, особенно когда какой-нибудь новый русский проходил в кабинет без всякой очереди.

— Безобразие! — загудел огромный лысый дед в широченных брюках времен «Весны на Заречной улице». — Я этого так не оставлю! Вы кто такой?

Он уперся в Свирельникова страшным исподлобным начальственным взглядом, доводившим в прежние времена до инфаркта оплошавших подчиненных. Старичье вдохновилось и хором понесло все сразу: и новые больничные порядки, и демократию, и рыночную экономику, и конкретных наглецов, пренебрегающих святыми законами живой очереди. На шум вышел Сергей Иванович, нахмурился и крикнул:

— Сыроегов!

— Я! — уже не так сурово ответил горластый старикан.

— Ваша очередь?

— Моя.

— Заходите! Натощак?

— А вы про натощак не говорили!

— Говорил. Забыли. Придете завтра.

— Но, Сергей Иванович, я же из Кратова специально ехал...

— Зря ехали. Завтра!

— Сергей Иванович! Еле доехал... — зажалобился дед, и стало очевидно, как в прежние времена он вел себя, проштрафившись, на ковре у еще более жестокого начальства.

— Ладно, заходите! И чтоб больше у меня тут ни звука! Ясно? — Доктор мрачно оглядел очередь.

— Ясно... — жалко пролепетали ветераны.

— То-то! — сурово выговорил он и хитро подмигнул Свирельникову, наблюдавшему этот конфликт эпох.

11

На улице было солнечно. Михаил Дмитриевич остановился, поглядел на свежее утреннее светило, поднявшееся над облезлыми крышами, глубоко вдохнул предосенний воздух, веющий горькими ароматами едва начавшегося лиственного тления, и ощутил в теле, вопреки всему, внезапное, необъяснимое и бескорыстное погодное счастье. А в душе, несмотря на грозные предупреждения Сергея Ивановича, возникла веселая неколебимая уверенность в скорейшей обратимости телесных недугов, если только прямо с сегодняшнего дня начать жить правильно, бережно, бодро, выполняя советы доктора. Но тут он вспомнил про слежку, про свою непростительную чеченскую глупость и снова сердечно расстроился.

Алипанов еще не появлялся.

«Наверное, не может найти!» — подумал Свирельников и присел на лавочку возле большой клумбы, неравномерно заросшей мелкими, явно высаженными сиреневыми астрами и самостоятельными сорняками.

Спецполиклиника скрывалась в переулке, коленчато соединяющем Маросейку с Мясницкой. Мало кто знал, что, нырнув в неприметную подворотню, можно очутиться в обширном внутреннем дворе старинной допожарной московской усадьбы, спрятанной вовнутрь квартала. От большого бело-желтого барского дома с колоннами в обе стороны полукругом простирались пристройки, где когда-то, наверное, были людская, каретный сарай и прочие дворянские подсобья. Теперь же там располагались не уместившиеся в главном здании рентгеновский кабинет, физиотерапия, архив и кое-что еще. Свирельникову этот старинный дом напоминал огромного человека, раскинувшего руки, чтобы отгородить, уберечь свое исконное имение от уничтожающего напора новых времен.

В советские годы Михаил Дмитриевич частенько, особенно перед праздниками, бегал по этому переулку, тогда называвшемуся Большим Комсомольским, от метро «Площадь Ногина» к распределителю, который притаился во дворе спецстоловой для старых большевиков. «Святой человек» снабжал Тоню особыми талончиками с печатью. По ним можно было купить «авоську» — пакет с головокружительным советским дефицитом: севрюгой, семгой, икрой, сырокопченой колбасой, карбонатом и прочими вкусностями, которых никогда не бывало в магазинах, но которые непременно оказывались перед праздниками почти в любом московском холодильнике. Казалось, в каждой семье имеется свой, пусть даже совсем незнаменитый, Красный Эвалд, и ему от советской власти полагаются посмертные жертвоприношения в виде редкостной снеди.

Стоя в небольшой очереди, Михаил Дмитриевич всякий раз поражался обилию в распределителе бодрых интеллигентных большевицких вдов, отлично друг друга знавших и громко разговаривавших промеж собой с той неистребимой местечковой жизнерадостностью, которую не выбили из них ни ответственное величие 20-х — 30-х, ни лагеря 40-х — 50-х, ни последующая долгая московская старость с непременными мхатовскими премьерами и третьяковскими вернисажами...

Алипанов, как и положено бывшему оперу, подошел незаметно, сзади, положил на плечи Свирельникову тяжелые ладони и тихо произнес:

— Не шевелитесь! Мы все про вас знаем!

Директор «Сантехуюта» испуганно вздрогнул, почувствовав на мгновенье в сердце болезненную беспомощность, и разозлился. Он дождался, пока Алипанов усядется рядом, вынул из кейса пакет с деньгами и молча отдал. Альберт Раисович, не пересчитывая, убрал его в боковой карман, спросив только:

— Как договаривались?

— Я-то — как договаривались. А вот ты — не как договаривались! — плаксиво ответил Свирельников.

— Фетюгин нажаловался? Ну, ничего страшного. Пришлось надавить...

— Я не об этом!

— А о чем?

— Ты же обещал, что никто никогда не докопается!

— А разве он кому-то пожаловался?

— Никому он не жаловался. Я — про больницу!

— Про какую больницу? Эту, что ли? — Опер кивнул на дом с колоннами.

— Нет, про другую!

— Ну, так там все в порядке. Министром назначили.

— Кого?

— Догадайся с трех раз — кого! — начал злиться Алипанов.

— Тогда почему за мной следят?

— А с чего ты взял, что за тобой следят? Пил вчера?

— Ну и что?

— Так, ничего...

— Нет, мне не кажется! Сначала я возле отеля заметил...

— Возле какого отеля?

— На Патриарших.

— А что ты там делал?

— Отдыхал. Потом смотрю: те же самые «жигули» возле моего дома...

— Та-ак! С этого места подробнее, пожалуйста! Номер машины запомнил?

— Нет.

— Как они выглядели?

— Серые. Старая «копейка».

— Водителя рассмотрел?

— Рассмотрел: молодой, бритоголовый, в красной ветровке.

— В красной?

— В красной. Он хотел даже в мой подъезд зайти, но консьержка не пустила. Сказала, милицию вызовет.

— Неужели есть еще такие консьержки?

— Есть. А он ответил, что сам оттуда.

— Да ну? И «мурку» показал?

— Что?

— Удостоверение.

— Нет.

— Ясно. А что ты в отеле делал?

— С Веселкиным мирился. Он от «Филипаласа» отказался.

— Да ты что! А почему?

— Понял, наверное, что все равно проиграет.

— С девушками гуляли?

— С девушками.

— Девушек кто заказывал?

— Он.

— А расплачивался?

— Я.

— Полностью расплатился?

— Полностью. Даже за вредность добавил.

— Во как! Можешь узнать, по какому телефону он их вызывал?

— Могу.

— Узнай!

— Зачем?

— На всякий случай. Похоже: расписание твое изучают, маршруты отслеживают, прикидывают...

— Что прикидывают?

— А кто ж знает? Может, тебя в разработку взяли, а может, просто грабануть хотят. Или грохнуть. Прикидывают, где удобнее... — Алипанов улыбнулся, нацелил на Свирельникова указательный палец, звонко щелкнув при этом большим и средним.

— За что? — Михаил Дмитриевич почувствовал, как сердце мягко споткнулось обо что-то в груди и несколько мгновений вообще отсутствовало на своем жизненном посту.

— Значит, есть за что!

— Ты так спокойно про это говоришь...

— Да подожди ты! Я пошутил. Может, это и не то совсем...

— А что?

— Что угодно. Например, тебя с кем-то могли перепутать. Ошиблись...

— Ага, и замочат по ошибке!

— Не допустим!

— А если не перепутали?

— Если не перепутали, значит, тебя в самом деле пасут.

— Кто?

— Будем выяснять.

— Из-за чего?

— Да мало ли из-за чего. Жена могла нанять. Ты с Антониной развелся?

— Нет еще...

— Вот, пожалуйста: соберет на тебя компромат и обует в суде за моральный ущерб по полной программе!

— Нет! Я ее знаю. Она на такое не способна!

— Запомни, Михаил Дмитриевич, бывшие жены способны на все!

— Исключено!

— Ладно — исключаем. Веселкин мог нанять?

— Вовико? Раньше, наверное, мог. А теперь зачем? Я же русским языком объяснил: от «Филей» он отказался! Мы с ним вчера...

— Ладно, успокойся! Ты что сегодня такой нервный? Не выспался?

— И не выспался тоже. Ты уверен, что с больницей это не связано?

— Точно. И вообще советую тебе забыть о больнице! А то накаркаешь! Я внятен?

— Внятен. Тогда кто за мной следит?

— Дай мне времени хотя бы до вечера. Ты, кстати, тоже подумай, повспоминай: может, обидел кого или не поделился по-честному? По телефону никаких угроз не было? Не обязательно вчера-позавчера. Месяц назад, полгода назад, год...

— Нет.

— Обычно сначала предупреждают или ставят условия. Деловые люди просто так не убивают. Ну, не мне тебе объяснять. К чужим женам не приставал? За это тоже могут!

— Не-ет... В последнее время нет...

— Ладно, будем думать-соображать. Если сам что-нибудь вспомнишь, звони. Только слов плохих по телефону не говори! Говори намеками — пойму. Я читал, что каждое сказанное слово улетает в космос и там вращается...

— Мысли, между прочим, тоже!

— Да ты что! Ну, тогда — всем звездец!

— Почему? Есть же порядочные люди!

— В делах, может, и есть, а в мыслях нет. Ладно, вечером встретимся, все обсудим, заодно и мой гонорар обговорим.

— А может...

— В милицию заявить? Попробуй! Думаешь, они тобой бесплатно заниматься будут?

— Нет, конечно, но все-таки... специалисты...

— Михаил Дмитриевич, ты что-то сегодня совсем плохой! Мы были специалисты! Мы! Поэтому нас всех и разогнали. А тем, кто сейчас там работает, на тебя наплевать! Но платить придется много, потому что им еще с начальством надо делиться. А я — один. Так что со мной надежнее и дешевле! Я внятен?

— Нет, я хотел... Ты меня сбил... Может, мне лучше дома отсидеться?

— Даже если тебя и заказали, в чем я глубоко сомневаюсь, киллер пока лишь на первом этапе. Ведь ты пойми: тебя не просто надо убить, тебя надо так убить, чтобы никто не докопался ни до заказчика, ни до исполнителей. А такие ликвидации за один день не готовятся. Ты точно эти «жигули» только сегодня увидел?

— Ну, может, вчера вечером... Не помню...

— Тогда сегодня живи спокойно! — Алипанов поднялся с лавочки и с хрустом расправил плечи. — Я выйду первым. Потом ты. Если он там, веди себя как можно спокойнее! Подай знак. Незаметно. Понял?

— А может, мне все-таки дома отсидеться?

— На людях-то безопаснее, Михаил Дмитриевич, ты мне верь! Если «жигуль» снова появится, постарайся запомнить номер!

— Да уж постараюсь...

Свирельников выждал, покуда бывший опер скроется из глаз, и двинулся следом. Войдя в подворотню, еще сохранившую сырую ночную прохладу, он остановился и закурил. Первая затяжка была удушливо-омерзительна, словно сигарета набита не табаком, а пластмассовыми опилками, но потом подоспела головокружительная, тошнотворная легкость, которая на несколько мгновений примиряет с самой паскудной жизнью.

Серых «жигулей» в переулке не оказалось. На противоположной стороне, возле пиццерии», стоял Алипанов и вопросительно смотрел на директора «Сантехуюта». Свирельников в огорчении широко развел руками. Альберт Раисович осуждающе покачал головой и решительно зашагал в сторону Мясницкой.

Михаил Дмитриевич, вздохнув, сел в машину.

— Куда едем? — робко осведомился шофер.

— К следователю.

— Куда в прошлый раз ездили?

— Туда!

12

Он проходил как свидетель по делу фирмы «Сантехглобал». Мотаться по следователям давно стало для него делом почти привычным. Даже смешно вспоминать, как, первый раз получив повестку, Свирельников выложил ее перед Тоней с ужасом, словно черную метку, и долго не мог заснуть, гадая, за что его, так сказать, привлекают. А привлекли его тогда за какое-то пустяковое нарушение правил торговли. Получив отступное, следователь тут же закрыл дело, открытое, судя по всему, из чисто коммерческой надобности. И на этот раз, собственно, ничего страшного Свирельников не совершал, а просто, как многие, покупал оптом и устанавливал клиентам сантехнику, которую почти беспошлинно ухитрялась ввозить в отечество фирма «Сантех-глобал». У владельца фирмы, носившего примечательную фамилию Толкачик, имелись высокие родственные связи в Таможенном комитете, благодаря чему он мог выбрасывать на рынок дешевый и относительно качественный товар. Кормились вокруг него многие.

Быстро разбогатев, Толкачик построил себе, как и положено, особняк на Рублевке, купил виллу в Карловых Варах, завел конезавод, сменил десяток модельных любовниц, а потом, заскучав от изобилия, не нашел ничего лучшего, как пойти в политику. Непростительная ошибка, но ее совершает большинство нуворишей в поисках острых ощущений. Почему-то Толкачику взбрело в голову финансировать Партию гражданского общества, которую политические враги именовали «Гроб» и которая всегда отличалась хамоватой лояльностью по отношению к Кремлю. Ходили затейливые слухи, будто Толкачик совершенно случайно познакомился с лидером этой партии Плютеевым и тот просто очаровал сантехнического олигарха своими тайными знаниями. Произошло это на торжественном фуршете по случаю вручения очередной «Вики». (Так ласково называют в осведомленных кругах золотую статуэтку «Виктория», ежегодно выдаваемую вместе с большой денежной премией самым неподкупным журналистам.) Плютеев, в прошлом известный уфолог, запивая утиную печень «сотерном», сообщил Толкачику о внеземном происхождении идей демократии, каковые в XVII веке доставил на землю посланец посторонней цивилизации, некоторое время проживавший в Англии под именем Фрэнсиса Бэкона и даже занимавший пост лорда-канцлера. Понятно, что его смерть в 1626 году от простуды, якобы подхваченной во время опытов по сохранению мяса с помощью снега, чистая дезинформация. Просто его забрали обратно, туда, откуда он прибыл...

Толкачик был настолько ошеломлен этим удивительным открытием, что вошел в политсовет «Гроба» и начал финансировать партию, рассчитывая стать вторым номером в списке кандидатов на ближайших выборах в Думу. Впрочем, есть и другая версия. Когда по рекомендации знаменитого политтехнолога Поплавковского Кремль обложил данью обнаглевших олигархов, сантехнического короля, конечно, не стали заставлять, как некоторых нефтеналивных магнатов, покупать за границей царские пасхальные яйца и поддерживать спорт, ему поручили всего-навсего взять на баланс «Гроб».

Однако Москва полагает, а Вашингтон располагает: вследствие громкого скандала лидер партии Плютеев вынужден был срочно уйти в отставку. В прессе напечатали присланную неизвестным доброжелателем фотографию, где глава «Гроба» стоял в обнимку с главным чеченским басмачом. А вскоре выяснилось, что бывший уфолог являлся еще и посредником при передаче боевикам денег от известного заграничного благотворителя Подберезовского, который организовал в Лондоне «Фонд имени имама Шамиля» и выделил несколько миллионов долларов якобы на то, чтобы перевести чеченский алфавит с кириллицы на арабскую вязь. Плютеев поначалу, конечно, оправдывался: мол, да, я сделал это, но по личному заданию очень важного кремлевского политика, считавшего, что мощный суверенный Ичкерийский имамат укрепит влияние России на Кавказе. Бросились искать политика, но оказалось, тот давно уже ведет энергичную частную жизнь в Испании, вложил крупную сумму в движение за гуманизацию корриды и стал почетным тореадором Валенсии. Политик сознался: «Да, раньше я так считал, а теперь не считаю, но это не имеет никакого значения, потому что я теперь гражданин Испании!»

Оклеветанный Плютеев проклял Россию, в которой инопланетная демократия даже в ее ублюдочной, западной, версии невозможна так же, как ананасная плантация в тундре, и экстренно вылетел преподавать новейшую российскую историю в Штаты. Деньги ему положили очень приличные, ибо он был не просто обозревателем, исследователем и толкователем этой истории, а ее непосредственным участником: присутствовал, к примеру, при подписании Беловежского соглашения и даже, наливая трем президентам-расчленителям шампанское, обмочил случайно Ельцина, на что тот засмеялся и произнес историческую фразу: «Где пьют, там и льют!»

На посту лидера «Гроба», к всеобщему удивлению, Плютеева сменил Грузельский, любимец телевизионщиков, человек с длинными сальными волосами и вечно обиженным лицом завсегдатая диетических столовых. Прилетев из Швейцарии, где он лечился от приступов черной меланхолии, Грузельский буквально с трапа самолета обрушился с критикой на действующего президента, обвинив его в очевидной измене идеалам демократии, и моментально, таким образом, перетащил партию из центра на самый край, который одни считали левым, а другие — правым. В результате оказалась нарушенной с таким трудом и затратами сбалансированная политическая система, что в условиях неотвратимо приближавшихся выборов явилось для Кремля подлой неожиданностью.

Толкачик воспользовался этим обстоятельством и объявил о своем выходе из политсовета «Гроба». Он уже понял к тому времени, что куда дешевле во искупление первично-накопительского греха профинансировать бесплатные школьные завтраки по всей России, нежели содержать эту проклятущую партию. Однако не тут-то было. Его неожиданно вызвали в прокуратуру и предъявили обвинение в торговле нерастаможенной сантехникой. Заместитель генерального прокурора сообщил по телевидению, что с этого дела начинается крестовый поход против нечестных предпринимателей, свивших осиное гнездо в самом сердце неокрепшей российской рыночной экономики. Огромный оптовый магазин «Сантех-глобала», расположенный в ангарах бывшего авиационного завода имени Чкалова, был опечатан, а весь товар вывезен до выяснения в неизвестном направлении.

Тогда-то и вызвали к следователю Свирельникова, требуя свидетельских показаний, подтверждающих, что Толкачик продавал ему нерастаможенную сантехнику. Проще всего, конечно, было прикинуться честным предпринимателем, введенным в заблуждение подлым поставщиком, и во всем сознаться. Но Михаил Дмитриевич не сомневался: Толкачик обязательно выкрутится. С такими деньгами и не выкрутиться! Более того, директору «Сантехуюта» необходимо было, чтобы тот выкрутился, в противном случае долгожданный контракт на «Фили-палас» терял смысл, ведь за вычетом всех откатов и взяток заработать можно только на дешевых комплектующих от «Сантех-глобала».

Толкачик, опомнившись, выступил с заявлением, что пресса извратила его позицию, политсовета он не покидал и даже, напротив, собирается сразиться с Грузельским за пост председателя партии. По совершенно секретным данным, обнародованным в передаче «Постфактум» политологом Поплавковским, несчастного сантехнического олигарха обещали оставить в покое лишь в том случае, если он договорится с политсоветом и сместит Грузельского, который обещал рассказать в свое время и документально подтвердить чудовищную тайну о чекистских годах действующего президента. В «Столичном колоколе» появилось предположение, что президент, будучи агентом КГБ в ГДР, по ночам вместе со своими дружками из «Штази» посещал вышки по периметру Берлинской стены и для удовольствия стрелял из крупнокалиберного пулемета по несчастным немцам, под покровом темноты незаконно перебегавшим в поисках свободы в Западный Берлин. И якобы у Подберезовского в Лондоне хранится любительский снимок, запечатлевший это кошмарное хобби...

Однако расклад в политсовете «Гроба» оказался непростым. В него, помимо молодых борцов за свободу, впервые обнаружившихся только на веселых баррикадах 91-го, входили и настоящие патриархи отечественного диссидентства. К примеру, знаменитый Лепистов, получивший свой первый срок за чудовищный антисемитский лозунг, который он собирался написать масляной краской на Кремлевской стене, чтобы привлечь внимание мировой общественности к страшной проблеме «отказников». Милиционеры поймали злоумышленника меж серебристых елей, когда он написал только первое слово «Бей...», и отобрали ведро с белилами, а народный суд отправил его на принудительное лечение. Из больницы Лепистов вышел законченным борцом с Красным Египтом и возглавил подпольный журнал «Скрижаль», печатавшийся на машинке «Эрика» тиражом 5 экземпляров (копирка больше не брала), и жестоко разгромленный КГБ, что вынудило конгресс США принять закон Бронсона-Николсона, нанесший ощутимый удар по прогнившей советской экономике.

Так вот, этот самый Лепистов активно поддерживал амбиции Грузельского, но и Толкачик, по слухам, тоже не дремал: он срочно начал строить на берегу Пироговского водохранилища для членов политсовета элитный дачный поселок, задуманный как маленькая Венеция: вместо улиц рукотворные каналы, а каждый коттедж со всех сторон окружен водой. По генплану, каналы сходились к центральной площади поселка, представлявшей собой большой пруд с островком, на котором, в стеклянном павильоне за круглым столом, и планировалось в недалеком будущем проводить заседания. Расходы, конечно, немалые, но они того стоили: после одоления неуправляемого Грузельского Толкачику обещали закрыть все уголовные дела. Он свозил товарищей по партии на строительство, показал огромный глинистый котлован, похожий на воронку от мощной бомбы, потом предъявил макет будущего поселка и тут же провел жеребьевку, чтобы каждый заранее знал, где будет возведен его личный коттедж.

Однако Грузельский и Лепистов на объект демонстративно не поехали. Более того, они подло воспользовались тем, что несколько невезучих членов политсовета огорчились результатами жеребьевки, получив участки вблизи централизованной выгребной ямы. Заговорщики перетянули недовольных на свою сторону и призвали к созыву внеочередного, чрезвычайного съезда Партии гражданского общества. От исхода этого съезда, в сущности, зависело будущее «Сантех-глобала», а следовательно, и «Сантехуюта». Но дело осложнялось тем, что как раз сегодня Подберезовский собирал в Лондоне пресс-конференцию, чтобы показать журналистам обличительный снимок...

13

Машину возле Управления МВД приткнуть было негде. На стоянке, размеченной белыми линиями, помещались автомобили, принадлежавшие, очевидно, сотрудникам. В основном «жигульня» и старенькие иномарки, хотя, впрочем, попадались и дельные экземпляры. Близлежащие газоны, тротуары были плотно заставлены дорогущим мерседесистым новьем. На цветочную клумбу угораздился огромный «хаммер», который всем своим триумфальным видом напоминал памятник танку-победителю из послевоенных времен. Леша в растерянности остановился и виновато оглянулся на шефа.

«М-да, — подумал Свирельников, — если с преступностью не начнут бороться всерьез, сюда вообще скоро не втолкнешься!»

Но, к счастью, в этот момент из проходной вышел здоровенный коротко остриженный парень. Громко матерясь в мобильник, он рычал кому-то, что один за всех париться не намерен и что, если завтра не занесет деньги, с него возьмут подписку о невыезде. Продолжая браниться, стриженый засунулся в глазастик-«мерседес» и освободил место на газоне.

Оставив Леше «дежурный» мобильник, Михаил Дмитриевич вылез из машины и осторожно огляделся, но серых «жигулей» не обнаружил. Нащупывая в боковом кармане паспорт с повесткой и повторяя про себя номер кабинета, Свирельников прошел через КПП. За стеклянной перегородкой два дежурных играли в нарды. Один из них, усатый, поднял голову, мечтательно посмотрел на директора «Сантехуюта» и метнул кости, потом, огорченно вздохнув, проверил у него документы.

В здании управления шел бесконечный ремонт: по углам были сложены мешки с цементом, часть вытертого линолеума уже заменили новым — светленьким в шашечки. Вдоль стен стояли сколоченные из неструганых досок, заляпанные краской козлы. Толстый милицейский подполковник, видимо, командующий хозяйственными нуждами, громко бранил сникших маляров за то, что те сначала поменяли линолеум, а лишь потом, не застелив его хотя бы газетами, начали красить стены.

— Ототрем... — неуверенно обещал, видимо, бригадир.

— Да уж ты ототрешь! — сердился подполковник.

Свирельников миновал ремонтируемую часть коридора и проследовал далее, привычно удивляясь тому, что у дверей кабинетов нет ни единого стула. Вероятно, из деликатности, ибо многие пришедшие сюда по повестке сесть могут в любой момент и надолго.

Возле 416-го кабинета никого не наблюдалось. Михаил Дмитриевич, не надеясь на похмельную память, заглянул в записную книжку. Да, все правильно: Елена Николаевна. Затем отключил свой мобильный с золотой панелькой: правоохранительные люди очень не любят, когда у допрашиваемых звонит телефон. Затем он кротко постучал в дверь, хотя Тоня ему сто раз говорила, что стучаться в служебный кабинет — дурной тон.

Когда Свирельников вошел, следовательница отложила глянцевый журнал, деловито изменилась в лице и со значением придвинула к себе стопку скоросшивателей. Это была дебелая женщина лет сорока с внешностью библиотекарши, смертельно уставшей от дотошных читателей.

— Присаживайтесь!

— А я думал, вы в отпуске! — весело удивился Михаил Дмитриевич.

Когда-то, затевая свой бизнес, он увлекался книжкой Карнеги и запомнил: человеку, от которого зависишь, лучше всего с самого начала осторожно навязать неформальный стиль общения. В прошлый раз Свирельников слышал разговор следовательницы по телефону о горящих путевках в Грецию.

— Да какой тут отпуск! — посуровела она и глянула на посетителя так, словно именно он и был виноват в том, что отдых накрылся.

«Черт бы задрал этого Дейла!» — внутриутробно выругался неуспешный карнегианец.

— Михаил Дмитриевич, — холодно продолжила Елена Николаевна. — Я вот зачем вас снова пригласила. Вы ведь брали кредит в «Химстроймонтажбанке» в 95-м? Так?

— Брал...

— И не вернули?

— Я по этому поводу уже давал объяснения. В прокуратуре. Когда подошел срок, такого банка не существовало. И возвращать было некому...

— Я знаю. Банк лопнул после того, как убили председателя совета директоров. Как его фамилия?

— Не помню... Кажется, Горчаков...

— Правильно: Горчаков Семен Генрихович. Помните! Напишите, как все происходило! — Она протянула ему бланк допроса.

— Я уже писал...

— Еще раз напишите. Ручку вам дать?

— У меня есть.

Подобного поворота событий он не предвидел. Кто мог подумать, что докопаются и до того кредита? Ведь поделились, и поделились очень прилично. Двадцать пять процентов он тут же обналичил и отнес Горчакову. Точнее, отнес Вовико, который в то время был у Свирельникова младшим компаньоном. Но этого теперь не докажешь. Горчака застрелили возле дома, когда он прогуливался со своим ротвейлером. Огромная собака! Сильнющая! На цепном поводке дотащила труп почти до подъезда и выла, пока не сбежались соседи. Заказал, конечно, кто-то из «невозвращенцев». Кто именно — вычислить невозможно. Много их было. Одно Михаил Дмитриевич мог сказать с уверенностью: он не заказывал. И дело давно уже закрыли. Почему вспомнили? Ради того, чтобы он струхнул и дал показания на Толкачика? Но ведь кто-то подсказал! Не могла же она сама раскопать! Дел-то у нее полно — вон какие стопки! Да и на Каменскую она не похожа... Для нее работа — такая же рутина, как для какой-нибудь ископаемой ниишницы — кульман: спрячется за чертежной доской и вяжет или составляет для подружек гороскопы...

— Вы почему не пишете? Я непонятно объяснила? — почувствовав, наверное, что он думает про нее, строго поинтересовалась Елена Николаевна.

— Вспоминаю, как было... — оправдательно улыбнулся директор «Сантехуюта».

Пока Свирельников обдумывал первую фразу, следовательница позвонила, скорее всего, домой и стала строго выговаривать кому-то, видимо, сыну, вернувшемуся накануне очень поздно. А может, мужу? Нет, на мужа не так сердятся. В том, как она ругает, больше беспокойства, чем злости. Если бы пилила благоверного, перло бы раздражение: мол, ты где, гад, шлялся — грязь собирал?

«Интересно, берет она или нет? — озадачился Михаил Дмитриевич. — По лицу похоже, не берет. Хотя... Кольцо у нее явно не на зарплату купленное. И серьги тоже. Муж подарил или любовник-бизнесмен, которого она от тюряги отмазала? Да нет, какой у нее любовник! Типичная глубоко замороженная курица, раз в квартал возмущающаяся тем, что супружник совсем уже не видит в ней женщину, и тот, вызывая в памяти волнительные изгибы юной подруги, по-родственному осуществляет полузабытый долг. Как одно время любила говорить Тоня: «Ага, вспомнил, что я еще живая!»

Свирельников оторвался от бланка и еще раз незаметно взглянул на следовательницу, которая что-то писала, мило склонив голову к плечу. И Михаила Дмитриевича вдруг посетила похмельно глубинная мысль о том, что всякая дама (за исключением, конечно, утренних профессионалок), даже вот эта Елена Николаевна, в волнующем смысле является женщиной для весьма ограниченного числа мужчин, знавших ее в бесстыдной разверстости. А для всех остальных она лишь некое женоподобное, но бесполое, в общем-то, существо, вроде манекена с целлулоидным бюстом и таким же пластмассовым, непроницаемым лоном. Нет, не манекен, а скорее мимолетная статистка. Собственно, все люди делятся на статистов и участников твоей жизни. Светка — участница. Тоня раньше была участницей, а теперь стала статисткой.

Михаил Дмитриевич неожиданно встретился со строгим взором следовательницы:

— Пишите скорее, у меня мало времени!

Ага! А вот сейчас эта статистка возьмет да и отправит героя-любовника на нары. Каково? Удивительная ситуация: дама, которая, возможно, этой ночью, обливаясь потом, билась в объятиях неведомого самца, способна поутру, придя на работу, посадить в тюрьму другого мужчину. Ведь он, Свирельников, для нее тоже статист. Но почему одним женщинам так и суждено остаться статистками твоей жизни, а другим на ночь или на годы суждено стать близкими? Почему он тогда пошел провожать Тоню? Лишь потому, что напомнила ему Надю Изгубину? Почему ему влетела в голову нелепая мысль нанять Светку, чтобы следить за Аленой? Почему? Все совершается где-то там, наверху, помимо нас, в предвечности... В передней у Вечности! Здорово! Передняя Вечности! А можно ли, например, усилием воли и глумливой изобретательностью изменить это предназначение? Вот, например, выйти отсюда, купить букет и дождаться, когда в шесть часов из ворот покажется эта самая Елена Николаевна, подбежать, наплести, что влюблен в нее с самого первого взгляда. Не поверит? А почему? Старая уже? Ну и что! Ведь свою несвежую плоть мы, в сущности, воспринимаем как пропахшую потом, запачканную сорочку с залохматившимися манжетами, под которой прежнее, юное, упругое тело. И влюбляемся, влечемся, вожделеем мы не грязными своими сорочками, а тем, что под ними! Допустим, эта Елена Николаевна — верная жена или подруга, возможно, она любит своего мужа или кого-то там еще, но всегда можно изобразить куда более гигантскую страсть, а женщины на бессмысленную огромность любви так же падки, как диктаторы на циклопическую архитектуру...

Говорил же замполит Агариков: «Это баба думает маткой, а ты офицер и должен думать мозгой!»

Так вот, если бороться, страдать, преследовать, ночевать под ее окнами на лавочке, писать стихи... Ну, в общем, совершать все те нелепости, которые так нравятся женщинам, то в конце концов она обессиленно отдаст Михаилу Дмитриевичу свою в общем-то совершенно не нужную ему плоть, а потом будет нежно гладить по голове и с материнской беззаветностью смотреть на него, прислушиваясь, как остывает в чреслах молния сладострастья...

— Вы о чем думаете? — строго спросила следовательница.

— Вспоминаю... — краснея, пробормотал Свирельников.

— Так мы с вами никогда не закончим! Давайте сюда листок! Вы рассказывайте, а я с ваших слов запишу.

Директор «Сантехуюта» покорно отдал бланк, сосредоточился и принялся осторожным голосом излагать обыкновенную историю невозвращенного кредита, впадая в некий подследственный стиль с выражениями вроде: «вышеупомянутый банк», «поскольку-постольку», «в результате чего», «впоследствии убитый неизвестными злоумышленниками», «согласно законодательной базе»...

Когда он замолчал, следовательница оторвалась от записей, посмотрела внимательно на Свирельникова и спросила:

— Гражданин Веселкин имел какое-то отношение к кредиту?

— Да, мы тогда вместе работали...

— А теперь?

— У него своя фирма...

— Враждебных отношений, личной неприязни между вами не было?

— Были некоторые противоречия...

— Конфликт интересов?

— Вроде того. Но теперь мы друзья...

— Даже так?

— Да, именно так, — подтвердил Михаил Дмитриевич и попытался себе представить, как она отреагирует, если ей рассказать, что вечор он братался с Вовико при помощи двух путан.

— Ответственность за дачу ложных показаний, думаю, вам разъяснять не надо?

— Обижаете, Елена Николаевна!

— Прочитайте! Если все правильно, тогда как обычно: «С моих слов записано верно». И подпись.

Михаил Дмитриевич внимательно просмотрел текст и заметил, что следовательница в явных неладах с пунктуацией: придаточные предложения она еще кое-как выделяла запятыми, а союзных не видела в упор. Удостоверившись, что все изложено точно, он поставил автограф.

— Давайте повестку, я отмечу! — строго сказала Елена Николаевна.

— Значит, «Сантех-глобал» вас больше не интересует? — протягивая бумажку, аккуратно спросил Свирельников.

— А вам есть что сообщить следствию? — даже не глядя в его сторону, отозвалась она.

— Мне показалось, что теперь вас интересует только тот кредит.

— Вам показалось. У вас есть что-то новое про «Сантех-глобал»? — Следовательница взяла из стопки и положила перед собой чистый бланк допроса.

— Я должен подумать.

— Думайте скорее! Неужели вы еще не поняли, что нас интересует? — сердито предупредила она. — До свидания!

Выйдя из кабинета, Свирельников увидел дожидавшегося у дверей человека и узнал в нем предпринимателя, с которым когда-то познакомился на пикнике у невинно убиенного Горчакова. («Ага, значит, глубоко копают!») Тот тоже узнал Михаила Дмитриевича, но виду не подал. Не то место! Так английские джентльмены, встретив в общественном туалете близкого друга, ни единым движением не выдают своих чувств. Они невозмутимо застегиваются, выходят из сортира и лишь потом бросаются друг другу на шею.

«“Думайте скорее!” — вот ключевая фраза! — размышлял он, шагая по шуршащим газетным листам (ими за полчаса успели выстелить весь коридор). — Ну, конечно, они давят, чтобы получить компромат на Толкачика. Для этого и выкопали историю с Горчаком. Стоп! И слежку для этого же организовали! Нарочно такую, чтобы сразу заметил и испугался. Тогда все понятно! А когда понятно, тогда не страшно. Неприятно, но уже не страшно...»

Михаил Дмитриевич вышел из подъезда на улицу, достал «золотой» мобильник, включил, поймал в панельку солнце и пустил зайчика по окнам управления. Тут же раздался звонок.

— Аллёу! Ну как — узнал?

— Что именно? — радостно не понял Свирельников.

— Откуда были девочки? Хотя бы номер телефона.

— Отбой! Девочки тут ни при чем.

— Это еще неизвестно.

— Известно. Меня спрашивали про Горчакова и про кредит!

— Так его же давно...

— Не важно. Они хотят, чтобы я заложил «Сантехглобал».

— Ну и заложи!

— Ага! А жить потом как? Вот «жигули» за мной и катаются, чтобы я... Ну, ты понял?

— Понял. Не надо подробностей. Дай мне час — я выясню.

— Зачем? И так все ясно.

— Ясно, да не все.

— А что не так?

— Да есть кое-что. Не могу пока объяснить. Но я этих ребят знаю. Они бы все по-другому делали. Странно. Хотя, может, и оттуда всех «профи» погнали. Ладно, попробую узнать, что за козлы тебя пасут.

— А разве можно?

— Если ты не жадный, можно!

— Я не жадный, но экономный.

— Ладно, экономный, «трубу» надолго не отключай. А телефон этих девочек все-таки у своего Смешилкина спроси! Я внятен?

— Веселкина.

— Бывают же фамилии! До связи!

Подойдя к КПП, Свирельников заметил то, на что не обратил внимания, когда шел к следовательнице: из специальной витринки, прикрепленной к кирпичной стене дежурки, с размытой (наверное, сильно увеличенной) фотографии на него печально смотрел молодой милиционер.

Под снимком черной тушью сообщалось, что лейтенант Колосовиков Виктор Павлович погиб, выполняя служебный долг. На алюминиевой полочке, привинченной под витринкой, лежали две красные, немного подвядшие гвоздички. Вычтя из второй даты первую, Свирельников обнаружил, что погибший был даже моложе брата Федьки.

Направляясь к машине, Михаил Дмитриевич думал сразу о двух вещах. Во-первых, о том, что, очевидно, такое у них тут случается нередко, если для этого есть специальная витринка и даже полочка под цветы. А во-вторых: почему лица на некроложных снимках всегда какие-то скорбно-встревоженные, точно будущие покойники в фотографической вспышке на мгновенье прозревают свой конец? Нет, вряд ли... Скорее, огорченные родственники подсознательно выбирают такие вот грустные снимки...

«Наверное, и дети у этого Колосовикова остались!» — подумал он, садясь в джип.

14

— Кто звонил? — спросил Свирельников и забрал у Алексея дежурный мобильник.

— Владимир Николаевич. Просил перезвонить, как освободитесь, — доложил водитель.

— Какой Владимир Николаевич?

— Вчерашний.

— Ясно. Поехали!

— Куда?

— В департамент. Остановишься по пути где-нибудь у цветов! — Он взглянул на часы и сообразил, что к началу вручения даров уже опаздывает. — Мухой лети!

Джип тронулся, а Михаил Дмитриевич нашел в телефонной памяти веселкинский номер и нажал зеленую кнопку.

— Слушаю! — почти сразу же отозвался Вовико.

— Это я. Звонил?

— Без всяких-яких! — захихикал Веселкин. — Ты как, жив?

— А ты?

— Спать хочется, хоть спички в глаза втыкай! Озорные девчонки попались. Особенно светленькая... Жалко, кино они нам не показали!

— Ну, ты им за это отомстил!

— А что – жаловались?

— Нет, не жаловались. Хвалили. Деньги за вредность с меня взяли.

— Деньги?! – возмутился Вовико. – Да я же им, не считая, насыпал! Вот сучки! С тебя-то за что? Ты же спал...

— За того парня. Ты когда уехал?

— В час.

— А что так?

— Надо было, – замялся Вовико. – Ты где? А то заезжай – поправимся! Мне тут с Массандры мадеру пятьдесят девятого года привезли.

— Нет, спасибо. У меня сегодня тяжелый день.

— Да брось! Кто утром пьет – тот целый день свободен!

— Не могу!

— Надо увидеться. Без всяких-яких. Я тебе вчера одну вещь не сказал. А вещь важная...

— Говори по телефону!

— Ну, если ты... Понимаешь, меня к следователю вызывали. Из-за Горчакова. Я думал, все давно забыто и забито, а они снова. Не нравится мне это! Тебя еще не вызвали?

— А почему меня должны вызвать?

— Ну, кредит же ты брал...

— Мы! Мы брали!

— Мы... Но договор-то подписывал ты.

— Ты тоже кое-что делал.

— Ну что ты сразу! Я же как лучше хочу! Так тебя вызывали?

— Нет еще, – соврал Свирельников.

— Странно. Может, заедешь на мадеру?

— Не могу Созвонимся...

— А ты хоть помнишь, что мы помирились?

— Конечно! Слушай... у тебя телефон этих девчонок под рукой?

— Соскучился?

— Нет, хочу их одному человеку подарить ко дню рожденья.

— Правильно: девчонки хорошие, без всяких-яких! Но телефон я куда-то засунул. А фирма называется «Сексофон».

— Саксофон?

— Нет, не дудка, а через «е». «Сексофон». Понял?

— Понял.

— Телефон в «Интим-инфо» найдешь, я оттуда брал.

— А как зовут их, не помнишь?

— Не-а. Помню, что у светленькой на пояснице глаз.

— Какой еще глаз? — вздрогнул директор «Сантехуюта».

— Открытый. Наколка такая смешная. Береги себя!

— И ты тоже!

Нацарапав странное название фирмы на обратной стороне визитной карточки, Свирельников распрощался с Вовико и огляделся: хвоста не наблюдалось. Некоторое время они ехали вдоль парка: справа были уступчатые многоэтажки, а слева пыльный лес с зажелтевшими кое-где березками и тропинками, ныряющими в чащу прямо от стеклянных автобусных павильончиков. Проехали клубное здание с колоннами и надписью «Театр».

«Лесотеатр», — подумал Свирельников.

На большой афише, прикрепленной к фронтону, значилось:

СКОРО!

Лев Толстой «Война & мiр».

Степ-мюзикл.

Он представил себе Наташу Ростову, отбивающую чечетку в компании с Андреем Болконским, и повеселел. Когда вывернули на проспект, Свирельников еще раз тщательно огляделся, но серых «жигулей» не заметил.

«А что это вдруг Веселкину приспичило мириться?» — подумал он.

Зря этот товарищ по оружию никогда ничего не делал.

В «Можайку» оба они поступили после армии и оказались в одном взводе, а в общаге их койки стояли рядом. Правда, Вовико тогда считался общеинститутской легкоатлетической звездой и постоянно ездил на сборы. Преподаватели относились к его отсутствию на занятиях как к неизбежному злу, но с раздражением и в конце концов сквитались: по распределению он загудел в Улан-Удэ.

Потом Веселкин ненадолго появился в Москве, чтобы втянуть Свирельникова в историю с заразными сестричками. После этого однокашники долго не виделись и снова встретились совершенно случайно на улице, кажется, в 93-м. Михаил Дмитриевич гордо рассекал Ленинский на своей первой иномарке — старинной «тойоте» с правым рулем, которой страшно гордился, а грустный Веселкин ожидательно мерз на остановке. Вовико тогда только-только вылетел из армии по сокращению, пробовал толкнуться в бизнес и был наивен, как эмбрион, принимающий абортный скальпель за луч света в темном царстве.

Директор «Сантехуюта» остановил машину, опустил стекло, высунулся и томно, как приоконная девица, позвал:

— Вовико!

Господи, как же тот обрадовался, узнав в хозяине иномарки однокурсника! Буквально бросился на шею, чуть не плача. В дешевенький кооперативный ресторан «У Палыча», куда повел товарища Михаил Дмитриевич, Вовико входил с благоговейной опасливостью, а увидав в меню многочисленные нули тех инфляционных цен, вздрогнул и испуганно посмотрел на друга. Свирельников же в ответ лишь усмехнулся с успокаивающим превосходством.

Веселкину сильно не повезло. После Улан-Удэ его захреначили в Манино, медвежий подмосковный угол, откуда в Первопрестольную выбираться не легче, чем из Уссурийска. А тут еще свернули спутниковые программы, финансирование срезали, зарплату не выдавали, начальство почесало репу и объявило: два дня на службу ходите, чтобы скрип портупеи не забыть, а остальное время шакальте как умеете! Жена веселкинская поехала в Москву за дешевыми продуктами, встретила одноклассника, разбогатевшего на скупке квартир у подмагазинной пьяни, и через месяц ушла к нему.

— Вот, ночной бар теперь стерегу!

— А что вообще собираешься делать?

— Не знаю. Застрелюсь, наверное, — грустно хохотнул Вовико.

Свирельников же, наоборот, стал рассказывать, как ездил купаться в Анталию, как собирается в ближайшее время поменять «тойоту» на БМВ, а Веселкин взирал на однокурсника, словно на белого бога, приплывшего в большой железной пироге к его убогим папуасским берегам. И хотя директор «Сантехуюта» давно мучился вопросом, где найти надежного человечка в заместители, мысль о том, что таким человечком может стать жалкий, измызганный Вовико, даже не приходила ему в голову.

Поначалу, выпивая и закусывая, они вообще не говорили о бизнесе, а все больше вспоминали походы по «тропе Хо Ши Мина» в женское общежитие трикотажной фабрики «Красное знамя», располагавшееся впритык к курсантскому корпусу. Удивительно, как прочно мужская память хранит совокупительные чудачества и мелкие телесные причуды дам, чьи лица с именами давно уже утрачены, стерты, погребены в кучах ненужного жизненного мусора! Но вдруг из глубины забытого всплывает совершеннейшая нелепость — разбитная ткачиха-лимитчица, страшно боявшаяся залететь и поэтому в самый опасный момент противным диспетчерским голосом кричавшая в ухо трудящемуся бойцу: «Внимание!»

Посреди ужина сильно захмелевший Вовико, подняв рюмку и собираясь огласить очередной витиевато-бессмысленный тост, произнес:

— Внимание!

— Вынимание! — по-диспетчерски прогундел в ответ Свирельников и захохотал.

— Неужели помнишь?

— Слу-ушай! — Директора «Сантехуюта» вдруг осенила простая и гениальная мысль. — Мне нужен надежный человек на филиал. Надежный. Пойдешь?

— Без всяких-яких, — побледневшими губами прошептал Вовико, стараясь придать своему лицу выражение сверхъестественной надежности. Глаза у него были при этом заискивающе-беззащитные, как у домашнего кобеля, присевшего по нужде на людной улице.

А та полузабытая, наверное, давно поскромневшая и состарившаяся лимитчица так никогда, до самой смерти не узнает, что ее общедоступная молодость, ее совокупительная чудаковатость, точнее, воспоминание о ней, сыграли такую важную роль в судьбе офицера запаса Владимира Николаевича Веселкина!

Став начальником филиала, а через некоторое время и компаньоном с долей в акциях, Вовико заматерел и так намастырился залезать в их общие деньги, что, когда при разделе фирмы все всплыло наружу, оставалось только ахнуть: как же искусен, хитер и затейлив может быть человек крадущий! Самый простой способ заключался в том, что выручка филиала придерживалась и втихаря крутилась через ГКО. Это страшно возмутило Свирельникова, хотя, по совести сказать, он тайком от компаньона делал то же самое.

В итоге соратники расплевались, но, к удивлению сантехнической Москвы, без стрельбы, что позволило знаменитому Ашотику на корпоративном банкете в Колонном зале заявить о благополучном завершении дикого этапа русского капитализма, когда экономика, как и обещано, регулировалась рынком, но вот рынок-то регулировался пластидом и пистолетами с глушителем. На некоторое время Свирельников вообще забыл о своем однокурснике и компаньоне, так бы, наверное, никогда и не вспомнил, если бы неожиданно не столкнулся с ним лоб в лоб, борясь за «Фили-палас».

Война эта велась долго, с переменным успехом. Сколько было денег занесено в нужные кабинеты и сколько выпито водки с необходимыми людьми — страшно вспомнить! Наконец директор «Сантехуюта», найдя прямой выход на руководителя департамента, стал явно одолевать Веселкина и ожидал от него чего угодно, любой изощренной гадости, но только не полной капитуляции с предложением вечного мира. С чего вдруг? Во всем этом чувствовалась какая-то рекламная неискренность. Даже приглашение в «Кружало» таило явный намек на ту давнюю пьянку «У Палыча», где начался их совместный бизнес, так печально закончившийся.

Когда ввалились в «Кружало», сели за столик и выпили по рюмке горилки с чесночным салом, Вовико стал рассказывать про то, как встретил на заправке старшину их курса Лисичкина, которому все преподаватели единодушно прочили блестящее лампасное будущее. Он был в оранжевой робе с надписью «Мосгорнефть», предупредительно вставлял в бензобак наливной «пистолет» и протирал стекла.

— Узнал тебя? — спросил Свирельников.

— Без всяких-яких... — покачал головой Веселкин. — Зачем человека расстраивать? Дал ему стольник и уехал.

— А помнишь, как он не мог найти на карте Гренаду?

— Без всяких-яких!

В первом случае «без всяких-яких» означало «нет», во втором случае — «да». Ехидная Тоня однажды заметила, что Веселкин умудряется всю цветущую сложность русского языка вместить в своих дурацких «яких». И вполне успешно! Уникальный случай: можно целую диссертацию написать. Жена всегда относилась к Вовико с презрительной терпимостью и называла его «твой Веселкин». В первый раз она назвала его так на выпускном вечере в клубе «Можайки», располагавшемся в бывшем манеже. Оттоптав с ним медленный танец, она вернулась к жениху и сказала:

— Свинья он, этот твой Веселкин!

— Почему?

— Потому что с невестой товарища по оружию так не танцуют и таких намеков не делают!

— Каких намеков?

— Про гарнизонный женообмен!

Когда их растащили сбежавшиеся на мордобой однокурсники, Свирельников успел хорошенько отмолотить Вовико, но и сам пропустил могучий удар в глаз. Веселкин, чувствуя обидную для него незавершенность, вырывался из крепких товарищеских рук и орал:

— Пустите! Я его убью! Без всяких-яких!

Через два дня загсовская тетка, кивнув на синяк под глазом жениха, совершенно серьезно предупредила невесту:

— За драчуна выходите!

— А что делать! — вздохнула Тоня, похожая в своем ажурном свадебном платье на трепещущую на сквозняке тюлевую занавеску.

Вчера в «Кружале» они с Вовико много смеялись, вспоминая молодость, но воспоминаний о той драке старательно избегали. Веселкин сыпал тостами про мужскую дружбу, вечную и чистую, что горные вершины, про боевое братство, надежное, как танковая броня, про конкурирующих супостатов, которым никогда не одолеть союз двух офицеров, поссоренных коварными врагами, а теперь вот душевно помирившихся. Свое прозвище Вовико получил еще в курсантские годы именно за страсть к цветистым грузинистым тостам.

Потом, в очередной раз налив по последней, они встретились глазами, и что-то Свирельникову сильно не понравилось во взгляде Веселкина. Что именно? Объяснить невозможно... Но какой-то хмельной интуицией он уловил: за миролюбием Вовико стоит не раскаянье и не запоздалый приступ юношеской дружбы, а какой-то тайный расчет.

«Напрасно я с ним помирился! — подумал он как можно незаметнее. — Ничего хорошего из этого не выйдет...»

Но Веселкин, конечно, тут же эту мысль однокашника уловил, проинтуичил своей уникальной спинномозговой чуткостью, всегда поражавшей Михаила Дмитриевича. Он понимал, что отвязаться теперь от бывшего компаньона не удастся. Вовико принадлежал к тому особенному липкому типу людей, которые умеют тонко переплестись с твоей жизнью, старательно поддерживая бессмысленный бытовой симбиоз. Например, примчаться к тебе, заболевшему, с каким-нибудь копеечным «Аспирином-С» и жарко убеждать, что, принимая аспирин без «С», ты не-поправимо губишь здоровье. Или, узнав о смерти твоего дальнего, полузабытого родственника, приехать без спросу за полночь и сидеть на кухне, тяжко вздыхая и сочувственно играя желваками.

— Нам надо держаться вместе! — Веселкин подался вперед так, что сдвинулся стол и звякнули фужеры.

— Ну конечно!

— Не веришь? Зря! — обиделся Вовико. — Ты ведь еще не знаешь, сколько у нас с тобой теперь общего! Без всяких-яких!

— Да брось ты! Все нормально! — кивнул Михаил Дмитриевич и покраснел от собственной неискренности.

— Не ве-еришь! Э-э! Как-то мы с тобой неправильно миримся...

— А как правильно?

— Надо побрататься!

С этой своей дурацкой особенностью краснеть в самое неподходящее время Свирельников никак не мог справиться. Тоня, пользуясь мужниной слабостью, раскалывала его мгновенно, несмотря на тщательную легенду о внезапном дежурстве (в период службы Отечеству) или продуманную сказку о затянувшихся переговорах с партнерами (в последние, бизнесменские годы).

— А почему краснеешь?

— Давление.

— Знаем мы это давление.

Когда-то, в пору пионерской невинности, отрок Миша сквозь дырочку, проверченную в лагерной душевой, подглядел, как в девчоночьем отделении мылась вожатая... Вера. Да, Вера. Теперь, отяжеленный мужским опытом, он мог оценить: так себе, заурядная педагогическая студентка с полуочевидной грудью и черным раскурчавленным пахом. Но тогда он был до глубин подросткового сладострастия потрясен этой открывшейся ему женской раздетостью. Ведь Вера относилась к детям с такой строгостью, что, казалось, наготы у этой суровой воспитательницы вообще нет и быть не может. И вдруг там такое!

Через несколько дней Свирельников увлекся вечерней ловлей майских жуков на футбольном поле. Тогда их было очень много. Воздев неподвижные надкрылья и басовито жужжа, они наполняли синеющие сумерки, напоминая тяжело поднявшиеся в воздух буквы чуждого алфавита. Миша бежал за ними по колено в траве, влажной от упавшей росы, догонял, подпрыгивал и сбивал курточкой на землю, складывал в коробку, чтобы потом тайком запустить в девчоночью палату. Теперь майских жуков совсем не стало, и в летнем теплом воздухе лишь противно гундосят невидимые комары...

В общем, он так увлекся погоней за жуками, что забыл про вечернюю линейку.

— Ты опоздал на пять минут! На целых пять минут! — отчитала его Вера. — А еще военным хочешь стать!

Выдерживая ледяной осуждающий взгляд вожатой, маленький Свирельников вдруг вообразил Веру во всей ее тайной курчавости. Ему стало стыдно — и он покраснел, как первомайский шарик.

— Краснеешь? — строго спросила она. — Значит, ты еще не совсем потерян для общества!

«Интересно, где она сейчас, эта Вера, и что с ней стало?» — подумал Михаил Дмитриевич, глядя в автомобильное окошко.

На светофоре к машине подошла прилично одетая нищенка с замызганным спящим младенцем на руках. Свирельников полез в карман, но тут к женщине подковылял инвалид и, подпрыгивая на единственной ноге, ловко огрел даму костылем по спине. Побирушка заверещала на всю улицу, а спавший младенец открыл мутные глаза и бессмысленно улыбнулся. Михаил Дмитриевич слышал в какой-то телепередаче, что уличные попрошайки дают младенцам снотворное, чтобы те не мешали работать.

— Что это они? — удивился Леша, трогаясь.

— Сферы влияния делят, — ответил Свирельников и кивнул на цветочный ларек. — Остановись!

— Лучше у метро. Там дешевле и выбор больше, — посоветовал водитель, замирая от собственной смелости.

Леша работал у него второй месяц. Прежнего водителя, Тенгиза, пришлось выгнать, хотя даже Светка за него просила. Парень постоянно мухлевал с бензином, а на ремонт или ТО отгонял машину к своим землякам, которые не только, как потом оказалось, завышали стоимость работ, но вместо новых запчастей ставили подержанные, купленные по дешевке на автосвалке. Сначала Тенгиз клялся мамой, что чист перед хозяином, как ледниковый ручей, а потом, когда его приперли, попробовал даже угрожать: мол, он, возя директора «Сантехуюта», узнал много чего интересного — и поэтому теперь с ним надо обращаться поласковее. Именно за эти угрозы Свирельников вышиб его, не рассчитавшись за последний месяц. Алипанов же провел с мерзавцем воспитательную работу, чтобы знал, с кем дело имеет! Тоже — понаехали из своей голозадой Грузии и обнаглели! Козлы цитрусовые!

Глядя на пугливо-послушного Лешу, Михаил Дмитриевич пока с трудом мог вообразить, как месяца через три и этот новый водитель тоже станет лукаво улыбаться, везя шефа в Матвеевское. Как, опоздав на час, начнет уверять, будто стал жертвой операции «Перехват», потому что где-то опять кого-то грохнули и скрылись на джипе «гранд-чероки», поэтому менты совершенно оборзели и тормозили его каждые сто метров...

Свирельников поначалу никак не мог понять, почему шоферы Веселкина (а тот менял их примерно раз в год) были дисциплинированны, как роботы, и каждую свободную минуту намывали хозяйскую «бээмвэшку». Оказалось, все очень просто: Вовико давал каждому письменное, заверенное нотариусом, обязательство передать машину в личную собственность водителя, если тот в течение двух лет ни разу не нарушит условия договора: не опоздает к назначенному времени, не допустит по халатности поломки, не выедет на линию в немытой машине и так далее.

— А если выдержит? — спросил удивленный Свирельников.

— Без всяких-яких! — хитро улыбнулся Вовико. — Так не бывает!

Едва Михаил Дмитриевич вышел возле цветочных павильончиков, из стеклянных дверей выскочили сразу несколько кавказок и гортанными криками стали его зазывать. На минуту ему показалось, будто он очутился в каком-то странном, образовавшемся в центре Москвы цветочном ауле с прозрачными саклями. Он поморщился, выбрал ту продавщицу, что орала не так громко, зашел и оказался посреди цветочных джунглей: в больших керамических корчагах теснились снопы роз: тут были и корявенькие подмосковные, и полутораметровые голландские с огромными, в кулак, бутонами. У другой стены уступами поднимались вверх готовые букеты: от малюсеньких бутоньерок до гигантских затейливых икебан, составленных из неведомых тропических цветов. Но аромата, как ни странно, в павильончике не было.

— Вам букет? — спросила до зубов озолоченная продавщица.

— Букет.

— На свадьбу?

— На юбилей.

— Большой?

— Самый большой.

— Вот этот! Только привезли! — Она кивнула на огромное сооружение из крупных розовых лилий, окруженных алыми герберами и еще какими-то цветами, похожими на большие вечные одуванчики. Все это было завернуто в желтую гофру и перевито золотой лентой, напоминающей парадный офицерский ремень.

— Сколько?

— Три тысячи. Если возьмете, дам скидку.

— А если не возьму?

— Берите, дешевле не найдете!

Свирельников ненавидел торговаться. Зато Вовико был большим мастером. Несколько раз они вместе покупали букеты для необходимых юбилеев, и Михаил Дмитриевич всякий раз со смешанным чувством неловкости и восхищения наблюдал весь этот покупательский спектакль. Едва подойдя к прилавку, Веселкин делал понимающе-брезгливое лицо и осматривал товар с таким видом, будто ему пытаются впарить страшную цветочную дрянь. Продавцы, конечно, начинали волноваться и уверять, что листочки подвяли, потому что задохнулись в перевозочной машине, и скоро непременно зазеленеют. Вовико выслушивал объяснения с насмешливым сочувствием, скептически щелкал пальцем по чашелистикам, очевидно отставшим от подозрительно худеньких розовых бутонов, и, хохотнув, направлялся к выходу. Естественно, за ним бежали, божась, что никто даже и не думал обдирать увядшие лепестки, но если уж он такой дотошный знаток, то ему дадут хорошую скидку. В результате — покупали вдвое дешевле.

Зачем Веселкину нужна была эта смешная экономия? Наверное, просто тренировался, чтобы всегда быть в форме. Ведь, по сути, обуваешь ты цветопродавца на триста рублей или клиента на три тысячи долларов, принципиально ничего не меняется: механизм охмурения один и тот же...

— Ладно, давайте! — Свирельников глянул на часы, занервничал и расплатился.

Выходя из павильона с букетом, он увидел припаркованные на противоположной стороне серые «жигули». За рулем сидел бритоголовый парень.

«Не дождетесь!» — усмехнулся Михаил Дмитриевич.

15

Вход в департамент стерег омоновец, одетый в бронежилет и вооруженный коротким десантным автоматом. Скажите пожалуйста! С тех пор как в Отечество приползла демократия, везде появились охранники, даже в школах и детских садах. А ведь Свирельников отлично помнил ленивых советских милиционеров с кобурой, набитой для солидности бумагой, и министерских теток-вохровок, вооруженных вязальными спицами. И вообще: можно ли считать нынешнее жизнеустройство правильным, если его приходится так истошно охранять!

Омоновец взял у директора «Сантехуюта» паспорт, сверил фамилию со списком поздравителей-дароносцев и разрешающе кивнул. Обняв букет, Михаил Дмитриевич прошел сквозь контрольный контур, пискнувший при этом противно, но, видимо, не опасно, потому что постовой не обратил на звук никакого внимания. Зато его очень заинтересовала бархатная коробка, пущенная по движущейся ленте сквозь рентгеновский агрегат.

— Нож? — спросил он, всматриваясь в экран.

— Кинжал.

— Подарок?

— Ага.

— Откройте!

По тому, как он это сказал, стало ясно: ему просто захотелось посмотреть на подарок. Директор «Сантехуюта» снял крышку: в алом сборчатом шелку покоился настоящий аварский кинжал времен Шамиля, украшенный чеканкой и золоченой кучерявой сурой.

— Хорош! — завистливо молвил омоновец. — С Чечни?

— Оттуда.

— Сам привез?

— Друг.

— Хоро-ош! Мне такой не попался...

— Был там? — с уважительным сочувствием спросил Свирельников.

— Посылали, — вздохнул парень, вернул паспорт, заглянул в букет и разрешающе махнул рукой.

За время своей недолгой службы в Голицыне Свирельников близко сошелся со старшим лейтенантом Моховиковским, а тот через несколько лет, будучи уже майором, воевал в Чечне. Во время удачной зачистки он снял этот кинжал с убитого полевого командира Вахи Кардоева по прозвищу Юннат, заманившего накануне в засаду колонну федералов и положившего полвзвода омоновцев. Майор привез добычу в Москву, но потом, как обычно, случилась неприличная задержка с выплатой «боевых», и он по дешевке продал кинжал Свирельникову, который решил тогда от шальных денег коллекционировать холодное оружие. Передавая трофей в руки директора «Сантехуюта», Моховиковский внимательно посмотрел на покупателя красными от постоянной нетрезвости глазами и спросил:

— А ты хоть знаешь, кто такой Юннат?

— Кто ж его не знает!

— Тогда накинь сотню!

— Пятьдесят.

На том и сошлись.

Юннат был личностью леденяще легендарной: горным интеллектуалом, с удовольствием резавшим головы пленным русским солдатам. Телевидение почему-то чаще и радостнее всего сообщало именно о тех засадах, погромах и налетах, что организовывал именно Юннат. Поговаривали, у него был бурный роман с репортеркой Маслюк. Она пробралась к Вахе в горный лагерь, который никак не могла обнаружить разведка федералов, и взяла большое интервью. К восхищению передовой московской интеллигенции, знаменитый полевой командир закончил беседу чтением наизусть лермонтовского «Валерика», довольно длинного:

...Как месту этому названье?
Он отвечал мне: Валерик,
А перевесть на ваш язык,
Так будет речка смерти: верно,
Дано старинными людьми.
— А сколько их дралось примерно
Сегодня? — Тысяч до семи.
— А много горцы потеряли?
— Как знать? — зачем вы не считали!
— Да! будет, кто-то тут сказал,
Им в память этот день кровавый!
Чеченец посмотрел лукаво
И головою покачал...

Странное свое прозвище Кардоев получил в детстве, когда, будучи членом кружка юных натуралистов, на школьной делянке под руководством учителя-ботаника Ивана Леопольдовича вырастил изумительных размеров сахарную свеклу. Мальчика вместе с корнеплодом отправили в Москву на Выставку достижений народного хозяйства, показывали по телевизору и наградили фотоаппаратом «Зоркий». В «Пионерской правде» напечатали снимок: маленький джигит держит на руках знаменитую свеклу размером с подрощенного поросенка. Заметка называлась «Клятва пионера» и рассказывала о том, как пятиклассник Ваха Кардоев торжественно пообещал на следующий год, к юбилею образования Чечено-Ингушской Республики, вырастить корнеплод в полтора раза больше.

Домой, в Грозный, мальчик вернулся национальным героем, тем более что он происходил из знаменитого Кардоевского тейпа. Вскоре в город приехал длиннобородый старик, дальний родственник, увез пионера в горы, показал там руины башни и поведал ребенку героическую историю рода. Он же подарил мальчику старинный кинжал, с которым его предок, знаменитый бяччи, или, по-нашему, атаман, совершал свои блистательные набеги на соседей, приводя домой скот и пленников, а потом бился с гяурами под зеленым знаменем имама Шамиля.

На будущий год вырастить большую свеклу не удалось, на нее напала щитоноска, и в Ленинград на Всесоюзный слет юннатов уехал мальчик из другой школы. Ваха страшно переживал неудачу, несколько дней плакал, а потом, в приступе ярости, ночью проник на школьную делянку и вытоптал все грядки. Сначала его хотели исключить из пионеров, но Иван Леопольдович заступился, объяснив, что мать Вахи родилась в зарешеченном вагоне, увозившем семью в ссылку. Иосиф Ужасный не простил свободолюбивым вайнахам измены во время войны, но наказал по-отечески: не сгноил поголовно в ГУЛАГе, а поставил ненадежный народ в угол, точнее, в один из дальних углов своей Красной Империи. По этой наследственной причине, как предположил опытный ботаник, маленький чеченский Мичурин и страдал внезапными приступами гнева, такими, что себя потом не помнил. Мальчика простили, даже отправили в Крым, в детский санаторий, но растениеводством он больше никогда не занимался, после школы окончил в Москве Институт культуры, а вернувшись с красным дипломом на родину, работал директором этнографического музея. Тем не менее прозвище Юннат пристало к нему намертво.

Когда вместо Чечено-Ингушской Автономной Республики явилась миру свободная Ичкерия с волком на гербе, Ваха Кардоев вышел из советских застенков, где томился, подозреваемый в убийстве своего учителя Ивана Леопольдовича, и стал одним из любимых помощников генерала Дудаева. С началом кавказской войны он возглавил отряд моджахедов, пролил реки федеральной крови, долго был неуловим, пока наконец сам не попал в засаду.

Собственно, все это Свирельников узнал из телевизионной передачи, которую, так совпало, он смотрел вместе с Моховиковским, сидя на кухне и обмывая покупку кинжала. Надо заметить, журналисты всегда выделяли Ваху Кардоева из числа других видных борцов за свободу Ичкерии, возможно, из-за той старой истории с огромной свеклой, а может, потому, что в прежней, довоенной жизни он трудился в сфере культуры и был, так сказать, коллегой. В общем, по случаю гибели Юнната в студии собралось много политиков, правозащитников и творческих интеллигентов. На экране то и дело возникал стоп-кадр: легендарный полевой командир в окровавленном камуфляже лежит на земле, раскинув руки и уставив в небо полуоткрытые неживые глаза.

Сначала, не сговариваясь, дали слово заплаканной и траурно приодетой журналистке Маслюк. Она долго рассказывала о том, что убитый федералами Ваха был настоящим героем в забытом ныне, античном смысле этого слова, то есть сочетал высокую силу духа с физическим совершенством. Затем правозащитный историк (фамилию его Свирельников забыл) объяснял, в каком неоплатном долгу Россия перед малыми народами, которые она коварно затащила в свою на столетия растянувшуюся кровавую имперскую авантюру. Он даже предложил всем участникам передачи встать на колени и от имени России попросить прощения у всех пострадавших племен. Но остальные его не поддержали в том смысле, что на коленях должны стоять виновные, а они, присутствующие в студии, как раз всегда боролись против российского гегемонизма и даже, кажется, победили...

Потом дали высказаться известному телевизионному писателю Негниючникову, автору единственного экспериментального романа «Оргазмодон», написанного с незначительным употреблением нормативной лексики и переведенного на все европейские языки. Он высказал смелое предположение, что неутолимую ненависть к русским в покойном Юннате, как ни странно, спровоцировал учитель ботаники, который непростительно травмировал мальчика ранним успехом, впоследствии не подтвердившимся. Именно поэтому Москва стала для ребенка символом обмана и вероломства.

— Хотя не исключена и более веская причина! Судя по некоторым приметам, — Негниючников заинтересованно облизнулся, — маленький Ваха подвергался со стороны Ивана Леопольдовича сексуальным домогательствам...

Действительно, подтвердил правозащитный историк, учителя нашли в квартире с перерезанным горлом, и, конечно же, не из-за денег: крупную сумму и новый телевизор взяли явно для отвода глаз. Кстати, буквально за час до убийства у подъезда видели Ваху, но доказать ничего не удалось, а в предварительное заключение он попал по причине царившего при Советах беззакония. Но тут горько обиделась журналистка Маслюк, вскинулась и объявила, что если бы Негниючников знал покойного так же близко, как она, то все эти бредни о сексуальной травме ему даже в голову бы не пришли! Телевизионный писатель виновато ухмыльнулся и взял свою гипотезу назад.

Затем состоялся телемост со Стамбулом. На экране появилась вдова Кардоева и, сверкая бесслезными от горя глазами, сказала, что ее муж погиб в борьбе за великое дело, что она воспитает сыновей-мстителей и что когда-нибудь одна из улиц освобожденной столицы Великой Ичкерии будет названа его именем. В московской студии встали и зааплодировали, дольше и громче всех хлопал Негниючников, чтобы загладить свою оплошность с версией о домогательствах ботаника. Потом участники спорили, как лучше назвать улицу: именем или прозвищем убитого. Правозащитный историк доказывал, что чаще всего увековечивают политические псевдонимы, достаточно вспомнить Сталинград и Ленинград, поэтому, конечно, улица Юнната, а лучше — проспект! Его пристыдили, что, мол, традиции Совдепии им тут не указ — и улицу, а лучше населенный пункт надо называть родовым именем погибшего повстанца!

В заключение спели любимую песню покойного: арию из рок-оперы «Юнона и Авось», которую он смотрел раз двадцать, будучи студентом. Институту культуры выделялись бесплатные пропуска на спектакли, а Баха как раз руководил сектором досуга комитета комсомола факультета:

Ты меня на рассвете разбудишь,
Проводить, необутая, выйдешь...
Ты меня никогда забудешь,
Ты меня никогда не увидишь...

Завершающие титры шли на фоне двух чередующихся крупных планов: бесслезная мусульманская вдова в Стамбуле и рыдающая журналистка Маслюк в студии.

— Понял? — спросил Моховиковский, когда за край телеэкрана уполз последний титр. — Не, ты прикинь! Мы там эту мразь из щелей вышелушиваем, а они тут, в Москве, из них героев делают! Суки!

— А ты его сам... — спросил Михаил Дмитриевич, — кончил?

— Нет. Он же сдаться хотел. Обещал, если жизнь сохранят, рассказать, кто его в Москве крышует и спонсирует. Я доложил начальству. Прилетели вертушки и накрыли...

Захмелев, майор стал уверять, что мог бы со своим полком, если прикажут, в три дня очистить Москву от ворья, демократов и предателей.

— Ведь они, суки, что делали! Приказ мне, а копию — «чехам». Ты понимаешь? Я выдвигаюсь колонной, а они уже ждут! Херак по головной машине, херак по замыкающей... Ты понимаешь?! Мне бы Москву на три дня! Я бы такую чистоту навел, как к Олимпиаде. Помнишь?

— Помню, — кивнул Свирельников. — Да кто ж тебе такой приказ даст?

— Найдутся люди! Дожить бы...

— А без приказа?

— Без приказа? Надо подумать...

— А с нами что сделаешь?

— С кем?

— Ну, со мной?

— С тобой? — Моховиковский сначала удивился такому вопросу, а потом посмотрел на собутыльника с пытливым отчуждением и вздохнул: — Там посмотрим... Главное — дожить!

Но майор не дожил: в следующую «командировку» сгорел в бэтээре, наехавшем на мину. Свирельников помог вдове устроить похороны, поминки и дал денег на памятник. А кинжал так и хранился у него в шкафу, дожидаясь своего подарочного часа, потому что холодное оружие он коллекционировать передумал, а увлекся курительными трубками. Однажды, прослышав, что руководитель департамента собирает ножи, директор «Сантехуюта» понял: наконец-то пробил час этого знаменитого клинка...

16

Михаил Дмитриевич зашел в лифт, и букет занял почти всю зеркальную кабину. Втиснувшийся следом чиновничек, оглядев клумбу, лукаво улыбнулся: мол, знаем, кому несете! Содержался в улыбке и еще один полууловимый оттенок, который словами грубо и приближенно можно передать примерно так: цветы начальству таскаете, а вопросик решать все равно к нам, клеркам, придете, тогда и поговорим!

Просторная приемная новорожденного руководителя празднично шумела: человек сорок выстроились в извилистую очередь к высоким полированным дверям, ожидая своего поздравительного мига. У всех в руках были букеты, корзины с цветами, коробки, перевитые лентами, а также очевидные дары, упаковке не поддающиеся. Общеизвестный клоун, открывший недавно при гостинице «Клязьма» первый в России частный театр дрессированных грызунов, прижимал к груди клетку с взволнованной белой крысой. Четыре моряка, одетые в черно-золотые парадки, покоили на плечах здоровенный макет первого русского фрегата «Штандарт», оказавшийся при внимательном рассмотрении неисчерпаемой емкостью для хранения алкоголя: вместо пушек из бортов торчали латунные краники.

Почти все столпившиеся в приемной знали друг друга и живо, но негромко, с учетом торжественности момента, общались — обсуждали новости и посмеивались над «мореманами», которые приехали раньше назначенного времени и теперь изнывали под тяжестью корабля, наполненного коллекционным ромом. Незнакомый урковатый парень в неприлично дорогом костюме навязчиво хвастал своим подарком — форменным рейхсверовским кинжалом с орлом на головке рукояти и двумя желобками на длинном лезвии.

«А мой-то покруче будет!» — подумал Свирельников, с удовольствием отметив, что и букет у него если не лучший, то, во всяком случае, один из самых эффектных.

Директор «Сантехуюта» начал осторожно проталкиваться сквозь поздравительную толпу к сидевшей за полукруглым столом секретарше Ирочке — тощей девице с неподвижным канцелярским лицом и предоргазменным взглядом. Поговаривали, глава департамента настолько привязан к своей помощнице, что его законная жена однажды поздно вечером нагрянула в приемную и отхлестала мужнюю привязанность по щекам, после чего обе разрыдались и подружились. Михаил Дмитриевич наконец проторился к Ирочкиному столу, поставил перед ней коробочку «Рафаэллы» и просительно улыбнулся — таким подходцам он выучился, между прочим, у хитрого Веселкина. Секретарша благодарно кивнула, глянула в список и сообщила:

— Я вас поближе устроила. Вы после «Английского газона». У вас две минуты — не больше!

— Я знаю! Как он?

— Господи, скорее бы все кончилось! — тяжко вздохнула Ирочка. — Похороны — и то легче!

Свирельников отыскал в подхалимской толчее хозяина фирмы, специализирующейся на скоростном озеленении, и радостно обнаружил, что тот стоит почти у дверей.

«Английский газон» тоже заметил Михаила Дмитриевича и подзывающе замахал рукой. Они были коротко знакомы: напились как-то на приеме до слюнявого братства.

— Ты чего даришь? — спросил Газон, оттеснившись и освободив место рядом с собой.

— Кавказский кинжал. А ты?

— Евангелие! — гордо ответил он, поглаживая большой, перевитый лентами сверток. — Рукописное. Семнадцатый век. Переплет из телячьей кожи. Орнамент из речного жемчуга. Буквицы золотые...

— Сильно!

— А то!

— Я смотрю, ты разбираешься!

— Историко-архивный в девичестве оттянул.

«Английский газон» и Свирельников были в известной мере соратниками по борьбе: несостоявшийся архивариус выбивал из департамента заказ на благоустройство территории вокруг «Фили-паласа».

— Ну, ты разобрался с этим своим?.. — спросил Газон.

— Веселкиным?

— Ага. Бывают же фамилии!

— Договорился.

— Правильно!

— А как же иначе?

— А то ты не знаешь — как иначе!

— Не знаю.

— Да ладно, Незнайка! Отдали тебе «Фили»-то?

— Пока нет.

— К жене не вернулся?

— Нет... — буркнул Михаил Дмитриевич, с неудовольствием сообразив, что был тогда на приеме настолько пьян, что рассказал Газону не только о конфликте с Вовико, но еще и о своей семейной путанице.

— Я тоже развелся! — радостно сообщил озеленитель.

— Зачем?

— А хрен его знает! Жизнь такая. Сказали бы мне лет двадцать назад, когда я «Живагу» под одеялом читал, что буду стоять в очереди, как парасит к Лукуллу...

— Парасит... Паразит, что ли?

— Не совсем. Ах, ну да: ты же у нас из военных! Понимаешь, паразит — это...

Но тут открылась высокая филенчатая дверь, и оттуда вывалились несколько поздравителей. Когда они выходили, на их лицах еще сохранялось остаточное юбилейное умиление, стремительно уступавшее место будничной сосредоточенности.

— Ну, я пошел! — мужественно молвил Газон, словно диверсант, отправляющийся на задание. — Если не вернусь, прошу считать меня анулингвистом!

— Кем? — не сообразил Свирельников.

— Жополизом!

Едва Газон скрылся в кабинете, кто-то осторожно потрогал Михаила Дмитриевича за плечо. Он обернулся и с трудом разглядел за большим букетом маленького лысого армянина Ашотика.

— Здравствуй, Мишенька! — очень тихо сказал, почти прошелестел тот и посмотрел с боязливой печалью.

— Ашотик, дорогой! — заулыбался Свирельников, и они, неудобно просунувшись сквозь букетные заросли, потерлись гладкими, как наждачка-нулевка, пахучими щеками.

Этот тихий, пугающийся сквознякового шороха человечек был знаменитым советским цеховиком, еще в начале 70-х умудрившимся наладить подпольное производство таких джинсов, что от настоящих отличить их могли разве только эксперты фирмы «Ли». Ворочая сумасшедшими по тем временам деньгами, жил Ашотик между тем очень скромно, ходил в одном-единственном костюме, ездил на сереньком «москвиче», Правда, «москвичок» был с мерседесовским движком, гоночными подвесками и сиденьями, обтянутыми натуральной кожей, которую, конечно, окружающие принимали за удачный дерматин. Дачу он построил, как и полагалось скромному инженеру по технике безопасности, на шести сотках и площадь жилую определил в тридцать шесть дозволенных квадратиков. Никто и не догадывался, что под типовым домиком скрывается трехсотметровый подвал с каминным залом, бильярдной, сауной и прочими редкими для той суровой эпохи радостями...

Но все-таки Ашотик попался. В 83-м, после нашумевшего самоубийства замминистра, покровители из МВД сдали его, чтобы выслужиться перед гэбэшниками, вошедшими тогда в силу. На семейном совете решили, что вину на себя возьмет и сядет жена, Асмик Арутюновна, выпускница консерватории по классу арфы: ей как матери двоих несовершеннолетних детей срок светил поменьше, да и то до первой серьезной амнистии. Ведь пошив хороших джинсов, конечно же, преступление, но не мокруха все-таки! Так оно и случилось, а потом началась Перестройка. Ашотик наконец вышел из цехового подполья, но, несмотря на солидный стартовый капитал, в олигархи не выбился: как и большинство советских теневиков, он оказался для этого слишком законопослушен...

На заре «Сантехуюта» Ашотик, штамповавший в ту пору водогрейные насадки на краны, в трудную минуту выручил Свирельникова деньгами и, хотя заломил жуткий процент, возврата, надо отдать ему должное, ждал терпеливо, без истерик и несколько раз безропотно продлевал срок. Михаил Дмитриевич это помнил и ценил.

— Как у тебя с «Филями»? — одними губами шелестнул Ашотик, дернул плечом и тревожно оглянулся, словно вокруг теснились не соратники по бизнесу, а принципиальные советские обэхээсники.

— Тянут, — вздохнул Свирельников. — Может, из-за Толкачика?

— Из-за Толкачика как раз могли бы и поторопиться! — чуть заметно улыбнулся Ашотик, намекая на сложные отношения между столичным начальством и кремлевским руководством.

— Что-то не торопятся!

— Поторопятся, я знаю. Получишь «Фили» — позвони! Есть интересное предложение! Не пожалеешь...

— Позвоню.

В этот миг из юбилейного кабинета выскочил радостный Газон.

— Ну как?

— Поцеловал! — гордо доложил он. — Звони! Гульнем, пока холостые! — И скрылся в толпе паразитов.

Михаил Дмитриевич поднял букет повыше, придал лицу выражение лучезарной поздравительности и решительно шагнул в кабинет. Новорожденный, крепкий еще, но совершенно седой шестидесятник, стоял около длинного стола заседаний, заваленного цветами, словно свежая могила. В его глазах была приветливая тоска юбиляра. В руках он держал изукрашенное жемчугами Евангелие, но, завидев вошедшего, сунул томик в штабеля подарков и нахмурился, приготовившись слушать лесть.

— Поздравляю, Андрей Викторович! — широко улыбнулся Свирельников, протягивая цветы.

Помощник, тихое существо с пробором, не допустив до начальства, перехватил букет.

— Спасибо, что вспомнил! — испытующе глянув на поздравителя, ответил юбиляр.

Конечно, издевался: как тут забудешь, если у него в папке лежит-дожидается визы контракт на «Фили-палас».

— А это, — Свирельников открыл бархатную коробку, — вам, в коллекцию! И желаю такого же долголетия, как у этого кинжала!

— Разбираешься! — улыбнулся новорожденный, принимая и оглаживая подарок. — Не переживай! Поддержим тебя!

— Спасибо! — благодарно выдохнул Михаил Дмитриевич.

— Но учти, если будет хоть одно нарекание по качеству работ...

— Это исключено! Я на рынке с девяностого года.

— Да зна-аем: ветеран капитализма! — Юбиляр усмехнулся с добродушной непримиримостью и протянул Свирельникову руку для прощального пожатия. — Не подводи! Ты ведь офицер?

— Офицер.

— Должен понимать: вчера коммунизм строили, сегодня — капитализм, завтра еще чего-нибудь придумают... А мы должны Россию строить, как бы это ни называлось! Понял?

— Понял! — кивнул директор «Сантехуюта», до последнего момента надеявшийся, что юбиляр пригласит его на банкет.

Когда-то Андрей Викторович был секретарем райкома партии, в 91-м впал в ничтожество и даже, говорят, запил. Но потом, когда вся эта галдящая длинноволосая демократия, рассевшись по чужим кабинетам, вдрызг развалила городское хозяйство, о нем вспомнили и вернули. Он снова поднялся, приспособился, научился говорить про общечеловеческие ценности, брать откаты, однако ко всему, что случилось в Отечестве за последние пятнадцать лет, относился, судя по некоторым признакам, как к какому-то дурному партийному уклону, вроде хрущевской кукурузомании, который когда-нибудь обязательно исправят и осудят...

Помощник, провожая, интимно погладил Михаила Дмитриевича по спине и шепнул, что сегодня все решено и ему обязательно позвонят.

«Ага, — обрадовался директор «Сантехуюта», — значит, фитюгинские денежки и пригодятся!»

Замешкавшись, он еле увернулся в дверном проеме от бушприта фрегата «Штандарт», вплывавшего в кабинет юбиляра.

— А разве не твоя очередь? — вернувшись в приемную, спросил Михаил Дмитриевич Ашотика.

— Жалко морячков! — вздохнул бывший цеховик. — Ну, какой?

— Очумел, по-моему. А ты что даришь?

— Так, одну вещь... — неопределенно ответил осторожный армянин. — Позвони, когда «Фили» получишь! Не пожалеешь!

Спускаясь вниз по лестнице, Свирельников услышал в нижнем холле знакомое раскатистое «без всяких-яких» и схоронился за колонной: встречаться с Вовико ему было неловко.

17

— Куда едем? — спросил Леша.

— В офис. Кто-нибудь звонил?

— Отец Вениамин. Просил напомнить про болтики...

— Болтики? Ах, ну да — болтики...

Они тронулись, и вскоре, оглянувшись, Свирельников заметил серые «жигули».

«Да и черт с ними! Вот ведь как жизнь чудно устроена: если бы на него не наехал центр из-за Толкачика, может, еще с «Филями» и потянули бы. А тут раз — и решили! Прав, прав Алипанов: когда пируют великаны, лилипуты сыты крошками! Господи, от чего только не зависит жизнь и состояние человека! От любой ерунды! Но на банкет, гад, не пригласил!..»

— Леша, — приказал он. — Видишь, серая «копейка» сзади?

— Вижу! — подтвердил водитель, глянув в зеркало.

— Подпусти поближе!

— Сейчас.

Вскоре «жигуль» оказался настолько близко, что можно было рассмотреть номер на переднем бампере. Можно — да нельзя! Жестяная табличка оказалась густо замазана грязью.

— Отрывайся! — распорядился директор «Сантехуюта» и набрал номер Алипанова.

— Аллёу. Ты где?

— Еду. Ну, как у нас там?

— Пока — никак. Работаю. Узнал номер девочек?

— Узнал. Записывай. Фирма «Сексофон»...

— Саксофон? — удивился бывший опер.

— Нет, «Сек-со-фон».

— Ишь ты! Какие у нас все-таки люди талантливые! А как их звали?

— Не помню. Беленькая и черненькая. Беленькая с глазом...

— Неужели?!

— ...На пояснице.

— Ух ты! Разберемся. Этот-то так за тобой и катается?

— Катается.

— Номер не рассмотрел?

— Рассмотрел.

— Ну?

— Грязью затерт, ничего не видно. Профессионал!

— Не обязательно. Может, просто телевизор смотрит. А куда сейчас едешь?

— В офис.

— Не исключено, он с тобой на контакт попробует выйти. Не волнуйся, держись твердо. Если он оттуда, откуда ты думаешь, то мелочь. Шестерка. Понял?

— Понял.

— Ну, давай, до связи! Будет информация — позвоню.

Офис «Сантехуюта» располагался в Костянском переулке в панельной многоэтажке, втиснутой между дореволюционными домами. Прежде свирельниковская фирма арендовала двухкомнатную квартиру, но постепенно, год за годом, расползлась и заняла весь первый этаж. Подъезд Михаил Дмитриевич, конечно, отремонтировал, вставил железную дверь с кодом и домофоном (заодно пришлось одомофонить всех жильцов), вымостил вход и первый лестничный пролет красивыми плитками, стены облицевал бежевыми пластиковыми панелями, а потолок — рейками. Дальше, на второй этаж, как и прежде, вели выщербленные ступени, а покрытые старинной масляной краской стены запечатлели похабщину по крайней мере трех поколений. Свирельников несколько раз собирался перевести контору в какой-нибудь престижный бизнес-центр, но в последний момент отказывался от этой затеи. Отчасти из-за дороговизны, но в основном из суеверия: менять обжитое место — дело опасное. Так, «святой человек», когда по-родственному расписывали «пульку», ни за что во время игры не пересаживался, даже к стулу своему прикасаться запрещал. Однажды он отошел в туалет, а Полина Эвалдовна из озорства, чтобы карту перебить, подвинула стул. Валентин Петрович, вернувшись, заметил и так раскричался в гневе, что все в конце концов переругались и бросили игру из-за передвинутого стула. А тут целый офис!

Охранник Витя, нанятый в основном для того, чтобы местные пацаны не портили послеремонтную красоту офисного подъезда, почтил появление хозяина вставанием. Черная униформа висела на его тощем теле, точно на вешалке, он явно страдал от какого-то серьезного недуга и, вместо того чтобы бдительно вглядываться в экран караульного монитора, постоянно читал книжки про чудесные исцеления. Время от времени он вообще покидал свой пост и запирался в туалете, так как с некоторых пор пристрастился к уринотерапии.

— Ты вот что, Виктор, если появится такой бритоголовый в красной ветровке, сразу меня позови!

— Угу! — кивнул охранник. — Могу задержать!

— Не надо! — поморщился Михаил Дмитриевич: ему показалось, будто от охранника повеяло отвратительным его лекарством. — Просто позови меня!

— Есть.

— И с поста никуда не отходи!

— А я и не отхожу!

— Вот и не отходи!

Свирельников двинулся по коридору к приемной, чувствуя, как коллектив, оповещенный о появлении шефа, затаился, гадая, в каком настроении пребывает начальство. От этого зависело, как пройдет рабочий день — спокойно или в криках с нагоняями. Секретарша Нонна в момент его появления вытирала журнальный столик, скрывая последние следы массового дамского чаепития, происходившего тут несколько мгновений назад. Она печально улыбнулась вошедшему, плавно проследовала к своему рабочему месту и протянула шефу список звонивших, отдельно сообщив, что отец Вениамин просто уже заколебал ее своими болтиками.

— Да помню я, помню! — сердито ответил Свирельников, снова совершенно забывший про эти чертовы болтики.

— Я вам вечером домой звонила, — с незаметным укором сказала Нонна. — Вас не было...

— Да, я слышал на автоответчике. Чего грустишь?

— Без вас я всегда грущу!

— Да ладно! Колись! Муж обижает?

— Что там муж? Парень мой задурил, — вздохнула секретарша. — В девятый класс идти не хочет...

— А чего хочет — работать?

— Ничего не хочет. У матери на шее хочет сидеть.

— М-да, вот такие они теперь, детки. Отец-то с ним разговаривал?

— А-а! — махнула рукой Нонна с тем родственным презрением, с каким относятся к своим благоверным, наверное, только русские женщины.

До Светки у Михаила Дмитриевича с Нонной было. Оно и понятно: не иметь интимную связь со своей секретаршей так же противоестественно, как состоять в близости со своим шофером. Озорничали обычно в комнате отдыха, устроенной на месте бывшей шестиметровой кухоньки. Нонна, одаренная по женственной части эффектная тридцатипятилетняя шатенка, на самом деле к сексу относилась почти равнодушно и отзывалась на порывы руководства так, точно это входило в условия подписанного контракта и являлось прямой служебной обязанностью. Только иногда, накануне месячных, она испытывала что-то отдаленно напоминающее удовольствие и обычно в таких случаях, встав с дивана, смущенно сообщала:

— Завтра, значит, крови придут...

Михаила Дмитриевича все это вполне устраивало, ибо вечерние соединения с секретаршей были для него после дневной нервотрепки активным, если так можно выразиться, отдыхом. Правда, некоторое время назад он здорово подставил Нонну, заразив хламидиозом, подхваченным от Светки, а секретарша, в свою очередь, одарила этими подлыми простейшими своего простоватого мужа, возившего из Холмогор в Москву пиломатериалы на арендованном длинномере. Впрочем, все обошлось: муж, сам, видно, погуливавший в командировках, вину взял на себя, а чтобы заслужить прощение, купил Нонне нутриевую шубу. Одного он никак не мог понять: откуда в Холмогорах этот диковинный хламидиоз? Триппер — ясно. Но хламидиоз? Свирельников, возмещая ущерб, подарил секретарше новенькие «жигули». Обрадованному мужу на всякий случай сказали: это вместо годовой премии, так как клиент расплатился по бартеру — тачками. С тех пор у Михаила Дмитриевича с Нонной ничего не было, ну, может, парочка спонтанных оралов после офисных праздничных выпивок. А большего и не требовалось: юная Светка выматывала его до полного невнимания к другим женщинам.

— Бухгалтерию ко мне! Прямо сейчас! — сурово распорядился Свирельников, направляясь в свой кабинет. — Черт знает что такое! До сих пор за рекламу «Столичному колоколу» не перечислили!

— Сейчас у вас Григорий Маркович. Вы ему на час назначили.

— Да, точно! — вспомнил он. — После Григория Марковича бухгалтерию!

В кабинете его дожидался юрист по фамилии Волванец — курчавый толстяк с лицом оперного красавца.

— Ну, как у нас дела? — спросил Свирельников, пожимая законнику руку.

— Дожимаем. Главное — доказать, что ваш договор с «Астартой» юридически ничтожен.

— Докажем?

— Думаю, да. Я отдал документы на экспертизу очень серьезным людям и получил обнадеживающее заключение. А пока подготовил встречный иск. Вот прочтите!

Свирельников взял странички, сел за стол и постарался вникнуть. Конечно, если быть честным хотя бы перед самим собой, сроки монтажа сантехнического оборудования в оздоровительном центре «Астарта» сорваны по вине «Сантехуюта»: не оплатили вовремя счета «Сантех-глобалу», те соответственно задержали поставку, а договором предусмотрена неустойка — вот ее-то теперь и взыскивает через суд «Астарта». Собственно, о чем тут говорить: раскошеливайся за разгильдяйство подчиненных, которые зарплату хотят получать в капиталистических долларах, а работать как при социализме — через седалищный орган.

Но именно для подобных каверзных случаев и существуют умельцы вроде Григория Марковича. Он изучил ситуацию, на первый взгляд безнадежную, и раскопал: оказывается, договор от «Астарты» подписал гендиректор, к тому времени только что назначенный и еще не внесенный в реестр, а это, по сути, делало сделку юридически ничтожной. «Сантехуют» якобы был вынужден отдать договор на дополнительную экспертизу, и это задержало перечисление средств «Сантех-глобалу». А без денег кто ж тебе отгрузит джакузи и массажные душевые кабинки? Значит, в срыве сроков монтажа виновата сама «Астарта».

«Лихо! — подивился Свирельников и с уважением глянул на хитромудрого Волванца. — Вот ведь еврейские мозги! Молодец!»

Занимаясь бизнесом, он быстро понял: если хочешь выиграть дело в суде, без еврея-юриста, или, как выражался Вовико, «евриста», не обойтись. И это была чистая правда.

— Отлично! Выпьете, Григорий Маркович?

— Рановато.

— Коньячку, символически. За успех!

— Ну, если символически...

Директор «Сантехуюта» нажал кнопку селектора:

— Нон, лимончик принеси!

— Кончился.

— А что есть?

— Апельсины.

— Давай! Только не режь, а почисти!

— Почему?

— Потому что такой день сегодня.

— Какой день?

— Усекновение головы Иоанна Крестителя. Резать никого нельзя!

— А-а-а...

Григорий Маркович во время этого «селекторного совещания» не смог скрыть улыбки, похожей на те, которыми обмениваются между собой родители, когда их дети в играх изображают взрослых. Но как только Свирельников отдал распоряжение и направился к большому глобусу, в котором таился бар, Волванец постарался придать своему лицу выражение доброжелательного равнодушия.

Надо сказать, Михаил Дмитриевич, в отличие от брата Федьки, относился к евреям с уважительной настороженностью. Еще в детстве он заметил: коль скоро заходила речь о них, отец с матерью всегда, даже если в комнате не было посторонних, почему-то понижали голос. Валентин Петрович как-то рассказывал, будто в двадцатые годы за антисемитские разговорчики могли запросто и расстрелять: декрет такой имелся, подписанный чуть ли не Лениным. Но родители понижали голос, даже если говорили о евреях вещи заурядно-бытовые, а то и вполне дружелюбные. Странно все-таки...

О том, что его жена на четверть еврейка, Свирельников сообразил года через три после свадьбы, слушая рассказ Полины Эвалдовны о каком-то витебском родственнике, добивавшемся разрешения на выезд в Израиль. Ну и что? Мало ли у кого какие гены: в прежние времена на это вообще не обращали внимания. Родственники могут иметься всякие, а ты — советский человек. Тоня в этом смысле вообще была ходячим пособием по интернационализму: дед — латыш, бабка — еврейка, краткосрочный целинный отец, который настоял на том, чтобы девочку назвали простецким именем Антонина, из павлодарских казаков. «У тебя голос крови, — смеясь, говорила она мужу, — а у меня хор кровей!» Но с годами, судя по разным приметам, в этом хоре наметился солист. Наверное, человеку для внутреннего здоровья вредно слышать в себе зовы сразу нескольких разноплеменных предков, и, слабея с возрастом, он выбирает какой-то один. Тоня предпочла витебский зов...

Свирельников налил «Хеннесси», и в кабинете запахло чем-то отдаленно коньячным. А раньше! Если кто-нибудь на этаже откупоривал бутылку обычного трехзвездочного армянского, то по всем коридорам народ принюхивался к веющим ароматам и безошибочно определял, где гуляют.

Нонна внесла блюдечко с очищенным, разъятым на дольки апельсином и поставила на стол, а перед тем, как выйти из кабинета, глянула на шефа с добродушным осуждением: мол, рановато, друзья, начинаете!

— Ну, будем здоровы!

Григорий Маркович пригубил рюмку, а Свирельников свою опрокинул и почти сразу же почувствовал в затылке легкий теплый удар, словно выталкивающий из головы похмельную тяжесть.

— Иск уже подали? — бодро спросил он.

— Подал. Судья по моей просьбе написала частное определение. В нашу пользу.

— Сколько мы должны судье?

— Пять тысяч евро.

— Уже перешли на евро?

Свирельников направился к сейфу, вставил ключ и вдруг понял, что с похмелья забыл четырехзначный шифр. Впрочем, восстановить его в памяти просто: первые две цифры — год рождения Тони, а вторые две — год рождения Алены. Сейф доступно скрежетнул, Михаил Дмитриевич засунул в него пакет с деньгами, полученными от Фетюгина, потом из малой ячейки, отпиравшейся специальным ключиком, вынул «еврики», похожие на фантики с несерьезными картинками, и, отсчитывая, подумал: «Странное дело! Чем важнее деньги для человечества, тем легкомысленнее на них изображения. Когда на всей планете воцарятся одни-единственные, неодолимые деньги, то на них, скорее всего, будут нарисованы какие-нибудь телевизионные балбесы, разевающие рты под фанеру...»

— После суда нужно будет занести еще пять тысяч, — принимая купюры, сообщил Григорий Маркович.

— А если после суда я не отдам? — вдруг спросил Свирельников: у него вызвало острое, почти физическое отвращение то, с какой сладострастной нежностью адвокат пересчитывает бумажки.

«Наверняка договорился на меньшие деньги!» — подумал директор «Сантехуюта».

— Отдам свои. Честь дороже! — совершенно серьезно отозвался Волванец, глянув на клиента с холодным недоумением.

— Я пошутил.

— Я так и понял.

— А вам? Тоже в евро? — спросил Михаил Дмитриевич, заминая неловкость.

— Мне лучше в рублях. Сыну новый компьютер к началу учебного года обещал.

— Будет целыми днями в «стрелялки» играть! — предупредил Михаил Дмитриевич, отсчитывая деньги. — Моей замуж пора, а все в игры играет...

— Мой не будет! — значительно ответил Волванец.

Допив коньяк и проводив адвоката, Свирельников почувствовал прилив сил, вызвал к себе начальника отдела снабжения и с удовольствием наорал на него за нерастаможенные чешские душевые кабинки. Потом главный бухгалтер Елизавета Карловна, тучная пожилая дама с финансовой безысходностью во взоре, доложила, что деньги в «Столичный колокол» давно перечислены, и принялась вяло объяснять новую схему ухода от налогов с помощью векселей. Затем пришел кадровик и жаловался, что не может набрать нужного числа инвалидов на фиктивные должности (это тоже делалось из-за налогов): увечный люд, почуяв рыночный спрос, стал разборчивым и заламывает несерьезные цены...

Потом заглянула Нонна, свежеподкрашенная и надушенная:

— Вы сегодня допоздна?

— Отпроситься хочешь?

— Нет. Наоборот.

— Не знаю еще...

Это было что-то новенькое. Не так уж безразличны ей, оказывается, скоропалительные диванные радости в кабинете шефа. Свирельникова это озадачило и даже возбудило: по телу пробежал веселый похотливый сквознячок.

— Иди ко мне! — Он похлопал ладонью по деревянной ручке вращающегося кресла.

Нонна подошла и присела. Михаил Дмитриевич положил ладонь на ее прохладное голое колено, потом медленно провел рукой вверх, под коротенькую юбку — там оказалось гораздо теплее. Нонна вздрогнула и задышала. Но туда, где совсем горячо, добраться не удалось, секретарша остановила его поползновенную руку и, справляясь с собой, вымолвила:

— Из «Столичного колокола» снова звонили...

— Да, надо туда ехать. Но я вернусь! — пообещал Свирельников.

Нонна понимающе погрустнела.

18

Выходя из офиса, Михаил Дмитриевич не обнаружил на посту охранника, отлучившегося, вероятно, по своей урино-лечебной надобности.

«Вот бардак! Хорошо хоть этот бритоголовый из приличной организации. А то — заходи и убивай! Так вот в подъездах и отстреливают!»

Мысленно уволив ненадежного сторожа, директор «Сантехуюта» поискал глазами в окрестностях серые «жигули» и, не найдя, сел в джип.

— Куда едем? — поинтересовался Леша.

Михаил Дмитриевич посмотрел на часы, прислушался к своему телу, как-то вдруг обеспокоившемуся после коньяка и Нонны, еще раз глянул на циферблат и спросил:

— Кто звонил?

— Опять отец Вениамин. Просил напомнить про болтики...

— Достал он меня со своими болтиками! Поехали!

— Куда?

— В Матвеевское. Пока я там буду, сгоняешь на «Фрезер» и заберешь болтики. Два ящика. В проходной вызовешь по внутреннему телефону Павла Никитича. Отдашь деньги. — Михаил Дмитриевич достал из портмоне доллары и положил на переднее сиденье.

— Будет сделано!

Когда ехали уже бульварами, Свирельников еще раз внимательно поозирался и, не обнаружив хвоста, решил, что у сотрудника «наружки», наверное, обеденный перерыв.

С отцом Вениамином Свирельников познакомился давным-давно, когда тот еще был начальником лаборатории да к тому же заместителем секретаря парткома по контрпропаганде в научно-производственном объединении «Старт», занимавшемся космосом. В НПО, которое сотрудники промеж собой называли то шарагой, то «Альдебараном», изгнанный из армии Михаил Дмитриевич устроился на работу в военизированную охрану. Узнав, что в кадрах появился отставной офицер, «контрпропагандист» тут же примчался знакомиться, ставить на партийный учет и записывать в заочный Институт марксизма-ленинизма. Звали его тогда Вениамином Ивановичем Головачевым, а промеж собой именовали Трубой: за раскатистый голос, иерихонски разносившийся на собраниях и научных заседаниях.

Однажды, получив в райкоме задание организовать «анти-Пасху», Труба загорелся идеей сконструировать мощный проектор и на известковой стене храма Преображения Господня, располагавшегося метрах в двухстах от основного корпуса НПО, показывать собравшимся на крестный ход диафильм «Религия на службе мракобесия». Однако в горкоме, где все-таки водились разумные люди, идею не поддержали, а посоветовали устроить, как и прежде, в клубе «Альдебарана» коротенькую антирелигиозную лекцию, а потом концерт какого-нибудь популярного ВИА, чтобы отвлечь молодежь от поповщины.

Пригласили ансамбль «Перпетуум-мобиле» под руководством Аркадия Мицелевича. Увидав его физиономию, можно было легко вообразить, как бы выглядели люди, если в ходе эволюции отпочковались бы не от приматов, а от грызунов. Ходили слухи, будто Аркаша — племянник крупного партийного босса, а то бы давно сидеть ему в каталажке за антисоветский образ жизни и левые концерты. Сначала «мобилевцы» обещали попеть бесплатно, исключительно на атеистическом энтузиазме, но в самый последний момент Мицелевич, грызунчато усмехаясь, объявил, что у них сломался усилитель, и затребовал на ремонт триста рублей, немалые по тем временам деньги. Осведомленный о родственных связях музыкального проходимца, председатель профкома, матерясь, раскошелился, а убыток провел по статье «Материальная помощь в послеродовой период».

Народу в клубе НПО натолкалось много, и не только молодежи: Головачеву на чисто общественническом обаянии удалось добыть у бадаевцев пятьдесят ящиков свежего пива, что и определило массовость атеистической акции. «Мобилевцы», одетые в странные мешковатые робы, спели вокально-драматическую композицию «Галилей» собственного сочинения:

Галилей не лил елей,
Мысль его была остра-а-а!
Не боялся Галилей
Костра-а-а-а-а...

Мицелевич, естественно, был за Галилея, а остальные члены ВИА попеременно изображали то светлые, то темные силы истории. В финале все хором славили победу разума над мракобесием:

И все-таки она вертится,
Вертится, вертится
Наша Земля-а-а!
Ля-ля-ля-ля-а-а...

После официально-атеистической части оторвались по полной программе: клуб ходил ходуном, содрогаясь от тяжких электробасов и слаженного подпрыгивания научных работников. Меж коллег, ломающихся в танце, метался богоборец Головачев, излучая то особенное, организаторское счастье, которое охватывает идеологического труженика при виде удавшейся политической акции.

Свирельников проработал в НПО совсем недолго и ушел, как только разрешили кооперативы. Минуло, наверное, лет десять, и Михаила Дмитриевича пригласили на освящение офиса торговой группы «Мир пылесосов», где его фирма устанавливала всю сантехнику. Батюшка в епитрахили, фелони и поручах рисовал кисточкой масляные крестики на расклеенных по стенам охранительных бумажках, а потом брызгал святой водой, пропевая густым басом: «Кроплением воды сия священныя в бегство да претворится все лукавое и бесовское действо...» И только потом, оказавшись в многолюдном застолье как раз напротив попа, Свирельников обомлел: перед ним сидел Труба, похудевший, пожелтевший, с обширной седой бородой и большим серебряным наперсным крестом.

— Вениамин Иваныч, это ты?!! — тихо спросил потрясенный директор «Сантехуюта».

— Аз есмь! — басом отозвался бывший заместитель секретаря парткома по контрпропаганде и грустно улыбнулся.

А история с ним приключилась удивительная! Головачев поехал в командировку на какие-то полигонные испытания и попал под утечку топлива. Очень скоро у него обнаружили лейкемию, определили в хорошую клинику, но врачи заранее предупредили жену, что, судя по всему, больной безнадежен. В ту, перестроечную, пору в больницы часто привозили гуманитарную помощь. Помимо консервированных колбасок, чипсов и прочих съедобностей с истекающим сроком годности в полиэтиленовых пакетах можно было обнаружить и кое-что непреходящее, например протестантское Евангелие в мягкой обложке, напечатанное на газетной бумаге.

Головачев, почерпнувший основные религиозные сведения из институтского курса научного атеизма, а также из популярных книжек, вроде «Библейских сказаний» и «Забавного евангелия», поначалу просто засунул благую весть в больничную тумбочку. К тому времени он полностью погрузился в безысходно-обидчивое оцепенение, в какое впадает человек, почуяв гневным сердцем, что умирает. И эта необъятная обида на судьбу, на страну, на планету, на людей, остающихся жить, так изматывала все его угасающее существо, что не было сил даже поговорить с женой, неотлучно сидевшей возле его койки и, чтобы как-то скоротать время, читавшей гуманитарное Евангелие. Она была врачом-ревматологом и понимала необратимость происходящего.

— Читай вслух! — попросил он однажды, устав от обиды.

— «...У одной женщины двенадцать лет было кровотечение, она натерпелась от разных врачей, истратила все, что у нее было, но помощи не получила: ей стало еще хуже. Она, услышав об Иисусе, подошла сзади и прикоснулась к Его плащу (она говорила себе: «Если хоть к одежде Его прикоснусь, выздоровею»). И тут же иссяк в ней источник крови, и она всем телом ощутила, что исцелилась от болезни. Иисус, тотчас почувствовав, что из Него вышла сила, повернулся к толпе и спросил: «Кто прикоснулся к моей одежде?» — «Ты видишь, как толпа сдавила Тебя, а еще спрашиваешь, кто к Тебе прикоснулся!» — сказали Ему ученики. Но он продолжал искать взглядом ту, которая это сделала. Женщина, испуганная и дрожащая, поняв, что с ней произошло, вышла из толпы, упала к Его ногам и рассказала всю правду. «Дочь, тебя спасла вера, — сказал ей Иисус. — Ступай с миром и будь здорова...»

— А вот интересно, — на пожелтевшем, заострившемся лице Головачева появилось давно забытое оживление, — какая сила из него вышла?

— Видимо, он обладал мощным биоэнергетическим полем, — предположила жена.

— Почему же тогда это поле исцеляло только тех, кто верил в него?

— Не знаю.

— А если он исцелял не своей энергией, а той энергией, которую высвобождает в самом человеке вера? — начал вслух рассуждать бывший атеист.

— Но ведь тут же ясно написано: «из него вышла сила»! — возразила жена.

— Да, — огорчился Головачев и, помолчав, спросил: — Как ты думаешь, это правда?

— Трудно сказать, — пожала она плечами. — Анамнез неизвестен. После исцеления женщина у специалистов не наблюдалась. Может, у нее через неделю снова кровотечение открылось!

— Если бы открылось — всем сразу стало бы известно. Что там эта Иудея — Волоколамский район!

— В общем, конечно, — согласилась жена. — Книжники и фарисеи постарались бы, раззвонили!

— Да, если бы кровотечение у женщины снова открылось, его бы так долго не помнили! Забыли б, как Кашпировского или этого... Ну, со странной фамилией — воду по телевизору все время заряжал...

— Не помню.

— Вот видишь, а Его помнят!

Он выговорил слово «Его» с таким неожиданным для бывшего организатора «анти-Пасхи» почтением, чуть ли не заискивающе, что жена, наклонив голову к книге, не смогла сдержать улыбку.

Вскоре врачи, чтобы не портить отчетность, выписали Головачева домой, и он стал ходить в церковь в Предтеченском переулке рядом с домом. Несколько дней просто стоял напротив храма, возле диорамы краснопресненских революционных боев, и наблюдал, как люди поднимаются по крутым ступенькам на паперть, подают нищим, как крестятся и кланяются, прежде чем войти в высокие двери, как, выйдя, оборачиваются на храм — снова крестятся и кланяются. Потом, что-то превозмогая в себе, Труба зашел вовнутрь. Конечно, он бывал в церквах и раньше: на экскурсии, например, когда организованно вывозил актив «Альдебарана» в Суздаль, несколько раз присутствовал на отпевании умерших родственников... Но это было совсем другое: культурное любопытство или печальная семейная обязанность, когда смотришь на отложившегося от жизни знакомца и думаешь о том, что надо бы все-таки бросить курить.

Но в тот день, войдя в сладкую духоту храма, Головачев вдруг ощутил, что вот здесь, посреди шумной, суетливой, грешной, беспощадной Москвы, есть, оказывается, тайный вход в совершенно иное измерение, где жизнь течет не по законам борьбы и выживания, а по законам веры, доброты и покоя, где можно надеяться на невозможное ждать помощи от непостижимого. Но самое удивительное: судя по тому, сколько на службу собралось народу, множество людей — в отличие от Головачева — давным-давно знают этот вход в другую жизнь.

После службы он подошел к старушке-свечнице и записался на крещение.

С тех пор в храм он ходил каждый день, отстаивал утреннюю, а то, передохнув, и вечернюю службу, все более проникая в смысл полувнятных речитативов и песнопений. Иногда все происходящее казалось ему бесконечным повторением некой нечеловечески талантливой пьесы, которую играют слабенькие, почти самодеятельные актеры. От батюшкиных же проповедей веяло глухим сельским лекторием. Но тем не менее вся эта золочено-парчовая самодеятельность вызывала у него теперь не иронию, как в прежние, здоровые годы, а умиление, доводящее до чистых слез. День ото дня на душе становилось все светлее и слаще, а тело меж тем худело, слабело, уничтожалось. Через месяц он уже не мог дойти до храма, жена выпросила отпуск по уходу и во взятой напрокат инвалидной коляске возила его в церковь. Старушки за спиной шептались, что женщина совсем измаялась, но зато муж обязательно после смерти спасется. Священник его заприметил и всякий раз дружелюбно кивал.

После очередного визита врача из районного онкодиспансера Труба, доплетясь до кухни, нашел жену роющейся в красной коробке из-под «набора делегата», где хранились семейные документы. И хотя она, честно глядя ему в глаза, уверяла, будто разыскивала завалявшуюся фотографию для нового пропуска на работу, умирающий, конечно, догадался: искала жена не снимок, а документ на могилу, куда его можно будет вскоре по-родственному подложить.

— Жалко умирать с таким уютом в душе! — сказал он.

В какой момент душевная сила вдруг стала проникать в умирающее тело, оживляя его, Головачев и сам точно определить не мог. Но однажды утром он встал с кровати и решил дойти до храма без коляски. Отпуск у жены закончился, поэтому в церковь она могла его возить теперь только по выходным. С трудом, держась за стены, подолгу отдыхая, он добрался до храма, остановился возле круто уходящих вверх ступенек и понял, что одолеть их уже не сможет. И все-таки, отдышавшись, стал подниматься, но на третьей ступеньке почувствовал страшную тяжесть в теле. Потом черная вспышка в голове и — мгновенная, летучая, уносящая вверх легкость... Очнувшись, он обнаружил себя уже на паперти. Сам ли он в беспамятстве одолел этот крутой подъем, или ангелы, подхватив, вознесли бывшего контрпропагандиста, — спросить было не у кого: вокруг не оказалось ни души, хотя обычно непременно сидели нищие.

Головачев продолжал ходить в храм каждый день. Старушки заговорщически кивали на него прихожанам, вон, мол, совсем помирал мужчина, а теперь смотри-ка! Батюшка одаривал его той благосклонно-удовлетворительной улыбкой, с какой врач смотрит на вылеченного лично им пациента. Когда удивленный районный онколог направил Вениамина Ивановича на обследование, смотреть его фантастические анализы сбежалось полклиники, ведь все, кто вместе с Трубой попал под утечку на полигоне, давно поумирали. Никто ничего не мог понять, и медики все списали на скрытые и внезапно отмобилизовавшиеся резервы организма.

В храме Головачев стал своего рода достопримечательностью, живым свидетельством милостивого всемогущества Бога Живаго. Поначалу он сделался алтарником, затем, поднаторев в ритуале и подучив книги, был возведен в чтецы. Позже окончил краткосрочные курсы (тогда открывали новые приходы, кадров не хватало), сдал экзамены и был со временем рукоположен. Правда, вместо храма ему досталось пепелище от церкви, в которой много лет располагалась бондарная мастерская «Жиркомбината». За комбинат долго боролись две бригады братков — перовские и лыткаринские. Дело кончилось тем, что верх взяли лыткаринские: они купили своему человеку портфель заместителя министра пищевой промышленности, и тот все сразу устроил. Перовские от огорчения спалили предприятие и застрелили заместителя министра. Лыткаринские в отместку перебили половину перовских, но скоро и сами полегли под пулями ховринских, воспользовавшихся этой междоусобицей.

Господи, сколько же по столичным, губернским и сельским погостам лежит под крутыми черными обелисками русских парней, которые могли бы ребятишек наплодить да державу поднять, а стали по своей и вражьей воле кровавыми душегубами! Уму непостижимо!

В итоге пепелище отдали верующим. Церковное начальство с легким сердцем отправило новорукоположенного отца Вениамина окормлять не существующий еще приход, и Труба с тем же жаром, с каким когда-то организовывал «анти-Пасху», принялся восстанавливать дом Божий. Для начала, чтобы добыть денег, он обошел всех своих старых партийных и комсомольских знакомых, многие из которых расселись по банкам, страховым компаниям и даже по нефтегазовым заведениям. Пораженные необычайным преображением Головачева, ходившего теперь в рясе, подпоясанной полевым офицерским ремнем, да еще узнав о богоугодной причине визита, все по первому разу деньги давали безотказно. Самым прижимистым — бывшим советским хозяйственникам — отец Вениамин рассказывал историю своего чудесного исцеления, и те, тяжко вспомнив о собственной печеночной недостаточности, раскошеливались.

Во второй раз многие помочь уже отказались, сославшись на финансовые затруднения и слышанные по телевизору утверждения одного рок-музыканта, что можно быть православным, даже не посещая храм, а просто читая перед сном Библию. Но кое-кто снова дал. На третий же раз ни одна секретарша не соединила отца Вениамина ни с одним другом атеистической молодости. А бывший инструктор агитпропа, возглавивший фирму «Ворлдсексшоптур» (бесприходный пастырь подстерег его у дверей офиса), выругался, объявил, что РПЦ торгует водкой, поэтому «бабла» у нее навалом, и назвал поведение бывшего сподвижника «клерикальным рэкетом»...

После освящения «Мира пылесосов» Свирельников повез Трубу к себе домой, они долго сидели, говорили о житье-бытье, о том, что иногда Господь посылает людям жестокие испытания в виде тяжких недугов и крушения целой страны, но верить-то все равно надо. Отец Вениамин жаловался, что обошел уже по нескольку раз всех знакомых, а денег хватило только на стены.

— Даже Докукин дал, Царствие ему Небесное!

— М-да-а... «Говорю это как коммунист коммунисту!» — печально улыбнулся Михаил Дмитриевич, повторяя любимое присловье директора НПО «Старт», приватизировавшего это заведение и взорванного впоследствии крышевавшими его чеченцами прямо в «мерседесе».

— Был бы жив — помог бы!.. — значительно вздохнул батюшка. — А Трудыча помнишь?

— Ну как же! — кивнул директор «Сантехуюта».

— Тоже чуть не пропал — с балкона сорвался...

— Да ты что?

— В последний момент жена с любовницей вытащили...

— С какой любовницей — с Ниной Андреевной?

— Нет, с молоденькой. Хорошая девушка. Елизавета. Отец у нее почти олигархом был. Тоже мне помог. — Труба кротко глянул на Свирельникова. — Теперь сидит, давно уже сидит... А всё — гордыня жестоковыйная! Власти захотел...

— Трудыч-то как?

— Переменился после балкона. Я его потом венчал и младенчика крестил...

— Все-таки развелся?

— Нет, с женой венчал. В грехе жили, по-советски.

— А младенчик? — удивился Михаил Дмитриевич, припоминая не ребяческий возраст обвенчавшейся пары.

— Младенчик от Елизаветы. Да-а, сложно живут люди! И чем больше у них денег, тем сложнее...

Кончилось тем, что Михаил Дмитриевич за свой счет подвел к храму новые трубы (старые-то в труху превратились) и пообещал, когда начнутся отделочные работы, бесплатно установить полный комплект сантехники. Потом он еще не раз помогал строящемуся пастырю, в том числе заказал на «Фрезере» приснопамятные болтики, да все забывал забрать их и перебросить на объект...

Свирельников достал «золотой» мобильник и набрал домашний номер батюшки.

— Отца Вениамина, пожалуйста!

— Нет отца Вениамина, — ответила женщина, скорее всего матушка. (Михаилу Дмитриевичу показалось, будто слово «отца» она произнесла с некой благосклонной иронией.)

— А где он?

— В храме. Кто его спрашивает?

— Свирельников.

— Ой, Господи! Он вас так ждет, так ждет! Все утро про болтики беспокоился.

— А он там долго сегодня будет?

— Как обычно, — вздохнула матушка.

— Привезу я болтики. К вечеру.

— Вот уж спасибо! Храни вас Бог!

19

На подъезде к Матвеевскому у Михаила Дмитриевича замозжило под лопаткой. Вспомнив про рецепты, выписанные доктором Сергеем Ивановичем, он велел водителю остановиться возле ближайшей аптеки.

Свирельникова всегда поражало бессчетное изобилие снадобий, изобретенных для того, чтобы облегчить и обезболить неостановимое движение человека к небытию. В детстве, замученный самыми первыми невыносимыми мыслями о неминуемой смерти, доводившими его до тихих ночных припадков, он однажды радостно придумал, что существует, возможно, такое неведомое пока сочетание всем известных лекарств, которое сделает его вечным. Оставаясь в комнате один, он вынимал из шкафа обувную коробку, где хранилась семейная аптечка, высыпал на скатерть маленькие плоские упаковочки с выдвижными, как у спичечного коробка, сердцевинками, начиненными разнокалиберными таблетками (тогда еще не было запечатанных фольгой пластинок). Читая загадочные названия «Анальгин», «Сульгин», «Но-шпа», «Пурген», «Кальцекс», «Фталазол», «Димедрол», Миша брал из каждой коробочки по таблетке, выкладывал рядком и разглядывал, воображая, что именно эти пилюльки, выпитые единовременно, могут сделать человека вечным. А значит, его, Мишино, постаревшее, одетое в просторный черный костюм тело никогда не положат в оборчатый красный гроб и не зароют в червивую землю.

О том, как он распорядится своим бессмертием, малолетний Свирельников не задумывался, если не считать некоторого беспокойства в связи с тем, что, по мнению ученых (так сказали по радио), солнце через несколько миллиардов лет должно погаснуть, и как в таком случае быть ему, вечному ребенку? Впрочем, почему бы не установить в небе огромную электрическую лампочку, которая заменит светило? Намечтавшись до сладкого стеснения в горле, он раскладывал пилюли назад по коробочкам, путая иногда похожие таблетки. А потом мать, выпив от мигрени «анальгинку», удивлялась, что голова никак не проходит, но зато бурлит в животе...

Купив лекарства, Михаил Дмитриевич ссыпал сдачу в сморщенную ладошку дежурившей возле окошечка пенсионерки, одетой в старенький шерстяной костюмчик. Почти такой же носила когда-то Гестаповна. Он отошел к окну, выдавил из фольги две таблетки, положил в рот и, поднакопив слюны, проглотил. Тем временем другая пенсионерка, взявшая следом за ним пузырек «Корвалола», громко, так, чтобы все услышали, принялась корить околоприлавочную побирушку:

— Что ж ты тут попрошайничаешь? Стыдоба ведь... Возьми, как я, на Киевском укроп! Там дешево — снопами отдают. И торгуй у метро пучками по пять рубликов!

— Это не ваше дело! — высокомерно ответила старушка в учительском костюмчике, угрюмо потупилась и стала вдруг похожа на настырную школьницу, которую отчитывают у доски за невыученный урок.

Небольшая очередь с интересом следила за этим негаданным конфликтом, сочувствуя, кажется, побирушке, а совсем даже не укропной предпринимательнице. Свирельников достал из портмоне две сторублевые бумажки, подошел и вручил обеим старушкам. Та, что советовала торговать, взяла с радостью. «Учительница» — нехотя. Последнее, что он заметил, выходя на улицу, был ненавидящий взгляд пожилой аптекарши...

Напротив, через дорогу, расположился маленький огороженный рынок. В первом ряду торговали недорогим мясом с Украины и дешевыми молочными продуктами из Белоруссии. На прилавках лежали расчлененные братья наши меньшие, а совсем уж крошечных братиков, противно жужжавших и лепившихся к убоине, продавцы равнодушно отгоняли зелеными ветками.

«Пусть сами жрут эту свою чернобыльскую заразу!» — подумал Свирельников, бравший продукты исключительно в дорогих супермаркетах, и пошел туда, где продавались овощи с подмосковных участков. Купив малосольных огурцов, свежих помидоров и зелени для салата, он направился к выходу, но у ворот задержался: на перевернутой картонной коробке из-под бананов были разложены грибы, десяток крепких, напоминающих разнокалиберные чугунные гири, боровиков. Рядом на раскладном стульчике сидел бородатый очкарик в бейсболке и читал книгу.

Такие же грибы с шоколадными, глянцевыми шляпками и толстыми ножками Свирельников собирал в Ельдугине. С родителями была договоренность: июнь он проводил в пионерском лагере, а на июль и август его отправляли в деревню, к деду Благушину. Проведывали они сына раза три-четыре, притаскивали сумку сластей и тяжеленный рюкзак, бугрившийся банками тушенки: в сельпо из консервов имелся только частик в томате, а хлеб завозили раз в два дня на катере из Белого Городка. За ужином мать расспрашивала деда о том, как ведет себя Ишка. Так его одно время называли в семье, потому что в позднем младенчестве он не выговаривал «м». Благушин отвечал: «Хорошо ведет...» — но при этом смотрел на мальчишку с тайным намеком: мол, не выдаю тебя, поганца, а ведь мог бы! Ох и выпорол бы тебя отец!

Конечно, дед мог рассказать о том, как Ишка подтягивался на яблоневой ветке и сломал ее. Благушин обмотал белый, словно живая кость, слом тряпицей, а потом, к удивлению внука, несколько раз подходил к дереву и просил прощения, называя яблоню «матушкой». Водились за малолетним Свирельниковым и другие нарушения деревенской дисциплины, включая тайное курение надрывного дедова «Памира»... Но Благушин не выдавал.

Рано утром мать целовала сонного Ишку, обдав крепкими, щекочущими ноздри духами «Ландыш», отец приказывал слушаться деда, и родители мчались к катеру, курсировавшему между Кашином и Кимрами. Когда в конце августа он возвращался в Москву, набитую пыльной уставшей зеленью, их комната в коммуналке пахла по-новому, а у матери с отцом проскальзывали в разговоре какие-то только им понятные словечки, вызывавшие улыбки и переглядывания. Федьки тогда еще не было. Он, кстати, и родился в марте, как плод летней родительской свободы...

Но до возвращения было почти два месяца деревенского раздолья. Мать так и говорила: «Ишке в Ельдугине раздолье!» Это была полная свобода! Абсолютная воля! Даже кушать никто не заставлял. В углу стоял рюкзак с банками тушенки, на печке — чугунок с отварной картошкой в мундире, на огороде лук и огурцы, а в саду черная смородина. Мишка со своим деревенским дружком Витькой до синевы сидел в Волге, дожидаясь больших белых теплоходов, чтобы покататься на желтых волнах, косо накатывавших на серый песок, оставляя на нем извилистую муаровую линию. Самые большие волны, добивавшие до красно-коричневой глины обрыва, были от четырехпалубного «Советского Союза», но он проходил мимо Ельдугина всего два раза в месяц — в Астрахань и обратно.

А еще замечательно — гонять вдоль деревни по щиколотку в пыли. Да, по щиколотку! В июльскую жару дорога, разрезавшая деревню надвое, превращалась в реку пыли, словно кто-то насыпал в русло теплой ржаной муки. И они с Витькой бродили по проселку, специально волоча ноги, чтобы чувствовать, как кожу шелковит нагретая солнцем пыль, нащупывая в мягкой глубине затвердевшими от босой беготни подошвами случайные железки — потерянные подковы и гвозди. Однажды Витька нашел в пыли екатерининский медный пятак величиной с большое плоское грузило.

Иногда дед Благушин, брат погибшего на фронте дедушки Николая, брал Ишку с собой в лес. А точнее сказать, тащил: будил затемно, плескал в лицо ледяной водой из стоявшего в сенях ведерка и говорил:

— Вставай! Эвона, солнышко тоже встает. Пошли Грибного царя искать! Найдем — желание загадаешь!

— Какое?

— Какое хошь!

Когда-то в молодости, перед войной, дед Благушин нашел огромный белый гриб с такой шляпкой, что в колодезное ведро не влезала. И ни единой червоточинки! Ни единой. На сломе как молоко! Когда он все это рассказывал, стариковское морщинистое лицо озарялось таким ребяческим восторгом, что становилось ясно: для него, чуть не умершего с голоду в двадцатые, потерявшего почти всех сверстников в войну, а потом пережившего двух жен, та давняя грибная находка стала, очевидно, самым важным событием всей долгой жизни. Конечно, эти рассказы про Грибного царя можно было счесть байками, вроде рыбачьих сказок о щуках, целиком заглатывающих гусей, но в Ельдугине тогда еще жили старухи, помнившие, как всей деревней сбежались смотреть на лесное чудо...

Недавно, сидя в очереди к дантисту, Михаил Дмитриевич листал журнал «Мир отдыха» и в разделе «По родным проселкам» обнаружил занятную рекламу новой турбазы с необычным названием «Боевой привал». Реклама заверяла, что всегда имеются свободные места, и обещала массу отдохновенных чудес: рыбалку, грибы, ягоды, купанье в Волге, русскую баню, а также экзотику в стиле милитари. Но удивило его не название и не набор услуг, а адрес: Тверская область, Кимрский район, деревня Ельдугино! Это же его детские места!

«Надо все бросить и съездить!» — решил тогда директор «Сантехуюта». Вот и сейчас, вспоминая деда Благушина, он снова подумал: «Надо все бросить и съездить!»

— Вас что-то интересует? — спросил продавец в бейсболке, оторвавшись от чтения и с еле заметным раздражением рассматривая хорошо одетого покупателя.

— Почем белые? — поинтересовался Свирельников.

— Если все возьмете — за четыреста отдам, — ответил тот, закрывая книгу и глядя на покупателя снизу вверх.

«А если не возьму?» — хотел пошутить Михаил Дмитриевич, но передумал — на обложке значилось: Рене Генон «Царство количества и знамения времени».

— Возьму. Пакет есть?

— Найдем.

— Где собираете, если не секрет? — поинтересовался он, отсчитывая деньги.

— За Михневом.

— А точнее?

— Точнее не могу. Коммерческая тайна! — улыбнулся бородатый и сверкнул очками.

— Коммерческая?! — удивился Свирельников. — И что, хватает?

— Вполне.

— А зимой?

— Зимой сушеными торгую. — Продавец аккуратно сложил боровики в пакет.

— А какой самый большой белый находили?

— Самый? — Он задумался. — Ну, шляпка сантиметров тридцать... пять в диаметре...

— Маловато. У Грибного царя сантиметров пятьдесят пять...

— Да, не меньше пятидесяти, — нахмурившись, подтвердил бородатый.

— А вы знаете про Грибного царя? — опешил Михаил Дмитриевич.

На мгновенье Свирельникову показалось, будто продавец непонятным образом проник в его детские воспоминания и теперь потешается. Однако тот был деловит и совершенно серьезен:

— Конечно, знаю. Кто нашим делом занимается — все знают про Грибного царя.

— А находил кто-нибудь?

— Не слышал. А вы, если не секрет, откуда узнали? В источниках об этом вроде пока не писали.

— Мой дед перед войной нашел...

— Где? — встрепенулся бородатый.

— Под Кимрами.

— Там хорошие леса! Ну и что он с ним сделал?

— Съел, наверное.

— Нет, в другом смысле. Что он попросил? Вы разве не знаете, что Грибной царь исполняет желания.

— Да, дед рассказывал... Я думал, шутит... Любые желания?

— Нет, у Грибного царя нельзя просить бессмертия и смерти. Ни себе, ни другим. Все остальное можно. Интересно, что попросил ваш дед?

— Не знаю. Но с войны он вернулся. И прожил долго. Недавно умер. А что будет, если попросить бессмертье?

— Ну, а сами-то вы как думаете?

— Честно говоря, никак...

— Странное дело, как только люди начинают заниматься бизнесом, сразу перестают логически мыслить.

Это же просто. Старение, смерть и распад — процесс глобальный, энтропийный, следовательно, чтобы его остановить, нужна энергия. А представляете, сколько потребуется энергии, чтобы остановить то, на чем держится мироздание?

— Много.

— Правильно: энергия всего мироздания. Следовательно, вся вселенная, как в черную дыру, втянется в этого бессмертного счастливчика. И конец!

— Вы меня разыгрываете?

— Понятно, разыгрываю! За пакет еще десять рублей! — серьезно, даже сердито ответил бородатый и, всем видом дав понять, что разговор окончен, полез в большую, укрытую папоротником корзину за новыми боровиками.

Возвращаясь к машине, Михаил Дмитриевич злился на себя, что позволил умничающему грибному люмпену посмеяться над ним, Свирельниковым, не последним, между прочим, в этом мире человеком. Утешаясь, он с удовлетворением отметил, что бородатый хоть и читает заумные книжки, а кормится, между прочим, точно неандерталец, собирательством.

И вообще, как говорил замполит Агариков: «Если ты такой умный, где твои лампасы?»

— Грибки купили? — спросил Леша, почувствовав запах.

— Да.

— Какие?

— Какие надо. Вперед! Я опаздываю...

Когда немного отъехали, директор «Сантехуюта» снова огляделся, но серых «жигулей» вроде бы не заметил, зато увидал, как бородач, смеясь, показывает кому-то на удаляющийся свирельниковский джип.

Михаил Дмитриевич достал мобильник и набрал Алипанова.

— Аллёу!

— Это я.

— Ну, и как ты?

— Вроде отстали... Странные фээсбэшники пошли! Посветились — и исчезли.

— Они гораздо страннее, чем ты думаешь. Они вообще за тобой не следили. В разработке тебя нет.

— Это точно?

— За такие деньги достоверность гарантируется.

— Дорого берут?

— Потом скажу.

— Значит, Толкачик тут ни при чем?

— Выходит — так. Теперь с «Сексофоном» буду разбираться.

— Да вряд ли!

— Не-ет, как раз кое-что сходится. Он когда от тебя отстал?

— Возле офиса.

— Вот! Проследил сначала до дома, а потом до конторы. Ты девчонкам в пароксизме страсти, случайно, не рассказывал, какой ты крутой и богатый? А то у вашего брата просто болезнь: очень любят по пьяни перед проститутками крутизной трясти. Помнишь, прокурора с девками засветили?

— Помню.

— Хвастался, как хулиган перед пэтэушницами!

— Ты думаешь — они?

— Не знаю пока. Но девчата наводчицами иногда подрабатывают. Сбрасывают информацию бандюкам, а те потом разбираются...

— А я им еще за вредность досыпал!

— Погоди, может, они и порядочные. Выясним. Ты сейчас где?

— В Матвеевском.

— Ладно, если что, я тебя найду...

Свирельников дал отбой, а потом выдавил Светкин номер, дождался ее «алло-о-о» и нажал красную кнопку. Значит, дома! «Алло» она всегда произносила с загадочной истомой в голосе, подслушанной, наверное, в каком-нибудь сериале. А еще его юная подружка любила, оставшись одна в квартире, ходить совершенно голой. «Я так дышу», — объясняла она. Конечно, если Михаил Дмитриевич заранее сообщал о своем визите, то заставал ее одетой, причесанной и накрашенной. Но однажды у него села в мобиле батарейка, поэтому он приехал внезапно, да еще в задумчивой механичности, как дома, не позвонив, открыл дверь своим ключом. Светка, ослепительно обнаженная, стояла у подоконника и смотрела вниз. Длинные каштановые с рыжинкой волосы почти закрывали юную наливную попку. На голове у девушки были большие стереонаушники, и она умопомрачительно подергивала бедрами в такт неслышной музыке. Свирельников справился с дыханием, подкрался на цыпочках и осторожно поцеловал ее в то место, где заканчивались распущенные волосы и начиналась смуглая, убивающе нежная кожа. Она ахнула, испуганно обернулась и картинно схватилась за сердце:

— Это ты? Так же умереть можно!

— А кто еще?

— Ну, мало ли...

— Испугалась?

— Конечно!

Михаил Дмитриевич почувствовал тогда такой прилив могучего мужского торжества, что Светка даже пискнуть не успела, как очутилась в постели, погребенная под тяжело содрогающимся свирельниковским телом.

— Боже, как мне было хорошо! — сказала потом она. — А тебе?

— Мне с тобой всегда хорошо! — отозвался он, ощущая себя неподъемной плитой на могиле сладострастья.

20

— Тебе было хорошо? — задыхаясь, спросил он после любовной схватки, до обидного лаконичной.

Свирельников отпустил Светку и теперь целовал ее прохладные плечики.

— Мне с тобой всегда хорошо, — утешительно ответила она.

«А вообще чудно!» — думал он, лежа рядом с юной, словно ангел, подругой, к которой даже слово «любовница» не подходило.

На самые дурацкие вопросы есть сотни ответов. Ну, например, на вопрос: «Как спалось?» — можно ответить: «хорошо», «плохо», «спокойно», «тревожно», «сладко» или, как говорил дед Благушин, «неприютно». А вот этот содрогательный полет под золотым куполом счастья втискивается в одно-единственное, никакое, по сути, слово «хорошо». И если начнешь объяснять, уточнять, конкретизировать, непременно совершишь гнусную, подлую, шибающую физиологией измену этому золотому полету...

— Ты так тяжело дышишь... — забеспокоилась Светка.

— Сейчас пройдет. А почему ты сегодня не испугалась?

— Я видела в окно, как ты подъехал.

— Могла бы и притвориться!

— В следующий раз обязательно. Есть хочешь?

— Хочу.

— У меня «сникерс» в сумке.

— Эх ты, «сникерс»! Я грибы купил. В пакете.

Светка вскочила с постели, принесла из прихожей грибы, села на кровать и вывалила их себе прямо на голые колени.

— Осторожно, на них земля! — предупредил Михаил Дмитриевич.

— Это белые?

— Белее не бывает.

— А что с ними надо делать?

— Кушать.

— Я, конечно, наивная чукотская девушка, но об этом и сама догадалась. Готовить-то их как?

— Ты что, никогда грибы не готовила?

— Не-а!

— Ну, а хоть ела?

— Конечно. Шампиньоны. И еще такие — с длинными ножками.

— Опята?

— Ага!

— Нет, Светлана, ты не наивная чукотская девушка, ты невежественная городская курица.

— Понятно, начались скандалы и необоснованные подозрения.

— А ты грибы хоть раз собирала?

— Конечно! У нас в детском саду возле забора росли такие здоровые, с оборочкой на ножке, как на панталончиках у Алисы в Стране чудес. Мы их рвали, а воспитательница ругалась, говорила: поганки.

— Сама она поганка.

— Это точно!

— Зонтики — грибы съедобные. В юном возрасте...

— Как женщины! — вздохнула Светка.

— Не понял?

— Я сегодня нашла у себя седой волос...

— Где?

— Дурак! Это у меня наследственное. Папа в тридцать лет был почти совсем седой.

— Как я?

— Ну, разве ты седой? Ты с проседью. Знаешь, как это возбуждает?

— Знаю...

Грибы полетели на пол. Если бы они были родом из-под Рязани и имели, как в поговорке, глаза, то, наверное, в изумлении таращились бы на то, что происходит на большой кровати.

— Нет, Микки, ты торопишься, тебе надо немного отдохнуть! — вздохнула Светка и отстранилась с нежным огорчением.

Свирельников остался лежать в постели, слушая грохот сердца и горюя о том, что плоть не всегда поспевает за желаниями. В этом смысле женщины, даже такие соплюшки, всегда ощущают свое превосходство, но скрывают это, чтобы не обижать мужчин.

Светка тем временем голышом ползала по ковру и собирала рассыпанные грибы. Михаил Дмитриевич следил за ней с умилением, невольно сравнивая свежее девичье тельце, невинное даже в этой собирательной позе, с утренними бэушными потаскухами. Ему вдруг стало стыдно своей подлой замаранности, своего омерзительного плотского опыта, своего бессовестного многолетнего скитания по склизким расселинам похоти в поисках вот этого единственного, трогательного существа, способного украсить убывающую жизнь милой неискушенностью. Он как-то даже подзабыл про то, что Светка пришла в его жизнь далеко не невинной...

Вдруг он подумал: а ведь Вовико, узнав про Светку, мог специально устроить примирение с «каруселью», чтобы втравить Свирельникова в грязь и таким коварным образом измызгать чистое нарождающееся счастье бывшего компаньона. Зачем? Кто ж поймет! Так устроена жизнь: если ты поднял человека из грязи, ничего, кроме грязи, от него и не жди! А Веселкин всегда завидовал однокашнику, считал его везунчиком, женившимся на девушке не только с характером, но и со связями. Он и не догадывался о том, что настоящая жизнь у Свирельникова началась именно тогда, когда закончились связи: жизненная катастрофа обернулась удачей...

После Германии стараниями Валентина Петровича его перевели в подмосковное Голицыно, в ЦУП. О лучшем и мечтать не приходилось! Там он встретил Перестройку. Получил капитана. Но тут, как на грех, грянула антиалкогольная кампания под лозунгом «Не выпить, а попить!», с трезвыми свадьбами и юбилеями, с вырубкой виноградников, с партвыговорами и увольнениями за малейший питейный проступок. Сейчас даже странно вспоминать, но свобода в СССР началась с почти теперь уже забытой противоводочной инквизиции, и, вероятно, именно этот первородный грех навсегда исказил физиогномию российской демократии.

Однажды Свирельников в состоянии неустойчивого равновесия возвращался домой на электричке. Причина была уважительная: после трудового дня в подпольной обстановке, запершись в кабинете, он в сговоре с сослуживцами обмыл медаль товарища по оружию, полученную им за командировку в Афган. При этом следует заметить, что все участники тайной сходки, учитывая морально-политическую обстановку в стране, проявили не меньший героизм и готовность к самопожертвованию, чем их награжденный сослуживец, рисковавший жизнью в душманских горах. Но все обошлось: они тихонько, по одному, как заговорщики, рассредоточились с места преступления, унося с собой малейшие свидетельства запретного злоупотребления. И если бы мимо Свирельникова по длинному проходу электрички не проковыляла бабушка Марина, возможно, вся дальнейшая жизнь Михаила Дмитриевича сложилась бы по-другому: готовился бы он сейчас, гордый и бедный, к нищей полковничьей пенсии, а не дарил бы людям радость сантехнического уюта.

Но мирно ехавшего домой капитана попутал, как говорится, Бес Незавершенности. Бабушка Марина, тучная пенсионерка с ярко накрашенными губами, была хорошо известна пьющим пассажирам электричек Белорусского направления тем, что делала мужикам, едущим домой, такое предложение, от которого они не могли отказаться. В более спокойные времена она просто носила с собой большую хозяйственную сумку со всем необходимым: початой бутылкой водки, граненым стаканчиком и пупырчатыми огурчиками домашней засолки. Для исполнения желаний достаточно было проследовать за бабушкой Мариной в тамбур, заплатить рубль и обрадоваться. Когда пришла пора алкогольных гонений, она, огорченная несколькими приводами в милицию, не бросила своих постоянных клиентов, но, проявив вполне рыночную сметливость, предложила им на удивление продвинутую схему употребления. Теперь, приняв от вышедшего следом за ней в тамбур страждущего два рубля, креативная пенсионерка давала ему бумажку, ваучер, на котором значились заветные цифры: шифр и номер ячейки в автоматической камере хранения вокзала. Сойдя с электрички, обладатель ценного клочка бумаги целеустремлялся к серым рядам автоматических боксов, отыскивал свой, заветный, набирал шифр, отмыкал дверцу и обнаруживал там, в железном хранилище, наполненный до краев граненый стаканчик, накрытый ломтиком хлеба и огуречной долькой.

Так вот, попутанный Бесом Незавершенности, Свирельников купил в тот вечер у бабушки Марины не один (это полбеды), а два ваучера. В результате он уснул в метро, смутно запомнил скандал с милицейским нарядом и по-настоящему очнулся только в камере гарнизонной офицерской гауптвахты. Даже для обычных в питейном смысле времен попадание туда считалось очень серьезной и непредсказуемой неприятностью, так как информация о недостойном задержании мгновенно поступала в часть. А в год горбачевского удара по святым традициям это выливалось в настоящую катастрофу, можно сказать, винноводочный холокост.

Выйдя на волю, Свирельников первым делом помчался к Валентину Петровичу и застал его за любимым делом: тот гладил и перебирал обожаемых зайчиков. На нем был спортивный костюм олимпийской сборной СССР, безобразно обтягивавший его складчатую тучность. Выслушав покаянный рассказ родственника, «святой человек» только покачал головой:

— Миш, сейчас ничего не могу. Ничего! Даже попросить некого. Все затаились. Новая метла. Один неправильный звонок... В общем, не могу!

— Что же делать? — опешил клиент бабушки Марины.

— Не знаю. Но если Горбачев такая глупая сволочь, как я думаю, нас всех, Миша, ждут тяжелые времена!

— Значит, не зря они там бегают...

— Кто?

— Да так...

Месяца за два до судьболомного злоупотребления Свирельникова послали по служебной надобности в Министерство обороны. Он шел по длинному, как переход в метро, коридору, высматривая искомый кабинет. По сторонам в две шеренги выстроились могучие полированные двери с кожаными табличками, на которых золотом, будто в колумбарии, были оттиснуты бесчисленные фамилии неведомых военачальников. Давно замечено, министерские помещения отличаются злокозненными бермудскими аномалиями, и кабинет никак не отыскивался, пропал, точно сквозь землю провалился. В результате Михаил Дмитриевич забрел в какой-то пустынный коридорный аппендикс, остановился перевести дух и вдруг с изумлением увидел, как по красному вощеному паркету катится, волоча хвостик, пушистая серая мышь. А следом, по-адъютантски, семенит вторая — помельче. Игнорируя офицера, грызуны спокойно достигли стены и скрылись под плинтусом. «Мыши в самом сердце обороноспособности страны!» — эта мысль поразила и долго не давала покоя капитану Свирельникову, наполняя душу предчувствием надвигающейся опасности.

Так и случилось. Из армии его выгнали без жалости и даже с какой-то радостной торопливостью: то ли демонстрируя начальству преданность антиалкогольному делу, то ли мстя товарищу по оружию за связи в верхах, с которыми наконец-то можно было не считаться. В день получения паспорта, снова став гражданской личностью, он напился с горя и безумствовал две недели. Даже узнал, что такое запойные черти, похожие на шевелящиеся по углам чернильные кляксы, излучающие ужас! Когда наконец Михаил Дмитриевич очнулся, то увидел смотревшую на него с гадливой жалостью жену.

— Эх ты, слабак! — сказала Тоня. — Без Валентина Петровича ничего не можешь!

— Я не слабак! — еле выговорил он.

— Слабак! — убежденно повторила она и уничтожающе махнула рукой.

Собственно, это презрительное «слабак» и этот уничтожающий взмах руки сделали Свирельникова тем, чем он стал. Загладить вину перед Тоней можно было только одним — внеочередным ремонтом квартиры. Редкая супруга способна долго злиться на мужа, который, вырядившись в старье и надвинув на брови сложенную из газеты шапочку, решительно срывает со стен старые обои, словно одежду со страстно желаемой жены, упорно уклоняющейся в перевоспитательных целях от постельных обязанностей. Михаил Дмитриевич так и поступил, благо на работу еще не устроился, свободного времени у него было навалом, а сбережения кое-какие на книжке имелись. Правда, более-менее приличные импортные обои, линолеум, не говоря уже о сантехнике, достать в ту пору было практически невозможно. Снова пришлось обратиться за помощью к «святому человеку», и тот свел родственника с Петром Никифоровичем, начальником одной хитрой ремстройконторы. Тот подсобил с дефицитом, а потом, проникнувшись сочувствием, устроил Свирельникова через своего зятя Олега Башмакова с чудным отчеством Трудович в охрану НПО «Старт».

Искупая грех виноблудия, капитан запаса самоотверженно вершил многодневный ремонтный подвиг, и особенно ему удалась ванная. Он выдолбил в стене нишу, в которую вмонтировал большое зеркало. Пол и стены Михаил Дмитриевич изобретательно выложил разноцветной югославской плиткой, а потолок отделал тонкой, покрытой лаком «вагонкой», сюда же добавилась розовая чешская «тройка», уступленная с небольшой доплатой Петром Никифоровичем. После типового советского санузла все это казалось художественным произведением. Тоня наконец простила мужа, причем прямо в новой ванной, и запотевшее зеркало смутно отразило прощение во всем его разнообразии, довольно редком для супругов с таким стажем.

Но самым неожиданным итогом искупительного ремонта стало даже не примирение с женой, а то, что Свирельников обрел новую, мирную профессию. Вскоре к ним зашел сосед с верхнего этажа, ювелир-надомник, и попросил Михаила Дмитриевича за очень приличное по тем временам вознаграждение сделать ему такую же замечательную ванную. Оказывается, Тоня не удержалась и похвасталась результатами ремонта. Честно говоря, в первую минуту Свирельников был даже не удивлен, а скорее оскорблен этим предложением. В конце концов, он хоть и уволенный в запас, но капитан Советской армии! Однако сбережения кончились, а приближалось время отпусков. И он с внутренним недоумением согласился. Дальше пошло-поехало...

Работая в «Альдебаране» через два дня на третий, Михаил Дмитриевич уже привычно подкалымливал ремонтом ванных и туалетов, а когда разрешили кооперативы, ушел из охранников и открыл свое дело. Название придумала, конечно, Тоня: «Сантехуют». Тогда первые люди с большими деньгами начали взапуски облагораживать купленные в сталинских домах квартиры, не экономя, с размахом. На помойки полетели журчливые советские унитазы с обязательной ржавой промоиной внутри. На установке импортной сантехники можно было тогда очень хорошо заработать. Когда армию начали громить всерьез и на улицу повалили толпы никому не нужных безработных молодых мужиков, у бывшего капитана имелось уже процветающее дело.

К моменту встречи с Вовико он как раз задумал расшириться и освоить монтаж полов с подогревом. Проблема была с кадрами – сантехники из ДЭЗов, которых он за хорошие деньги переманивал к себе, имели два недостатка: во-первых, почти никогда не читали инструкции по установке агрегатов, предпочитая все делать на глазок, а во-вторых, пили с утра. Веселкин же быстро вошел в процесс, набрал где-то непьющего народу и даже освоил для особо богатых клиентов прозрачные полы с теплой водой: идешь как по хлябям морским, под ногами рыбешки пластмассовые, раковины.

У Свирельникова в ту пору случилась новая большая размолвка с Тоней, он съехал с вещами на съемную квартиру, и Вовико, налаживая мелочовочный симбиоз, выпивал с ним вечерами, терпеливо слушая его жалобы на жену, накопившиеся за годы совместной жизни. Михаил Дмитриевич тогда еще не понимал, что если ушедшему из семьи мужчине хочется всем жаловаться на свою оставленную половину, то брак далеко не безнадежен. Веселкин старался утешить друга, привел ему бойкую безмужнюю даму. Вообще «разведенки», как известно, чрезвычайно чутки к чужому семейному горю, обладают удивительной, неженской понятливостью (к сожалению, временной) и вытворяют в постели такое, о чем их прежние супруги даже не мечтали. В конце концов Михаил Дмитриевич, устав от примерной, до тошноты, чуткости и буйной, до членовредительства, изобретательности, одумался, вернулся домой и помирился с Тоней.

Но его семейная жизнь уже дала к тому времени непоправимую трещину. Свирельников и сам не мог понять, в чем суть разлада. Нет, даже не разлада, а какого-то все более настырного желания изменить свою судьбу. Собственно, что такое счастливый брак? Это вовсе даже не безоблачное удовольствие, не семейный рахат-лукум, обсыпанный сахарной пудрой. Нет! Это безоговорочное признание этой жизни, этой женщины, этой семьи –

единственно возможной, единственной, несмотря ни на что. Ведь уйти от женщины, с которой прожил столько лет, лишь из-за того, что вы стали часто ссориться и редко взаимообразно утомляться перед сном, так же нелепо, как эмигрировать из-за того, допустим, что на родине выдалось дождливое лето...

Нет, брак рушится только в том случае, если у кого-то из двоих появляется пусть даже мимолетная, почти случайная мысль о новой, с начала начатой жизни! В какой момент бацилла «сначальной» жизни попала в душу Свирельникова, теперь уже и не вспомнить. Возможно, это произошло, когда он с завистливым удивлением смотрел на старого знакомца, явившегося на встречу Нового года в Дом кино под ручку не с прежней женой, носившей прическу, похожую на осиное гнездо, а в обнимку с длинноногим гламурным существом. Глядя на эту красотку, вздыхали даже седые режиссеры, давно растратившие свои мужские пороховницы на блудливых помрежек и ногозадиристых студенток ВГИКа. А может, это случилось в тот день, когда женившийся на секретарше партнер по бизнесу, подвыпив, рассказывал Михаилу Дмитриевичу об умилительном восторге позднего отцовства. Ведь подумать только: от тебя, полузаморенного пенька, вдруг отпрыскивается новый, зеленый побег, маленький и живой!

Довольно долго Свирельников всячески старался подавить в себе эту подлую жажду «сначальной» жизни. Например, он решил для укрепления семьи куда-нибудь съездить с Тоней, оставив дела на компаньона.

— Справишься без меня?

— Без всяких-яких! — осклабился Веселкин.

21

...С кухни вошла деловитая Светка. Маленький передничек с тоненькими бретельками она надела прямо на голое тело.

— Микки, а грибы нужно отваривать? — спросила она.

— Зачем?

— Мама, кажется, отваривает.

— Белые не нужно. Режь прямо на сковородку! — объяснил Свирельников. — Только лук не забудь!

— Зеленый?

— Репчатый, девочка моя, репчатый!

— А у нас разве есть?

— Был.

— Ясно. Одни слезы от тебя, папуля!

— Погоди! — спохватился Свирельников. — Лук не режь! Лучше покроши зеленый!

— Почему?

— Репчатый на голову похож.

— На какую голову?

— Не важно. Но сегодня круглое резать и есть нельзя!

— Понятно! — вздохнула Светка и повернулась, чтобы идти к плите.

Завязки фартучка кокетливо свисали прямо в ложбинку меж румяных девичьих ягодиц. У Михаила Дмитриевича сбилось дыхание и похотливо затеплилось в паху.

«Без эксцессов!» — напомнил он себе.

Вот она, поздняя любовь: приходится учить девушку стряпать! С Тонькой было все как раз наоборот. Покойная теща вышколила дочь для замужества идеально: готовка, стирка, глажка, швейная машинка... Оставалось только обучиться постельным премудростям. А со Светкой все наоборот. М-да, продвинутое поколение!

Для укрепления семьи Свирельников решил свозить жену в Ельдугино. Был как раз август — самые грибы да еще рыбалка! Тоня, тоже чувствовавшая неладное, обрадовалась: первый семейный отпуск они провели именно в Ельдугине. Спали в проходной комнате под лоскутным одеялом. Точнее, не спали, а ждали, мучая друг друга, пока накашляется на печи за занавеской дед Благушин да перестанет ворочаться в светелке молоденькая прыщавая учительница, присланная по распределению из Калининского пединститута. Дед ей сдавал угол, пока колхоз достраивал преподавательнице домик. Да, с любовью было очень непросто, потому что старая изба отзывалась предательским скрипом на все их осторожные объятья и полузадушенные трепеты. А за завтраком учительница взглядывала на них с завистливым укором.

По утрам ходили в лес. Дед Благушин рассказывал, как нашел Грибного царя, и даже показывал место. Там он после этого часто собирал белые, но все какие-то меленькие.

— Если Грибного царя найдете, не рвите — сначала желание загадывайте!

— Какое?

— А это уж ты, милка моя, сама думай!

Тоня смотрела на старика с восторгом и не верила. Потом дед потихоньку учил Ишку, как проверить, надежная ли жена досталась:

— Верная, она подле мужа в лесу ходит, а если гриб найдет, то сразу кличет: мол, иди смотреть! Гулящая все норовит уплутать куда-нибудь подальше. Жадная грибы тайком собирает, а потом хвастается. Чересчур самостоятельная грибы пересчитывает и потом сравнивает, кто больше собрал, она или мужик ее...

Свирельников понял, что с женой ему фантастически повезло: Тоня старалась ни на шаг не отходить от мужа, а найдя гриб, радостно звала и даже приминала траву вокруг, чтобы благоверный мог лучше рассмотреть и оценить находку. Там же, в лесу, они хотели наедине вознаградить себя за опасливые неудобства тесной дедовой избенки, но, как на грех, угодили в муравейник и еле спасли белую Тонину попу от страшного покусательства...

Вскоре Свирельников встретил возле сельмага Витьку Волнухина с молодой женой Аней и поначалу не узнал. Спасибо, дед в бок толкнул:

— Эвона, дружок твой с половиной идет!

— Какой дружок?

— Да Витька — какой же еще?

— А он тоже женился?

— Ага, на медсестричке.

Волнухин за те годы, что не виделись, превратился в здоровенного жилистого мужика с синими якорными наколками на руках. Аня же была темноволосой грациозной толстушкой. Вечером они собрались в волнухинском доме, точнее, на половине, выделенной молодым после свадьбы. Витька гордо включил магнитофон «Нота» с песнями только что умершего Высоцкого:

А русалка – вот дела! – честь не долго берегла
И однажды, как смогла, родила.
Тридцать три же мужика не желают знать сынка:
Пусть считается пока сын полка...

Аня ахнула, узнав, что Миша и Тоня были на панихиде в Таганском театре. «Святой человек» Валентин Петрович курировал от ЦК траурное мероприятие и помог с пропусками.

– А правда, что он держал в гробу черную розу? – с благоговением глядя на очевидцев, спросила она.

– Белую, – с мягким столичным снисхождением поправила Тоня.

Аня старательно сервировала стол, демонстрируя, что у них тут тоже все по-городскому, и своими черными выразительными глазами показывала мужу на приборы: мол, что ты, как деревня, без ножа ешь! Витька рассказывал про флот, про то, как на первом году ему, «салаге», «годки» приказали для смеху рашпилем отпиливать лапу якоря.

– А я знаешь что сделал?

– Что?

– А он попросил у мужиков в доке автоген и срезал! – с гордостью сообщила Аня.

– Вот так и срезал? – покачал головой Свирельников.

– Да, – совершенно серьезно подтвердил друг детства. – Кипеж был жуткий! Комиссия приезжала, старшину разжаловали, а замполиту вкатили выговор за плохую работу с личным составом.

– Старшина-то, когда исключали из партии, оправдывался, что с молодыми всегда так шутят! – разъяснила Аня, помнившая всю эту историю наизусть. – Кто ж знал, что Витька автогеном! Он у меня смышленый! – Она с неловкой еще нежностью погладила мужа по плечу.

— А тебе что сделали? — насмешливо спросил лейтенант Свирельников, слышавший от флотских эту байку раз двадцать. — За порчу военного имущества срок должны были дать!

— А что мне? — заюлил друг детства, чувствуя угрозу разоблачения. — Мне ничего. Я же приказ выполнял... А как там, в Питере? Говорят, всегда в магазине пиво есть?

— А как же без пива! — кивнул выпускник «Можайки», давая понять, что щадит враля только ради его доверчивой супруги.

Потом пили за будущего генерала Михаила Дмитриевича Свирельникова и соответственно за будущую генеральшу. За будущего председателя колхоза «Волжская заря» Виктора Николаевича Волнухина и соответственно за будущую председательшу. Закусывали солеными рыжиками и говорили, конечно, о грибах.

— Грибного царя-то никто больше не находил? — поинтересовался Свирельников.

— Уж и царя! — усмехнулась Аня.

— Она не местная — не верит, — объяснил Витька и с чувством обнял жену.

— А если бы нашли — что загадали бы? — вдруг спросила Тоня.

— Я бы — дом. Свой... Отдельный! — не задумываясь, ответил Витька.

— Я — чтобы наша сборная выиграла... — сказал Свирельников.

— Я — чтобы любовь не старела вместе с нами! — весело объявила Тоня.

— А я... я... — растерялась Аня. — Чтобы мир во всем мире!

Они расхохотались и выпили за мир во всем мире.

Просидели до рассвета. Потом глянули на жестяные ходики и ахнули. Вышли на улицу. В воздухе пахло утренней рекой. Хрипло, словно с похмелья, перекликались петухи. За мутно-синим заречным лесом вспухало рыжее солнце. Над Волгой тянулся слоистый туман. Казалось, текут две Волги — одна тяжелая, полная рыбы и водорослей, а другая — легкая, молочно-бесплотная.

— Знаешь, что это такое? — спросила Тоня, кивая на дымку, поднимающуюся над розовеющей водой.

— Туман.

— Нет, это душа реки. Во время сна душа реки, так же, как и человеческая, отделяется от тела и странствует...

— Фантазерка ты!

— Это плохо?

— Это замечательно!

— А ты знаешь, что означает «Ельдугино»?

— Дед говорил, тут елки в лесу бывают выгнутые дугой.

— Елки? Не-ет! Это... Как бы объяснить... «дразнильная» топонимика.

— Не понял...

— Не понял? А откуда берутся Дураково, Криворылово, Задово, тоже не понимаешь?

— Откуда? Из народа...

— В общем, правильно. Карты ведь люди составляют. Ходят, записывают географические названия. Пришли, например, в Селищи, устали, а вдалеке еще одна деревня виднеется — Шатрищи, допустим. Идти туда сил нет. Тогда они у местных и спрашивают: «Как, братцы, называется вон тот населенный пункт?» А у селищинских с шатрищинскими, возможно, давняя вражда. Из-за девок, скажем. Местные на голубом глазу и отвечают топографам: «Елдугино, родимые!» Понял, от какого слова?

— Елда? — изумился Свирельников.

— Фу! Мог бы вслух не произносить! А еще офицер!

— Прости, огрубел в казарме!

— Прощаю! Ну, они на карте так и записывают: «Елдугино». А что написано пером... Сам знаешь. Селищинские радуются, что соседей уели, а те, оказавшись вдруг обитателями деревни с неприличным названием, переименовывают ее срочно в «Ельдугино», чтобы не так стыдно было. Вот такие кривые ели!

— Ты это только сейчас придумала?

— Может, и сейчас...

— Или правда?!

— Может, и правда!

— Значит, Елдугино?

— Значит...
— Значит, от слова...
— От слова, от слова...
— А ты не боишься, — многообещающе насупился Свирельников, — такого названия?
— Он пугает, а мне не страшно! — засмеялась Тоня.
Поспать несчастной учительнице они так и не дали...

Но в Ельдугино в тот, окончательный, год поехать не получилось, хотя Свирельников купил даже новую корзину для грибов. Туристическая фирма «Эдем Плюс», в офисе которой «Сантехуют» менял трубы и устанавливал новый итальянский фаянс, расплатилась горящими путевками на Сицилию. Отказаться сил не хватило. Две недели они с Тоней объедались и обпивались «олинклюзинговой» халявой, уступая в чревоугодии разве что немцам: те жрали и пили так, словно завтра их должны были расстрелять. Германцы специально купили в супермаркете пластмассовые пятилитровые канистры и коробочки, чтобы в обед и в ужин заправлять их дармовым вином и набивать жратвой, а потом, собравшись на большой лоджии, резались в карты, до глубокой ночи оглашая окрестности пьяными гортанными воплями.

«М-да, — лениво думал Михаил Дмитриевич, — если они так ведут себя на отдыхе в союзной Италии, можно вообразить, что их деды вытворяли в снегах Смоленщины и почему русский народ валом валил в партизаны».

А времени для размышлений у него было достаточно. Целыми днями он лежал на пляже, пялился на загорающих без лифчиков девиц и напевал себе под нос:

Topless, topless!
Топ-топ — и в лес!

— Что ты там бормочешь? — морщась, спросила Тоня: у нее от острой итальянской кухни и дешевого столового вина обострился колит.
— Да так... Ерунда.

Но нет, это была не ерунда! Бацилла «сначальной» жизни опасно размножилась в его душе и уже доедала иммунитет спасительной мужской лени, которую иногда еще именуют постоянством и которая сберегает сильный пол от того, чтобы заводить семью с каждым освоенным женским телом. Обычно, кстати, на отдыхе, в покое, восстанавливалось и плотское единство Свирельниковых, подорванное будничной нервической суетой. Ведь, в сущности, объятья пожизненных супругов есть не что иное, как попытки досодрогаться до прежних, первых, ярких ощущений любви. Конечно, вернуться в то сумасшедшее начало невозможно, но поймать в брачной постельной рутине его пьянительные отголоски иногда получается именно на отдыхе, когда можно прислушиваться к себе и безмятежно, целыми днями караулить забытую негу, словно суслика возле норы...

Но там, на Сицилии, не получилось даже этого. Свирельников, почти еженощно исполняя курортный супружеский долг, чувствовал во всем теле, саднящем от пляжного перегрева, какую-то тупую дембельскую скуку...

За день до отлета домой их повезли на экскурсию в знаменитые Палермские катакомбы. По стенам большого монастырского подвала, несколько веков заменявшего кладбище, висели мумифицированные до размеров страшных кукол покойники в истлевших старинных одеждах. Особо Михаила Дмитриевича поразила галерея невест, угодивших под землю прямо в своих кружевных подвенечных платьях и высохших здесь, на затхлых сквозняках, сжимая в руках свадебные букетики.

«Интересно, а как выглядит мумифицированная девственность?» – подумал Михаил Дмитриевич.

Он даже хотел поделиться этой пикантной мыслью с молодым московским бизнесменом Кириллом, с которым близко сошелся на уважении к граппе, но тут кому-то из молодежи стало плохо, и понадобилась мужская сила – на вынос.

Эта смерть, не спрятанная в почву, а выставленная на всеобщее обозрение, и стала, кажется, последней каплей. Свирельников с леденящим ужасом почувствовал в своем вполне еще жизнерадостном теле этот неодолимый тлен, который нельзя остановить, но который можно загнать вглубь, перебить новизной, как перебивают трупный запах ладаном, миррой или чем там еще!

Когда летели в Москву, он накачался вместе с Кириллом, громко хохотал, на весь самолет рассказывал похабные анекдоты и пел:

Topless, topless!
Топ-топ — и в лес!

Умудрился даже с шепотливой хмельной конспиративностью (то есть по-дурацки, прилюдно) выклянчить телефончик у стюардессы, похожей на Бельмондо, сделавшего операцию по изменению пола.

— Лучше бы мы в Ельдугино поехали! — вздыхала, чувствуя непоправимое, Тоня. — Может, нашли бы Грибного царя...

22

Грибы Светка пережарила и, видимо, не очень хорошо отмыла: на зубах противно скрипели песчинки.

— Вкусно? — спросила она, умильно глядя на жующего Свирельникова.

— Офигительно!

— А где растут белые?

— На пальмах.

— Я серьезно!

— Ты что, никогда грибы не собирала?

— Нет. Я рыбу ловила. С папой. Мы на Медвежьи озера ездили. А мама ругалась...

— Почему?

— Она говорила: «Там, где кончается асфальт, там кончается жизнь...»

— Ерунда! Жизнь начинается как раз там, где заканчивается асфальт!

— Папа тоже так говорил!

Светкина мать оказалась хорошо сохранившейся, стройной и явно не безутешной вдовой. Судя по некоторым признакам, например по особенному, звательному, выражению глаз, утешилась она давно, возможно, еще до преждевременной смерти супруга. Ей довольно скоро стало известно о связи дочери со зрелым мужчиной, к тому же еще и бизнесменом. Несколько раз через Светку она передавала Михаилу Дмитриевичу приглашения заехать как-нибудь вечером на чай, но он не придавал этому значения, как, впрочем, и своему неожиданному роману с жизнерадостной студенткой — сокурсницей Алены.

Но вот в один прекрасный день в кабинет вошла Нонна и с обидчивой подозрительностью доложила:

— К вам какая-то Татьяна Витальевна.

— Она записана? — удивился Свирельников.

— Нет.

— По какому вопросу?

— По личному! — усмехнулась секретарша.

Михаил Дмитриевич поначалу решил, что это без звонка заявилась к нему одна из тех бизнес-дам, что приходили на Беговую смотреть заоконные скачки. Познакомившись со Светкой, он стал уклоняться от встреч с прежними подругами, несмотря на их настойчивые предложения продолжить конно-спортивные отношения. И вот теперь, наверное, самая соскучившаяся (вроде бы действительно была одна по имени Таня) не выдержала одиночества и нагрянула для разъяснения перспективы. Но когда в кабинет вошла крашеная брюнетка в темном брючном костюме, он сразу сообразил: эта дама на скачки к нему никогда не заглядывала.

— Здравствуйте! Я Светина мама... — сообщила женщина выскочившему из-за стола директору «Сантехуюта».

С этими словами дама достала из сумочки и протянула ему визитную карточку, из которой следовало, что ко всему прочему она еще и кандидат технических наук.

— Очень приятно. Кофе или чай?

— Кофе... — оценив самообладание поседелого бойфренда своей юной дочери, улыбнулась визитерша.

Пока Михаил Дмитриевич вызывал Нонну и распоряжался насчет кофе, пока ругался по телефону с хозяином «Астарты», взбешенным срывом сроков, пока забегала бухгалтерша подписать «платежку», пока секретарша с неуловимым презрением к зряшной посетительнице расставляла чашки, Татьяна Витальевна внимательно разглядывала кабинет и хозяина. При этом на лице ее блуждало выражение иронического недоумения, означавшее примерно следующее: «Нелепо, конечно, что такой серьезный и не лишенный приятности мужчина увлекся юной дурочкой, а не достойной, следящей за собой опытной женщиной средних лет! Но, раз уж такое произошло, надо что-то делать...»

Разумеется, она была прекрасно осведомлена о предыдущей неслабой личной жизни дочери и явно не собиралась заводить трагическую, как выражалась Светка, «чухню» про сломанную девичью судьбу. Дама пришла для делового разговора, и Свирельникову даже стало любопытно, что именно попросит у него Татьяна Витальевна. Она закурила длинную коричневую сигарету, изящно пригубила кофе и внимательно посмотрела на директора «Сантехуюта»:

— Ну, и что мы теперь будем делать, Михаил Дмитриевич?

— В каком смысле?

— А вы считаете ситуацию двусмысленной?

— В общем, нет...

— Но вы, по крайней мере, согласны с тем, что мы отвечаем за тех, кого приручили?

— Согласен, — кивнул Михаил Дмитриевич и в этот момент почувствовал, что разговаривает с ровесницей, тоже возросшей на «Маленьком принце».

— Это хорошо!

— Но если вы имеете в виду брак... Это исключено. Я несвободен...

— Какой брак? О чем вы! — совершенно искренне удивилась, даже опешила гостья. — Она же еще девчонка! Я имею в виду только ответственность! Вы взрослый, мудрый, а она только начинает жить! Ей надо помочь.

— Да я вроде бы ничего для Светланы не жалею...

— Я знаю, вы добрый! Но вашу доброту надо... понимаете... систематизировать.

— Вот как?

— Да, именно так!

В общем, договорились, что он будет платить за институт: оказывается, Светка недобрала полбалла и училась на коммерческой основе. Кроме того, со смерти мужа прошло много лет, и за это время в квартире ни разу не делали ремонт. Наконец, сама Татьяна Витальевна — еще вполне молодая женщина — планирует завести новую семью и в этом смысле не стала бы возражать, если бы Михаил Дмитриевич, человек явно не бедный, снял для Светки отдельное жилье. После того как Свирельников подтвердил готовность соответствовать всем кондициям-опциям, она благодарно посмотрела на него, а уходя, остановилась на пороге и произнесла с доронинским придыханием:

— Михаил Дмитриевич, прошу вас, будьте к ней подобрее! Света очень любила отца. Очень! — и стремительно вышла, словно не хотела, чтобы он увидел брызнувшие из ее глаз слезы.

Вскоре Свирельников нашел удобную квартирку в Матвеевском, куда его юная подружка радостно перебралась...

— Хочу в лес! — закапризничала Светка и уселась к нему на колени. — В лес хочу! Туда — где жизнь!

— Я не могу. Ты же знаешь...

— У тебя никогда для меня нет времени!

«У меня и для себя нет времени», — подумал он и, снова вспомнив про «Боевой привал», пообещал:

— Хорошо, поедем в лес за грибами!

— Когда?

— Скоро.

— На лыжах поедем, да? Зимой? Да?! В Испанию мы уже полгода едем!

— В Испанию пока нельзя. Надо кое с чем здесь разобраться. Есть у большевиков такое слово «надо». Знаешь?

— Слово знаю, и кто такие большевики, тоже знаю.

— Ну и кто?

— Гады.

— Почему — гады? Кто тебе сказал?

— Инна Ефимовна. Историчка.

— Так уж все и гады?

— Нет, не все. Дедушка у Инны Ефимовны тоже был большевиком, но не гадом. Он просто искренне заблуждался.

Этих песен Михаил Дмитриевич вдоволь наслушался от Тониных родственников и знакомых, происходивших в основном от старых революционеров и даже не сомневавшихся в том, что их дедушки и бабушки были самыми замечательными, кристально чистыми людьми, которые за всю свою жизнь не обидели даже классово чуждой мухи. За это и пострадали от Оськи Ужасного. Однажды на шашлыках у «святого человека» молодой, еще неопытный Свирельников высказал недоумение: мол, если все были такими ангелами, кто же пролил, так сказать, водохранилища крови? В ответ на него посмотрели с недоумением, а на Тоню — с осуждением. Потом, видимо по просьбе Полины Эвалдовны, разъяснительную работу с ним провел Валентин Петрович: посоветовал своему новому родственнику никогда больше не вмешиваться в чужую историю болезни...

— Что ж тебе, бедненькая, так с педагогами не повезло! — засмеялся Михаил Дмитриевич, качая Светку на ноге, как маленькую, но чувствуя кожей ее влажную женственность. — Одни зонтики поганками называли, другие большевиков — гадами!

— Зато мне с тобой повезло!

— Уверена?

— Уверена!

— Тогда запоминай, пока я жив: большевики — не гады, это люди, у которых всего больше: мозгов, власти, денег, злости... Всего! В отличие от меньшевиков.

— Значит, ты — большевик?

— В определенной степени.

— А папочка мой, получается, меньшевик. У него всего всегда было мало. Поэтому мама сердилась. Я-ясно! — вздохнула Светка. — Чай?

— Зеленый...

— Жасминовый?

— Да!

Она вскочила с его колена, одним танцевальным прыжком оказалась возле кухонного стола, включила электрочайник и, встав на цыпочки, потянулась к полке за банкой с чаем. Осанка у нее была идеальная, талия узкая, а бедра собранные. Отец хотел сделать из дочери гимнастку, несколько лет возил на занятия, пока не заболел, а мать пустила все на самотек, и спорт пришлось бросить, хотя тренеры уговаривали, суля большое будущее.

Михаил Дмитриевич познакомился со Светкой случайно, когда в очередной раз приехал в институт спасать Алену. Ему позвонила Тоня и сообщила, что дочь завалила сессию, ее отчислили, сделать ничего нельзя — приказ на подписи у ректора.

— Я тебе за что плачу?! — заорал он в трубку.

— А за что ты мне платишь? — с издевкой спросила бывшая жена.

— Чтобы ты за дочерью смотрела!

— Значит, мало платишь, — ответила она омерзительным колхозным голосом и бросила трубку.

Разошедшиеся супруги, видимо, специально в первое время становятся чудовищами. Они делают это, наверное, чтобы уравновесить прежнюю доброту и давнюю, доходившую до глупого сюсюканья нежность. Именно воспоминания о хорошем язвят и гложут больней всего. И эту память необходимо убить ненужной, крикливой жестокостью. А потом, позже, когда нынешняя злоба уравновесит былую нежность, наступит тупое успокоение, и родные некогда люди смогут перейти к новым, бесстрастным, деловым отношениям...

В институте Свирельников с трудом нашел куратора курса — молодую, бедно одетую женщину с академической тоской во взоре. Она объяснила, что Аленка почти не появлялась на занятиях весь семестр, поэтому до экзаменов ее не допустили и теперь ничего уже нельзя сделать.

— Совсем ничего? — уточнил Михаил Дмитриевич.

Кураторша глянула на его галстук, потом оценила глянцево-черные, как кожа негритянской кинозвезды, ботинки и задумалась. Он хотел для полной убедительности выдернуть из рукава запястье и показательно глянуть на свой «Брайтлинг». Но потом сообразил: слишком уж выставлять благополучие перед этим сирым ученым существом неприлично и даже опасно. В последнее время ему все чаще приходилось сталкиваться с очевидной классовой неприязнью, о существовании которой еще совсем недавно он и не подозревал. Даже родной младший брат, встречая его на пороге, кривился и говорил что-нибудь наподобие: «Мам, иди сюда, наш буржуин пришел!»

— Попробуйте поговорить с Вадимом Семеновичем! — после долгого молчания тихо посоветовала кураторша.

— А кто это?

— Ректор. Но к нему очень трудно попасть... — пояснила она и глянула так, точно ожидала чаевых.

В свежеотремонтированную приемную, разительно не похожую на обшарпанные институтские коридоры, Михаил Дмитриевич вошел неотразимой поступью человека, профессионально умеющего заходить в самые высокие кабинеты, без чего, собственно, в России невозможен никакой бизнес.

— У вас новая прическа? — с порога почти интимно спросил он неведомую ему секретаршу.

— Да-а... – зарделась она.

Не проявив никакой особой проницательности (недавнее парикмахерское вмешательство в волосяной покров сразу бросается в глаза), он тем не менее произвел на девушку впечатление, которым необходимо было воспользоваться как можно быстрее, пока властительница приемной не сообразила, что перед ней обычный, не имеющий никаких привилегий посетитель.

— Один? — Михаил Дмитриевич заговорщически кивнул на дверь.

— Да. Но Вадим Семенович... — Она потянулась к телефонной трубке.

— Не надо! — предостерег Свирельников. — Это сюрприз! — И распахнул дверь.

Кабинет роскошью настолько же отличался от приемной, насколько приемная отличалась от разваливавшихся прямо на глазах институтских аудиторий. Вадим Семенович, седой, красномордый плейбой, был одет в легкомысленный клетчатый пиджак, совершенно не вязавшийся с его одутловатой ряхой, густо изрезанной блудливыми морщинами.

«А он ведь еще небось и студенток портит!» — подумал про себя Свирельников, решительно приближаясь к ректору.

Тот недоуменно поднялся из вращающегося кожаного кресла. Лицо его приняло то особенное, промежуточное выражение, какое случается у руководителей, когда к ним входит неопознанный субъект. Ведь сразу не определишь, кто пришел: никчемный попрошайка или важная, а то и проверяющая особа! Из этого срединного состояния лицо может мгновенно набрякнуть праведным гневом, а может, наоборот, расцвесть радостью долгожданной встречи.

— Свирельников! — значительно отрекомендовался Михаил Дмитриевич и протянул визитку. — Мы с вами, кажется, встречались в Академии Интеллектуального Развития.

— Возможно, — настороженно кивнул ректор.

Академия Интеллектуального Развития (АИР) была странной, ни к чему не обязывающей шарашкой, где в качестве действительных членов числилось десятка два довольно крупных деятелей, а все остальные академики и членкоры имели к интеллектуальному труду такое же отношение, как кучер Шопенгауэра к философии. Свирельников купил свой златотисненый диплом за полторы штуки долларов да еще платил взносы — 200 баксов. За это его раз в год приглашали на банкет в Дом ученых, где можно было чокнуться с крупным министерским начальником, космонавтом или завести знакомство с таким вот вузовским хмырем, вроде этого ректора.

— Видите ли, Михаил Дмитриевич, — осторожно начал Вадим Семенович, незаметно сверившись с визиткой, и его физиономия приняла выражение глубочайшей административной скорби. — Деньги на ремонт нам, конечно, выделены. И я рад, что министерство остановило выбор на вашей уважаемой организации. Хм, «Сантехуют»... Название хорошее, оригинальное. Но ведь этих средств далеко не достаточно. Вот, только начали, — он обвел застенчивой рукой кабинет, — и деньги закончились. Поэтому до сантехники дело дойдет не раньше конца следующего года...

Произнеся это, ректор заметил, что дверь в комнату отдыха открыта и гостю хорошо видна угловая сауна, а также дорогущая душевая кабина.

— Я, разумеется, имею в виду общеинститутский масштаб... — пояснил он.

«Ну жучила!» — мысленно восхитился Свирельников, а вслух сказал:

— Я понимаю! Денег на ремонт всегда выделяют меньше, чем следует. Но ведь в вашем институте учатся дети серьезных родителей. Могли бы скинуться на благоустройство!

— Совершенно правильно... — ректор снова сверился с карточкой, — Михаил Дмитриевич! — И вдруг у него появилось сомнение. — А вы, собственно, по какому вопросу?

— По личному.

— Точнее, пожалуйста!

— Вы собираетесь отчислить мою дочь — Алену Свирельникову.

— По-моему, уже отчислили. — Вадим Семенович порылся в красной папке и вытащил оттуда бланк с приказом, действительно подписанным. — М-да, приди вы на час позже, и ничего уже нельзя было бы сделать! Отправили бы в министерство...

— Значит, можно восстановить?

— Практически невозможно. Ваша дочь демонстративно нарушала учебную дисциплину, не посещала занятия...

— Может быть, ей просто не хотелось заниматься в таких... аудиториях? — улыбнулся Михаил Дмитриевич.

— Это неудачная шутка! — побагровел ректор.

— А я не шучу! Я готов сейчас же внести деньги в родительский фонд реставрации института! — Свирельников демонстративно полез за бумажником.

— Минуточку, — встревожился Вадим Семенович. — Давайте я сначала покажу вам хотя бы проект нашего нового компьютерного центра! — И он внимательно посмотрел в глаза посетителю.

В его взоре светился мучительный и тревожный вопрос, терзающий всякого осторожного взяточника: брать или не брать?

— Конечно, покажите! — кивнул Свирельников и привычно придал своему взгляду даже не выражение, а неуловимый оттенок ласкового сообщничества.

Ректор все понял, счастливо вздохнул, схватил со стола бумагу, карандаш и чиркнул четырехзначную цифру, потом вложил листочек в папку, протянул ее Свирельникову и деликатно отошел к окну.

— Очень интересный проект, — молвил Михаил Дмитриевич, шелестнув ксероксными страницами и вложив доллары.

— Правда ведь, интересный? — радостно обернулся рачительный мздоимец.

— Чрезвычайно!

Вадим Семенович забрал проект, пролистал его для уверенности, потом взял в руки приказ, тяжело вздохнул, разорвал на четыре части и бросил в корзину.

— Заставьте вашу дочь учиться! — почти жалобно попросил он, провожая гостя к двери. — Это небрежение образованием кончится цивилизационным крахом. Понимаете, Россия не сумеет ответить на техногенный вызов времени! Представляете, чем это грозит?

— Представляю! — вздохнул Михаил Дмитриевич.

Из кабинета он вышел в отличном, всемогущем расположении духа. Такое настроение бывало у него всегда, если удавалось выполнить намеченное, и не важно, что это — подписание крупного контракта или точно рассчитанный, быстрый проезд через гиблые московские пробки. Главное — сделать так, как хотел!

23

На первом этаже института, в шумном замусоренном вестибюле возле большого окна устроилась молодежь. Развязный парень с цветным гребнем на голове и серьгой в ухе, сидя на подоконнике и кривляясь, балабонил что-то на совершенно непонятной молодежной фене, а рассевшиеся на полу студенты слушали его восторженно и хохотали дурными голосами. Михаил Дмитриевич покачал головой и подумал, что, может, Аленка и правильно не ходит в этот институт... Действительно, с ума сойдешь, когда вокруг красномордые жучилы и гребнеголовые идиоты!

Вообще-то дочь Свирельникову досталась никудышная. Иногда возникало такое чувство, словно она устала еще в материнской утробе и теперь, вынужденная существовать, живет с какой-то утомленной ненавистью к назойливому миру. Странно: лет до двенадцати это был жизнерадостный, говорливый, смешливый, ласковый ребенок. Как они играли в «куклограммы»! Как играли! А потом — будто цыгане подменили... Из школы приползала, точно с каторги, запиралась в своей комнате и листала разную гламурную муру, со злорадством выискивая у топ-моделей разные женские дефекты, а найдя, отправлялась на кухню к матери:

— Посмотри!

— Что?

— На нос посмотри!

— Длинноват.

— Если бы у меня был такой нос, я бы повесилась!

В десятом классе Тоня нашла у нее на столе проспект какой-то жульнической Всемирной Академии Звезд (ВАЗ), обещавшей за два года из любой абитуриентки изготовить новую Джулию Робертс, годную к употреблению даже в Голливуде. Жена, как она это умеет, высмеяла дочкины кинобредни, а Михаил Дмитриевич срочно подобрал правильный институт. Алену обложили репетиторами, которые всякий раз, получая деньги за занятия, рыдали, что девочка совершенно не желает учиться и обязательно провалится, даже если всучить каждому члену приемной комиссии хорошую взятку. Накануне экзаменов Алена выдала, что вообще никуда поступать не собирается, и объявила йогуртовую голодовку. Свирельников, в ту пору занятый серьезным, чуть не до стрельбы доходившим конфликтом с фирмой «Мойдодыр Лимитед», обозвал дочь дебилкой и решил в крайнем случае просто купить дочери диплом. Но Тоня, надо отдать ей должное, проговорила с Аленой всю ночь, в результате бездельница сдала на все пятерки. Даже репетиторы (некоторые из них сидели в приемной комиссии) обалдели: четкая, собранная, смышленая. Ну, просто другой ребенок! А первого сентября Нонна внесла в кабинет Свирельникова перевитую шелковой лентой коробочку. Внутри оказался Аленин студенческий билет и открытка с надписью: «Дорогому папочке. От дебилки».

А потом она снова впала в брезгливо-равнодушное полубытие...

Вдруг гребнеголовый парень перестал нести рэповую околесицу и, указав на Свирельникова, шепнул что-то студентке, одетой в зеленую майку с надписью «Of course!» и странные бесформенные портки. Девушка быстро поднялась с пола, передала банку пива подруге и бросилась наперерез Свирельникову, уже подходившему к двери.

— Извините! — сказала она, запыхавшись. — Подайте бедным студентам на пропитание!

— Голодаете? — весело уточнил Михаил Дмитриевич и с интересом оглядел ее разноцветные волосы и штаны, похожие на хохляцкие шаровары, для смеха пошитые из джинсовой материи. (Про такие дед Благушин сказал бы: «Мотня, как у коня».)

— Ужасно! — Студентка состроила страдательную рожицу.

— Бедные дети! — вздохнул он, оценив попрошайное изящество малолетки, и вынул из кошелька десять долларов.

— Ого! — воскликнула девушка, схватив купюру. — Вы очень добрый... папашка!

— А разве твой отец недобрый? — холодно спросил Свирельников: ему очень не понравилось слово «папашка».

— Он умер, — так же весело ответила девушка, но глаза ее погрустнели.

— Извини! Я не хотел...

— Не грузитесь! Это было давно.

— Ты с какого факультета? — спросил он просто так, чтобы не заканчивать разговор на неловкости.

— С международной экономики.

— Неужели! Алену Свирельникову знаешь?

— В нашей группе учится. Только я давно ее не видела.

— Скоро увидишь. Тебя как зовут?

— Света.

— Вот что, Света, хочешь еще заработать?

— Аск!

— Тогда будешь мне звонить каждую неделю и рассказывать, как Алена ходит на занятия. — Он достал из позолоченного футлярчика визитку и отдал девушке.

— Ага, стучать на однокурсницу? По телефону?!

— Не стучать, а информировать для ее же пользы. В конце месяца — двести долларов. Договорились?

— Вау! Президент ЗАО! — воскликнула девушка, рассматривая карточку. — Договорились! А можно каждую неделю — по пятьдесят?

— Можно! — засмеялся Свирельников.

Светка повернулась к нему спиной и, превозмогая неудобные штаны, побежала к друзьям, помахивая над головой зеленой бумажкой. Те восторженно заорали, благословляя за внезапную удачу своих студенческих богов.

Через неделю Светка приехала к нему на Беговую и прыгнула в постель. Нет, не в переносном, а в самом прямом смысле. Сначала она, получив обещанные деньги и выпив мартини, с восторгом наблюдала, как носятся под окнами конные упряжки. Затем объявила, что тоже вполне могла бы стать жокеем. Когда же Михаил Дмитриевич объяснил, что эта работа требует очень серьезной спортивной подготовки, Светка засмеялась, выбежала на середину комнаты, мгновенно выскочила из своего бесформенного джинсового кокона, сняла майку и осталась в одних трусиках. У Свирельникова перехватило дыхание, а в висках застучали дурацкие слова:

Topless, topless!
Топ-топ — и в лес!

Без одежды студентка выглядела не просто стройной и спортивной, как почти все в ее возрасте. Нет, легкое, почти мальчишеское тело было осиянно той редкостной, неизъяснимой, зовущей женственностью, которая превращает мужчин в готовых на все идиотов. Светка и сама, кажется, еще не понимала своего телесного дара, относясь к нему и распоряжаясь им с простодушной тинейджерской расточительностью. Она лихо села на шпагат, затем изящно перекувыркнулась, а потом, совершив головокружительное сальто, приземлилась на широкую кровать. Отдышавшись, спросила:

— Ну и как?

— Потрясающе!

— Мне одеться или вы разденетесь?

Ночью он проснулся и долго смотрел на белевшее в темноте тихое Светкино лицо. Михаил Дмитриевич уже догадался, что перед ним, надурачившись, нахохотавшись, налюбившись, лежит не случайная одноразовая девчонка, а его, Свирельникова, «сначальная» жизнь. Он это понял, потому что впервые за много-много лет его плоть, усталая от слагательных движений страсти, полнилась не самодовольным покоем и даже не блудливой мужской гордостью, а некой, давно забытой болезненно-неудовлетворенной нежностью. Насытившееся тело не передало свое умиротворение душе, которая продолжала мучиться неприкаянным вожделением так, словно обретенная плотью бурная взаимность к ней, к душе, не имеет никакого отношения. И он понял, что так теперь будет всегда...

— Микки, у тебя как сегодня настроение? — спросила Светка, ставя перед ним чашку с чаем.

— Не очень, — сознался он.

— Ну, тогда скажу! До кучи...

— Что такое?

— У меня для тебя два месседжа...

— Один хороший, другой плохой, как в анекдоте?

— Один — точно плохой. Второй — как посмотреть.

— Говори! — потребовал он, почувствовав болезненную слабость в сердце.

— Аленку снова отчислили. За прогулы. Я приказ на доске видела... — с ехидным сочувствием наябедничала Светка.

— Вот мерзавка! Она же обещала...

Девушка скорчила трогательную гримаску и ласково погладила Михаила Дмитриевича по голове, выражая полное сочувствие его отцовскому горю и намекая на то, что если с дочерью ему не повезло, то с ней — Светкой — совсем даже наоборот.

— Ладно, разберемся. Говори вторую новость!

— Давай, папочка, деньги — аборт буду делать!

— Какой аборт? — оторопел он.

— Понимаешь... — совершенно серьезно начала она противным голосом, напоминающим те, что гундосят за кадром в передачах «Дискавери». — Когда сперматозоид встречается с созревшей женской яйцеклеткой, происходит чудо зарождения новой жизни. Современная медицина знает несколько способов убивания этого чуда. Наиболее физиологичным считается...

Свирельников размахнулся и влепил ей пощечину. Она несколько мгновений сидела, изумленно глядя на него, потом захохотала и тут же заплакала. Михаил Дмитриевич сначала просто смотрел и удивлялся тому, что слезы не капают и даже не катятся, а буквально струятся по ее щекам. Потом ему стало от жалости трудно дышать, он прижал рыдающее тельце к себе и прошептал:

— Прости, я нечаянно!

— Ага, нечаянно! Со всей силы! — вдруг пролепетала девушка каким-то совершенно школьным голоском.

От этой школьности Михаил Дмитриевич совершенно ослаб и тоже почти заплакал, почувствовав во рту давно забытую жгучую сладость сдерживаемого рыдания.

— Сколько недель? — спросил он.

— Восемь.

— Почему молчала?

— Не знаю! Хотелось подольше помечтать, как я рожу тебе кого-нибудь...

— Вот именно — кого-нибудь! Мать-героиня... Завтра пойдем к врачу. Сейчас это с помощью вакуума делают. Быстро и надежно.

— Вакуума? И так один ва-аку-у-ум... — Она зарыдала в голос. — Зачем мне вакуум? Я ребенка хочу!

— Ты сама еще ребенок.

— Ага, как трахать меня — так не ребенок!

— Я тебя не трахаю, а люблю.

— Любят по-другому. А ты трахаешь, трахаешь, трахаешь...

— Ну, не плачь! — просил он, целуя соленые щеки. — Я больше не буду. Хочешь, пойдем куда-нибудь? В ресторан...

— Хочу. Когда? — деловито спросила девушка, вытирая слезы.

— Когда хочешь. Завтра.

— Завтра? Не обманешь? Ты всегда обещаешь, а потом у тебя то переговоры, то еще какая-нибудь чухня!

— Не обману! — Он погладил ее по голове, как гладил когда-то Аленку. — Что ты еще хочешь?

— Две вещи.

— Какие?

— Я куртку видела в «САШе»... Хочу!

— Нет вопросов.

— Дорога-ая!

— Нет вопросов. Еще? Вторая вещь?

— Это не вещь.

— А что это?

— Это ты.

— Я?

— Да — ты! Еще я хочу тебя. Прямо сейчас.

— Ты что, мазохистка?

— Не знаю, наверное... — улыбнулась Светка сквозь слезы и села к нему на колени.

В этот момент зазвонил «золотой» мобильник.

— Привет! Узнал?

— Конечно! — ответил Свирельников: голос Жолтикова, противоестественно ласковый, спутать было невозможно.

— Он подписал. Ты готов соответствовать вызову времени?

— Да. Когда?

— Возможно, сегодня. Команды еще не было, но может поступить в любой момент. Помнишь, сколько в справке должно быть страниц?

— В какой справке?

— В той самой. И мне пару страничек прихвати. За хлопоты.

— А-а, понял! — Свирельников догадался, что конспиративный Жолтиков подразумевает деньги для начальника департамента и пару тысяч для себя — за посредничество.

— Будь на связи! Как только — так сразу. Пока!

— Пока!

Обрадованный директор «Сантехуюта» отечески поцеловал Светку, ссадил с коленей и начал быстро одеваться.

— А как же я? — захныкала она.

— А ты готовься к вакууму!

24

Михаил Дмитриевич, чрезвычайно довольный звонком Жолтикова, по-школярски помахивая кейсом, весело спустился вниз. Джипа у подъезда не оказалось, хотя, по расчетам, Леша должен был бы уже вернуться. Директор «Сантехуюта» вместе с досадой вдруг ощутил в теле запоздалую готовность к любоделию, такую настоятельную, что даже решил ненадолго воротиться к Светке. Обдумывая солидный предлог для повторного появления (ведь нельзя же просто сказать девчонке, что накатило!), он в рассуждении огляделся и сразу охладел: на противоположной стороне большого внутреннего двора стояла серая машина. Но те самые «жигули» или другие, разглядеть с такого расстояния невозможно. А подойти ближе, помня алипановские наставления, Свирельников не отважился.

«Хоть бинокль с собой вози!»

В этот момент подъехал джип.

— Пробки! — виновато сообщил Леша.

— Забрал болтики?

— Забрал. — Водитель кивнул назад, в сторону багажника. — Два ящика. Еле дотащил со склада.

— Ничего. Дело богоугодное. А ты, кстати, в Бога-то веришь?

— Наверное...

— Как это — наверное?

— Ну, как сказать. Верю, что кто-то за нами смотрит и управляет. Не может ведь, чтобы все само собой делалось. Без ГАИ — такой бардак начнется!

— А сейчас, значит, не бардак?

— Бардак, конечно, но жить можно.

— Ладно, поехали!

— Куда?

Посмотрев на часы, Свирельников прикинул, что успевает заскочить к матери и разобраться с запившим Федькой.

— В Мневники! — приказал он. — Быстро!

Минка хоть и была забита машинами, но, к счастью, двигалась, а не стояла, как обычно. Вообще удивительно: ну какие, к черту, реформы и технотронные прорывы, если правительственную трассу разгрузить не могут! Носятся с мигалками по встречной — только людей бесят. И так всегда: пока к власти рвутся — все им плохо, все надо поменять и перестроить. А потом, как дорвутся до мигалок и на встречную полосу выскочат, оказывается, все в Отечестве нормально, ничего особенно менять не нужно. И так всегда...

Внимательно оглянувшись, Михаил Дмитриевич «хвоста» не обнаружил.

«Прямо как Штирлиц, едрена вошь!»

Зазвонил «золотой» мобильник, и на дисплейчике высветился номер Алипанова.

— Аллёу!

— Ну что?

— А у тебя как дела?

— Сначала показалось: снова появился, а сейчас вроде никого...

— Еще появится! — успокоил опер. — Значит, докладываю: «Сексофон» я пробил. Там, оказывается, мой бывший подчиненный крышует. Ни к тебе, ни к твоему Шутилкину никаких претензий. И вообще они такими вещами не занимаются. Врет, конечно...

— А кто же тогда за мной следил?

— А вот это вопрос действительно интересный! Мне надо подумать. Ты тоже подумай!

— О чем?

— О разном. Кому ты должен? Кто тебе должен? Могут быть и личные мотивы. Рога ты никому в особо крупных размерах не наставлял? За это тоже могут...

— Нет! Сказал же! А может, все-таки Фетюгин?

— Зачем?

— Ну, сначала не хотел отдавать. Нанял. Потом, когда ты его прижал, испугался, а заказ снять забыл.

— Забыл? Вряд ли. Скорее, людям отбой дали, а они могли сами, на свой интерес продолжить... Человек ты не бедный. Есть что взять. Версия, конечно, дохленькая, но проверить надо. Если что — сразу звони!

Нажав «отбой», Свирельников еще раз рассмотрел машины, двигавшиеся поблизости. Ничего подозрительного. С высокой эстакады Третьего кольца открылся вид на Москву, смутный и расплывчатый от смога, похожий на дорогую иллюстрацию, прикрытую для сохранности папиросной бумагой. Далеко впереди, справа от Университета, можно было рассмотреть высокий уступчатый силуэт нового «Фили-паласа», за который так долго и жестоко воевал директор «Сантехуюта». И отвоевал!

Михаил Дмитриевич победно вздохнул и набрал номер Зинаиды Степановны, но никто не снял трубку: когда брат входил в штопор, мать отключала телефон, чтобы не звонили собутыльники, на расстоянии чувствовавшие дружественный запой и желавшие приобщиться.

— Останови где-нибудь, торт купим! — приказал он водителю.

...Федька смолоду был гордостью семьи, школу окончил с серебряной медалью, учителя говорили, у мальчика замечательные способности, особенно к иностранным языкам. В семье его уважали. Когда младший сын делал уроки (они тогда еще жили в коммуналке), отец, чтобы не мешать, отгораживал телевизор листом фанеры, выключал звук и прикладывал к уху специальный наушник, сконструированный из старой черной телефонной трубки. Если на экране забивали гол, отец только багровел, разевал в беззвучном восторге (или негодовании) рот и колотил себя кулаками по коленкам. Старшему брату было обидно: ему-то в школьные годы такого уважения не выказывали.

Но в Иняз Федька, к всеобщему изумлению, провалился и был настолько потрясен, получив за сочинение тройку, что впервые серьезно напился. До этого на семейных торжествах он нехотя отхлебывал глоток-другой вина, поддавшись уговорам родственников. Свирельников как раз приехал в отпуск из Германии, и мать, увидев старшего сына в форме, прямо с порога отправила его в институт — разбираться. Мол, офицеру врать побоятся! Михаила Дмитриевича это задело: столько не виделись! Но и ее понять можно: Федька лежал на диване, отвернувшись к стене, отказывался от еды и ни с кем не хотел разговаривать.

Приемная комиссия работала, кажется, последний день, и, войдя в кабинет, Свирельников обнаружил там, как принято теперь выражаться, корпоративную вечеринку. Посредине канцелярского стола, на маленьком пространстве, освобожденном от скоросшивателей с документами абитуриентов, тесно стояли бутылки и лежала любовно порезанная прямо на оберточной бумаге закуска: любительская колбаска, мелкодырчатый ярославский сыр и крупные бочковые огурцы. На стопке протоколов расположился еще не начатый, посыпанный грецкими орехами медовик, изготовленный, очевидно, рукодельной сотрудницей.

Дежурный преподаватель, пятидесятилетний мужичок с внешностью вечного доцента, пировал вместе с тремя девицами, явными секретаршами. От тостов дело перешло уже к двусмысленным анекдотам, шуточкам, обниманьям, а также к игривому хихиканью, какое обычно издают женщины, когда к ним пристает начальник, спать с которым они вовсе даже и не собираются. Увидев позднего правдоискателя, все четверо посерьезнели и посмотрели на него с тоскливой ненавистью.

— У вас написано: прием до 18.00... — смущенно объяснил Свирельников.

Обнаружив, что до конца трудового дня осталось еще пятнадцать минут, доцент помрачнел, поднялся и, дожевывая, повел нежданного посетителя в свой маленький кабинетик, примыкавший к приемной.

— Свирельников? Федор?.. — наморщил он лоб, выслушав жалобу. — Ну да, помню! Насажал ошибок в сочинении. Приходили уже. Мать, кажется. Очень нервная женщина. Я же все ей объяснил. А вы-то, собственно, кто?

— Я, собственно, его старший брат. У него серебряная медаль, а ему тройку поставили.

— У нас тут золотые медалисты, как груши, сыплются. Он с кем готовился?

— В каком смысле?

— С какими преподавателями?

— Сам.

— Сам? — рассмеялся доцент. — Ну и чего же вы тогда хотите?

— А вы мне все-таки сочинение покажите! — насупился Свирельников.

— Да пожалуйста!

В сочинении действительно оказалось много ошибок. Одна даже совершенно дурацкая.

— Это со всеми случается! — видя его огорчение, посочувствовал преподаватель. — Меня сейчас посади сочинение писать, я тоже насажаю.

— Что же делать?

— Поступать в следующем году.

— Ему в армию.

— Ну, после армии! Армия ведь — школа жизни! Или как, товарищ лейтенант? — спросил доцент с презрительной иронией.

Показательную неприязнь интеллигентных «ботинок» к тупым «сапогам» Свирельников обнаружил почти сразу же, как, поступив в «Можайку», облачился в форму:

Как надену портупею,
Так тупею и тупею...

Доценту даже в голову не приходило, что сидящий перед ним лейтенантик получил на своем программистском факультете такое образование, какое ему, штатской крысе, не снилось! Со временем Михаил Дмитриевич понял: это презрение — просто-напросто скрытая, искаженная зависть, которую всегда испытывают «белобилетники» к мужчине с оружием!

Выручила Тоня, она попросила «святого человека», тот кому-то позвонил, и Федьку с теми же баллами приняли на вечернее отделение. Кроме того, Валентин Петрович устроил его лаборантом в засекреченный НИИ, откуда в армию не брали.

Языки Федьке, в отличие от старшего брата, давались легко. Свирельников еще в школе с английским измучился: прочтет текст, выпишет незнакомые слова в тетрадку, поучит и вроде даже запомнит. Через неделю те же слова попадаются. И что? Ничего. Помнит, конечно, что уже встречались, а что значат — не помнит. Заглядывает в тетрадку — ах, ну конечно! Теперь уж ни за что не забуду! Через месяц снова те же слова — и снова как чужие. Чего уж он только не делал: даже сортир листочками с лексикой обклеивал, чтобы, так сказать, в подкорку загнать. Отец, когда в туалет шел, так и говорил, усмехаясь: «Пойду-ка я английским займусь...» Федька же с первого раза запоминал и навсегда! Дал же Бог память! На втором курсе он уже подрабатывал техническими переводами с английского, да и по-немецки шпрехал вполне прилично. А потом вдруг стали создавать в неестественном количестве совместные предприятия: переговоры, соглашения о намерениях, фуршеты по случаю подписания контрактов. Федьку просто на куски рвали и платили очень прилично. На работу, в НИИ, он почти не ходил, а чтобы не уволили и не загребли в армию, приплачивал начальнику лаборатории: начинался великий перестроечный бардак.

Теперь неловко вспоминать, но, выгнанный из армии и зарабатывавший копейки в «Альдебаране», Михаил Дмитриевич часто одалживал деньги у младшего брата.

Внезапно Федька бросил институт («Теперь ваши дурацкие корочки никому не нужны!») и объявил, что женится. Родители едва эту Иру увидели, сразу поняли: бывалая девушка! Искусственная блондинка с вздыбленной грудью и «откляченной задницей», как определила мать. К тому же на три года старше жениха и без московской прописки — с Брянщины. Служила невеста секретуткой в кооперативе, куда Федьку часто приглашали переводить переговоры с зарубежными партнерами. А про то, что она раньше жила со своим шефом Тимуром, он не только знал, но даже, идиот, гордился: мол, отбил у такого крутого соперника!

Отговаривали его всей семьей, умоляли, в ногах валялись — бесполезно. Отец, к тому времени уже сильно болевший, нервничал и в конце концов объявил: прописать Ирку на площадь не позволит, пока жив. Вообще-то в душе он надеялся, что, узнав об этом, она сама куда-нибудь денется. Все были абсолютно уверены: замуж эта брянская хищница выходит исключительно из-за московской прописки. Наверное, именно такая обидная уверенность родственников и взбесила Федьку больше всего, он психанул, собрал вещи и, не оставив адреса-телефона, без всякой свадьбы переехал к Ирке. Оказалось, у нее есть уже и прописка, и даже однокомнатная квартира: шеф помог.

Но свадьбу все-таки сыграли, только из родни никого не пригласили. Потом позвонил Федькин одноклассник Алик и рассказал, что гуляли в «Кавказской сакле» (Тимур был не то грузином, не то осетином), вина выпили море, подарков нанесли гору, витиеватых тостов наговорили кучу. В общем, все было здорово — одно лишь показалось странным: со своим начальником Ирка целовалась чуть ли не чаще, чем с женихом. Узнав про это, Дмитрий Матвеевич так осерчал, что даже слышать больше не хотел о младшем сыне.

ТОМ 2

...В церкви Михаил Дмитриевич вгляделся в освещенное свечкой лицо брата и заметил то, чего меньше всего ожидал: обиду, не побежденную даже смертью отца. На поминках младшенький хлопал рюмку за рюмкой, при этом как-то лихорадочно оживлялся и охотно, многословно рассказывал про свою новую жизнь. Оказывается, за это время у него родился сын, которого назвали Русланом.

— А почему Русланом? — простодушно удивилась Тоня.

— А чем вам не нравится? — набычился Федька. — Хорошее русское имя!

— Ну, не совсем русское, — возразила Тоня (любовь к лингвистической достоверности иной раз делала ее совершенно невменяемой), — Руслан — это, скорее всего, искаженный этноним «россалан»...

— Россалан? — как-то сразу поскучнел Федька. — Ты думаешь?

— Какой еще россалан? — спросил Алик, сидевший рядом.

— Россаланы — иранское племя, возможно, предки нынешних осетин. Есть гипотеза...

— А что у тебя с работой? — спросил брата Свирельников, перебивая жену и одновременно пиная ее под столом ногой.

Тоня вернулась с лингвистических высот на землю, поняла свою оплошность и даже покраснела с досады. Но

Федька уже вдохновенно рассказывал о том, что переводами больше не занимается, так как открыл собственное дело. Очень выгодное. Совершенно случайно во время переговоров он познакомился с немцем Вальтером, который на своей фабрике в Касселе изготавливал под заказ дорогую стильную мебель из благородных пород дерева. В России его интересовал дуб, и он был готов платить за качественную древесину фантастические деньги в валюте. Федька сообщил про мебельного немца Ирке, а та сразу вспомнила о своем дяде, работавшем на Брянщине директором леспромхоза. Оставалось добыть начальный капитал, чтобы заготовить и вывезти первую партию высококачественного российского дубья.

Выручил, конечно, Тимур — договорился со своими земляками, и те дали в долг под приличные проценты. Тут подтянулся и Алик — у него оказались какие-то родственники на таможне. Немец пригласил будущих компаньонов к себе в Кассель, показал фабрику, по чистоте и стерильности напоминавшую огромную операционную, где по какой-то иронии резали не человеческую плоть, а древесину. Одноклассники вернулись домой, ошарашенные изобилием сортов фээргэшного пива, а Ирка, судя по всему, пораженная количеством спален в большом доме вдового мебельщика.

— А в ГДР сколько сортов пива? — спросил Федька брата.

— Ну, не знаю... Может, полсотни. Я пробовал сортов двадцать, — сознался Свирельников.

— И поэтому растолстел! — мстительно вставила Тоня.

— А в ФРГ сотни сортов! — в пьяной ажитации закричал Федька. — Понимаешь, сотни! И твои ракеты уже никому не нужны. Сегодня воюют пивом! И завоевывают пивом!

— Ну, так уж и пивом! — недоверчиво усмехнулся Михаил Дмитриевич.

— А вот увидишь! Спорим!

Федька оказался абсолютно прав: вскоре вся эта восточная немчура, оравшая на вечерах дружбы о том, что «навеки вместе, навеки вместе ГДР и Советский Союз», ломанула, сшибая Берлинскую стену, на Запад. Туда, где ни работы, ни уверенности, как говорится, в завтрашнем дне, но зато намного больше сортов пива и где не нужно по двадцать лет стоять в очереди за пластмассовым «трабантом». Да и вообще, разве можно всерьез рассчитывать на преданность побежденных?!

Свирельников, дело прошлое, даже завидовал тогда младшему брату Михаил Дмитриевич в ту пору только организовал кооператив «Сантехуют» и осваивал первую услугу — ремонт постоянно подтекавших сливных бачков. А тут сразу такой крутой, можно сказать, трансъевропейский бизнес.

Когда расходились с поминок, подвыпивший Свирельников с Тоней нацелились в метро, а Федька уселся в только что купленную подержанную «мазду».

— Не боишься пьяным ездить? — спросила Тоня.

— Не-а! У меня разрешение есть. Показать?

— Покажи!

— А вот! — Он вынул из кармана десять долларов и расхохотался.

Однако закончился Федькин бизнес чудовищно. Всю партию древесины им вернули, а контракт расторгли да еще выставили счет за поврежденное оборудование. Оказалось, дубы с войны были буквально начинены пулями и осколками. В тех местах шли страшные бои с немцами, о чем все в горячке новомыслия подзабыли. А тут пришло время возвращать долг, который компаньоны поделили пополам. Федька продал «мазду», перехватил даже какие-то смешные деньги у старшего брата и матери, но набрал только часть необходимой суммы.

Начались угрозы. Михаил Дмитриевич пытался помочь, однако среди серьезных бандюков у него тогда еще не было никаких связей, за исключением его первой «крыши» — спортсменов-боксеров из «Буревестника». Но когда они услышали, кому задолжал Федька, отказались даже близко подходить к разборке. После того как к ним вломились, страшно напугав Русланчика, коротко стриженные башибузуки в кожаных куртках и потребовали продать квартиру,

Ирка побежала к Тимуру. Тот с земляками договорился, и они отстали, но только от Федьки. Алика же в покое не оставили, полгода он прятался, а потом, не выдержав, поехал ночью в Измайловский парк и повесился. На дубе.

Похоронив друга, Федька страшно запил и остановился только тогда, когда Ирка, забрав Руслана, уехала к родителям. Он очухался, начал звать ее назад, клялся больше ни-ни. Жена обещала вернуться, когда в доме снова заведутся деньги. Но любого бизнеса Федька теперь панически боялся. Доктор, выводивший его из запоя, кстати, сказал, что это такая болезнь, «фобия», и что вряд ли теперь бывший дубозаготовитель когда-нибудь займется коммерцией.

Зато младший брат увлекся политикой, ходил на митинги, чаще всего к Жириновскому, и даже стал на этом зарабатывать. Тогда вокруг любых сборищ обязательно вертелись западные телевизионщики, рассказывали своим простодушным зрителям, как Россия до полного самозабвения с тоталитаризмом борется. Для них Федька был находкой. Он хоть по-английски, хоть по-немецки, хоть даже и по-французски мог объяснить, что волнует простого россиянина, готового ради свободы пробалаболить страну. А именно этого и ждал от русского человека, очнувшегося после тысячелетней рабской спячки, просвещенный Запад. Свой гонорар в валюте Федька всегда брал вперед и честно учитывал пожелания работодателей.

И наверное, Федька все-таки выкарабкался бы, но тут его настиг новый удар. Ирка, которую он, несмотря ни на что, любил до исступления, уехала в Германию к тому самому немцу, Вальтеру, — с тремя спальнями. Оказалось, она ему понравилась еще тогда, в первый приезд, он, наведываясь в Россию по делам, тайком с ней встречался, постельничал и в конце концов позвал замуж. Вот такой шестидесятилетний шифоньерных дел мастер!

С тех пор Федька возненавидел Запад и пошел вразнос. Пил неделями. Перед тем как окончательно улететь в страну дураков, обязательно звонил бывшей жене в Германию, вел с ней долгий, бессмысленно-сложный разговор, заканчивавшийся обычно проклятьями, расшибанием телефона о стену, пьяными рыданиями и раскаяньем.

Потом он несколько дней умирал с похмелья и, постепенно выздоравливая, читал патриотические газеты, разные умные книжки, в основном о геополитике и конспирологии. Затем наступал период активности: Федька приводил себя в порядок, звонил по объявлению в какую-нибудь переводческую контору, блестяще проходил собеседование и начинал работать, строя планы создания собственной фирмы под названием «Лингвариум».

На дружеские предупреждения, что «Лингвариум» слишком напоминает «Террариум» и потому может отпугнуть будущих клиентов, Федька лишь улыбался с незлобивым превосходством человека, полчаса назад постигшего смысл бытия. Но это продолжалось не больше месяца, и он, конечно, срывался. Накануне срыва становился нервным, капризным, плаксивым, как климактеричка. Опять две недели пил, потом болел, выздоравливал и шел устраиваться на новую работу. Постепенно, год от года, срывы становились все чаще, а активный период все короче. В переводческих конторах его уже знали как облупленного и не брали. А если бы и не знали, все равно, наверное, не взяли бы: Федька стал похож на классического алкоголика — тощий, нервный, с опухшим лицом...

Сначала он жил в однокомнатной квартире, оставшейся от Ирки. Потом как-то ему довелось напиться с незнакомцем, который уверял, будто приватизировал и продал с выгодой свою жилплощадь, деньги поместил в «Агростройпромрембанк», а на проценты снимает себе квартиру и ведет безмятежную ресторанно-дегустационную жизнь. Федька поступил точно так же, а жить переехал к матери. Полгода и в самом деле он получал проценты и даже справил Зинаиде Степановне цигейковую шубу, но потом «Агростройпромрембанк» вдруг лопнул, а следственные органы выяснили, что это был никакой не банк, а черт знает вообще что такое! Председатель совета директоров бежал в Англию, поселился в большом белом доме по адресу: Кингстон-стрит, 14, — и был объявлен в международный розыск. Но поскольку в интервью западным информационным агентствам он подчеркивал, что его конфликт с российскими властями уходит корнями в рабско-азиатскую сущность тиранического государства, то правительство Ее Величества взяло его самого, а также его счета в британских банках под свою защиту. В результате Федька остался без квартиры, без денег — и ушел в протестный запой на месяц.

И так жил он уже много лет.

25

От грязных, осклизлых, пахнущих настоявшимися помоями подъездов Свирельников давным-давно отвык и, если бы не наезжал изредка к матери, совсем бы, наверное, забыл о том, что встречаются еще, оказывается, и такие вот некрасивые места человеческого обитания. Лифт внутри был совершенно уничтожен: пластиковая облицовка «под дерево» содрана с удивительной тщательностью, словно за нее в неких приемных пунктах платили бешеные деньги. Дверь в квартиру выглядела совсем уж дико: буквально измочаленная, с десятком кое-как залатанных дырок от сломанных замков. Объяснялось это просто и грустно: запив, младший брат всегда норовил смыться из дому, чтобы продолжить хмельную безмятежность на оперативном просторе. Мать, естественно, ругалась, не пускала, запирала дверь и прятала ключ. Сначала Федька умолял открыть, стоял на коленях, плакал, потом требовал, угрожал, и наконец, когда безалкоголье в крови становилось невыносимым, он разбегался и плечом вышибал дверь. Однажды даже сломал ключицу. Потом, протрезвев и отболев, занимал у соседей денег, покупал в «Хозяйственном» новый замок и сам кое-как вставлял трясущимися руками, то и дело попадая молотком себе по пальцам и ругаясь сразу на нескольких языках, но в основном все-таки по-русски.

На звонок никто долго не подходил к двери, а из глубины квартиры доносилась ругань. Наконец послышался испуганный голос Зинаиды Степановны:

— Кто там?

— Враги! — раздраженно ответил Свирельников, хотя понимал, что таким образом брата оберегают от дурного влияния собутыльников.

Мать приоткрыла дверь, приняла коробку с тортом и сразу заплакала:

— Опять запил! Ты хоть с ним поговори!

— А толку?

— Может, в больницу?

— Ну конечно! Он тебе опять наплетет, что его не так лечат, и ты его снова заберешь!

— У него теперь знаешь какой бред?

— Какой?

— Заработаю, говорит, поеду в Германию и убью Вальтера, тогда Ирка сама вернется. Вот ведь, никак ее, сучку, не забудет!

— Никуда он не поедет и никого не убьет.

— Знаю... Жалко его...

— Себя пожалей!

За те три месяца, что он не видел мать, она еще постарела. На ее неопрятную ветхость было больно смотреть. Михаил Дмитриевич прошел на кухню. Младший брат сидел за столом. Перед ним стояла ополовиненная бутылка дешевой водки и закуска: красиво разделанная селедка, посыпанная кольцами красного лука, аккуратно порезанные соленые огурцы, вареная колбаса и бородинский хлеб. Начинал он всегда интеллигентно. Шел второй день запоя, Федька был оживлен, и на его курносом лице светилась задиристая мудрость.

— О, брат! — Он даже привстал от удовольствия. — Ты поймешь! Она не понимает. Она женщина. А ты понять должен!

— Чего ты не понимаешь? — тихо спросил у матери директор «Сантехуюта».

— Ничего. Плетет ерунду какую-то.

— Садись, брат! Женщина, рюмку старшему сыну!

— Нет, я сегодня — пас...

— Напрасно! Алкоголь — важнейший элемент земной цивилизации. Ты хоть знаешь, что организм сам вырабатывает алкоголь? Сам себе наливает, а?

— Слышал...

— Раньше вырабатывал много — и люди, понимаешь, ходили всегда под мухой. Представляешь? В мифологическом бессознательном это время называется золотым веком или раем. Потом началось оледенение, злаки и фрукты увяли, человек перешел с растительной пищи на мясную: мамонты и все такое прочее. Организм стал вырабатывать алкоголя значительно меньше. Жизнь стала хуже и грустнее — и люди сочинили сказку про изгнание из рая. Следишь за ходом мысли? Der langen Rede kurzer Sinn[1]: с тех пор приходится постоянно добавлять!

В подтверждение этого катастрофического обстоятельства Федька налил себе рюмочку, лихо опрокинул, поцеловал донышко и закусил перламутровым кусочком селедки.

— Вот! — всхлипнула мать и посмотрела на старшего сына так, словно он стал свидетелем чудовищного, ломающего божеские и человеческие законы происшествия. — Во-от!

— Что — вот? — разозлился Свирельников, которому в этот момент самому вдруг страшно захотелось выпить.

— Вот, говорю... — примирительно объяснила Зинаида Степановна. — Ведь умирать послезавтра будет!

— Буду! — кивнул Федька. — Но попытаемся взглянуть на проблему шире, как говорится, sub specie aeternitatis[2]. Если бы алкоголь приносил человечеству вред, то коллективный опыт давно бы его отторг. А ведь не отторг? Не отторг же! Почему? А потому что, являясь злом для отдельных индивидов, алкоголь — благо для человечества в целом, ибо служит естественным средостением между идеалом и гнусной реальностью...

— Господи, с ума сошел! — запричитала мать.

«А ведь правильно!» — невольно подумал Михаил Дмитриевич, но вслух сказал:

— Ты в зеркало на себя давно смотрел, индивид?

— Стоп! Только никакой антиалкогольной пропаганды! Zwei Seelen wohnen, ach! In meiner Brust...[3] На пятый

[1] Короче говоря (*нем.*).

[2] С точки зрения вечности (*лат.*).

[3] В груди моей живут, увы, две души (*нем.*).

день я сам себе говорю такое, что, если записать и выпустить под названием «Ни капли!», можно хорошо заработать. Но мать не понимает. Ты поймешь!

— Что я должен понять?

— К чему движется цивилизация!

— К чему?

— К новой религии! К новому культу...

— На бутылку молиться станут! — сквозь слезы съехидничала Зинаида Степановна.

— Молчи, женщина! — цыкнул Федька и вдохновенно продолжил, глядя на брата горящими глазами: — Ты думаешь, новый культ — это какой-нибудь вшивый экуменизм или дурацкий сайентизм? Нет! Понимаешь, это будет культ Кнопки. Великой Кнопки. Великой и Сакральной Кнопки! На площадях воздвигнут огромные кумиры Великой Кнопки! Построят храмы Великой Кнопки...

— Почему кнопки? — удивился Свирельников, ошарашенный такой неожиданной переменой темы разговора.

— Почему? — Федька схватил телевизионный пульт и нажал.

На экране возникли усатый мордастый шоумен и три озадаченных скобаря, мучительно соображающих, кто именно открыл Америку — Колумб, Магеллан или Америго Веспуччи... «Думайте! Думайте!» — призывал шоумен и при этом подмигивал телезрителям: мол, мы-то с вами знаем, что эти дебилы ни до чего хорошего никогда не додумаются. «Колумб?» — жалобно полуспросил-полуответил один из скобарей, глядя на телевизионного кривляку, как на Спасителя.

Федька нажал кнопку, гася экран, и задумчиво поинтересовался:

— Ты заметил, что большинство ведущих на телевидении теперь евреи, особенно в ток-шоу?

— Нет. Мне телевизор смотреть некогда.

— А я заме-е-етил!

— Ну и что? — пожал плечами Свирельников.

— Как «ну и что»? Ты русский или не русский? — возмутился младший брат.

Но тут задребезжал «золотой» мобильник. Это была Нонна.

— Михаил Дмитриевич, звонил Порховко из «Столичного колокола», — деловитой скороговоркой доложила она, — и сказал, что вам лучше бы к ним приехать, и как можно быстрее.

— А зачем?

— Он не объяснил, но два раза повторил, что это в ваших интересах...

— Хорошо, спасибо!

— Вы сегодня еще появитесь? — уже не по-рабочему, а с женским смущением спросила секретарша.

— Появлюсь.

Свирельников захлопнул крышечку, спрятал телефон и спросил брата:

— Ну и почему?

— Что — евреи?

— Нет, Великая Кнопка?

— А почему евреи, тебе не интересно?

— Не очень...

— Зря! Ты читал Дугласа Рида?

— Нет.

— А Лурье?

— Нет...

— Ты не читал «Антисемитизм в Древнем мире»? — искренне изумился он. — Прочти! Я тебе дам.

— Не хочется.

— Напрасно, брат! Der Wunsch ist des Gedankens Vater[1]!

— Я тебе дам «фатер-матер»! Что ты к брату привязался! — возмутилась мать. — Евреи виноваты, что ты пьянствуешь? Евреи?! — Потом повернулась к старшему сыну. — Тонька-то как?

— Молчи, женщина! Я не пьянствую, я справляю поминки по великой советской цивилизации. Тризну.

— Щас как тресну тебя! Тризну... — осерчала Зинаида Степановна.

[1] Желание — отец мысли (*нем.*).

— А ты знаешь, брат, почему скопытился социализм? Я только сейчас понял.

— Догадываюсь.

— Нет, не догадываешься. Его специально умертвили, чтобы разобраться в том, что в нем было не так. Знаешь, как покойников вскрывают и смотрят. Патанатом — лучший диагност!.. Разберутся и, когда снова будут социализм строить, ошибок уже не повторят. Понимаешь?

— Не очень. Так почему все-таки — «кнопка»?

— Вот ты сейчас что сделал? — вопросом на вопрос ответил Федька.

— По телефону поговорил.

— А перед этим?

— Что — перед этим?

— А перед этим ты нажал кнопочку. Так?

— Да, так.

— И так везде. Дети сейчас что делают? Кнопки на компьютере нажимают. Больше ничего не умеют. Взрослые то же самое делают. Мать, ты как теперь стираешь?

— Как надо — так и стираю! — огрызнулась Зинаида Степановна и благодарно повернулась к старшему сыну: — Спасибо, сынок, машина хорошая! Никаких забот...

— Нет, ты скажи! — настаивал Федька. — Белье с порошком загрузила, воду залила и что сделала?

— Что надо — то и сделала.

— Правильно! Кнопочку нажала! И все! И dolce far niente[1]! Понимаешь, Майкл, скоро человечество разделится на две части: огромную, главную, нажимающую кнопки, и очень небольшую, которая знает, что происходит, когда кнопка нажимается, и как ее отключить. И не надо ничего: ни классовой борьбы, ни идеологии, ни полиции, ни армии... Ничего! Отключи кнопки — человечество к тебе само приползет на коленях и будет умолять: «О, великий и всемогущий, верни нам счастье нажимать кнопки! Мы готовы на все!» Ты понял, брат?

Счастливый Федька налил себе рюмку, влюбленно поглядел на нее, выпил и сморщился от горького восторга.

---

[1] Сладкое безделье (*ит.*).

— А ты чего приехал? Мать, что ли, нажаловалась? — спросил он, хрустя луком.

— Нет, зачем жаловаться? Я позвонила... Соскучилась... Попросила проведать!

— Смотри, женщина! — Федька по-следовательски нахмурился. — Я измену чую!

— Ладно. Проведал! — Свирельников встал и пошел к двери.

В прихожей он тихо и зло спросил мать:

— Ну и что ты меня вызвала? Про кнопки слушать?

— Так ведь это он только сегодня такой. Послезавтра подыхать будет. И про Вальтера несколько раз говорил: поеду и убью.

— Ладно, положим в больницу.

— Теперь без согласия не кладут.

— Знаю. Что-нибудь придумаем... — Он достал кошелек и протянул матери несколько пятисотрублевых бумажек,

— Спасибо, сынок! — благодарно всхлипнула она, и Михаилу Дмитриевичу вдруг показалось, что и вызывали-то его не за брата бороться, а из-за денег.

— Что это вы шепчетесь? — За спиной появился Федька.

Мать вздрогнула, побледнела и спрятала деньги под фартук.

— Что ж, я с сыном старшим не могу поговорить? — удивилась она неестественным голосом.

— Говори! Но сначала я спрошу. Майкл, а ты понял, кто этими кнопками владеть будет?

— Евреи, очевидно!

— Молодец, брат! В корень смотришь. Нет, не Народ Книги, а Народ Кнопки. Избранный! — Федька обнял его и обдал острым, свежим водочным духом. Свирельникова, еще не оправившегося после вчерашнего, замутило.

— Деньжат оставь, но так, чтобы она не видела! — шепнул Федька и громко объявил: — Я брата до лифта провожу.

— Я провожу до лифта, — засобиралась мать.

— Нет, я провожу! — вдруг истерично заорал Федька, исказившись судорогой, предвещавшей дальнейшие ужасы запоя.

Около лифта Михаил Дмитриевич сунул брату сотню, мать строго-настрого запрещала давать больше.

— Невысоко ценит предпринимательский класс национальную элиту! — ухмыльнулся тот, разглядывая купюру.

— Загнешься ведь когда-нибудь, элита! — покачал головой Свирельников.

— Загнусь, но не сломаюсь! Грибом не стану!

— Каким еще грибом?

— Который ворует чужой хлорофилл.

— А что ты там про Вальтера мелешь?

— Поеду и убью! А что? Этот мужик из Казани смог!

— Перестань!

— Ладно, не волнуйся! Это я так... Мечтаю! Un desint vires, tame nest laudanda voluntas!

— Утомил ты меня сегодня, полиглот. Переведи!

— Пусть не хватит сил, но само желание похвально!

— Лечить я тебя буду, Федька! По-настоящему.

— Бесполезно, брат! От счастья вылечить невозможно...

26

Спускаясь в измызганном лифте, Свирельников с горечью думал о Федьке. Совсем плохо, если брат уже допивается до таких мстительных фантазий. Конечно, ни в какую Германию он не поедет и никакого Вальтера, чтобы вернуть сбежавшую жену, не убьет. Но ведь самые чудовищные душегубства начинаются с таких вот кровавых мечтаний. А тут как раз две недели по телевизору дундели про немецкого диспетчера, зарезанного нашим мужиком из Казани, у которого три года назад по вине тупого воздушного стрелочника разбилась вся семья — жена и дети. Этот народный мститель — упертый, видно, мужик: выждал, не остыл, поехал и прирезал...

И тут потливой молнией Михаила Дмитриевича поразила мгновенная догадка. Он вспомнил влажный сумрак леса, наполненный веяньями будущей ночи. Вспомнил корень, неудачно вдавившийся ему прямо под лопатку и оставивший там синяк, о происхождении которого Тоня, когда терла мужу в ванной спину, конечно, не догадалась. И вспомнил Эльвиру, так и не узнавшую, что именно благодаря неудобному корню ей досталось в тот вечер дольше, чем обычно, стонать, метаться и биться над Свирельниковым, точно порванная бурей парусина над челном, ныряющим в волнах любострастия. Но вот наконец Михаил Дмитриевич радостно заухал, и она, вспыхнув от него, заключительно простонала, а затем сразу хрипло рассмеялась. (Эта странная женщина всегда почему-то в завершение смеялась.) Потом она глубоко вздохнула, погладила его по лицу и сказала:

— А ведь он нас убьет, если узнает!

— И закопает в лесу!

— Ты зря смеешься...

Словно в подтверждение сказанного Эльвира мягким и горячим внутренним усилием несколько раз сжала ослабшего, но еще не выпущенного на волю любовника.

Из лесных воспоминаний в реальность его вернул звонок Алипанова.

— Аллёу! В общем, я поговорил с Фетюгиным. Его, конечно, до сих пор трясет от жадности, и он тебя ненавидит, но это не он.

— Почему — меня? Ты же его трамбовал.

— Я орудие. За что меня-то ненавидеть? А вот ты...

— В следующий раз будет вовремя долги отдавать! — разозлился Михаил Дмитриевич.

— Ладно психовать!

— Слушай, я тут кое-что вспомнил. Ты можешь навести справки о Владимире Леонидовиче Белом? Майор.

— Майор не место работы. Где служит?

— В КГБ. Сейчас, значит, в ФСБ.

— Ого! Чем же ты его-то обидел?

— Да так... Ты выясни!

— Дорогой мой человек, если ты хочешь, чтобы я тебе помог, не надо от меня ничего скрывать. Информацию добывают с помощью информации. И денег. Ты понял?

— Понял. Ну, с женой его у меня кое-что было...

— Давно было?

— Давно. Но он злопамятный.

— Да, это интересная версия! За кое-что с женой гэбэшника можно отправиться кое-куда. Постараюсь завтра выяснить.

— Сегодня!

— Горит?

— Горит.

— Ладно. Расходы ты оплачиваешь. Но только потом не кричи, что я тебя разоряю!

— Сегодня!

— Слушаю и повинуюсь, о повелитель!

Свирельников захлопнул телефон и сел в машину.

— Куда едем? — спросил Леша.

— На Чистые пруды! — приказал Михаил Дмитриевич.

Его роман с библиотекаршей Эльвирой Анатольевной Белой был бурным, упоительным и, как выяснилось позже, небезопасным. В читальню он стал заходить по просьбе жены — за толстыми журналами. На «Новый мир», «Юность», «Октябрь», «Знамя» тогда подписывали по лимиту («святой человек» подробил только с «Литературкой»), остальное приходилось брать в библиотеке, но в Тонином издательстве очередь из желающих прочитать какой-нибудь нашумевший роман растягивалась на несколько месяцев. В военном городке народ был попроще, да и Центр управления полетами — это тебе не бессмысленная контора, набитая измаявшейся от безделья столичной интеллигенцией, которая иногда напоминала Свирельникову остервеневшую от непробиваемой фригидности потаскуху.

На выразительную брюнетку с редким именем Эльвира, работавшую в абонементе, он обратил внимание сразу. Выглядела она дамой серьезной и, судя по обручальному кольцу, несвободной. К мужчинам, заходившим в читальню (в основном офицерам), относилась с подчеркнуто равнодушной доброжелательностью. Но Михаил Дмитриевич уловил в ней, как ему показалось, глубоко запрятанную женскую неукомплектованность. Поначалу он попросту заводил с Эльвирой Анатольевной ничего не значившие беседы о жизни, тем более что ее муж год назад тоже заменился из Германии. Это были обычные разведывательные разговоры, когда интонация и взгляд значат все, а слова — ничего. Однажды, доставая искомый справочник с самой верхней полки, она попросила Свирельникова подержать шаткую стремянку, а спускаясь, с волнующей оплошностью задела его грудью и сразу же испуганно отстранилась. Мимолетное прикосновение наполнило Михаила Дмитриевича знойным холодком вожделения. Едучи домой, он глубоко задумался о том, что же это: случайная неловкость или обещающий тайный знак? В результате Свирельников проскочил на красный свет и получил дырку в талоне предупреждений.

Со временем ему стало казаться, что Эльвира тоже интересуется им и даже смотрит как-то по-особенному. Нет, ее взгляды нельзя было назвать призывными, упаси бог! Скорее — не возражающими. Да, не возражающими! Но он продолжал ходить в библиотеку, как обычно, раз в неделю, по вторникам, и всячески боролся с желанием видеть Эльвиру чаще. Ох уж эта живущая в мужиках до старости мальчишеская боязнь открыться и получить в ответ холодное недоумение!

Однажды они с Тоней во вторник пошли в театр, и поэтому он появился в библиотеке только в среду.

— А я вас ждала вчера... — как бы между прочим промолвила Эльвира.

«Ждала!» — мысленно повторил Михаил Дмитриевич, и ему захотелось совершить какое-нибудь радостное ребячество: мяукнуть, например.

Вместо этого он зачем-то нахмурился и сообщил, что в ЦУПе много работы и теперь, кажется, за книгами удастся вырваться не скоро. Она в ответ только равнодушно пожала плечами, а ему, идиоту, чтобы не выглядеть трепачом, в самом деле пришлось пропустить следующее вторничное посещение. Так продолжалось полгода. Вполне возможно, это влечение ничем бы фактическим не закончилось, а томительное вожделение вылилось бы всего-навсего в грешные фантазии, тайно освежающие привычные супружеские объятья. К этому, собственно, все и шло, потому что в читальном зале всегда дежурила еще одна библиотекарша – пожилая Вера Семеновна. А ровно без десяти семь под окнами раздавался автомобильный сигнал: это приезжал Эльвирин муж, чтобы отвезти ее домой в Одинцово. И если бы в один прекрасный четверг Свирельников, вопреки обычаю, не зашел в библиотеку...

Но сначала он познакомился с супругом. Она записывала книги в абонементную карточку, а Михаил Дмитриевич, вольно облокотившись на конторку, говорил что-то восторженное о последнем выступлении по телевизору генсека Горбачева, очаровавшего тогда всех своей болтовней. В этот момент вошел одетый по форме капитан с красными общевойсковыми петлицами. Напудренное лицо Эльвиры Анатольевны мгновенно из не возражающего превратилось в снежную, даже ледяную маску. Офицер посмотрел на Свирельникова с той тайной ненавистью, с какой обычно мужики смотрят на гостя, влезающего в любимые хозяйские тапочки. Под этим взглядом Михаил Дмитриевич проблеял что-то, попросив записать его в очередь на седьмой номер «Нового мира» с романом Штемлера «Поезд», и невиноватой походкой направился к дверям. Уходя, он слышал, как Эльвира называет мужа Володей и расспрашивает с чрезмерной участливостью, а тот объясняет, что сломалась машина, пришлось отогнать ее в ремонт, поэтому домой сегодня придется ехать на электричке. Больше Свирельников никогда не видел ее мужа, но очень хорошо запомнил его узкое, до уродливости болезненное лицо и внимательный недобрый взгляд.

– Супруг-то у вас ревнивый! – заметил он при следующей встрече.

– Очень! – вздохнула Эльвира.

А в тот головокружительный день Михаил Дмитриевич даже не собирался заходить в библиотеку: во-первых, был четверг, во-вторых, он хотел успеть домой к футбольному матчу, в-третьих, серьезно выпил на глубоко законспирированных проводах товарища в отпуск. И вдруг его буквально поволокло, хотя до закрытия оставалось минут тридцать. Его словно подхватил и понес какой-то сладостный необъяснимый смерч. Повесив шинель в пустом гардеробе, он вошел в зал и обнаружил, что никого нет — ни читателей, ни сотрудниц. Зато открыта боковая дверь, ведущая в фонд, туда, где под самый потолок уходили полки, набитые книгами, и пахло вечным бумажным тленом. Между стеллажами помещался журнальный столик, на котором стоял самовар, вазочка с конфетами и недопитая бутылка сухого вина, кажется «Лудогорского», а Эльвира Анатольевна, напевая, собирала в пирамидку грязные чашки.

— Добрый вечер! — громко сказал Свирельников.

— Ой, испугали! — обернулась она. — Разве так можно?!

— У вас тоже праздник сегодня?

— У Веры Семеновны день рожденья. Она пораньше ушла...

— И в зале никого нет!

— Так ведь — футбол. Полуфинал. Муж тоже раньше сегодня домой уехал. А вы футболом не интересуетесь?

— Нет, я интересуюсь очаровательными библиотекаршами! — ляпнул Свирельников то, чего никогда бы не сказал в трезвом умосостоянии.

— Неужели? А я и не заметила! — позволительно засмеялась Эльвира, чего, конечно, тоже никогда бы не сделала без «Лудогорского».

— Да-а? — протянул Михаил Дмитриевич, лихорадочно соображая, что же ему дозволяется — поцелуй или чуть больше?

— Да-а-а! — ответила она, поясняя, что дозволяется решительно все.

Соединение состоялось тут же, между стеллажами. Было оно бурным (ища опоры, Эльвира обрушила на пол несколько собраний сочинений), стремительным (первый поцелуй от затихающего трепета бедер отделяли минуты) и упоительным (несколько мгновений оба, ничего не соображая, смотрели друг на друга, словно оценивая градус внутреннего потрясения). А потом она вдруг хрипло засмеялась.

— Я что-то не так... сделал? — испуганным шепотом спросил Михаил Дмитриевич.

— Все замечательно. — Она поцеловала его вспотевший лоб. — Просто у меня так всегда... Не знаю почему...

Отдышавшись, свежесостоявшиеся любовники допили вино, вместе помыли чашки, а потом долго искали нитку с иголкой, чтобы кое-как сшить разорванные страстным Свирельниковым ажурные Эльвирины трусики.

— Может, без них пойдешь? — пошутил Михаил Дмитриевич.

— Опасно.

— Я провожу.

— Я еще жить хочу! — засмеялась Эльвира почти так же хрипло, как после завершения любви.

— А он у тебя кто?

— Боец невидимого фронта... — с легкой гримаской ответила она.

— Ого!

— Не бойся. Он еще ни разу ни о чем не догадался.

— Ни разу?

— Нет, ни разу!

— А много было раз? — обидчиво полюбопытствовал Михаил Дмитриевич.

— Нет, немного! — вздохнула Эльвира и посмотрела на него с тем выражением, которое все ставило на свои места.

Оно, это выражение, означало примерно следующее: то, что случилось с нами, прекрасно, но имеет отношение только к нашим телам, а не к нашим судьбам. Свирельников даже почувствовал некую досаду от этого небрежения, хотя, если бы она вдруг спросила его, к примеру: «А что с нами будет дальше?» — он пришел бы в ужас и, возможно, оборвал их связь в самом начале. Прелесть внезапно обретенной любовницы заключалась именно в упоительной необременительности.

Со временем Эльвира даже изложила ему свою брачную теорию, сводившуюся к тому, что правильно организованная измена, осуществленная несвободными партнерами, укрепляет сразу две семьи. А сам институт брака держится отнюдь не на любви, быстро улетучивающейся, и даже не на чувстве долга, а на супружеских изменах, которые, творясь ежедневно, ежеминутно и ежесекундно, цементируют и укрепляют обветшавшую крепость моногамии. И если, например, каждого индивидуума связать мысленной веревочкой со всеми его интимными партнерами, человечество окажется опутанным густой сексуальной паутиной. И порой даже трудно вообразить, с кем нас может соединить тянущаяся от плоти к плоти нить, уходящая за грань бытия и связующая нас с сонмом давно истлевших тел.

В библиотеке они больше никогда не рисковали. Да и вообще встречались нечасто. Свирельников изредка брал ключи у знакомого холостого офицера, жившего в Голицыне, а Эльвира в середине дня отпрашивалась якобы для рейда по неумолимо пустевшим магазинам. Всякий раз, входя в чужую квартиру, она огорчалась царившему в ней беспорядку и отправлялась к переполненной мойке, объясняя, что у нее условный рефлекс, воспитанный матерью: пока на кухне грязная посуда, в постель идти нельзя. Иногда она брала на себя организацию места действия, и они встречались в доме подруги, уехавшей в командировку.

Но чаще всего в те дни, когда муж дежурил, она звонила, и Михаил Дмитриевич в конце рабочего дня ждал ее в своем «жигуленке», припаркованном в укромном месте неподалеку от библиотеки. Когда Эльвира появлялась, он трогался и как бы случайно проезжал мимо, а она «голосовала», словно бы ловя машину. Делалось это для того, чтобы, если муж или кто-то из знакомых увидит, оправдаться: да, взяла частника, потому что плохо себя почувствовала и решила ехать домой не на электричке. Они выруливали на трассу, словно направлялись из Голицына в Одинцово, а потом сворачивали по проселку в лес. Это была довольно длинная грунтовка, ведшая к маленькому садовому товариществу, и поэтому в будние дни вследствие всеобщей трудовой занятости по ней почти никто не ездил и не ходил. Летом, расстелив специальное пикниковое одеяло, они торжествовали прямо на земле. Но иногда Эльвира начинала дурачиться, фантазировать, и они любовничали, разнообразно прислоняясь к стволам. Она прочитала в каком-то ходившем по рукам парапсихологическом ксероксе, что от разных деревьев исходит разная целительная энергия, и уверяла, будто острее всего чувствует, когда оказывается между Свирельниковым и березой.

А в холодную или ненастную пору приходилось содрогаться в теплом жестяном шалаше на колесах. Однажды осенним вечером, в дождь, они совсем потеряли бдительность и, только благодарно отпав друг от друга, вдруг заметили в моросящем мраке человека, который стоял, опершись руками на капот «жигуленка», и внимательно наблюдал, как они грешат. Лица его в полутьме разобрать было невозможно. Михаил Дмитриевич стал открывать дверцу, но Эльвира схватила его за руку:

— Это он! Не ходи! Он убьет!

Свирельников вырвался, выскочил из машины и бросился к человеку, но тот, крича что-то несвязное, убежал. Так и непонятно, кто это был: маньяк, подкарауливавший в чаще сладкие парочки, или просто заблудившийся пьяница. Бездомных, живущих в лесных землянках, тогда еще капитализм не наплодил. Свирельников вернулся в теплую машину и стал успокаивать Эльвиру, вышучивая ее страхи. Честно говоря, в нем жило какое-то глупое ощущение естественной безвинности их отношений, чувство того, что из-за нежно-стыдных взрослых игр, которым они предавались во время свиданий, не может быть никаких неприятностей, а тем более — смертоубийства. В конце концов, когда выполняешь чужую работу, следует ждать благодарности, а не мести!

— А я думал, он у тебя не мстительный!

Свирельников намекал на популярный в ту пору анекдот про мужчину и женщину, оказавшихся в двухместном купе. Сначала они жаловались друг другу на оставшихся дома супругов, а потом решили сообща отомстить сразу за все обиды. Так и сделали. Вскоре дама предложила отомстить повторно, но мужчина отказался, объяснив, что он-де не мстительный...

— Ты зря шутишь! Это совсем не смешно, — сказала она. — Ему не жалко ни себя, ни других. Знаешь, какая у него любимая поговорка?

— Какая?

— Двадцать лет для мести не срок.

Впрочем, это была единственная неприятность, случившаяся во время их свиданий. Потом, отдыхая, они обычно курили и расслабленно делились семейными новостями. Эльвира жаловалась на сына, который лентяйничал в школе, получал двойки и боялся только отца. А тот мальчиком почти не занимался. В Афгане он попал в переделку, получил сильную контузию и страдал теперь затяжными депрессиями. Из-за этого у него случались неприятности по службе. Свирельников в свою очередь докладывал, что Аленка отказывается учиться на пианино, что Тоня даже предлагала дочери за каждое занятие по сольфеджио выдавать рубль, но он как отец категорически против, ибо усидчивость в ребенке надо воспитывать, а не покупать. Этот заботливый интерес к чужим домашним мелочам словно подтверждал: измена изменой, а семья семьей. Более того, генитальная неверность укрепляет сердечную преданность законному супругу!

Но Тоня, конечно, что-то почувствовала. Однажды вечером, лежа в постели, она вдруг повернулась к Свирельникову и спросила противным голосом:

— Красивая?

— Кто?

— Она.

— Кто — она?

— Ты знаешь — кто. Пожалуй, я тебе тоже изменю.

— Зачем?

— Для справедливости. Но не с красавцем. Наоборот. С грязным, вонючим бичом. Найду где-нибудь возле пивной, куплю ему бутылку, приведу сюда — и прямо на супружеском ложе отдамся. Нет, не отдамся — дамся...

— А какая разница?

— Подумай!

— Тебе же будет противно!

— Конечно. Но ведь и тебе тоже...

— Дурочка, мне, кроме тебя, никто не нужен!

— Правда? — спросила Тоня и так внимательно посмотрела мужу в глаза, словно на роговице от каждой измены остается след, наподобие годовых колец у деревьев.

Роман с Эльвирой длился меньше года и начал сам собой иссякать: Михаил Дмитриевич все чаще стал думать о встречах с ней как об обязанности, а не отдохновении и даже несколько раз уклонился от свиданий. Она, кажется, поняла и приготовилась обидеться, но тут Свирельникова как раз погнали из армии. Он, конечно, не стал ей объяснять настоящую, стыдную причину своего увольнения, а напустил туману насчет принципиального, даже политического конфликта с начальством, не понимавшим сути Перестройки, и исчез чуть ли не на полгода. А весной вдруг вспомнил об Эльвире, затомился, завожделел и позвонил ей из Москвы на работу. Она вроде обрадовалась, но от скорейшей встречи отказалась. Он звонил ей снова, распаляясь от недостижимости такой еще вроде недавно доступной женщины, но бывшая любовница то ссылалась на переучет фондов в библиотеке, то отговаривалась болезнью сына, то особенной бдительностью мужа...

Так тянулось до осени. Наконец, не выдержав, Свирельников сел в машину и помчался в Голицыно, подгадывая к концу рабочего дня. В начале восьмого Эльвира с большой хозяйственной сумкой вышла из библиотеки и пошла к станции (муж ее, слава богу, не встречал). Михаил Дмитриевич на малой скорости двинулся следом, тихонько догнал, опустил стекло и окликнул. Она вздрогнула, остановилась и довольно долго, словно не узнавая, смотрела на него. Он успел заметить, что библиотекарша похудела, даже подурнела за время разлуки: под глазами появились морщины и желтоватые тени. На мгновенье Свирельников даже пожалел, что приехал, но видимое равнодушие любовницы вернуло начавшее улетучиваться вожделение, придав ему, так сказать, принципиальный характер.

— Я тебя подвезу! — предложил он.

Она покачала головой и молча села к нему в машину.

Не говоря друг другу ни слова, они помчались по привычному маршруту, свернули на белеющую в сумерках грунтовку, потом, петляя меж деревьев, въехали в лес. Свирельников выключил мотор, безмолвно привлек библиотекаршу к себе и стал целовать. Сначала она уклонялась и вела себя так, словно ей все это вообще неприятно, но Михаил-то Дмитриевич прекрасно понимал, что такова ее женская месть за долгое отсутствие, он бросил на взятие Эльвиры весь мужской напор, а также скрытые резервы нежной изобретательности. И вдруг она, словно очнувшись, ответила ему взаимностью, да такой, что «жигуленок» заметался, как на ухабах.

«А шаровые-то надо менять!» — подумал Свирельников, прежде чем сгинуть в неистовой отзывчивости Эльвиры.

В тот памятный вечер он по-настоящему осознал то, о чем втайне догадывался: женское вожделение, выпущенное на волю, громадней, необузданней, бесстыдней мужского. Но дамы скрывают это из деликатности, боясь напугать и обескуражить любимых мужчин, поэтому только нелюбимые или разлюбленные имеют возможность увидеть женщину во всей ее вулканической достоверности. В конце концов Эльвира, так, кажется, и не насытившись, отпустила бесполезного Свирельникова. Уже совсем стемнело. Он включил фары и увидел на пне ярко освещенный куст больших осенних опят, похожих на коралловые заросли. Михаил Дмитриевич вышел из машины, отодрал грибы вместе с корой и, галантно дурачась (чтобы скрыть смущенье от своей недостаточности), преподнес Эльвире точно букет.

— Любишь опята? — спросил он.

— У нас дома много: сушеные и консервированные в банках. Володя в прошлом году запасся. Еще не съели...

— Как он? — на всякий случай спросил Михаил Дмитриевич.

— Болеет... — Ее глаза наполнились слезами. — И он про меня знает все...

— Откуда?

— Оттуда. У него по минутам записано: с кем, когда...

— И про меня? — с тревогой уточнил Свирельников.

— Конечно... — с презрением кивнула Эльвира.

— И что?

— Сказал, всех перестреляет. Постепенно...

— Ну, это он американских фильмов насмотрелся!

— Не знаю, чего уж там он насмотрелся...

— Надо к врачам!

— Не вылезает от врачей.

— Ну и что?

— Лечат. Но ничего не обещают.

— Мне очень жаль...

— Неужели? Ладно, поехали! Мне нужно домой.

Он довез ее до Одинцова. Она молча поцеловала Свирельникова в щеку и ушла, не оглядываясь. Он глянул ей вслед с облегчением и больше никогда не звонил...

27

«М-да! — вздохнул Михаил Дмитриевич. — Двадцать лет для мести не срок!» — и вдруг сообразил, что Эльвириному мужу теперь за пятьдесят, а в серых «жигулях» ездит совсем молодой парень. Свирельникову сделалось неловко перед Алипановым за напрасные подозрения, но перезванивать и объясняться было совсем уж неприлично.

«Страха бояться не нужно!» — говаривал замполит Агариков.

Они подруливали к большому редакционному зданию на Чистых прудах. И домчались, надо сказать, на удивление быстро. Так иногда бывает в Москве: в самый час пик пробки вдруг рассасываются неизвестно почему — и летишь со свистом, как это было лет сорок назад, когда водители всех ЗИЛов, колесивших по столице, знали друг друга чуть ли не в лицо и даже по именам. Так рассказывал отец. Впрочем, на случай непробиваемых пробок у Свирельникова имелась специальная «ксива», купленная у серьезного генерала за штуку баксов и разрешавшая выезд на резервную полосу.

Газета «Столичный колокол» в прежние времена, когда она еще называлась «Столичной коммуной», занимала весь огромный, с мощными пилястрами по фасаду и циклопическими дубовыми дверьми, сталинский дом, построенный явно из расчета на те отдаленные времена, когда выпестуется будущий, богоравный человек, которому и понадобятся эти четырехметровые двери. Прежде в «Столичной коммуне» работало несколько сотен журналистов. От кованых снопозвездных ворот к входу надо было идти мимо выстроившихся в ряд глянцево-черных «волг», возивших ораву замов, завов и членов редколлегии. В этой газете служила после окончания университета Тонина подруга Нинка Грибкова. Она иногда приглашала Свирельниковых на закрытые просмотры, концерты и встречи с интересными людьми.

Михаил Дмитриевич хорошо помнил, как однажды Нинка вела их в актовый зал по коридорам мимо бесчисленных кабинетов, откуда выскакивали серьезные мужчины и деловитые женщины, одетые по преимуществу в кожу или замшу, и мчались, кивая друг другу на бегу, перебрасываясь шуточками и непонятными словечками про запившую «свежую голову», про «козла», обнаруженного прямо в подписной полосе, про скандал на какой-то утренней «топтушке»... Свирельникову показалось тогда забавным, что вся эта ураганная суета происходит для того, чтобы завтра утром он получил газету, в которой и читать-то, по совести, нечего. А если даже и прочтешь ее в метро от транспортной безысходности, то потом целый день будешь таскать в душе оптимистическую тоску, изнывая от противоестественной правильности всего происходящего в Отечестве. Впрочем, после чтения нынешних газет директор «Сантехуюта» чувствовал себя так, будто переночевал в мусорном контейнере. Вот и решай, что лучше!

Шагая по памятным коридорам, Михаил Дмитриевич обнаружил, что почти все помещения теперь сданы в аренду разным конторам, о чем сообщали многочисленные вывески и таблички:

Бюро горящих путевок
«Гвадалквивир»

Центральный совет общества
«Любители морских свинок»

Массажный кабинет
«Вечная молодость»

Московское отделение
Всероссийской партии потерпевших пешеходов
(ВППП)

В поисках исчезнувшей редакции Свирельников довольно долго плутал по этажам и даже набрел на огромный актовый зал, где теперь помещался склад итальянской обувной фирмы «Карло Фунголини». Владельца этой фирмы Свирельников знал: «Сантехуют» обновлял ему в центральном офисе места общего пользования. Конечно же, никаким итальянцем тот не был, а в прошлой жизни работал товароведом обувного магазина в Ногинске и первые свои деньги сделал на перепродаже импортного дефицита. Размышляя о жизни, Михаил Дмитриевич как-то пришел к выводу, что социализм от капитализма отличается только количеством дефицита. При социализме дефицита до хрена: икра, автомобили, книги, квартиры, водка, обувь... При капитализме только один — деньги. Зато их отсутствие превращает в дефицит абсолютно все. Поэтому социализм все-таки гуманнее.

Затевая свое дело, ногинец понимал, что советского потребителя, уставшего от продукции фабрики «Буревестник», нужно завлечь чем-то вызывающе импортным, лучше итальянским, так как на прежнем ботиночном рынке самой дефицитной и легендарной была именно итальянская обувь. Сначала ему пришла в голову фамилия Фунголини, которую знал любой труженик прилавка, чаще других достававший билеты на закрытые просмотры в Дом кино, где частенько крутили фильмы этого легендарного режиссера, трагически зарезанного любовником. Имя выбралось еще быстрее: Карло. Почему? Тем, кто всю жизнь вкалывал, как папа Карло, разъяснять не нужно. Так и появилась на свет сеть итальянских обувных магазинов «Карло Фунголини».

Наконец Михаил Дмитриевич нашел и редакцию «Столичного колокола», занимавшую теперь всего несколько комнат на четвертом этаже. Навстречу ему попался очкарик, который нес свежий оттиск полосы, держа за углы и потряхивая им, точно тореадор красным плащом.

— Где Порховко? — спросил Свирельников.

— У себя! — ответил очкарик и, взмахнув оттиском прямо перед физиономией вопросительного посетителя, изящно выгнулся и обошел директора «Сантехуюта», словно быка.

— Где у себя?

— Там!

«Там» располагалась тесная приемная. Молоденькая секретарша, вооружившись красным маркером, изучала толстую рекламную газету, обводя кружками интересные объявления.

— У себя? — спросил Михаил Дмитриевич.

— Занят.

— Я Свирельников. Меня просили срочно приехать.

— А-а... Ну зайдите!

В кабинете, обставленном по предпоследнему слову офисной моды, никого не было. Свирельников огляделся: в углу, в плексигласовом параллелепипеде, покоилось темно-малиновое бархатное знамя со златотканым ленинским профилем, врученное коллективу редакции к какой-то круглой дате лет двадцать, наверное, назад. На стене, над широким редакторским столом, висел большой поясной портрет убиенного царя-мученика Николая Александровича, который, словно шпион, собравшийся на встречу с резидентом, держал под мышкой свежий номер «Столичного колокола». Тут же, сбоку, в золотой рамке красовался диплом «За честь и мужество», подписанный самолично Ельциным. А чуть ниже, на полочке, и тоже под стеклом, содержался кусок фанерованной панели, прошитый автоматной очередью.

В 93-м «Столичная коммуна», резко протестуя против антидемократического парламентского мятежа, переименовалась в «Столичный колокол» и активно поддержала президента, напечатав, в частности, знаменитое коллективное письмо народных артистов СССР «Свобода крови не боится!». После этого, как рассказывают знающие люди, Ельцин воодушевился и со словами «Культура за нас!» приказал раздубасить Верховный Совет из танков. В отместку красно-коричневые побили в редакции окна и даже забросили вовнутрь бутылку с зажигательной смесью, которая отвратительно воняла, но почему-то не горела. ОМОН получил приказ стрелять на поражение.

Но в те роковые дни на подавление мятежа в Москву собрали милицию со всей страны; к редакционному зданию пригнали калужских ребят, одетых в камуфляж и бронежилеты. В Калуге же на третий год реформ жизнь очевидно ссобачилась, и омоновцы в душе сочувствовали взбунтовавшемуся парламенту, однако вынуждены были подчиняться начальству; семьи-то надо кормить. Прибыв к месту происшествия, они, конечно же, на поражение стрелять не стали, а для острастки полоснули из акаэмов над головами мятежников так, чтобы и приказ выполнить, и не пролить дружественную кровь. Красно-коричневые организованно отступили, посылая проклятья в адрес нетрезвомыслящего президента и одетых в военную форму предателей народных интересов.

Одна из очередей, как на грех, и залетела в кабинет главного редактора. Да еще омоновцы, огорченные своей неправотой, дали по шее собкору «Столичного колокола» Строчковскому, выбежавшему их благодарить. Собкор впоследствии за побои, списанные, разумеется, на врагов демократии, получил от Американской Академии Прессы почетное звание «Жертвы правдолюбия». С тех пор в Отечестве он бывает только наездами, колеся по миру с лекциями о том, как тяжело и опасно в варварской России работать журналистом.

Всю эту историю Свирельников знал доподлинно с ее реалистической подноготной, потому что в те дни снимал по соседству, в издательском корпусе, складское помещение под сантехнику, да еще размещал в «Колоколе» рекламу, сочиненную Тоней, которая в школьные годы писала стихи:

Если не течет вода,
Унитаз испорчен,
Позвоните к нам сюда.
Будем рады очень!

Тут открылась незаметная дверь. Из комнаты отдыха, облегченно улыбаясь, появился Порховко, поседелый, краснощекий парубок в смокинге и бабочке. Как и большинство главных редакторов, он вел жизнь фуршетного скитальца. Когда-то его по ротации из газеты «Запорожский комсомолец» взяли на работу в аппарат ЦК ВЛКСМ, а оттуда перед самой Перестройкой бросили укреплять и оздоровлять «Коммуну», погрязшую в столичной групповщине, сибаритстве и тайном фрондерстве. Потомок переметчивых сечевиков быстро освоил столичную групповщину, сибаритство, а также тайное фрондерство, облагородив его исконной неприязнью к москалям, — и потому прижился в газете.

Свирельников познакомился с ним на вернисаже в салоне «Экскрем-Арт», где выставлялись знаменитые художники, использовавшие по творческой нужде не масло, гипс или глину, но исключительно экскременты, оставленные самыми разными живыми существами — от мышки до слона. «Колокол» был информационным спонсором «Экскрем-Арта», славящегося своими сногсшибательными фуршетами, а Свирельникову как владельцу «Сантехуюта» традиционно присылали приглашения, видимо, по причине профильной солидарности.

— Ну, наконец-то! Еще полчаса — и я бы подписал номер! — сказал Порховко, глянув на часы.

— А что случилось?

— Ты разве ничего не знаешь?

— Нет. Секретарша передала, ты просил срочно приехать.

— Когда передала?

— Час назад, — соврал Михаил Дмитриевич.

— Уволь секретаршу! Я тебя второй день разыскиваю! В конце концов, тебе нужны «Фили» или мне?

— Да в чем дело-то?

— Смотри и помни мою доброту!

С этими словами Порховко снял с гвоздика свежую полосу и положил на стол. Подвалом под рубрикой «Скандалы» был разверстан большой материал «Сантехнический триллер». Пробежав глазами текст, Свирельников понял, что речь идет о давней истории с обрушившимся бассейном, который его фирма установила в восьмикомнатной квартире одного звездного певца, знаменитого не столько голосом и репертуаром, сколько постоянными, мучительными сменами сексуальной ориентации, о чем, как о сенсации общецивилизационного масштаба, периодически вещала вся «желтая» пресса. Впрочем, одна из его песенок некоторое время была в самом деле чрезвычайно популярна, и ее крутили буквально на каждом шагу. В ней пелось о транссексуалке, которая, увидав на улице шагающий взвод, с нежной грустью вспоминает свою мужскую армейскую юность:

Я тоже поднималась по тревоге,
Я на плече носила автомат,
Но снились вам девчонки-недотроги,
А мне — наш неулыбчивый комбат.

Через месяц перекрытия не выдержали то ли самого бассейна, то ли набившихся в него участников знаменитых на всю Москву оргий. Из трещины вода потоком хлынула в нижнюю квартиру, где обитал тоже очень популярный человек — известный правозащитник и член Комиссии по помилованию. Вся страна знала и уважала этого кристально честного бессребреника, лет пятнадцать подряд появлявшегося на телеэкранах в одном и том же обтрепанном пиджачишке, застиранной сорочке и черном галстучке со стеклярусным узором, какие в шестидесятые годы носила провинциальная гуманитарная интеллигенция. Правозащитник потребовал выплатить ему стоимость испорченного водой узорного паркета, набранного из семидесяти шести ценных пород деревьев, включая карельскую березу, паросский кипарис и розовый ливанский сандал. Певец, живший тогда с популярным адвокатом, переадресовал претензии к фирме «Сантехуют», якобы не выполнившей необходимых расчетов, но Волванец тоже не зря ел свой хлеб: он вчинил иск с компенсацией ущерба строительной фирме «Домедика», не обеспечившей элитный дом надежными перекрытиями. Однако «Домедика», не будь дурой, объявила в суде, что по всем инженерным расчетам пол тяжесть бассейна должен был выдержать, и перевела стрелки на Очаковский завод железобетонных изделий, поставлявший стройматериалы. Завод в ответ потребовал провести следственный эксперимент: то есть снова наполнить бассейн водой и посадить туда столько же людей, сколько купалось в нем на момент катастрофы. Но от проведения эксперимента наотрез отказался правозащитник, который уже восстановил уникальный паркет и даже добавил в гостиную инкрустацию из индонезийского палисандра. Однако компенсацию он продолжал требовать с маниакальной принципиальностью, свойственной всем бессребреным правозащитникам.

В сущности, ничего такого уж страшного в этой публикации не было, если бы в эти дни не решался вопрос с подрядом на «Фили». Ну, напечатали бы через неделю в «Вечерке» статейку о том, откуда у скромного правозащитника со стеклярусным галстуком деньги на такой пол, какой, наверное, не мог себе позволить даже висящий на стене государь император. И пусть отмазывается! Но Порховко, сволочь, все верно рассчитал: именно сейчас, когда решается вопрос с контрактом, лучше, чтобы про тебя вообще ничего не сообщали в газетах – ни хорошего, ни плохого. Напишут гадость – чиновники сразу забеспокоятся: если пресса ругает, следовательно, тебя кто-то могучий очень не любит. Следовательно, надо на всякий случай взять с тебя побольше. А если вдруг расхвалят – чиновники решат, что ты сам и проплатил. Ну, действительно, станет нормальный журналист хвалить или разоблачать задаром? Ясно: не станет. У него других дел полно. А зачем ты, спрашивается, пробашлял? Значит, у тебя проблемы. А если проблемы, брать с тебя надо вдвое или втрое!

– Как? Сильно? – самодовольно спросил главный редактор, дождавшись, пока Михаил Дмитриевич осилит материал.

В статье правда и вранье переплелись с такой достоверной виртуозностью, что по прочтении «Сантехуют» хотелось уничтожить, стереть с лица многострадального нашего Отечества. Особенно удалась концовка: «Как жаль, что до сих пор нет огромного унитаза, куда можно было бы ссыпать всех этих сантехнических жуликов, нажать рычажок смыва и жить спокойно!»

— Ну и гад же ты, Порховко! — упрекнул Свирельников. — Тут же все переврано!

— Ты можешь это доказать?

— Легко! — Михаил Дмитриевич вынул и отсчитал десять стодолларовых бумажек.

— Ты за кого меня принимаешь? Убери сейчас же!

Директор «Сантехуюта» вздохнул и добавил еще пять купюр.

— Ты меня разве не понял? — начал показательно свирепеть Порховко.

— Это гуманитарный взнос...

— Да на хрена мне твой гуманитарный взнос!

— А что тебе нужно?

Главный редактор встал, прошелся по кабинету, как-то особенно задержавшись возле диплома «За честь и мужество». У Свирельникова появилось нехорошее предчувствие: или руководитель «Колокола» вдруг стал кристально честен, что маловероятно, или он — скорее всего — решил нагреть «Сантехуют» по-настоящему!

— Тут к нам побратимы из «Филадельфийского колокола» прилетали, — после пространного молчания начал Порховко. — Журналисты. Знаешь, по сравнению с моими писаками просто дебилы. Вообще удивительно тупая нация! Мы на пять голов выше! Но вот ты объясни: если мы такие умные, почему у нас всегда грязные сортиры? Даже на Красной площади! Почему они своих негров и индейцев приучили не гадить мимо? А мы, наследники Толстого и Достоевского, никак сами не научимся? Поверишь, просто готов был сквозь землю провалиться! Прямо больной ходил. Ты меня понял?

— Понял, — кивнул Михаил Дмитриевич, скорбно осознав, что снятие статьи из номера обойдется ему гораздо дороже, чем он рассчитывал.

— Вот и хорошо! — Порховко нажал кнопку селектора. — Людочка, Леню ко мне. Быстро! — Потом повернулся к Михаилу Дмитриевичу: — Ты сегодня в польское посольство идешь?

— А что там?

— Прием в честь юбилея разгрома москалей то ли под Конотопом, то ли еще где-то... Забыл.

— Нет, не иду.

— Зря! Вся интеллигенция будет. И стол у них всегда хороший. Не то что у французов. Запредельные жмоты: икру искусственную подают. Представляешь?

— Лучше всего в белорусском посольстве кормят.

— Это — да. Но к ним ходить неприлично. Западники узнают — ни на один прием больше не позовут.

Появился Леня, толстенький бородач, судя по хмурой озабоченности, ответственный секретарь. В руках у него был рабочий оттиск газетной полосы.

— Снимаем из номера «Сантехнический триллер»! — распорядился Порховко.

— Поздно. Полоса подписана! — сказал тот как отрезал.

— Поздно, брат! Извини! — развел руками главный редактор, виновато глядя на пострадавшего. — Надо было раньше приезжать!

— Неужели ничего нельзя сделать? — как можно жалобнее спросил Свирельников, понимая: все это разыгрывается нарочно, чтобы, так сказать, оправдать будущие затраты.

— Лень, я тебя умоляю! — проникновенно попросил Порховко.

— Нарушение графика... — уже мягче возразил ответсек.

— Слушай! Надо людям помочь. И они нам помогут.

— Сушилки для рук поставите? — уточнил осведомленный Леня.

— Поставим! — кивнул Свирельников.

— С фотоэлементом?

— С элементом.

— Ладно, что-нибудь придумаю! А что вместо?

— Рекламу? — предположил Порховко.

— Ага, где я возьму рекламу в пять часов вечера?

— А что есть из «заиксованного»?

— «Аспирин-Смерть».

— Это про «Союзфармимпорт»? — спросил главред, нахмурившись специально для Свирельникова.

— Да, про «фармаков», — кивнул ответсек, подыгрывая. — Жуткий материал. Аспирином, оказывается, тещ травить можно.

— А что, эти умники так и не позвонили?

— Нет.

— Ставь! — приказал Порховко. — Черт с ними! Завтра будут рыдать!

— Рекламу им сделать хотите? — улыбнулся Свирельников, намекая на то, что происходящий в кабинете спектакль ему понятен.

— Почему рекламу?

— Ну, про тещ... Все побегут покупать.

— А-а! — Порховко засмеялся. — Хорошо сказал! — И строго повторил приказ: — Ставь!

— Мало. Дырка останется!

— Что предлагаешь?

— «Путеводитель по эрогенным зонам. Подмышки».

— Валяй подмышки! — рассмеялся главред. — Снимок поставили?

— Поставили! — кивнул Леня и расстелил на столе рабочий оттиск.

— Хорошо. Иди!

Это была первая полоса с крупной шапкой, подпирающей логотип: «Берлинское сафари: было или не было?» На снимке, сделанном явно ночью, темнел вооруженный силуэт, таинственной невнятностью напоминающий любительские фотографии лохнесского чудовища. Из нескольких строк пояснительного текста, которые успел ухватить Свирельников, следовало, что Подберезовский в Лондоне наконец выполнил давнюю угрозу и обнародовал разоблачительный снимок. Ход, что и говорить, гениальный! Будь силуэт хоть немного похож на президента, можно доказывать: подделка, провокация, монтаж! А когда имеется лишь серое пятно, смахивающее на неведомого человека с ружьем, оправдывайся до хрипоты — никто не поверит, да еще скажут: «А что это он так волнуется, если это не он?» Но и промолчать тоже нельзя. Все подумают: «Ишь ты, узнал себя и затих — пережидает!» М-да-а, политика...

— Из Кремля не звонили? — с легким ехидством спросил Свирельников, знавший, как и все остальные, что «Колокол» через подставных лиц контролируется самим Подберезовским.

— Не-а! — усмехнулся в ответ Порховко.

— А позвонят — чего попросишь?

— Свободы слова! — заржал главный редактор и погрустнел. — Иногда хочется взять акаэм, всех пострелять, а потом и самому застрелиться. У тебя так не бывает?

— Бывает, — кивнул Михаил Дмитриевич.

— Выпьем?

— Нет... Я вчера...

— Такого ты еще не пил! Тридцать лет. Номерной резерв!

— Ну, давай — чуть-чуть...

Выйдя из кабинета главного, Свирельников по пути заглянул в туалетные комнаты и понял, что «Колокол» нагрел его штук на семь.

28

Сев в машину, Михаил Дмитриевич посмотрел на часы и призадумался: Жолтиков пока не звонил, Алипанов тоже.

— В офис! — распорядился он.

— А болтики? — спросил Леша.

— Болтики? Молодец, что напомнил. Поехали в храм!

Серых «жигулей», омрачивших целый день, поблизости не наблюдалось. Однако по дороге Свирельникову вдруг почудилось, будто теперь за ним увязалась какая-то темно-синяя «девятка», он даже постарался разглядеть номер, чтобы сообщить Алипанову, но как раз в этот момент «девятка» исчезла. Зато на хвост им села навороченная «таврия», украшенная самодельным «кенгурятником», слепленным, наверное, из спинки старой никелированной кровати.

«Вот так с ума-то и сходят!» — подумал директор «Сантехуюта».

«Таврия» отвязалась от них буквально в квартале от храма Преподобного Сергия Радонежского.

Простенькая, двуглавая, рубленная «восьмериком на четверике» церковь стояла еще в лесах. Судя по распотрошенной птицами межбревенной пакле и посеревшей тесине, стройка была давнишняя. Большой шатровый восьмерик уже обили сизой кровельной оцинковкой, а малый, венчающий звонницу, которая без колоколов напоминала сторожевую вышку, укрывал лишь черный пергамин. Оба купола пока еще являли собой железные луковичные каркасы, тронутые нежной, юной ржавчиной. Вместо крестов из них торчали пустые металлические стержни.

Метрах в двадцати от церкви асфальт заканчивался и начиналась мусорная грязь, окружающая в нашем Отечестве почему-то любое созидательное мероприятие. Через заполнившую траншею цементно-глинистую жижу, образовавшуюся после недавних августовских дождей, ненадежно пролегали извилистые необрезные доски. Алексей остановил джип, обернулся и вопросительно посмотрел на босса. Свирельников, вздохнув, вылез из машины, с сожалением глянул на свои чистехонькие ботинки и пошел, вспоминая почему-то бесконечные истерические споры о «дороге к храму», которыми морочили сами себе голову в Перестройку. Когда он по прогибающимся доскам добрался до сухого места, обувь оказалась выпачканной до шнурков.

«Вот тебе и дорога к храму!» — подосадовал директор «Сантехуюта».

Возле крытого шифером навеса трое рабочих вытаскивали из бортового ЗИЛа листы толстой слоеной фанеры, очевидно для внутренней отделки. Водитель, облокотившись на крыло, курил и смотрел на неуклюже суетящихся разгрузчиков с превосходительной иронией интеллектуала.

— Танки грязи не боятся? — улыбнулся Михаил Дмитриевич, кивая на грузовик.

— Танки ничего не боятся.

— Где батюшка?

— В бытовке.

В строительном вагончике в красном углу, на полочке, стоял образ Сергия Радонежского, а перед ним горела лампадка. Белобородый ангел земли Русской скорбно и недвижно глядел с иконы, размышляя, наверное, о том, зачем надо было насмерть биться на Куликовом поле с татарским игом, чтобы через шестьсот лет добровольно, да еще со слезами благодарности, надеть себе на шею ярмо общечеловеческого прохиндейства.

Отец Вениамин сидел у зарешеченного окошечка за самодельным столом, заваленным чертежами, нарядами, накладными, и считал – тыкал пальцем в зеленые клавиши большого детского калькулятора, а потом записывал результат в амбарную книгу. При этом его желтоватое, болезненное лицо не омрачалось бухгалтерским упрямством, а, наоборот, светилось тихой гордостью, какая бывает у родителя, купающего младенца. Увлеченный своей цифирью, батюшка даже не заметил, что кто-то вошел в бытовку. Или, может, подумал: строитель явился напиться из оцинкованного бачка.

– Ну, как ты тут, отец Вениамин, без болтиков? – громко спросил Свирельников.

Священник встрепенулся, обрадовался, выскочил из-за стола и, раскинув руки, пошел навстречу гостю. Старенькая ряса его была перетянута в поясе полевым офицерским ремнем и запорошена снизу опилками. Ноги обуты в выношенные кроссовки. За тот месяц, что они не виделись, Труба еще больше высох и поседел. В побелевших волосах были отчетливо видны черные заколки, удерживающие пряди за ушами.

– Михаил Дмитриевич, благодетель ты мой, наконец-то! Заждались...

Он обнял и трижды расцеловал гостя, обдав его лекарственной затхлостью.

– Извини – закрутился.

– Да что ты! Спасибо! Без болтиков ведь никак. Понимаешь, в проекте-то у меня балки двести на сто пятьдесят. А на базе, где мне со скидкой отпускают... Хорошие люди, дай им Бог здравия! Там такого бруса не было. Только сто пятьдесят на сто пятьдесят. Сказали: погоди — завезут. А как годить-то? Мне до зимы нужно храм под крышу подвести и отопление поставить, чтобы отделку начать. Ну, я тогда (лукавый попутал!) и пустил на перекрытия стопятидесятки. А они взяли и просели. Позвал инженера. Славный человек. Я у него сына крестил. Он посмотрел, посчитал и говорит: «Разбирай, а то грохнется!» А как разбирать, если я и так уже в долг строю?! Деньги-то кончились И те, что ты давал, тоже кончились! Упросил его — он еще раз пересчитал и определил: если по бокам вдоль лаг кинуть бруски сто пятьдесят на сорок и стянуть всю конструкцию болтиками — выдержат перекрытия. Понял теперь, зачем мне болтики?

— Понял. Куда ящики ставить?

— Под навес.

— Ну ладно, если что — звони!

— Храни тебя Господь! Спасибо, что помог! Лепту твою Господь не забудет.

Батюшка обнял Свирельникова и перекрестил. На лице его уже появилась выпроваживающая улыбка, а в глазах забрезжила иная, не касающаяся гостя забота. Но тут послышалось глухое мобильное дребезжание. Отец Вениамин порылся в складках рясы и вытащил из кармана старенькую «моторолу», замотанную от распада прозрачным скотчем.

— Алло! Да, я... Николай Федорович! Благодетель ты мой! — заулыбался пастырь и вдруг сразу как-то осунулся. — А почему сегодня? Мы же договаривались... Ай-ай, как плохо! Ладно... Что же делать?.. А если потом?.. Ай, как плохо!..

Хотя они уже простились, во время разговора Михаилу Дмитриевичу уходить было неловко, и он терпеливо ждал окончания, чтобы встреча имела приятную расставательную завершенность. Наконец отец Вениамин сунул трубку в карман. Повторив уже самому себе: «Ай, как плохо!» — он озабоченно посмотрел на Свирельникова и вдруг словно заново узнал гостя.

— Ты подожди, Михаил Дмитриевич! Ты присядь! Все мы с тобой на бегу, в суете. Я давно хочу, чтобы мы сели и хорошо поговорили. Ведь что-то с тобой происходит! Я вижу! И выглядишь ты неважно! Садись! Торопиться не надо! Вот и Господь мог ведь мир вмиг сотворить, а на семь дней растянул. Зачем? Нам всем урок: не торопись! Как здоровье?

— У доктора был: сердцем, говорит, надо заняться... — ответил Свирельников, прекрасно понимая, что Трубе от него снова что-то понадобилось.

— Кардиограмму сделал?

— Сделал. Таблетки пью.

— Таблетки не главное. Змей греховных надо прежде из сердца вырвать. Они из тебя силу сосут. Я их даже вижу: извиваются. Самая огромная и ядовитая: ожесточение. Ожесточились люди! Страшно ожесточились. Свободный человек с душой раба — жуткая вещь!

— Жизнь такая. Капитализм! При социализме все друг друга словами обманывали. Ну, ты помнишь?

— Как же, помню!

— А теперь деньгами обманывают.

— Деньги могут и добру послужить! Но главное, чтобы внутренний твой человек сердцем не страдал, тогда и ты будешь здоров! Свет из сердца должен исходить, а пока тьма исходит, лечись не лечись, как был трупоносцем, так и останешься. По себе знаю...

— Трупоносцем? — внутренне содрогнувшись от неприятного слова, переспросил Свирельников.

— Григорий Богослов так человека без веры называл. Погоди, — спохватился отец Вениамин и, торопясь к выходу, объяснил: — Забыл сказать, чтобы фанеру на бруски клали — для проветривания. За всем надо следить!

Оставшись в одиночестве, Свирельников встал, прошелся по бытовке, выглянул в окошко: батюшка что-то быстро говорил рабочему, тот послушно кивал. Фанерные листы, как и следует, были переложены брусочками. Михаил Дмитриевич вспомнил про «трупоносца» и «змей», поежился и вдруг подумал: в той вере, которую обрел Труба, став, к всеобщему изумлению, отцом Вениамином, главное ведь не надежда на то, что, когда могильные черви будут жрать твой труп, душа твоя, помня, а может, не помня себя, улетит на заслуженный отдых к Всеблагому. Этого ведь доподлинно никто не знает. Даже священники, надо полагать, верят в воздаяние за гробом примерно так же, как Красный Эвалд верил в коммунизм. Сказано – будет, значит, будет. Доживем – узнаем. Или: помрем – узнаем. Какая, в сущности, разница!

Нет, сила веры в другом. В том, что на все проклятущие заморочки жизни тебе не нужно мучительно искать свой собственный ответ, чаще всего неверный, и свое собственное решение, чаще всего неправильное. За тебя давно уже на все ответили святые отцы. И ответили правильно! Вот в чем штука! Если веришь, ты сам, твоя жизнь, твои поступки становятся частью этой всеобщей Правильности. Поэтому-то, наверное, и лица у верующих такие светлые и покойные. А зачем искажаться и тревожиться: ты же правильный!

Михаил Дмитриевич вдруг сообразил, что, собственно, никакого особенного превращения с Трубой не случилось. Просто раньше он верил в то, что за него надумали Ленин с Марксом, а теперь верит в то, что завещали Григорий Богослов с Иоанном Дамаскином. И вся недолга! И верит так же рьяно. Только прежде его безбожный напор осаживал горком партии, а теперь с его истовостью мучится церковное начальство. Одно время он затерзал всех сногсшибательной идеей. А именно: позаимствовать в одном заморском монастыре хранящуюся там мумифицированную десницу апостола Андрея, провезти ее по всей России от Смоленска до Сахалина и таким образом как бы вновь благословить пребывающее в смуте Отечество на исторический подвиг возрождения. Причем провезти, а вернее, промчать мощи по державе должна была колонна байкеров с флагами, хоругвями и иконами, укрепленными между изогнутыми мотоциклетными рулями, что гарантировало безусловное воцерковление отпадшей от корневого православия и соблазненной пепсиколовой бездуховностью молодежи. С этим проектом Труба прорвался чуть ли не к патриарху и даже якобы почувствовал некое благоволение к своему начинанию. Взволнованный» он прилетел на шпаклеваной-перешпаклеваной «шестерке» к Свирельникову, радостно сообщил, что Святейший его полностью одобрил, и попросил взаймы на подержанный мотоцикл. Денег Михаил Дмитриевич ему, конечно, дал, но вместо байкеровского миссионерского пробега под хоругвями отцу Вениамину посоветовали все силы бросить на скорейшее восстановление храма Сергия Радонежского.

«А вот папа римский наверняка бы поддержал!» — подумал почему-то Михаил Дмитриевич.

Отец Вениамин вернулся и спросил с порога:

— А с Тоней-то ты помирился?

— Нет.

— Надо мириться!

— Не получается.

— Тогда надо тебе жениться. Блуд ведь тоже — змея, сердце сосущая. А семья — малая церковь. С Тоней ты венчанный?

— Нет.

— Значит, считай, холостой! Найди себе хорошую девушку. Верующую. Я повенчаю. Только очень молодую не бери!

— Почему?

— Будешь больше о теле думать, чем о душе. Как дочь?

— Из института отчислили!

— Плохо.

— Да уж чего хорошего!

— Ты, Михаил Дмитриевич, помни: за малых сих мы перед Господом отвечаем! Она у тебя крещеная?

— Нет, кажется...

— Ну как же так! — расстроился батюшка. — От этого ведь все беды! Вот храм дострою, приводи — покрещу! Погоди, а сам-то ты крещеный?

— В младенчестве. Отец сначала в Елоховку понес, а там стали адрес и место работы спрашивать...

— Безбожная была власть, антихристова! — сокрушился отец Вениамин с таким видом, словно читал про эту власть в древних манускриптах.

— Ну, батя меня сунул в свой ЗИЛ и куда-то в Подмосковье отвез. Там уже ничего не спрашивали. Окрестили — и все...

— И крестик носишь?

— Носил. Цепочка порвалась... — честно признался он. — А новую купить забываю. Как белка...

Михаил Дмитриевич, правда, умолчал, что цепочку порвала ему Светка, забывшись в юной постельной мятежности. Теперь он даже и не помнил, куда сунул свой крестик, выбранный еще Тоней. Когда они в первый раз поехали отдыхать в Египет, ехидная супруга все время потешалась над новыми русскими, носившими на малиновых шеях золотые якорные цепи с огромными крестами, место которым не на человеческой груди, а на церковном куполе. Потом она повела мужа в ювелирную лавку и, к удивлению на редкость молчаливого араба с красивым, фаюмским лицом, привыкшего к русскому размаху, выбрала изящный маленький крестик со Спасителем и тонкую цепочку...

В бытовку с грохотом вбежал строитель и крикнул чуть не плача:

— Отец Вениамин, везут!

— Что везут?

— Оцинковку везут! Сто листов!

— Как везут? — воскликнул батюшка в водевильном отчаянье и замахал руками. — Я же на следующей неделе заказывал...

— На следующей неделе нельзя. С понедельника весь металл на двадцать процентов дорожает.

— Так у меня сегодня и денег нет — рассчитаться! — Отец Вениамин сказал это строителю, но посмотрел на Свирельникова. — Где ж я такие деньги достану?

Весь этот простодушный театр был Михаилу Дмитриевичу трогательно очевиден, и он спросил, с трудом сдерживая улыбку:

— А сколько нужно?

— Сорок пять тысяч! — вздохнул пастырь. — Четыреста пятьдесят рублей лист...

— Значит, полторы тысячи?

— В долларах полторы... — кивнул батюшка.

Михаил Дмитриевич достал бумажник и, отсчитывая купюры, впервые почему-то обратил внимание на то, что у сотенного Франклина лицо мошенника, работающего на доверии.

— Храни тебя Бог! — просиял отец Вениамин, спрятал деньги в карман рясы и благодарно перекрестил Свирельникова. — Отстроимся — и тебя повенчаю, и детишек твоих покрещу!

— К апрелю успеешь?

— Надо успеть!

— Есть у православных такое слово «надо»! — усмехнулся Свирельников, намекая на давние, «альдебаранские» времена.

Все-таки в глубине души он обиделся на то, что деньги у него не попросили, а выманили с помощью этого дурацкого представления. Отец Вениамин смутился, почувствовав укор благодетеля, и, опустив глаза, заговорил вдруг не нынешним своим ровно-ласковым, а прежним, отрывистым, атеистическим голосом:

— Не дают мне денег, Миша! Думают, себе прошу. На жизнь. А я если на жизнь и беру, то чуть-чуть. Чтобы жена не сердилась. Устал я канючить, Миша. Прости!

— Все нормально! — ответил Свирельников, приобнял пастыря и пошел вон из вагончика.

Солнце уже садилось, проталкивая между белыми башнями новостроек ослепительные густые лучи. Тополя стали совершенно синими, и только самые верхушки золотились, словно там распустились какие-то ярко-желтые цветы, вроде мимозы. Мусорные неровности почвы отбрасывали длинные космические тени.

Свирельников садился в машину, когда запыхавшийся батюшка, подхватив рясу и пачкая кроссовки в жиже, догнал его:

— Погоди, Михаил Дмитриевич! Погоди! Ты пока цепочку купишь, с этим вот походи! — И он надел ему на шею поверх пиджака тесемку со штампованным алюминиевым крестиком.

— Спасибо, отец Вениамин! — сквозь горловой спазм проговорил директор «Сантехуюта» и неожиданно для себя поцеловал Трубе руку, пахнущую олифой...

29

Свирельников помахал пастырю в окошко, толкнул Лешу в спину, и джип, по-утиному переваливаясь на колдобинах, поехал прочь от храма. Михаил Дмитриевич убрал тесемку под рубашку, обнаружив, что крестик достает почти до ремня. Потом вынул из портфеля газету, обтер грязь с ботинок и отполировал их специальной губкой, которую всегда возил с собой. С армейских времен он не переносил грязной обуви, и Тоне это, кстати, очень нравилось.

От Жолтикова больше никаких команд не поступало. Поначалу Свирельников собирался быстренько проскочить к бывшей жене и устроить ей хороший скандал из-за Аленкиного отчисления, но потом, поразмыслив, решил ехать в офис и ждать там. У него возникло странное ощущение: если он будет сидеть возле сейфа с деньгами, Жолтиков обязательно выйдет на связь, и борьба, длившаяся так долго, именно сегодня закончится победой. В России ведь как: дают только тем, у кого берут. А берут не у всех!

По пути он несколько раз оглянулся и снова заметил едущую следом за ними темно-синюю «девятку». Ему даже показалось, будто водитель, смутно видневшийся сквозь лобовое стекло, немного похож на Эльвириного мужа. Свирельников быстро нацарапал на обратной стороне чьей-то визитной карточки номер подозрительной машины — А-281-ММ — и позвонил Алипанову. Вкрадчиво-приветливый женский голос сообщил, что аппарат абонента выключен или недоступен, и посоветовал перезвонить позже.

«Пока он там роет, меня тут уроют...» — подумал Михаил Дмитриевич и снова посмотрел назад: «девятка» вроде отстала.

Он почувствовал, что сорочка под пиджаком намокла от пота, и разозлился на себя за трусость. Как говорил замполит Агариков, советский офицер имеет право бояться только двух «устрашилищ»: жены и парткома!

Охранник открыл железную дверь не сразу. Судя по жуткому запаху из «дежурки», он себе что-то разогревал в микроволновой печи.

«Неужели кипятит эту свою мочу?!» — поморщился директор «Сантехуюта».

— Вас там ждут! — доложил сторож.

— Кто?

— Не знаю. Но по важному делу.

— Как это «не знаю»? Хоть фамилию бы спросил! Так ведь кто угодно зайти может!

— Виноват!

— Кто из сотрудников на месте?

— Нонна.

— Ясно...

Шагая вдоль запертых кабинетов, Свирельников ощущал беспомощный гнев, знакомый всякому начальнику, вернувшемуся в неурочное время в контору и не обнаружившему подчиненных на рабочих местах. Видимо, сотрудники решили, что сегодня босс уже не появится, и ровно в 18.00 разбежались. Ну какая, на хрен, разница — капитализм в стране или социализм, если все об одном только и думают, как бы пораньше с работы смыться! А охранника надо увольнять: мочу хлещет, пускает кого ни попадя! Михаил Дмитриевич совершенно ясно вообразил, как он входит в приемную, а ему навстречу поднимается человек в шинели без погон. Свирельников только успевает узнать это узкое, до уродливости бледное лицо, а Эльвирин муж выхватывает из-за пазухи два «макарова» и стреляет с обеих рук: бац, бац, бац... (Как недавно по телевизору в фильме про покушение на Брежнева.) Он представил это себе настолько натурально, что даже почувствовал боль в сердце — словно бы пробитом пулей. И вдруг задумался, куда обманутый муж направит контрольный выстрел: в голову — для надежности или в иное место — для назидательности? Сам он на его месте выстрелил бы назидательно!

В приемной за столом сидела Нонна, а на гостевом диване развалился странного вида мужичок: сандалеты на босу ногу, застиранные джинсы, двубортный коричневый пиджак, мятая клетчатая рубашка и галстук, словно пошитый из куска старой гостиничной портьеры. Кроме того, был он неопрятно лыс и носил большие очки с толстыми плюсовыми стеклами, настолько увеличивавшими глаза, что ресницы толщиной напоминали спички.

— Вот, ждут вас! — обиженно доложила секретарша. — Давно ждут. Говорят: назначено. А у меня ничего не записано.

— А я у тебя записан? — весело спросил он.

Директор «Сантехуюта» испытал настоящее облегчение, обнаружив в офисе не нафантазированного убийцу с лицом Эльвириного рогоносца, а это странное неряшливое существо.

— Вы у меня всегда записаны! — ответила Нонна и улыбнулась.

— Я разве вам назначал? — Свирельников повернулся к посетителю.

— Да, сегодня на пять часов. Я Чагин, изобретатель...

— Чагин? А где мы с вами встречались?

— Мы с вами еще не встречались. Обо мне вам вчера рассказывал Владимир Николаевич Веселкин, и вы изъявили желание немедленно со мной повидаться. Поверьте, мне было не так просто выкроить время для встречи! — объявил гость, нервно поигрывая пальцами ног.

— Да, кажется, рассказывал... — кивнул Михаил Дмитриевич.

Из вчерашней пьяной невнятицы всплыл какой-то странный, путаный и восторженный разговор про гения, придумывающего разные потрясающие штуки. Точно! Вовико объявил, что отказывается от борьбы за «Фили-палас», более того, навсегда уходит из сантехнического бизнеса. А в знак примирения дарит бывшему компаньону и до последнего времени врагу гениального чудика по фамилии Чагин.

«Завтра же купи у него идею! По-тря-са-ющая! А то уведут! Без всяких-яких...»

«А что за идея!»

«Узна-аешь!»

Свирельников еще раз оглядел странный веселкинский подарок и хотел сразу же выпроводить его вон, но вспомнил статью из «Караван-сарая», где доказывалось, будто Нильс Бор, например, сделал для мировой науки гораздо больше, чем Эйнштейн. Однако скандинав одевался вполне прилично и вел себя как нормальный человек. В результате гением назначили путаника Альберта, беспрерывно валявшего дурочку и прикидывавшегося «чайником». А кому, в самом деле, нужен нормальный гений? Скучно...

— Ну и что у вас за проект? — спросил он Чагина.

— Об этом я могу сообщить только наедине! Это частная интеллектуальная собственность!

— Не волнуйтесь, здесь все свои.

— Хе! — усмехнулся изобретатель с такой скорбью, точно вся жизнь его прошла в непрерывных умственных утратах.

— Проходите в кабинет! Нонночка, мне чаю, а вам? Простите, имя-отчество ваше?

— Платон Марксович, — с достоинством сообщил чудик. — Мне кофе, и покрепче!

— Нонна, Платону Марксовичу кофе, и покрепче! — очень серьезно, чтобы не захохотать, повторил Свирельников и по глазам секретарши понял, что она тоже еле сдерживается.

Зайдя в кабинет, изобретатель начал опасливо озирать помещение, словно хотел убедиться, что здесь нет подслушивающих устройств и прочих средств хищения интеллектуальной собственности.

— Выпьете? — спросил Свирельников, сам внезапно ощутивший в организме радостную алкогольную потребность.

Платон Марксович испытующе посмотрел на искусителя грустными увеличенными глазами, мигнул в пол-лица и, тяжело вздохнув, кивнул.

— Водка, коньяк, виски?

— Коньяк — не физиологично. Виски — не патриотично. Водку, пожалуй!

— А я коньячку... — Михаил Дмитриевич нажал кнопку селектора. — Нонночка, еще — апельсин и огурчики соленые!

— Я за лимонами сбегала.

— Умница. Порежь!

— А разве уже можно резать? — ехидно спросила она.

— Можно. День, считай, кончился.

Он откинул половинку глобуса-бара, достал бутылки и налил себе «Хеннесси», а гостю — «Стандарт», потом поставил рюмки на стол и в ожидании закуски спросил:

— А что, Платон Марксович, Веселкина вы давно знаете?

— Три года... — ответил Чагин, уставившись на рюмку с таким напряжением, точно хотел силой взгляда подвинуть ее к себе поближе.

— Изобрели для него что-нибудь?

— Да так, кое-что...

— Секрет?

— От вас мне скрывать нечего. Владимир Николаевич сказал: вы его лучший друг с юности...

— Да, мы давно знакомы. А вы где с ним познакомились?

— На выставке «Умелец-2001». Я показывал вибрационную стиральную машину размером с утюг. Включил в сеть, опустил в емкость с бельем, засыпал порошок — и отдыхай.

— Погодите, по-моему, такая уже есть на рынке. «Тритон» называется.

— Украли идею, — мрачно объяснил Чагин. — Запатентовать не успел...

В этот момент вошла Нонна с подносом. Изобретатель посмотрел на нее так, будто ждал по меньшей мере несколько дней. Наконец они чокнулись. Свирельников еще только коснулся губами коньяка, а гость уже стукнул пустой рюмкой о стол.

— Хорошая водка, но без букета! — сообщил он, закусив огурчиком.

— А бывает с букетом?

— Конечно. Особенно в провинции. Ах, какую водку я пил в Касимове! Хлебной корочкой пахнет. А в

Москве в магазинах или химия, или вообще фальшак! Я тут недавно коллегу похоронил. Погиб от водки. Купил к празднику бутылочку. На этикетке, как положено, «Кристалл». А на самом деле... Я бы за подделку водки расстреливал, честное слово! За измену Родине и фальшак — к стенке!

— Еще рюмочку?

— Не откажусь!

Свирельников разлил, изобретатель тут же заплеснул водку в рот, шумно отхлебнул кофе и отнесся к Михаилу Дмитриевичу с почти уже приятельской прямотой:

— Володя объяснил вам суть открытия?

— В самых общих чертах...

— Тогда для начала немного теории. Я надеюсь, вы знакомы со статистикой сексуальной несовместимости брачных пар?

— Читал, что много...

— Большинство!

— Так уж и большинство?

— Да! В противном случае я бы тут не сидел! А что такое сексуальная несовместимость? Это — неврозы, психозы и даже онкологические заболевания. Виагра опасна и ненадежна. Вы знаете статистику инфарктов из-за злоупотребления виагрой? Нет? Она удручает. Кое-кто пытается решить проблему сексуальной несовместимости с помощью постоянной смены половых партнеров, опускается даже до интимуслуг и продажной любви. Безнравственное и крайне опасное занятие! Ведь мы живем в эпоху эпидемии венерических инфекций...

— Я бы даже сказал: пандемии, — скорбно заметил осведомленный Свирельников.

— Согласен, пандемии! — кивнул Чагин, глянув на него с профессиональным уважением. — Про Амелу Андерсон читали?

— А что с ней?

— Как — что? Искала идеального любовника, а получила гепатит С... Который не лечится! Про СПИД я даже не говорю. Любовь стала минным полем: в любой момент можешь погибнуть. Тупик! Понимаете, цивилизация зашла в сексуальный тупик. И выход из этого тупика один: БМГУ!

— Что?

— Разрешите? — Платон Марксович кивнул на бутылку.

— Да, конечно...

— Я, знаете ли, убежденный трехрюмочник! Это принцип.

Он махнул еще водочки и полез в портфель, когда-то имитировавший крокодиловую кожу, а теперь вытершийся до тюленьего блеска, достал оттуда папку с чертежами, на ней каллиграфическими буквами было выведено:

Биде массажно-гигиеническое
усовершенствованное
(БМГУ)

Из предъявленных чертежей и страстных объяснений изобретателя стал понемногу вырисовываться путь избавления рода людского от кошмара сексуальной дисгармонии. Оказалось, Платон Марксович изобрел биде с электронным управлением, которое с помощью строго научно целенаправленных струй осуществляло эротический массаж гениталий пользователя. Агрегат работал в двух основных режимах, «М» и «Ж», каждый из них имел по семь подрежимов, соответствующих различным анатомическим и эрогенным спецификациям. Как уверял Чагин, мужчина, прибегнув к БМГУ, обретал невероятную эрекцию, какую никогда не обеспечит даже пригоршня виагры. Что же касается женщины, то массирующие водотоки, согласно проекту, должны приводить ее в такое возбуждение, что остается лишь добежать до брачного ложа, причем сексуальные кондиции партнера, ожидающего на этом самом ложе, значения уже не имеют. Закончив речь, изобретатель уставился на Свирельникова своими огромными глазами, словно специально увеличенными для того, чтобы лучше видеть тот восторг, который непременно должен охватить человека, узнавшего о принципах работы БМГУ.

— Ну, вы поняли?

— Понял!

Проще всего было рассмеяться и вытолкать изобретателя взашей. Но Свирельников занимался бизнесом не первый год и помнил случаи, когда безумная, даже дурацкая на первый взгляд идея приносила потом большие деньги. Гигантские! В конце концов, чем он рискует? Несколькими тысячами долларов?

Тут как раз зазвонил «золотой» мобильник. Это был долгожданный Жолтиков.

— Ну, ты готов соответствовать? — спросил он голосом профессионального Санта-Клауса.

— Готов! — похолодел от радости Михаил Дмитриевич. — Когда?

— Через час.

— На Маяковке. В «Сушке».

— Отлично!

Михаил Дмитриевич убрал телефон и повернулся к изобретателю:

— Значит, будем выводить человечество из сексуального тупика? Опытный образец-то у вас есть?

— Для опытного образца необходимы средства! — обидчиво отозвался Чагин.

— Сколько?

— Двадцать тысяч.

— Долларов?

— Ну, какие доллары! — укоризненно покачал головой изобретатель. — Мы же не в Америке. Евро, конечно.

— Допустим. А за идею сколько хотите?

— Пятьдесят.

— Тысяч?

— Естественно.

— Евро?

— Разумеется.

— Кэш или кэрри?

— Кэш предпочтительнее.

— Договорились!

Свирельников сел в кресло, выдвинул нижний, самый вместительный ящик стола и вынул оттуда небольшой черный чемоданчик из хорошего кожзаменителя. Шесть таких «дипломатов» он купил в прошлом году в Турции, в Кемере, сторговавшись за полцены. Хозяин магазинчика, лопотавший, наверное, на всех мыслимых языках, сначала уступал только тридцать процентов и очень интересовался, зачем русскому сразу полдюжины одинаковых чемоданчиков, а когда услышал ответ: «Взятки давать!» — расхохотался остроумной шутке и скостил еще двадцать процентов. Но это была не шутка. Не понесешь же, в самом деле, нужному человеку деньги в газете — неприлично, а в настоящем фирменном кожаном «дипломате» — жалко. Жаба задушит! Ведь никогда еще никто, как говорится, «тару» назад не возвращал. А эти дешевые, но приличные подделки «под фирму» в самый раз. Два «дипломата» Свирельников уже израсходовал: один Григорий Маркович определил в арбитражный суд, а второй сам Михаил Дмитриевич занес в префектуру.

Директор «Сантехуюта» подошел к сейфу, набрал шифр, открыл дверцу и, заслонив содержимое от гостя спиной, переложил в чемоданчик пачки долларов. Затем, закрыв «дипломат» на ключ и поставив рядом с сейфом, он взял банковскую упаковку тысячерублевок, надорвал, отсчитал пятнадцать бумажек, а остальное сунул в боковой карман пиджака.

— Вот, пожалуйста! — сказал Свирельников, возвратившись к изобретателю и выкладывая на стол деньги.

— Это что? — с тихим ужасом спросил Платон Марксович и посмотрел на глумливца огромными оскорбленными глазами.

— Это аванс. На период изготовления пробного образца я беру вас в штат. Получать будете пятьсот долларов, простите, евро в месяц. Расходы на комплектующие материалы — за мной. Когда ваше биде будет готово и я пойму, что оно может если не спасти мир, то хотя бы развлечь несколько сотен озабоченных идиотов, поговорим о цене изобретения. Идет?

— Я ухожу! — истерично объявил Чагин, не отрывая взгляда от денег.

— До свидания!

— Это насмешка!

— Это, надо полагать, единственное серьезное предложение в вашей жизни. Соглашайтесь! У меня мало времени.

— Нет!

— Учтите, когда завтра вы приползете сдаваться, вас даже ко мне в кабинет не пустят! — Говоря это, Свирельников медленно, по одной начал брать купюры со стола и прятать в карман.

— Подождите! — взмолился Платон Марксович. — Мне надо подумать...

— Думайте скорее! Человечество гибнет в сексуальном тупике!

— Издеваетесь?

— Нет, просто тороплюсь!

— Хорошо! Согласен! — махнул рукой Чагин и потянулся не к деньгам, а к бутылке.

— А как же принцип? Вы же трехрюмочник!

— Какие принципы, когда такая фрустрация! — воскликнул изобретатель и молниеносно выпил.

— Пишите расписку! — распорядился Михаил Дмитриевич. — На работу выйдете в понедельник. Устроим совещание со специалистами...

— Это надежные люди?

— Абсолютно!

Проводив Чагина, успевшего перед уходом махануть еще и пятую — «за взаимовыгодное сотрудничество», Свирельников позвал Нонну и со смехом рассказал ей про пикантное изобретение, которое только что купил. Секретарша смущенно поулыбалась, села к нему на колени и вздохнула:

— Крови пришли. В обед.

— Нон, я, наверное, женюсь! — сообщил Михаил Дмитриевич, целуя ее в шею.

— Ну и правильно — нечего шляться!

Она медленно, пуговку за пуговкой, расстегнула ему сорочку, некоторое время внимательно рассматривала крестик и, вздохнув, перекинула его Свирельникову за спину. Потом Нонна строго поглядела боссу в глаза, вытерла накрашенные губы платочком и распустила ему брючный ремень...

30

Михаил Дмитриевич часто назначал деловые встречи в «Суши-баре» на Маяковке, и курносая голубоглазая блондиночка в кимоно, встретив у входа, кивнула ему как старому знакомому. Пристрастился он к этому местечку во время своего недолгого романа с довольно популярной актрисой — ждал ее здесь после спектаклей. Познакомились они на одной из презентаций, куда в первый год вольной, безбрачной жизни Свирельников таскался часто. Женщина она была красивая, неглупая и в постельном смысле даже увлекательная, но за три месяца бурного романа ему стало совершенно очевидно, что, женившись, он получит в придачу весь ее театральный дурдом. А сам, скорее всего, станет для нее чем-то средним между бездарным худруком и подлым коммерческим директором, о которых любовница с неиссякаемой ненавистью рассказывала ему, отдыхая от объятий. К их разрыву актриса отнеслась с огорчением, но без истерики: словно после обнадеживающих кинопроб ее просто не утвердили на роль жены «нового русского». Расставшись, они потом время от времени случайно сталкивались в «Сушке», равнодушно чмокались, и у Свирельникова всякий раз возникало странное чувство, будто какая-то совершенно чужая женщина одолжила у его бывшей возлюбленной «на выход» это знакомое тело — красивое, соблазнительное, но выведанное до полного охлаждения.

Он поднялся на второй этаж, сел за угловой столик и раскрыл меню с цветными фотографиями блюд и ценами, помещенными в желтых «взрывных» звездочках. Заказав себе суши с тунцом и зеленый чай, Михаил Дмитриевич посмотрел на часы, определил, что примчался чуть раньше, достал телефон и набрал номер Алипанова.

— Аллёу! — после долгих гудков отозвался тот.

— Это я. Ну что?

— Есть очень интересная информация. Я бы даже сказал, леденящая! Но сейчас говорить не могу. Через полчаса.

— У меня тоже есть для тебя информация.

— Какая?

— Кажется, теперь за мной ездит другая машина.

— Неужели?

— «Девятка». Я записал номер.

— Не потеряй! Я тебе позвоню... — весело пообещал бывший муровец и отключил связь.

«Тьфу, черт! Мучайся теперь целых полчаса! — осерчал Свирельников. — Может, этот идиот из ревности убил Эльвиру?»

Чтобы отвлечься, он стал рассматривать парочку за соседним столиком. По виду старшеклассники, они со взрослой обстоятельностью расспрашивали официантку, из чего готовится суп «семь весенних ароматов моря», который, видимо, собирались заказать, а она отвечала им серьезно и даже с удовольствием.

«Ага, спросили бы они лет пятнадцать назад в диетической столовой возле метро «Бауманская», из чего сварено харчо, им бы ответили! На всю жизнь запомнили бы!» — зло подумал Михаил Дмитриевич.

И ведь как все быстро переменилось! Совсем теперь не то, что во времена молодости, когда приходилось с Тоней отстаивать двухчасовую очередь в кафе-мороженое на улице Горького или с Петькой Синякиным хитростью пробираться в пивной подвал на Пушкинской. Потом, приезжая в отпуск из Германии, Свирельников был уже при деньгах и наловчился всовывать пятерку, а то и десятку швейцару, чтобы без всякой очереди оказаться в полупустом «Арагви» или в шумных «жигулях», пахнущих разбавленным пивом и разваренными креветками.

А теперь в Москве рестораны на каждом шагу. Хочешь китайскую кухню? На! Японскую? Пожалуйста! Итальянскую? Без вопросов. Желаешь в настоящем ирландском баре испить «Гиннесса» цвета крепкого черного кофе? Запросто. Замечтал об айсбайне величиной с капустный кочан и литровой кружке холодного упругопенного баварского пива? Обожрись! Никаких проблем! Иногда Свирельников ощущал даже некую закономерную противоестественность того, что страна с разогнанной армией, пустыми заводами и заросшими сорняком полями, страна, растерявшая половину своих земель и неумолимо вымирающая, впала в эту обжираловку. Наверное, с полным желудком муки совести не так ощутимы. К тому же переедание ставит перед человеком проблему личного, а не общего выживания.

Странно... Очень странно, но, сравнивая свою советскую, скудную, боязливую жизнь с нынешней, Михаил Дмитриевич, почти не сознаваясь себе в этом, приходил к выводу, что та, прежняя, была лучше, во всяком случае — справедливее и честнее. Бога не помнили, со свечками по храмам не стояли, а жили-то праведнее! (Вот о чем надо спросить Трубу!) Нет, это, конечно, не значит, что никто не лгал, не обманывал, не воровал. Еще как! Но все это делалось словно бы вопреки и скрывалось, как дурная болезнь, от других и даже от себя. А теперь не жизнь, а какой-то публичный общенациональный конкурс на самый твердый шанкр!

— М-и-иша, ты где? М-и-иша!

Свирельников очнулся и увидел перед собой улыбающегося Болеслава Брониславовича Жолтикова, еще больше похудевшего со времени их последней встречи. Года полтора назад он был почти так же толст, как незабвенный Валентин Петрович, но потом серьезно занялся собой и уменьшился в два раза, хотя сохранил манеру двигаться осторожно, словно боясь не уместиться в предлагаемом пространстве, что при его нынешней комплекции выглядело как жеманство. Садился он тоже с опаской, все еще не надеясь на крепость мебели.

— Здравствуй, Болик!

— Привет! Ну и лицо у тебя сейчас было! — заметил Жолтиков, все еще продолжая пробовать телом прочность стула.

— Какое?

— А такое, точно ты мне бомбу принес! — Он с усмешкой кивнул на чемоданчик.

— Так, задумался о жизни...

— Миша, мой тебе совет: никогда не думай о жизни. Она же о нас, сука, не думает!

— Это точно!

— И огорчаться так не нужно. Главное, что решение принято. Не без моей помощи. Шеф колебался до последнего. Что-то ему там твой Веселкин напел. Поэтому про меня не забудь!

— Не забыл... — подтвердил Свирельников и, показав глазами на чемоданчик, добавил; — Отдельно, в конверте...

В это время официантка принесла ему на деревянной досточке суши и маленький чайник, а Жолтикову дала меню, и тот углубился в него с той основательной серьезностью, с какой обычно изучают объявления о продаже недвижимости. Он даже выложил из кармана крошечный калькулятор, чтобы подсчитывать калории.

В недавнем прошлом Болеслав Брониславович являлся народным депутатом, но потом провалился, потому что его соперник из блока «Справедливость» разбросал в почтовые ящики избирателям ксероксы интервью Жолтикова из малоизвестного журнала «Гей-славяне!», в котором кандидат радостно и подробно рассказывал сочувствующим читателям о своей нетрадиционной сексуальной ориентации. Интервью было старое, начала 90-х, когда, настрадавшись под гнетом тупых советских гомофобов, отечественные геи, опьяненные счастьем свободного самоопределения, принялись взахлеб рассказывать в печати, на радио и телевидении о своей трудной личной жизни, протекавшей долгие годы в лучшем случае в андерграунде, а то и в самом настоящем подполье. Болеслав, в частности, гордо сообщал о том, что он первый в российской истории открытый гомосексуалист, ставший депутатом.

Конечно же, это было нескромным преувеличением, ибо тогда ходил даже анекдот о новом российском флаге: красный цвет символизирует кровь, пролитую за свободу, белый — чистоту помыслов реформаторов, синий — количество «голубых» в Думе, правительстве и администрации президента, а все вместе повторяет торговый триколор «Пепси-колы». Однако времена менялись, хвастать гейством сначала стало не модным, а потом и просто опасным для общественной жизни. Даже президент Ельцин в нетрезвом раздражении посоветовал одному из своих нетрадиционных помощников засунуть нетипичную ориентацию куда следует и столкнул его за борт с прогулочного парохода. Сообразив, что невольно скаламбурил, он смягчился и приказал выловить тонущего. Но тенденция обозначилась...

Страна явно поворачивалась от геополитики к геополитике. И вот отксеренные недоброжелателями давние голубые восторги Жолтикова стоили ему депутатского мандата. Далекие от сексуальной терпимости избиратели города Охлотырска, где он, будучи исконным арбатским обитателем, почему-то решил баллотироваться, не только не отдали свои голоса столичному извращенцу, но даже в иных бюллетенях понаписали напротив его фамилии такое, из-за чего Россию, попади эти оскорбительные гадости на Запад, навсегда исключили бы из числа цивилизованных и политкорректных государств.

На некоторое время огорченный Жолтиков исчез из общественного зрения, а потом вновь всплыл, сильно похудевший, помолодевший и женатый на манекенщице, которая во всех модных журналах сообщала, что, мол, раньше она была закоренелой лесбиянкой, но, встретив такого потрясающего мужчину, как Болеслав, натурализовалась буквально за одну ночь. Сам Жолтиков в многочисленных интервью рассказывал о том, что на самом деле никогда не был гомосексуалистом, а объявил себя таковым в знак протеста против гонений на геев в мрачные советские времена. Это его принцип: например, если завтра начнутся еврейские погромы, он тут же провозгласит себя евреем, хотя происхождения самого непредосудительного.

Все это было, конечно, не случайно. Как раз в ту пору нежданно-негаданно освободилось в Думе одно место. Депутат от Москвы повез в обыкновенной спортивной сумке кучу денег для финансирования демократического движения Сибири. Последний раз его видели в омском аэропорту торгующимся с таксистом, но до местного отделения партии «Сибирское самоопределение вплоть до отделения» он не доехал. Удрал вместе с деньгами за границу или пал жертвой коварных чалдонов — никто так и не узнал. На освободившееся место и прицелился Болеслав Брониславович. Но его соперник от «Союза левых правозащитников», матерый адвокатище, построил предвыборную борьбу, убедительно доказывая, что человек, однажды предавший голубые идеалы своей молодости, вполне способен точно так же предать интересы электората. Продвинутые москвичи с ним согласились и отдали мандат телевизионной дикторше, сделавшей накануне очень неудачную подтяжку лица и тем самым завоевавшей всеобщее сочувствие.

Жолтиков снова пропал и возник года через полтора — совсем похудевший, разведенный и работающий помощником главы департамента, которому понадобился надежный сотрудник для деликатных поручений, а именно получения и передачи взяток. Более подходящего человека для этого, чем Болеслав Брониславович, просидевший два депутатских срока, найти было просто невозможно.

Досконально изучив меню, Жолтиков выбрал ананасный сок и суши с лососем, подсчитал на калькуляторе калорийность, остался доволен и сделал заказ.

— Очень полезно, — объяснил он. — Ананас расщепляет жир, а мне еще на банкет к шефу.

— Банкет сегодня? — мнительно спросил Свирельников.

— Да. Но ты не жалей! Нажрутся мяса и водки. Ничего хорошего.

— Трупоносцы!

— Вот именно!

— А почему меня все-таки не пригласили? — стараясь скрыть обиду, полюбопытствовал Михаил Дмитриевич.

— Честно?

— Честно.

— Сначала в списке ты был. Это точно. Я же сам план

рассадки гостей готовил. Ну и работка! Теперь понимаю, почему раньше бояре из-за того, кому где сидеть, дрались. Большой смысл! Сел человек на свой стул согласно табличке, и всем сразу без всяких объяснений понятно: кто таков. Твое место было за пятнадцатым столом.

— А сколько всего столов?

— Шестнадцать.

— Ясно, — скуксился Свирельников.

— А что ж ты хочешь? Ты у нас пока человек новый.

— А почему вычеркнули?

— Наверное, шеф узнал про «Химстроймонтажбанк». Дело-то опять открыли!

— Да я заплачу пять штук, мне дело об убиении царевича Димитрия в Угличе снова откроют! — рассердился Михаил Дмитриевич.

— Хорошая шутка. Надо запомнить! — засмеялся Жолтиков, обнажив художественные зубные протезы.

— Нет, ты действительно думаешь, меня из-за Горчака не пригласили?

— Наверное, во избежание лишних ассоциаций. Шеф ведь тоже там кредит брал и тоже не вернул...

— А почему же он тогда мне «Фили» отдает?

— Потому что доверяет. Ты, кстати, сколько принес?

— Как договаривались, — ответил Свирельников и под столом ногой подвинул чемоданчик помощнику префекта.

— К тому, о чем договаривались, добавь еще половину.

— За что?

— За доверие. Горчаков. Раз! Какая-то статья нехорошая про тебя в «Колоколе» завтра выходит. Два!

— Не выходит!

— Замечательно, но это дела не меняет.

— Мне надо подготовиться...

— Готовься. Кто тебе мешает?

В это время принесли суши с лососем и ананасный сок.

— Ты что шефу подарил? — спросил Болеслав, жуя.

— Кинжал. Старинный, кажется, аварский... — с трудом ответил Свирельников, расстроенный новыми расходами.

— А твой Веселкин подарил рисунок Сомова. Эротический. Знает, чертяка, что шеф галерею к дому пристроил.

— Почему мой?

— Ну не мой же! Вы вроде друзьями были? Как ты, кстати, с ним договорился? Все очень удивились, когда он с дистанции сошел.

— С бывшими друзьями и с бывшими женами труднее всего договариваться! Но у меня получилось! — усмехнувшись, сообщил Свирельников.

— С женщинами вообще трудно, — со знанием вздохнул Жолтиков.

— Слушай, Болеслав, — взмолился директор «Сантехуюта», — поговори с шефом! Пятьдесят процентов тяжело. Двадцать! А?

— Михаил Дмитриевич, запомни: если покупают Клондайк, не торгуются! Не жадничай. Когда я похудел, знаешь, сколько костюмов пришлось выбросить? Чокнуться можно. Но есть потери, которые вознаграждаются. Понял?

Сказав это, он залпом допил сок, подхватил чемоданчик и, покачивая им, направился к выходу игривой походкой.

— Пидарас! — пробормотал Свирельников. Он мстительно вообразил, как через Алипанова выйдет на рубоповцев, напишет заявление о вымогательстве, передаст этому извращенцу меченые доллары и прямо здесь, в «Сушке», Жолтикова повяжут. Как он будет вопить, что это провокация и деньги ему подбросили! А потом во всех газетах: «Бывший депутат арестован при получении взятки». Затем Болик, конечно, сдаст шефа. Эта сволочь будет галереи строить, а ты, как сявка, теперь ищи деньги! И хотя Михаил Дмитриевич прекрасно сознавал, что никогда ничего такого не сделает, от воображаемой картины ему полегчало. Он вынул телефон и набрал номер Алипанова.

— Аллёу!

— Это я.

— Ну и что там с «жигулями»?

— Я же говорил: «жигуль» исчез, зато теперь какая-то «девятка» привязалась!

— Во как! Ну и какого цвета «девятка»?

— Темно-синего.

— А номер? Записал?

— А-281-ММ.

— Молодец! Я бы с тобой в разведку пошел. Что еще заметил?

— Водитель, по-моему, похож на Эльвириного мужа...

— Ну наблюдательный же ты парень! Докладываю. Майор Белый застрелился в девяносто шестом году...

— Из-за чего? — похолодел Свирельников.

— Вообще-то он страдал депрессиями после Афгана. Но застрелился из-за жены. Застал ее...

— С кем?

— С соседом.

— С каким еще соседом?

— По лестничной площадке. А чего ты так огорчился? Радуйся, что не из-за тебя.

— Ты меня не понял.

— Все я понял. Ты, Михаил Дмитриевич, конечно, выдающийся мужчина, но если женщина изменяет мужу, то, поверь, не только с тобой. Проходной двор, он и есть проходной... Я внятен?

— А что же это тогда за «девятка»?

— А это очень даже хорошая «девятка». «Контрнаблюдение» называется.

— Так это твой человек?

— Мой. Он за тобой немного поездит. Ладно? Ты сейчас где?

— На Маяковке.

— Какие планы?

— Хочу заехать к жене — о дочери поговорить.

— А что такое?

— Из института отчислили...

— Худо. Знаешь, что я тебя попрошу? Когда будешь с Тоней разговаривать, понаблюдай. Может, что-то тебе в ней странным покажется...

— Ты думаешь? Нет, исключено!

— Исключать нельзя ничего. Ты же сказал, что вы еще не развелись и фирма на нее оформлена.

— Она в этом ничего не понимает.

— Но ты все-таки понаблюдай!

— Хорошо, понаблюдаю. Слушай, я тебя еще хотел спросить...

— Про Эльвиру?

— Ну ты догадливый.

— Это не я догадливый, это мы, мужики, все одинаковые.

— Узнал про нее что-нибудь?

— Узнал.

— Ну и что с ней?

— Ушла в монастырь.

— Хорош издеваться! Я же серьезно.

— И я серьезно. Где-то под Серпуховом есть женский монастырь. Там она. Уже давно...

31

Тоня открыла дверь и несколько мгновений смотрела на Свирельникова как на случайного мужчину, позвонившего не в ту квартиру. Волосы она остригла и покрасила в золотистый цвет. Лицо светилось косметической свежестью, глаза лучились. Она вдруг напомнила Михаилу Дмитриевичу прежнюю юную студентку филфака, которой он страстно добивался когда-то, мучаясь надеждами и погибая от разочарований.

— Ну что ты стесняешься? Проходи! — пригласила она, словно наконец узнав его.

— Я не стесняюсь! Мне нужно с тобой серьезно поговорить!

— Серьезно?

— Да!

— Поговорим. Поставлю курицу — и поговорим! — спокойно сказала Тоня и, повернувшись, отправилась на кухню праздничной женской походкой.

На ней был бело-розовый спортивный костюм, загадочно обтягивающий тяжелые бедра. Эта обширность ниже талии отличала ее смолоду, и она с самокритичным юмором говорила, что среди других женщин всегда выделяется «ягодиц необщим выраженьем».

Познакомились они при обстоятельствах необыкновенных и даже забавных. На четвертом курсе зимой Свирельников, как всегда, приехал на каникулы к родителям: отсыпался, отъедался и листал телефонную книжку в рассуждении, какой бы из знакомых девушек позвонить. Невинности он лишился еще в свой первый ленинградский год во время вылазки в женское общежитие трикотажной фабрики «Красное знамя». Из казармы туда можно было перебраться, не выходя на улицу, по крыше и балконам. Небезопасный этот путь назывался «тропа Хо Ши Мина».

В курсантские годы его личная жизнь имела некий коллективный оттенок. Индивидуальные ухаживания требовали времени, денежных расходов и при этом вовсе не гарантировали роскоши постельного общения. Ведь стоит лишь начать всерьез добиваться благосклонности, и у девушки сразу пробуждаются надежды на законное будущее, а также возникает твердое убеждение в том, что самый безопасный секс только после свадьбы. Но странное дело: в шумных бестолковых ночных компаниях та же самая рассудительная девушка, запьянев, впадала иной раз в такую буйную и разностороннюю доступность, что забывала обо всем — и лишь жарко шептала в ухо: «Только не в меня!» Таких в шутку называли «невменяемыми». Правда, наутро, проснувшись, она вела себя, словно вечор всего-навсего задремала, склонив головку на плечо кавалеру, и от новых встреч чаще всего отказывалась, ибо, как острили тогда, совместно проведенная ночь еще не повод для знакомства.

Но в тот отпуск личная жизнь как-то сразу не заладилась. Обычно «сейшены» устраивал у себя в квартире Петька Синякин, которому понимающие родители, уезжая на дачу, разрешали «похулиганить», считая, что это убережет его от раннего необдуманного брака. Он, кстати, так до сих пор и не женился. Но в ту зиму Петька был в опале за то, что повез кататься подружек на отцовской «трешке» и столкнулся с грузовиком. Каникулы получались безысходные. Тогда курсант Свирельников, одевшись во все лучшее цивильное, включавшее буклированное полупальто с шалевым псевдомеховым воротником и серую шапку из китайского кролика, решил попытать счастья в общественном транспорте и даже начал неловко знакомиться с хорошенькой пассажиркой в троллейбусе. Но та посмотрела на него с насмешливым превосходством и как бы невзначай стянула узорную варежку с правой руки, гордо обнаружив на пальчике новенькое обручальное колечко.

Настроение совсем испортилось, и, когда из своей Обираловки позвонил Веселкин, чтобы узнать, насколько у однокурсника результативно протекает заслуженный отдых, Свирельников от тоски пригласил его в гости. Они выпивали, со смехом вспоминали институтских преподавателей, особенно того, который к месту и не к месту любил говорить про «слона, живущего в зоопарке». В комнату время от времени заглядывал Федька, в ту пору презиравший алкоголь, и грозился рассказать матери, когда она вернется из ночной смены, про то, как они тут пьянствуют. Веселкин же объяснял малолетке, что у них во взводе за стукачество устраивали темную.

Выслушав жалобы товарища на безласковость жизни, Вовико стал делиться личным опытом. Он считал, что в молодости не стоит тратить время на капризных и непредсказуемых ровесниц, гораздо разумнее обратиться за сочувствием к зрелым безмужним женщинам, умеющим ценить каждую неодинокую ночь. Сам он, например, мудро завел сношения с кассиршей из магазина «Океан».

— Ты когда-нибудь ел вот такую креветку? — Он показал ладонями размер, более подходящий для леща или по крайней мере подлещика.

— А разве такие бывают?

— Конечно. Но они до прилавка не доходят! Только — своим. Представляешь, суки, что делают?!

— Ну, и как она?

— По вкусу похожа на маленькую, но мясистая...

— Да нет... кассирша?

— А-а-а! Как помпа! Без всяких-яких!

За разговорами они уже откупорили третью бутылку крымского хереса, когда в двенадцатом часу ночи позвонил Синякин и взволнованно спросил:

— Мишка, ты на «Таганку» хочешь?

— Куда? — не понял Свирельников, полагавший, что школьный товарищ объявился для того, чтобы пригласить его на долгожданный «сейшен».

— В театр!

— Сейчас?

— Да не сейчас. Ночью спектаклей не бывает. Вообще?

— Вообще — конечно! — с готовностью подтвердил он, ибо в те годы попасть в Театр на Таганке было очень трудно, а на «Мастера и Маргариту» просто невозможно.

— Тогда срочно приезжай! — сквозь телефонный треск призвал Петька.

— Куда?

— К театру. Какой же ты тупой! Скорей! А то они скоро вернутся!

— Кто вернется?

— Приезжай — узнаешь. И если сможешь, возьми кого-нибудь поздоровей!

Свирельников позвал с собой Веселкина, и тот согласился за компанию, хотя снисходительно сообщил, что кассирша его уже водила на «Антимиры», так как у нее постоянно отоваривается завлит этого театра. Соратники мгновенно оделись и бросились из дому. В те годы после одиннадцати вечера улицы пустели, даже вымирали: погасшие витрины, запоздалые автобусы, редкие прохожие и случайные салатного цвета такси, которые почему-то никогда не останавливались, несмотря на горевший зеленый огонек. Все-таки социализм — дневной общественный строй, в отличие от капитализма — строя ночного.

В метро почти никого уже не было. Уборщицы широкими щетками, похожими на телевизионные антенны, мели мозаичные полы. Суровые перронные надсмотрщицы в красных фуражках, после того как раздавалось заунывное объявление: «Поезд дальше не пойдет — просьба освободить вагоны!» — с удовольствием вытаскивали наружу покорных спросонья пьяниц. За пятнадцать минут друзья доехали с «Бауманской» до «Таганки» и долго, задыхаясь, бежали вверх по бесконечному, наверное, самому длинному в Москве эскалатору. Выскочив на улицу, Свирельников сразу увидел возле темного входа в театр Петьку и двух незнакомых девушек, а рядом с ними парней в одинаковых стеганых куртках-пуховиках и дутых сапогах-луноходах. Один из «стеганых», тот, что поздоровей, угрожающе наступал на Синякина, а второй, помельче, приседая, заходил со спины: самый дешевый и подлый прием дворовой драки.

— Петька! — крикнул Свирельников как можно громче и басовитее.

«Стеганые» оглянулись, заметили приближающуюся подмогу и поспешно, но организованно отступили за угол, туда, где Садовое кольцо ныряет в тоннель и высится теперь новое красно-кирпичное здание театра, похожее на современный крематорий.

Подошли и стали знакомиться. Девушка по имени Нина была в длинной нескладной афганской дубленке с патлатым воротником из ламы и вытершейся пыжиковой ушанке, что по нынешним временам соответствовало бы недорогой норковой шубке. Другая, назвавшаяся Тоней, выглядела гораздо скромней: в сером пальто с каракулевым воротником и в черной вязаной шапочке. От мороза лица девушек раскраснелись и сделались почти неотличимы друг от друга. Кого из них как зовут, Свирельников, конечно, тут же забыл, да и не пытался запомнить: никакого особенного впечатления с первого взгляда подружки на него не произвели. Разве только одна из них (не то Нина, не то Тоня) была похожа на давнюю школьную любовь — Надю Изгубину.

Узнав, что на помощь к ним прибыли военные курсанты, девушки повеселели.

— А приемам рукопашного боя у вас учат? — спросила та, что напоминала Надю Изгубину и впоследствии оказалась Тоней.

При этом она посмотрела на Свирельникова с ироническим интересом.

— Без всяких-яких! — успокоил Веселкин, закрылся левой и нанес правой короткий удар невидимому противнику.

— Хорошо! — кивнула девушка, не похожая на Надю Изгубину и впоследствии оказавшаяся Ниной. — Они обязательно вернутся...

— Кто — они?

— А ты еще не понял? — нервно засмеялся Синякин.

— Нет. А что такое?

И тут, перебивая друг друга, подруги рассказали о том, что с ними произошло.

Нина и Тоня, студентки филфака, чтобы попасть на «Мастера и Маргариту», уже несколько раз записывались в тетрадки (их вели какие-то люди под дверями «Таганки»), потом ходили в течение месяца на переклички. Но каждый раз, когда наступал долгожданный день продажи, билеты в кассе заканчивались примерно на тридцатом номере, а подружки оказывались в лучшем случае в начале пятого десятка. Наконец кто-то объяснил этим наивным дурочкам, что в театр им не попасть никогда, потому что тут работает мафия: организованные ребята, руководимые каким-то загадочным Млечниковым, держат список, выкупают билеты по госцене, а потом перепродают. На «Мастера», например, вдесятеро дороже.

— Двадцать пять рублей! — сообщил Петька, уже погруженный в ситуацию.

— Четвертак! — ахнул Веселкин. — Не слабо!

И действительно: в любое время суток, в мороз и в дождь у кассы всегда дежурили два-три крепких парня и каждому интересующемуся репертуаром вежливо советовали записаться к ним в тетрадку, а потом не пропускать ни одной переклички. Надо заметить, доверчивых хватало. Но людей можно понять: другого способа попасть на модные спектакли не было, ведь вне очереди билеты могли получить только Герои со звездами, инвалиды войны и некоторые ответственные работники, обладавшие специальными красными книжечками с отрезными купонами, предназначенными для приобретения зрелищных дефицитов. У Валентина Петровича, кстати, такая книжечка имелась, однако в ту пору Полина Эвалдовна пребывала в ссоре с сестрой и строго-настрого запретила дочери обращаться к дяде за любой помощью.

В общем, девушки махнули на эту театральную неприступность рукой, а Тоня даже пообещала подружке тайком от матери попросить у «святого человека» билеты на «Мастера». Но жизнь полна случайных совпадений, из которых, как из кирпичиков, складывается судьба. В тот день они после «Иностранки» зашли в «Иллюзион», чтобы послушать по абонементу лекцию об итальянском неореализме и посмотреть «Ночи Кабирии». По окончании сеанса подруги медленно направились к метро, восхищаясь гениальной Джульеттой Мазиной и недоумевая, почему ее киногероиня, честная и духовно чистая женщина, занимается позорной проституцией. Нина все валила на обнищание народных масс в послевоенной Италии, а Тоня возражала в том смысле, что даже в самых сложных экономических условиях женщина может заработать себе на хлеб, не торгуя телом. «Ага! А если дети голодают?» — заспорила Нина. «Но ведь у нее нет детей!» — парировала Тоня и стала доказывать, что писатели и режиссеры вообще любят для обострения художественного конфликта заставить своих героинь делать то, чем реальная женщина заниматься не станет ни за какие деньги! Нина частично с этим соглашалась, но предостерегала подругу от категорических выводов, так как они сами при капитализме (слава КПСС!) никогда не жили и, бог даст, жить не будут.

Содержание того глупого спора Свирельников знал в мельчайших подробностях, так как жена часто его потом пересказывала. Особенно в первый, медовый год, когда все влюбленные склонны видеть в своей случайной встрече некую благословенную мистику, мол, если бы я не пошла в «Иллюзион», а после Нинка не предложила бы дойти до «Таганки» пешком, а потом у Синякина не оказалось бы двух копеек... Впрочем, о чем же еще говорить двум молодым, счастливым, еще не насытившимся друг другом существам ночью в минуты сладкой и быстротечной устали? Конечно, со временем, когда начались первые обиды и ссоры, заканчивавшиеся пока еще в постели, Тоня могла в сердцах крикнуть, что, мол, проклинает тот чертов день и подлый «Иллюзион» с его идиотским итальянским неореализмом! Но в ту пору даже гневные проклятия все еще оставались частью странного телесного одушевления, которое называется словом «любовь».

Потом на долгие годы воспоминания о дне знакомства выпали из супружеских разговоров, и лишь буквально за несколько месяцев до разрыва Тоня опять подробно пересказала Свирельникову тот давний наивный девичий спор о природе женской телопродажности. Повод был невеселый, даже страшный: накануне позвонил бывший, изгнанный Нинкин муж, неуспешный хирург, погубленный свободным доступом к медицинскому спирту, и заплетающимся языком сообщил, что «Грибкова суициднула, но ее, кажется, вытащили...». Тоня помчалась в больницу, провела там весь день, а вернувшись, рассказала о причинах случившегося.

Нинка после университета сначала работала в «Столичной коммуне», а потом ушла в Полиграфический институт преподавать, ишачила с утра до ночи, чтобы в одиночку поднять дочь. И вот третьего дня, возвращаясь домой после вечерней лекции на подготовительном отделении, она решила прогуляться и совершенно случайно в переулочном скверике обнаружила на пустыре свою одиннадцатиклассницу в шеренге проституток, выстроившихся «на просмотр» под фарами подкатившего на машине клиента. Нинка с воплем бросилась к дочери, вырвала ее из непотребных рядов, буквально за волосы притащила домой, избила смертным боем, а ночью наглоталась таблеток...

— Боже, боже мой! — всхлипывала Тоня, рассказывая. — Кто мог подумать! Ведь раньше это только в кино было...

— Ну, не только в кино...

— Конечно, свинья грязь найдет. Но ведь толпами на обочинах не стояли!

— Не стояли, — вынужден был согласиться Свирельников.

Итак, споря о невозможности проституции в нашей стране, подруги проходили мимо единой тогда еще и неделимой, как СССР, «Таганки» и вдруг обнаружили, что неизменных дежурных возле театральных дверей не наблюдается. Они остановились в удивлении и минут десять стояли, ожидая, что билетные мафиози отошли, например, в соседний подъезд погреться и вот-вот воротятся на свой пост. Но никто не появлялся. Тогда Тоня решительно достала из портфеля общую тетрадь за сорок четыре копейки, вырвала из середины двойной листок и шариковой ручкой вывела «Список», а ниже — две фамилии, свою и Нинкину.

— Может, не надо? — усомнилась подруга. — С мафией связываться...

— В Советском Союзе мафий нет! — твердо ответила Тоня, но на всякий случай первого же проходившего мимо приличного вида юношу спросила, не хочет ли тот попасть на «Мастера»?

А это (по свыше назначенному стечению обстоятельств) оказался не кто иной, как Петька Синякин, возвращавшийся с занятий семинара молодых писателей, который располагался неподалеку, в Доме научного атеизма. В тот вечер обсуждали Петькин новый рассказ про крановщика, увидавшего с похмелья в небе ангела и имевшего с ним продолжительный разговор о смысле жизни. Произведение подверглось жесточайшей критике собратьев по перу. Одни утверждали, что рассказ антиреалистичен, так как с похмелья обычно мерещатся черти, а не ангелы. Другие прощали автору эту поэтическую вольность, но удивлялись тому, что Божий вестник разговаривает с крановщиком как приблатненный московский программист, ни разу не заглядывавший в Библию. Третьи (большинство) указывали на бессмысленность обсуждения, так как рассказ все равно никогда не будет напечатан.

Самое смешное, во время Перестройки рассказ все-таки напечатали, но никто этого даже не заметил, а славу-то Синякину принес тот самый непотребный вариант романа о молодых гвардейцах пятилетки «Горизонт под ногами», который Свирельников по ошибке отвез в издательство. Новый редактор начал читать рукопись и чуть не упал со стула. Разумеется, на следующий день эротоманский апокриф уже лежал на столе заместителя председателя КГБ Паутинникова, курировавшего творческую интеллигенцию. В порнографическом тексте усмотрели серьезнейшую идеологическую диверсию, затеянную в недрах центрального молодежного издательства. Петьку буквально под конвоем доставили на Лубянку, допрашивали целый день, стращали зоной и ее противоестественными нравами, но в конце концов разобрались: никакое это не покушение на основы, а обычное литературное хулиганство, вроде Баркова. Именно такой аргумент привел чекистам Валентин Петрович, когда вмешался по просьбе Свирельникова, понимавшего, что жутко подвел друга. (Кстати, Петька долго не прощал ему эту подставу!)

— А-а, «Лука Мудищев»! — понимающе засмеялся следователь с холодной головой и горячим сердцем. — Тогда другое дело!

В общем, Синякина отпустили, посоветовав больше не писать ничего подобного. На том бы дело и кончилось, но генерал Паутинников, не чуждый изящной словесности, отнес срамную рукопись домой и показал своему сыну, тридцатипятилетнему кайфолову, работавшему в Институте мировой литературы, сочинявшему верлибры и даже помарывавшему абсурдистскую прозу. Тот прочитал, пришел в восторг, сделал ксерокс и пустил по рукам друзей — таких же благоустроенных бездельников. В итоге роман без ведома автора опубликовали в подпольном альманахе «Подземка». Издание оказалось на Западе и получило высокую оценку тамошних интеллектуалов в штатском. Особенно понравился «Горизонт под ногами», объявленный «настоящим прорывом в постмодернистскую инверсию советского архетипа». Синякина снова вызвали на Лубянку, но в стране началась Перестройка, и за отважного потрясателя основ вступилось все прогрессивное человечество, включая президента международного Пен-клуба Генриха Бёлля. Органы, к тому времени сами пораженные новым мышлением, от скандального автора отстали, даже извинились. И он получил свою первую литературную премию «За эстетическую непримиримость» имени Джойса.

Однако в тот вечер Петька ничего такого предвидеть не мог, а просто шел домой, расстроенный неудачным обсуждением. И когда незнакомая девушка вдруг предложила ему пойти на «Мастера и Маргариту», сердито ответил, что вообще-то не разделяет всеобщего ажиотажа вокруг этого довольно посредственного и путаного булгаковского романа, но из чистого любопытства, пожалуй, посмотрел бы, чего там понагородил на сцене этот Мейерхольд для бедных. А узнав позже, что вовлекают его в дело небезопасное, смыться уже постеснялся и на всякий случай позвонил Свирельникову. И вовремя, потому что вскоре воротились настоящие дежурные — здоровый и маленький, от которых пахло пивом. Как позже выяснилось, успокоенные морозом и тем, что давно уж никто не посягал на их монополию, они отъехали на часок в бар на Марксистской,

— Вы кто? — с искренним удивлением спросил здоровый.

— Мы ведем список! — храбро сообщила Тоня.

— Это мы ведем список, — объяснил маленький и достал из-под куртки тетрадку.

— Когда мы пришли, здесь никого не было. Можем вас записать...

— Я тебе сейчас запишу! — пригрозил маленький.

— Попробуй! — предложил Синякин.

— Здоровый, что ли? — поинтересовался здоровый.

— Попробуй — узнаешь! — пообещал Петька.

— И пробовать нечего! — оскалился здоровый.

— Как ваши фамилии? — строго спросила Нинка.

— Это зачем?

— Запишу. Завтра на перекличку придете! — с участливой издевкой объяснила она.

— Ну вот что, деловые, считаю до трех! — предупредил здоровый, наступая на Петьку, а маленький тем временем начал заходить писателю за спину...

В этот самый момент появилась подмога, и «стеганые» смылись. Но через полчаса «мафия» вернулась, пополненная, — семь человек. Они обступили самочинных списочников и явно готовились к насилию, несмотря на угрожающую развязность Веселкина. Тогда подружки завизжали так громко, что милиционер, дежуривший в метро, вышел из тепла на мороз и внимательно посмотрел в их сторону. По тем временам этого оказалось достаточно.

— Замолчи! — зашипел здоровый.

— Не замолчим! — ответила Тоня.

— Давай один на один! Без всяких-яких! — расхорохорился Вовико.

— Да пошел ты! Надо звонить Млечникову.

— Может, не надо? — жалобно спросил маленький.

— Надо.

— Да, надо...

И, взяв у соратников две копейки, «стеганый» недомерок побежал к телефонным будкам.

— Зря вы это, ребята! — примирительно сказал кто-то из вновь прибывших. — Ничего у вас тут не получится!

— Почему это?

— Потому что мы здесь работаем.

— Ах, вы артисты?! — съязвила Тоня. — Вы, наверное, Смехов? А вы Филатов?

— Заткнись!

— Ты как с девушкой разговариваешь, козел? — Свирельников схватил обидчика за грудки, а Петька — за шиворот.

— Кто козел?

Вовико тем временем встал в каратешную, как он полагал, стойку.

— Каратист, что ли? — спросил угрюмый парень, не проронивший до этого ни слова.

— Черный пояс! — бодро соврал Веселкин.

— Сейчас проверим! — Молчаливый тоже принял стойку.

Сразу, конечно, стало очевидным, кто из двоих каратист, а кто фуфлогон. Вовико это тоже почувствовал, и его глаза трусовато забегали.

— Кончайте! — крикнул, подбегая, маленький. — Млечников сказал: до его приезда ничего не предпринимать!

Услышав эту фамилию, «стеганые» сразу посерьезнели и прекратили наступательные действия.

— Как вам не стыдно! — осмелев, возвысила голос Нинка. — Вы не имеете права! Из-за вас никто в театр не может попасть!

— Ты еще им объясни, что искусство принадлежит народу! — тихо и ехидно подсказал Петька.

— А кому же еще? — удивилась Тоня.

Но у «мафии» была своя логика. Они стали объяснять, что билетов на всех все равно не хватит, что «Таганка» одна, а желающих много, что, пока они тут не закрепились, возле театра творился форменный содом, и в связи с этим администрация им даже благодарна!

— Ага, грамоты вам надо выдать!

— Может, вы еще и засраки?!

— А чего ты обзываешься?

— Тупой! «Засрак» — это заслуженный работник культуры.

Пока они так препирались, возле них остановился новый четыреста восьмой «Москвич», из которого вышел маленький рыжий парень в очках. Лицом, веснушчатым и серьезным, он напоминал отличника из какого-нибудь фильма Студии Горького. На нем была настоящая «аляска», ярко-синие фирменные джинсы, а на ногах (это Свирельников хорошо запомнил), несмотря на зиму, — белые адидасовские кроссовки. Млечников приблизился и несколько мгновений молча разглядывал возмутителей спокойствия. «Стеганые» тем временем каким-то непроизвольно покорным движением выстроились почти в военную шеренгу. Повернувшись к подчиненным, он тихо спросил:

— Кто дежурил?

— Мы... — Вперед виновато выдвинулись здоровый и маленький. — Мы только на десять минут отошли...

— На полтора часа! — наябедничала Тоня. — А мы увидели, что никого нет, и завели список. Мы имели право! Никого же не было... Мы имели право...

— К вам никаких претензий! — улыбнулся Млечников, и от этой усмешки лицо его сделалось почему-то жестоким и опасным. — А вы... — Он обернулся к проштрафившимся. — Сдайте список!

Они покорно отдали тетрадку и спрятались за спины других «стеганых».

— Значит, такое предложение, — продолжил Млечников. — Мои люди возобновляют дежурство, а вы... за находчивость... получаете пять билетов на «Мастера». Договорились?

— Десять! — моментально возразил Вовико. — По два в руки.

— Пять, — покачал головой главарь.

— Восемь! — сбавил Веселкин.

— Вы не из «Плешки»? — спросил мафиозный начальник с иронией.

— Нет, мы с филфака! — гордо отмежевалась Нинка от корыстного Веселкина.

— Пять! — непреклонно повторил Млечников и достал из куртки большой кожаный «лопатник».

Намеренно неторопливо он стал рыться по отделениям, и было видно, что там имеются билеты и в Большой, и в «Современник», и на Бронную, и в Вахтанговский, и в «Сатиру»... Наконец отыскались и таганские — с ярко-красными квадратами в углах. Отсчитав пять штук, Млечников протянул их Тоне, видимо, почувствовав в ней заводилу, и сказал:

— А вы молодец! Не испугались. Но больше так никогда не делайте!

И уехал на своем «москвиче».

Году в девяносто шестом, перед самыми выборами, организовали очередное толковище полувменяемого Ельцина с олигархами. Свирельников ужинал с женой, как всегда, при включенном телевизоре и наблюдал в «Вестях» эту встречу.

Говорил как раз крупный банкир, его голос показался Михаилу Дмитриевичу знакомым, он всмотрелся и обалдел: это был Млечников, постаревший, полысевший, в дорогих очках, но с тем же лицом отличника из детского кинофильма. Тоня тоже узнала, хотя фамилия у него была теперь другая — известная и даже нарицательная, из тех, что очень не нравятся Федьке. Они расчувствовались, снова вспомнили день знакомства и, наверное, впервые за два месяца занялись перед сном тем, что остается от любви после шестнадцати лет брака.

32

Появившись с кухни, Тоня глянулась мимоходом в зеркало, поправила неживую золотистую прядь и с грациозным усилием опустилась в кресло:

— Ну, я тебя слушаю, друг мой... бывший!

— Ждешь кого-нибудь? — беззаботно улыбнувшись, спросил Михаил Дмитриевич.

— А какое это имеет значение? — Она загадочно повела плечом, давая понять, что с уходом Свирельникова ее женская жизнь не только не увяла, а, напротив, расцвела неведомыми прежде «экзотными» цветами.

«Все-таки у нее кто-то появился. Давно пора! Не в монастырь же идти!» — подумал он и даже на минуту ощутил к Тоне некоторое влечение, но потом вспомнил, как вот здесь, в гостиной, она волочилась, уцепившись за его брючину, и истошным, кошачьим голосом орала: «Не пущу-у-у!» Влечение сразу исчезло. Осталось только неприятное любопытство: ради кого же она так подреставрировалась?

— А почему ты без звонка?

— Да вот мимо ехал...

— А если бы у меня... были гости?

— Ничего страшного. Я бы за тебя порадовался. И познакомился бы заодно...

— Познакомишься.

— А где Алена?

— Не знаю. Звонила, что сегодня заедет...

Вообще-то он собирался сразу, с порога наорать на Тоню и предупредить: если не будет следить за дочерью, никаких денег больше не получит. Но, судя по тому, что в гостиной появились большой плоский телевизор и дорогущий серебряный семисвечник, а в прихожей на вешалке — новый плащ с шанелевой пряжкой, финансовой блокадой ее теперь не испугаешь. Но даже не это главное. Раньше, приходя сюда, Михаил Дмитриевич чувствовал: вопреки всему, он остается еще неотъемлемой частью Тониной жизни, и, если ему влетит в голову сумасшедшая мысль — вернуться, она его примет и простит, хотя бы потому, что хорошего у них было все-таки больше, чем плохого. А сегодня, впервые за время, прошедшее после разрыва, перед ним сидела женщина, которая уже никогда не примет и не простит. Нет, не из-за жестокости обиды, а просто из-за того, что он перестал быть неотъемлемой частью ее жизни. Этой частью стал теперь кто-то другой.

М-да... Как любил говорить замполит Агариков: «Женщина — человек бессознательный: за оргазм родину продаст!»

Свирельников вздохнул.

— У тебя неприятности? — с чуть насмешливой участливостью спросила Тоня.

— Есть немного. Зато у тебя, вижу, все хорошо. Зарплату повысили? — Он кивнул на телевизор.

— А-а, это! Нет. Наоборот. По-моему, издательство скоро совсем прогорит. Такую чепуху выпускаем — стыдно редактировать.

— Что редактируешь?

— Детектив. Что же еще?

— Кто написал?

— Некто Копнофф... — фыркнула Тоня. — С двумя «ф» на конце.

— Это фамилия такая?

— Нет, псевдоним, — с отвращением объяснила она.

— Не слышал.

— И не услышишь. Жуть! Читать невозможно. Боже, куда девались старые добрые графоманы?! Им подчеркнешь в одном предложении два «которых» — они краснеют, извиняются. Интеллигентные, деликатные... Ты не представляешь, с кем приходится работать! Троглодиты! Даже твой Синякин по сравнению с ними гений. Он, кстати, недавно «Золотой уд» получил. Слышал?

— Нет. А за что?

— Да все за то же. Мы ему собрание сочинений выпускаем.

— Сочувствую... — Свирельников с облегчением сообразил, что его преемник явно не из литераторов. — А правда, что теперь под одной фамилией сразу несколько человек пишут?

— Или! Эту «групповуху» редактировать вообще кошмар! В сюжете концы с концами не сходятся. Персонажи все время куда-то деваются. А главный герой на одной странице Вася, на другой Петя, а на третьей вообще Никифор...

— Да ладно! — засмеялся он, подумав с веселым сожалением о том, что вот этой Тонькиной ехидности ему будет не хватать в новой счастливой жизни. — А про что детектив?

— Как обычно: муж заказал неверную жену, а киллер в нее влюбился...

— Подожди, про это даже кино есть. С этим... как его... Ну, американец с желваками и с проседью... Сейчас вспомню!

— Не надо! Они все с желваками и все с проседью. Нечего из-за них напрягаться. Они нас вообще не знают и знать не хотят. Я тут с одним познакомилась. Филолог, Принстон окончил, а про Гончарова даже не слышал.

— Нет, серьезно? А про Достоевского?

— Ну, Достоевский у них, как Питер Пэн. Положено знать.

— Дикари, — кивнул Свирельников, отметая и кандидатуру американца.

— Кстати, ты не знаешь какой-нибудь синоним к слову «десерт»? Лучше сленговый.

— Зачем?

— Да у этого Копноффа главарь по кличке Отмороженный говорит: «Я, пацаны, в натуре щас десерт дохаваю и покакаем на мочилово!» Хотела стилистику подправить. Нашла два. Один у Даля — «заедка». А другой, восхитительно идиотский, у Солженицына: «верхосытка»!

— Как?

— Верхосытка. В смысле — поверх сытости.

— Почему идиотский? В этом что-то есть: верхосытка... У тебя что сегодня на верхосытку после курицы?

— Дорогой мой, я же тебя о твоих верхосытках не спрашиваю!

Все это Тоня сказала с таким оттенком, будто в деталях знала нынешнюю свирельниковскую личную жизнь, включая и то сокровенное обстоятельство, что Светка предпочитает оседлую любовь.

Возникшую неловкую паузу прервал телефонный звонок. Бывшая жена взяла трубку, поколебавшись, из чего Свирельников заключил, что она, видимо, как раз и ждет звонка от своего «десерта». Но это оказался не он, а легкий на помине писатель Копнофф, и Тоня, явно обрадовавшись, заговорила с ним нарочито громко и агрессивно:

— Да! Да, это я поправила. А с чем вы не согласны?.. Нет, не вмешивалась я в ваш художественный замысел! (В этот момент она специально для Михаила Дмитриевича закатила глаза: мол, вот с такими дебилами работаю.) Ну, подождите!.. Как это зачем? Посудите сами, если ваш герой — профессор, он же не может разговаривать как пэтэушник!.. Извините, про то, что он купил докторскую диссертацию, нигде в тексте нет... Ах, вы пишете только для умного читателя!.. Я, наверное, глуповата для вас?.. Но если ваш читатель настолько умен, он должен знать, что профессорское звание присваивается не за диссертацию, а за преподавательскую работу... Да-да! И где же преподает ваш неандерталец, а главное — кому?.. Как это он у вас нигде не называется профессором?.. Несколько раз!.. Погодите, я сейчас возьму ваш манускрипт! У меня, кстати, есть к вам еще несколько вопросов...

Обреченно пожав плечами и сочувственной гримаской предложив Свирельникову чувствовать себя как дома, она ушла на кухню, где обычно и редактировала рукописи, заодно при этом стряпая или выглаживая стопки белья.

«Я как Цветаева!» – объясняла она.

Михаил Дмитриевич встал, пошел по квартире и глянул в окно. Внизу виднелся его джип, отсюда, сверху, казавшийся почти квадратным. Леша, старательно изогнувшись, протирал стекла. В сторонке, возле деревьев, притаилась, как щучка в тине, узенькая темно-синяя «девятка».

«Контрнаблюдение»!

Сюда, в цековский дом на Плющихе, они переехали после смерти Валентина Петровича, а свою двухкомнатную продали, чтобы поддержать «Сантехуют», переживавший тогда первый кризис роста. «Святой человек», наверное, уже истлел в своей одинокой холостяцкой могиле, а погубившие его зайчики (те, что уцелели) все еще стояли на новых, сделанных на заказ после взрыва стеллажах. Кардинально отремонтировав и даже перепланировав доставшуюся им запущенную жилплощадь, мемориальный «ушатник» они сохранили.

Свирельников взял с полки своего любимого заячьего Гамлета и, поглаживая полированный череп, двинулся дальше, заглянул в Аленину комнату, которая служила сначала детской, а теперь вот стала девичьей. Там, как и прежде, был беспорядок, словно в панике искали какую-то пропавшую вещь. На стене сияла большая глянцевая фотография Бритни Спирс и мрачнела афиша дебильных отечественных рокеров. Хуже нынешних рокеров, по мнению Михаила Дмитриевича, был только философически блеющий Гребенщиков. От БГ его просто выворачивало, как от протухшей устрицы. В углу стоял новенький тренажер, смахивающий на компьютеризированную средневековую пыточную машину. Свирельников прикинул, сколько может стоить эта дорогая, но совершенно бесполезная игрушка, и понял: куплена она явно не на те деньги, что он каждый месяц присылал с водителем в двух конвертах – для Тони и для дочери.

Но самым интересным в Алениной комнате оказалось другое: в постели под одеялом лежали рядышком, по-супружески, пышноволосая кукла Барби, которую он давным-давно привез дочери из Америки, и отечественный пластмассовый крокодил Гена. С ним лет пять назад приперся на день рожденья к племяннице временно завязавший Федька и с удивлением обнаружил, что, пока он пил, Алена выросла — и в куклы больше не играет.

Оказывается, играет! В «куклограммы»...

«Куклограммы», как и почти все в их бывшей семье, придумала Тоня. Это была довольно оригинальная воспитательная мера. Допустим, если Аленка перепачкалась во время гулянья, Тоня могла вообще ничего по этому поводу не сказать, но, войдя в свою комнату, дочь обнаруживала на тумбочке пластмассового поросенка с чернильными пятнами на пятачке. А Михаил Дмитриевич, к примеру, пробудившись утром в состоянии тяжелой похмельной самоутраченности, находил возле своих тапочек пьяного зайца с бутылкой виски под мышкой, позаимствованного из коллекции Валентина Петровича. Однажды, кстати во время романа с Эльвирой, жена подложила ему под подушку голую куклу...

Но смысл этой «куклограммы», адресованной Аленкой матери, стал окончательно понятен, когда он вошел в бывшую их семейную спальню: югославский диван приглашающе разложен и застелен свежайшим, пахнущим лавандой бельем. Настроение у Свирельникова окончательно испортилось. Дело в том, что полноценной супружеской кровати, как это ни смешно, у них, кстати, никогда не было — брачным ложем служил вот этот диван, который жена каждый вечер раскладывала и застилала, а по утрам складывала, убирая белье в тумбочку. Когда в последний раз, полгода назад, Михаил Дмитриевич заезжал сюда, чтобы Тоня подписала новую генеральную доверенность, диван был целомудренно сложен и завален литературой: она всегда читала сразу несколько книг одновременно. Значит, теперь он снова стал местом любовных соединений и ждет, так сказать, своего часа в полной разложенной готовности.

«Разложенец!»

Все это подтверждали увядшие розы. Цветы, определенно, были презентованы в прошлое свидание, пожалуй с неделю назад, и специально не выбрасывались, несмотря на потерю товарного вида, в ожидании, так сказать, новых встреч и преемственных букетов. Свирельникова вдруг до тошнотворной желудочной судороги обидело то, что его бывшая жена совокупляется со своим неведомым любовником на том же самом диване. Это показалось ему со стороны утонченной Тони какой-то намеренной физиологической бестактностью и даже подлостью.

«Хоть бы кровать женщине купил, совокупец!» — возмутился он и подумал, что бывшая жена, чей приглушенный голос доносился с кухни, обязательно оценила бы это придуманное им словечко — «совокупец»!

...Накануне дефолта у Свирельникова наконец появились совсем лишние деньги, и он решил купить большую двухуровневую квартиру с огромной гостиной, несколькими спальнями, а эту оставить Алене в приданое. Деньги, конечно, были и раньше, но они постоянно во что-то вкладывались, принося не радость, а все новые деньги. Тоня ехидно шутила, что вот, мол, он уставил пол-Москвы «джакузями», а сам небось ни разу в этом чуде гигиенической цивилизации не мылся! О том, что мылся, неоднократно и даже в компании голых девиц, он, конечно, рассказывать жене не стал, но его все чаще начала посещать обидная мысль: живет он не по средствам скромно.

Михаил Дмитриевич даже посмотрел несколько квартир в новых элитных, жутко дорогих домах в центре — на Пресне, на Полянке и в Кунцеве. Чудовищное качество постройки наводило на мысль, что съехавшийся отовсюду в Москву пролетариат тихо, но упорно мстит новым хозяевам жизни. Как иначе объяснить, что этажи были загажены, точно вокзальные сортиры, а фасадная штукатурка осыпалась после первых же дождей? Евроремонт в такой квартире походил скорее на реставрацию какого-нибудь Гатчинского дворца, порушенного мерзавцами-фашистами до полной архитектурной неузнаваемости.

Тем не менее Свирельников выбрал квартиру в новом корпусе на Зоологической улице с окнами на зоопарк, но тут случайно встреченный Ашотик сообщил под большим дружественным секретом, что, по тщательно проверенным слухам, скоро должен случиться обвал рынка жилья и дистрибьюторы станут отдавать площадь почти даром. Михаил Дмитриевич решил дождаться конъюнктуры, а пока купить хотя бы новую кровать, и вечером повел жену в открывшийся неподалеку от них магазин «Мебельон», про который постоянно крутили по телевизору рекламный ролик со смешным слоганом: «Всеобщая мебелизация населения!» Непонятно даже, зачем он это сделал, ведь чувствовал же, что никакая новая кровать не спасет их распадающийся брак.

Тоня грустно бродила по торговому залу величиной с футбольное поле, равнодушно рассматривая несметные мебельные богатства. Всего десять лет назад от одного вида этого изобилия несчастный советский новосел, несколько месяцев томившийся в очереди за румынской стенкой, мгновенно сошел бы с ума, а теперь кроме них по лабиринту из гарнитуров прогуливались еще две-три любопытствующие пары. Вскоре жена остановилась возле огромной испанской кровати, стилизованной под начало XX века. Спинка была сделана из никелированных трубочек, которые, переплетаясь, образовывали позолоченное сердце, пронзенное большой оперенной стрелой.

— Жуть! Какая замечательная жуть! — изумилась Тоня. — Впрочем, кровать и должна быть вызывающе безвкусной.

— Почему?

— Ну, а чего хорошего в физиологии? Господь мог бы и животный низ сделать подуховнее.

— Например?

— Ну, не знаю... Ну, потерлись носами — и через девять месяцев на сносях...

— Но носки тогда бы носили не на ногах... — включился в игру Свирельников.

— Грубо! — поморщилась она. — А развод называли бы разнос...

— А насильников — носильниками.

— Лучше! — похвалила Тоня. — А хороших мужей — сносными.

— А плохих жен — относительными...

— А рогоносцев носорогами.

— Купить тебе эту кровать? — спросил он, понимая, что не перекаламбурит ее.

— Мне? Зачем... Шекспир оставил нелюбимой жене по завещанию вторую по качеству кровать.

— Как это?

— Понятия не имею. Ученые до сих пор спорят...

Кровать они тогда так и не купили. А Тонькин совокупец, если такой крутой, мог бы и раскошелиться. Это с надоевшей женой все равно, где носами тереться, а новые ощущения требуют простора и удобств!

Свирельников уже выходил из бывшей своей спальни, когда вдруг заметил еще одно возмутительное новшество: он исчез из «Третьяковки» — так Тоня называла два десятка фотографий в рамочках, висевших на стене и отображавших всю их семейную и даже досемейную историю. Когда Михаил Дмитриевич заезжал в последний раз, он на правах мужа и отца наличествовал почти на каждом снимке: чокался с невестой, принимал на руки «конверт» с новорожденной Аленкой, вел ее в школу, встречал Новый год в кругу семьи, осматривал вместе с Тоней заморские развалины... А теперь его не стало, как будто вообще никогда не было! И вот что самое подлое: для каждой рамочки нашлась вполне равноценная замена. На свадьбе белоснежная невеста чокалась с Валентином Петровичем, «конверт» бережно держала на руках Полина Эвалдовна, из школы Аленка возвращалась с подружкой, а развалины Тоня осматривала в гордом одиночестве. А самый первый их совместный снимок, сделанный в фойе «Таганки», оказался жестоко обрезан: стоявшие по бокам Свирельников и Синякин исчезли — остались лишь улыбающиеся Тоня и Нинка.

Все! Баста!! Его больше не было...

33

А ведь с того снимка все и началось! Точнее, продолжилось, потому что началось это тогда, когда он пошел провожать Тоню домой. Поделив билеты, героически отвоеванные у мафии, они направились к метро и обнаружили, что двери уже закрыты. Богатенький Синякин пошарил по карманам, сосчитал депансы (чтобы, как говаривала Тоня, «даром не рискнуть садиться в дилижансы») и поймал проезжавшую мимо «неотложку». Он долго уговаривал шофера ехать на Ленинский проспект, уломал и отбыл, захватив с собой Нинку, жившую тогда по пути — на площади Гагарина.

Веселкин объявил, что дойдет до Курского вокзала и будет дожидаться первой утренней электрички до Обираловки. Тоня тоже решила добираться домой пешком, а если повезет, подъехать сначала на «бэшке» до Земляного Вала, а потом на третьем автобусе — до Бакунинской. Тут-то и выяснилось, что живут они почти рядом: Свирельников — на Спартаковской площади, она — на Большой Почтовой.

Шагая вниз по Садовому кольцу, соратники шумно обсуждали случившееся. Вовико ерепенился и сожалел, что дело не дошло до драки, а то бы он им показал!

— И хорошо, что не дошло, — рассудительно заметила Тоня. — Этот Млечников, по-моему, очень опасный человек...

— Коротышка!

— А почему они тогда все так его слушаются?

— Может, у них подпольная организация? — предположил Свирельников.

— Ну, конечно, так им КГБ и разрешило!

— Я же говорю: подпольная.

— Не смеши меня! — хмыкнул Веселкин. — У нас подполья не бывает!

— Это точно! — согласилась Тоня.

Перешли Яузу и остановились возле заиндевевшей витрины книжного магазина «Новелла». Внутри с убогой изобретательностью были разложены собрания сочинений основоположников, брошюрки съездов и многочисленные переиздания брежневской трилогии «Малая земля», «Возрождение», «Целина».

— Скоро они одной книгой выйдут! — сообщил Свирельников. — Знаешь, как называться будет?

— Как?

— «Майн кайф»!

— Смешно... — Тоня одобрительно глянула на смелого курсанта.

Около Курского, перед тем как отправиться спать в зал ожидания, Веселкин, гнусненько усмехаясь, предупредил:

— Вы без меня не озорничайте!

Тоня нахмурилась и брезгливо передернула плечами, как от озноба. А Свирельников, когда она, повернувшись к ним спиной, независимым шагом пошла прочь, показал однокурснику кулак и бросился вслед за новой знакомой. Нагнав ее, он некоторое время шел молча, не решаясь после выходки приятеля возобновить разговор.

— Он у вас нормальный? — наконец спросила девушка.

— Надя, вы извините!

— Меня зовут Тоня.

— Простите. — Ему стало жарко от своей непростительной бестолковости. — Вы похожи на мою одноклассницу. Ее звали Надей... Я даже сначала подумал, что вы — это она.

— Но теперь-то вы поняли, что я — это я?

— Понял.

— Странный у вас друг, — после долгого молчания отозвалась Тоня.

— У него было трудное детство...

— У Горького тоже было трудное детство!

Они свернули в переулок. Шел игольчатый искрящийся снег. Москва была совершенно безлюдная, пустая, словно огромный ночной склад. На запорошенном тротуаре виднелись только их следы, пятившиеся и терявшиеся за поворотом. Казалось, в городе больше никого нет и никогда не было.

— А сюда билеты всегда есть! — философски заметила Тоня, кивая на погашенный Театр имени Гоголя.

— Постоянно, — согласился Свирельников, даже не знавший о существовании такого театра.

Потом, когда, миновав казаковскую церковь, где в ту пору располагались мастерские, они вступили на улицу Радио, Тоня кивнула на старинное, с колоннами, здание за узорной оградой.

— Я сначала хотела сюда поступать.

— А что это?

— Областной педагогический. Но Валентин Петрович сказал, чтобы мы ерундой не занимались и подавали прямо в МГУ.

— А кто это?

— Мой дядя. Святой человек!

— А отец у вас есть?

— Конечно. Без отцов дети не появляются. Но он с нами не живет! — сообщила Тоня с той скорбной готовностью, с какой обычно в юности люди рассказывают о личных драмах своих родителей.

— Разошлись? — уточнил Свирельников.

— Да. Давно. Еще на целине.

— Не сошлись характерами?

— Нет, почему? Просто мама полюбила другого.

— Да-а? — удивился он, с недоумением примеряя сказанное к своей семье и не представляя себе Зинаиду Степановну, любящую кого-то другого, кроме отца.

— Да. Так бывает.

— Значит, у тебя отчим? — спросил он, невольно переходя на «ты».

— Нет... Мы живем вдвоем с мамой, — ответила Тоня, благосклонно не заметив этой фамильярности.

— А-а, ну понятно... — кивнул Свирельников, ничего не понимая.

— А ты с кем живешь?

— С матерью, отцом и братом.

— Полноценная советская семья? — иронически спросила она.

— Да. А что?

Они миновали МВТУ и оказались на небольшой площади.

— А здесь морг! — таинственно сообщила Тоня, кивнув на приземистый одноэтажный дом, видимо флигель, оставшийся от прежней обширной усадьбы. — Хочешь посмотреть?

— Что?

— Мертвых...

— Хочу, — ответил он, совершенно того не желая.

— Только тихо!

Они, крадучись, приблизились к низкому освещенному окну. Стекла были густо закрашены изнутри белилами, но в замазке нашлась дырочка. Тоня прильнула к ней, словно к глазку детского калейдоскопа с разноцветными стеклышками, потом нехотя уступила место курсанту.

— Не бойся!

— Я и не боюсь! – неуверенным голосом отозвался он. — Я не такое видел!

Стекло было ледяное, и лоб от холода сразу онемел. В дырочку виднелась большая комната с двумя широкими оцинкованными столами. На одном лежал тучный труп, похожий на оплывшее желтое тесто, забытое на кухонной доске. Невозможно было понять: мужчина это или женщина...

«Странно! — очнулся от воспоминаний Михаил Дмитриевич. — Очень странно!»

Только сейчас, спустя много лет, он сообразил, что дырочку можно было проскрести в замазке только изнутри. Зачем и кто это сделал?

— Я, когда маленькая была, сюда часто ходила... — сообщила Тоня, когда они двинулись прочь.

— Зачем?

— Я боялась смерти и хотела воспитать себя.

— Воспитала?

— Не очень... Но мама сказала, что, когда я вырасту, изобретут таблетки бессмертия.

— И тебе тоже говорили?

— Да! И тебе?

— Ага!

Они почему-то засмеялись, и Свирельников ощутил к этой девушке, которую и знал-то всего несколько часов, почти родственную привязанность. Наконец они дошли до четырехэтажного дома на углу Большой Почтовой и Рубцова переулка, спускавшегося к замерзшей Яузе. Светилось единственное окно на третьем этаже.

— Мама не спит... — вздохнула Тоня. — Руга-аться будет!

— А ты ее не предупредила?

— Не-а! А ты где на Спартаковской живешь?

— Рядом с Домом пионеров.

— Где кинотеатр?

— Да.

— Я в Дом пионеров в кружок бальных танцев ходила. В седьмом и восьмом.

— А я на трубе там учился.

— Научился?

— Нет.

— Ну, пока! В театре увидимся.

Она забежала в подъезд, а Свирельников побрел к себе на Спартаковскую.

Утром, чуть свет, позвонил Веселкин:

— Ну?

— Что — ну?

— Трахнул?

— Больной, что ли?

— А чего ж вы делали?

— Мертвых смотрели.

— Каких мертвых?

— В морге.

Целую неделю курсант Свирельников томился нетерпением, проклиная себя за то, что не попросил у Тони телефон, но на долгожданный спектакль опоздал: надел свой единственный выходной костюм и, когда завязывал шнурки, брюки лопнули в самом интересном месте — за отпуск он прилично отъелся на домашних харчах. Зашивать было некогда, хоть мать и предлагала, пришлось срочно влезать в опостылевшую форму.

Влетев в зал после третьего звонка, в меркнущем свете он обнаружил всю их «группу захвата» в партере — в деликатном порядке: Синякин, Нина, Тоня, Веселкин. Между девушками зияло единственное на весь театр свободное кресло, сберегаемое специально для него. Появился Свирельников как раз в тот момент, когда какой-то контрамарочник, скорее всего студент «Щуки», нахально пытался занять его место. Махнув перед носом наглеца билетом, Миша рухнул в кресло и, наклонившись почему-то сначала к Нине, шепотом объяснил, что забыл документы, поэтому пришлось возвращаться. Затем он повернулся к Тоне и начал повторять то же самое, но она довольно резко оборвала:

— Потом!

На сцене уже появились Берлиоз с Иванушкой Бездомным. Но курсант Свирельников, не вникая в знаменитый спор о Христе, пытался понять совсем другое: если от Нины просто пахло хорошими духами да еще какими-то привлекательными женскими пряностями, то ее подруга источала совершенно особенный телесный аромат, одновременно будоражащий и успокаивающий. Казалось, этот запах он знал очень давно, чуть ли не с бессознательного детства. Потом появился Воланд со свитой, покатилась отрезанная голова председателя МАССОЛИТа, Маргарита, ухватившись за канат, заметалась над сценой, восхищая зрителей обнаженным антисоветизмом. И он увлекся спектаклем.

В антракте Свирельников наконец рассмотрел Тоню на свету без пальто и шапки. Если она и была похожа на Надю Изгубину, то не внешними частностями, а скорее общим выраженьем — гордым и добрым одновременно. У нее оказалось круглое, серьезное лицо, большие темные строгие глаза, темно-русые волосы, стриженные «под пажа». (Очень модная в ту пору прическа!) Одета она была в черные широкие брюки и фисташковую кофточку из ангорки. Под кофточкой обнаруживалась весьма возвышенная грудь. А по поводу ее бедер Вовико незаметно, когда девушки отвернулись, с восхищением развел руками. Словом, студентка с покрасневшим на морозе носом, которую он провожал неделю назад домой, понравилась окончательно и бесповоротно. Огорчало только то, что вела она себя подчеркнуто холодно, точно не было никакой прогулки по ночной Москве, никаких откровенных разговоров и окна в морг.

Стоя в буфетной очереди, вся «группа захвата» шумно обсуждала спектакль, и Свирельников, романа еще не прочитавший, сморозил глупость, чуть не погубившую на корню будущую любовь. С совершенно детским простодушием он спросил:

— А что будет дальше?

— С кем? — уточнила, обидно прыснув, Нинка.

— С Мастером... и Маргаритой...

— Они умрут, — холодно ответила Тоня.

— А потом поженятся... — добавил мерзкий Синякин, читавший к тому времени даже ксерокопированное «Собачье сердце».

— Как это? Так не бывает!

— Бывает, — вздохнула Тоня и с обидой посмотрела на него.

После окончания спектакля она — к радости Веселкина — не позволила курсанту Свирельникову проводить себя до дому. Кстати, ей постановка не понравилась: она назвала ее «большим капустником», а через год, в межпоцелуйной истоме, созналась, что влюбилась в Свирельникова именно в тот день. Ей нравились мужчины в форме, и в своих девичьих мечтах она всегда хотела выйти замуж за офицера. И тогда он со смехом рассказал Тоне про лопнувшие цивильные брюки.

— Это судьба! — вздохнула она.

— А почему же ты меня в тот день отшила?

— По двум причинам.

— По каким?

— Во-первых, никогда нельзя говорить женщине, что она на кого-то похожа!

— Понял. А во-вторых?

— А во-вторых, потому что ты трепло!

— Я?

— Ну конечно! Зачем ты сказал Веселкину, что мы подглядывали в морге?

— Я не хотел... Я случайно...

— Случа-айно! Это же моя тайна! Разве ты не понял?

— Значит, ты из-за этого не разрешила тебя проводить?

— Конечно.

— А хотелось?

— Конечно!

— Но мы же могли больше никогда не встретиться!

— И это тоже была бы судьба!

...Когда вышли из театра на улицу, Синякин предложил на память сфотографироваться.

— Темно! — засомневался Веселкин.

Но Петька гордо вынул из кармана крошечную «Минолту» со встроенной вспышкой — жуткий дефицит, привезенный ему родителями из-за границы. «Группа захвата» встала рядком (причем Тоня демонстративно отгородилась от Свирельникова Нинкой), все хором сказали «чи-из» и запечатлелись, озаренные мгновенным светом.

— Теперь давай я! — предложил Вовико.

— Вот сюда нажимать! — важно объяснил Петька.

— Не учи отца щи варить!

В Ленинград однокурсники возвращались вместе, и каждый раз, когда выходили в тамбур покурить, Веселкин вспоминал все новые и новые подробности прощальной ночи любви, устроенной ему неутомимой кассиршей. Интересно, что вытворяла она в постели все те же бесстыдные чудеса, которые были изображены на картинках эротического комикса, ходившего в «Можайке» по рукам.

— Зачем ты сказал ей про морг? — наконец не выдержал Миша.

— А разве я сказал? — искренне удивился Веселкин.

— Сказал!

— Ну и что! Надо было трахнуть ее, а не жмуриков разглядывать! Без всяких-яких!

— Козел! Ты ничего не понимаешь!

В ту минуту ему вдруг показалось, что Вовико вообще живет в совершенно другом, чудовищном мире, где все женщины — мерзкие, похотливые самки с вокзальными плевательницами между ног. А для Свирельникова, несмотря на определенный «краснознаменный» опыт, женщины все еще оставались таинственными, неподступными существами, которых надо завоевывать в тоске и надежде.

В Ленинграде он про Тоню не то чтобы забыл, нет, но из яркого, ранящего воспоминания она постепенно превратилась в некую нежную и чистую болезнь, загнанную вовнутрь, стала солнечным пятнышком, затерянным в темных глубинах души. Свирельников не вспоминал свою новую московскую знакомую, когда, добравшись по «тропе Хо Ши Мина» до лимитчиц, гусарничал в общежитских койках, пропитанных братским казарменным потом. Он не вызывал ее в памяти, чтобы очеловечить тайное курсантское рукострастие под байковым казенным одеялом. Но иногда, во время утренней громыхающей пробежки по Ждановской набережной, вдруг останавливался, потому что ему мерещился ее силуэт по ту сторону темного канала...

Приехав на летние каникулы в Москву, Миша первым делом помчался к ее дому, но с полпути вернулся, решив, что, наверное, давно уже забыт и вычеркнут из ее жизни. По своей душевной невежественности он не понимал, что трепет перед женщиной, боязнь настойчивостью обидеть ее и есть первый признак любви. Он тогда еще не догадывался, что настойчивостью избранницу можно рассмешить и даже разозлить, но обидеть — никогда. Хитромудрая природа предусмотрительно наделила слабый пол безотчетным уважением к мужскому вожделению.

Выручил Синякин. Он пригласил друга к себе домой, где уже дожидались, попивая «Ркацители», две молоденькие продавщицы. На их крашеных лицах застыло выражение неприступной готовности. После получасового игривого трепа, заменявшего обычно предварительные ласки, Петька вызвал товарища на кухню, чтобы договориться, кто с кем уединяется. А заодно, вспомнив, отдал ему фотографию, сделанную зимой возле театра. Тоня получилась на снимке хорошо. Очень! Невыносимо хорошо!

Бросив ошарашенного Петьку вместе с изготовившимися девицами, курсант Свирельников, не попрощавшись, помчался через пол-Москвы к ее дому. Сначала бродил, как ненормальный, вокруг, а потом сел на лавочку возле парадного и стал ждать, несмотря на подозрительные взгляды околоподъездных старушек и нарочитые их разговоры про участившиеся квартирные кражи. Тоня появилась часа через полтора, когда долгое июльское солнце пронзило листву пыльных московских тополей, а с Яузы потянуло вечерней прохладой. Она вся была волнующе летняя и лучилась юной женственностью. Как теперь Светка...

Увидев Тоню, Свирельников ощутил в груди душащую радость, а вставая навстречу, почувствовал головокружение, недостойное офицера.

— Привет! — кажется, не удивилась она. — А почему ты не в форме?

— Не знаю... — ответил он и протянул ей фотографию. Ту самую, из которой теперь был вырезан навсегда...

34

Закончив разговор с автором, Тоня вернулась из кухни. Ее лицо еще сохраняло выражение терпеливого бешенства, какое часто бывает у педагогов, работающих в спецшколах для дебилов.

— Нет, все-таки книги пишут или от большого ума, или от большой глупости! — сообщила она, усаживаясь в кресло. — Ну-с, друг мой бывший, что же мы будем делать?

Именно так, изысканно и иронично — «друг мой», — она стала называть его с самого первого свидания, подражая какой-то своей университетской преподавательнице, крутившей в молодости роман то ли с Пастернаком, то ли с Мандельштамом, то ли с обоими сразу. После того как Свирельников принес фотографию, они встречались почти каждый день, и всякий раз Тоня спрашивала: «Ну-с, друг мой, что мы будем делать?» — «Может, в кино?..» — вопросительно предлагал курсант, потому что в июле темноты не дождешься, а в благословенном мраке синематографа можно невзначай притронуться к ее руке или, касаясь губами благоуханных щекочущих волос, прошептать на ухо какой-нибудь глупый комментарий к разворачивающемуся на экране производственному боевику. «Нет! — Она понимающе качала головой. — Нет, друг мой, мы поедем в Мураново!» Боже, за то лето он насмотрелся музеев на всю оставшуюся жизнь! До сих пор, попадая в антикварное помещение и вдыхая мемориальный тлен, он невольно вспоминает телом то давнее, юное, безнадежное томление, нежно мучившее его.

А вот словечко «бывший» появилось только сегодня! И это окончательно взбесило Свирельникова.

— Зачем ты это сделала?

— Что такое?

— Фотографии-то зачем кромсать?!

— А про это, Михайло Димитриевич, надо было думать, когда ты жизнь кромсал! Теперь поздно. Но ты не волнуйся, все твои фотографии целы. Могу выдать...

— Я пришлю шофера.

— Пришли, пожалуйста! С деньгами.

— Ты их не заработала!

— Неужели?

— Я понимаю, у тебя теперь мало времени. — Еле сдерживаясь, он кивнул на комнату с разложенным диваном.

— Да, с тобой у меня было гораздо больше времени!

— Но на дочь могла бы и найти!

— Ты тоже.

— Но мы же договорились! За что я тебе плачу? Ты можешь мне объяснить?

— Наверное, за прошлое? — усмехнулась она. — И поэтому так мало!

Лето промчалось в любовном помрачении. Это была растянувшаяся на несколько недель тропическая гроза с душными сумраками, ослепительными молниями и живыми ливнями. Курсант Свирельников просыпался каждое утро в страхе: если в назначенное время он не увидит Тоню, то случится что-то непоправимое, что-то ужасное. Абсолютно счастлив он бывал только в тот миг, когда в никчемной московской толпе вдруг возникала она, легкая, гордая и чуть смущенная своей непунктуальностью. А потом почти сразу его охватывала предпрощальная кручина.

Тоня никогда не приходила на свидание вовремя. (Как говаривал замполит Агариков: «У женщин всегда все позже!») Однажды она опоздала на полтора часа, потому что ехала с дядиной дачи, а дневные электрички, как назло, отменили из-за ремонта дороги. Свирельников ждал в метро на станции «Парк культуры» и мучительно высматривал ее силуэт в пассажирской толчее, закипавшей у дверей поезда. Но всякий раз платформа бесплодно пустела. Зато во тьме тоннеля уже брезжил надеждой мечущийся свет нового выныривавшего из земли состава – и все повторялось сначала. Как в жизни! Как в жизни... Он, конечно, догадывался, что случилось непредвиденное, что ждать, наверное, более не стоит, но при этом готов был стоять на этом сладко-мучительном посту до самого закрытия метро, а потом пешком идти к ее дому...

– Я тебе плачу за то, чтобы ты смотрела за нашей дочерью! – жестко сказал директор «Сантехуюта».

– Свирельников, она взрослая! Взро-сла-я! Живет у подруги, сюда только приезжает. Может быть, мне вместе с ней в институт ходить и по мальчикам?

– По мальчикам? – усмехнулся он. – Это твое дело. А в институт не помешало бы! Ее снова отчислили, чтоб ты знала! И выкупать приказ об отчислении я больше не буду.

– И не надо!

– Что значит «не надо»?

– Я знаю, что ее отчислили.

– Как – знаешь?!

– Мы так с ней решили.

– В-вы... Вы решили?!

– Ей не нравится этот институт. Она будет поступать в Высшую школу дизайна.

– Какого еще, на хрен, дизайна? Почему я ничего не знаю?

– Ты хочешь, чтобы я ответила?

– Хочу!

– Потому что надо общаться с дочерью, а не с ее однокурсницами! – Сказав это, Тоня гадливо поморщилась.

...По закону подлости она появилась как раз в тот самый момент, когда курсант Свирельников после долгих колебаний отлучился наверх, чтобы позвонить ей домой, а когда, не дозвонившись, спустился вниз, то нашел Тоню на платформе — растерянную, чуть не плачущую. И тогда он впервые по-настоящему понял, что совсем даже небезразличен ей. Оказывается, этой ироничной филологине было необычайно, жизненно важно, дождется он или нет. Вообще любовь состоит из жизненно важных мелочей, и, когда жизненно важные мелочи становятся обычными мелочами, любовь заканчивается. Увидав Свирельникова, Тоня нахмурилась и улыбнулась одновременно:

— Я думала, ты не дождался...

— Я... Я бегал звонить...

По телефону они могли говорить часами, к возмущению Федьки и к раздражению Полины Эвалдовны. Кстати, когда Тоня привела кавалера знакомиться с матерью, та сказала: «Ну наконец-то я вижу молодого человека, из-за которого не могу нормально позвонить по телефону!» Но говорили они часами совсем не из-за того, что им многое нужно было сказать друг другу. Сказать им тогда, по правде, было почти нечего. Те, кому есть что сказать, предпочитают молчать, ибо чувство от слов беднеет и иссякает. Просто, позвонив по какому-нибудь пустяку и, таким образом, связав себя с ней неведомым электрическим чертенком, бегущим по проводам, он уже боялся отпускать Тоню в ее отдельную жизнь, покуда неведомую и потому таившую в себе угрозы для начинавшейся любви. Судя по всему, она чувствовала то же самое. И они говорили, говорили, говорили, пока домашние силой не оттаскивали их от телефонов...

— Это говоришь мне ты? — возмутился он.

— А ты хочешь, чтобы это сказала тебе Алена?

— Алена и тебе кое-что сказать может!

— Что именно?

— Пойдем покажу!

— Куда?

— Пойдем! — Он схватил ее за руку и потащил к детской.

— Отпусти! — упиралась она.

— Нет, ты посмотришь!

— Пусти-и-и!

— Могла бы не на глазах у дочери! — сурово молвил Свирельников, втолкнув бывшую жену в комнату и указав на «куклограмму» жестом государственного обвинителя.

Впервые они поцеловались только в январе, в подъезде, после почти часового прощания, и он чисто механически, почти «по-краснознаменному», сжал сквозь пальто ее упругую грудь. Она отстранилась, посмотрела на забывшегося соискателя с разочарованным удивлением и сказала: «В следующий раз я повешу на себя табличку “Руками не трогать!” — “А следующий раз будет?” — жалобно спросил похолодевший от ужаса курсант. «А это уж как тебе подсказывает твоя офицерская честь...» И побежала вверх по лестнице, обиженно стуча каблучками. Офицерская честь советовала тут же провалиться сквозь землю и навсегда забыть о том, что у этой умной, язвительной филологини есть нежное тело, пахнущее сумасшествием. На следующий день он с останавливающимся сердцем позвонил и был прощен. С того дня началось медленное и неуклонное завоевание ее плоти...

— Ах, это! — покраснев, засмеялась Тоня. — Я видела... Ну и что? Дочь радуется женскому счастью матери! Что тут плохого? Да и вообще не твое дело! Или ты думал, я теперь всю оставшуюся жизнь буду рыдать? Нет! Я буду смеяться, понял — хохотать!

— Посмотрим, как ты теперь посмеешься!

— А что ты мне можешь сделать?

— Узнаешь!

— Свирельников, ты дурак!

— Ты обещала! Я свои обещания выполняю!

Господи, что это была за сладкая мука ото дня ко дню, от одного благословенного уединения до другого преодолевать ироничное и отчаянное сопротивление, все глубже проникая в пределы девичьего стыда. И чувствовать при этом, что на самом деле все глубже и неотвратимее проникаешь в неприступную ранее женскую жизнь и сам постепенно становишься ее частью. От встречи к встрече Тонины глаза становились все покорнее, а вздохи все глубже и доверчивее. Однажды, уже зная ее почти всю на ощупь, Свирельников наконец уговорил прикоснуться к его курсантскому изнеможению. «Ну, если ты не можешь взять себя в руки!» — вздохнула она и подчинилась. А потом, достав из сумки платок и тщательно вытерев ладонь, скорбно объявила: «Теперь тебе придется на мне жениться!» — «Почему?» — «А потому что такую развратную меня больше никто замуж не возьмет!» И он тут же, в подъезде, совершенно серьезно сделал ей предложение. Но Тоня засмеялась и сказала, что Полина Эвалдовна, заслышав эти брачные бредни до окончания университета, просто выгонит ее из дому. «Будем жить у меня!» — искренне предложил он. «В казарме? — засмеялась Тоня. — Нет, я выйду замуж только за офицера. И прекрати меня втягивать в этот гнусный петтинг!» — «Во что?» — «В то самое! Сначала загс — потом секс!» — ответила она и поцеловала его в нос...

— Можешь не выполнять! — пожала плечами Тоня.

— Богатого себе нашла?

— Нет, только по любви. Ты же знаешь. Зачем мне богатый? Я сама богатая...

— Вот с этого места, пожалуйста, подробнее!

— Подробнее? Пожалуйста! — Она направилась в гостиную. — Я вполне обеспеченная женщина. У меня есть фирма!

— Какая еще фирма? — Он тупо двинулся следом.

— «Сантехуют»! — ответила бывшая жена и улыбнулась с издевательской кукольной наивностью.

— Это моя фирма!

— Не-ет, не твоя! Я теперь тоже кое-что в коммерции понимаю!

— Еще бы! — ухмыльнулся Михаил Дмитриевич и нехорошо кивнул на серебряный семисвечник.

— Свирельников, ты к старости стал антисемитом? Не может быть!

— Это моя фирма! — багровея, повторил он.

— Оформлена она на меня. А ты наемный менеджер. Будешь плохо себя вести — я тебя уволю!

— Что-о?! — Он вскочил и, не помня себя, замахнулся на Тоню заячьим Гамлетом, которого весь разговор крутил в руках.

Окончательное грехопадение состоялось зимой в квартире Валентина Петровича на глазах нескольких десятков невозмутимых зайцев. На время пребывания супругов в санатории Четвертого управления Тоня переселилась туда якобы для того, чтобы спокойно готовиться к диплому, а на самом деле потому, что ее мать в ту пору предпринимала, кажется, последнюю в своей жизни попытку выйти замуж и нуждалась в поздней романтической безнадзорности. Свирельников вырвался в Москву на несколько дней раньше и позвонил прямо с вокзала. Трубку взяла Полина Эвалдовна, с какой-то странной кокетливостью объяснив, что «его интересантка» временно живет в другом месте, а именно — у дяди. В гостях у «святого человека» он к тому времени уже побывал, приглашенный на замаскированные под воскресный обед смотрины. Кажется, Валентин Петрович с Милдой Эвалдовной остались довольны выбором племянницы.

Не заезжая домой, как был, в шинели и с чемоданчиком, курсант Свирельников помчался с Комсомольской площади прямо на Плющиху. Тоня открыла дверь, несколько мгновений смотрела на него в растерянности, а потом сказала: «Я о тебе как раз только что закончила думать!» На ней был домашний халатик, а на переносице — большие очки, которые она при нем ни разу не надевала. В руках Тоня держала толстый древнерусский словарь, который, конечно, тут же полетел на пол, ибо будущий офицер, измученный казарменным одиночеством, схватил ее и, спотыкаясь о тапочки в прихожей, понес на тахту, стоявшую здесь, вот на этом месте, в гостиной. Какое-то время он пылко убеждался в том, что все отвоеванное им у Тони до каникул не забыто, а убедившись, с удивлением обнаружил, что его возлюбленная почему-то совершенно не препятствует, так сказать, окончательному решению вопроса. Прежде в подобных случаях она замыкалась ладонями, как поясом верности, и произносила что-нибудь смешное и потому не обидное: «Осторожнее, юнкер, вы испортите мне девушку!» Но в тот день она лежала тихая, покорная и влажно раскрывшаяся. Нависнув над ней, он с мольбой посмотрел любимой в глаза, и она еле заметно кивнула в ответ. «Ты не боишься?» — спросил Свирельников задыхающимся шепотом. «А ты?» — отозвалась она чуть слышно...

— Смешно! — сказала Тоня, когда Михаил Дмитриевич, опомнившись, опустил руку. — Первая полоса «СК»: «Бизнесмен убил бывшую жену зайцем!»

— Мы же обо всем договорились! — тупо повторил Свирельников.

— Нет, друг мой бывший, договариваться мы будем только теперь. Нельзя бросать жену нищей!

— Я давал тебе деньги...

— Плохо давал. А теперь я буду их брать!

— Это тебя твой... нынешний научил?

— Нет, это все — наследственность. А еще я редактировала книжку «Разводясь, не будь дурой!».

— Не кривляйся! Если он такой умный — лучше бы тебе кровать купил!

— С милым рай и на диване!

Курсант Свирельников даже оторопел от неожиданности: все, о чем он грезил во время горячих бессонниц словно о благословенно недостижимом, произошло вот так — легко и просто. Впрочем, не так уж и легко: Тонина девственность оказалась значительно прочней ее целомудрия. Потом он лежал, блаженно вытянувшись и слушая, как, победно екая, бьется сердце, а падшая дипломница, обмотав кровоточащее лоно полотенцем, сидела у него в ногах, внимательно рассматривая то, благодаря чему только что стала женщиной. «Уд-дивительно!» — вдруг сказала она. «Что удивительно?» — уточнил гордый сокрушитель. «Не удивительно, а уд-диви-тельно!» — поправила бывшая девушка. «Почему «уд-дивительно»?» — «А потому что в старину это называлось «тайный уд»! — объяснила она, кивнув на увядшего первопроходца. «Значит, "уд-довлетворять" тоже от слова "уд"», — обрадовался он. «Пожалуй, за тебя можно выйти замуж. С лингвистическим чутьем у тебя все в порядке!» — «А если бы не в порядке, значит, не вышла бы?» — «Все равно вышла бы...» — вздохнула Тоня...

— Уд-дивительно! — произнес Свирельников, криво усмехаясь.

— Вот именно! — мгновенно покраснев, кивнула она и изобразила на лице развратную улыбку, как представляют ее себе женщины, почти не изменявшие мужьям. — Ты думал, я стану жить на твои подачки? Уд-дивительно! Нет, делиться будем.

— Не будем!

— Бу-удем!

— Про фирму забудь, поняла?!

— Я пришлю адвоката, дорогой! Он объяснит тебе мои права и твои обязанности.

— Ты не понимаешь, во что лезешь!

— Не надо меня пугать!

— Я не пугаю. Предупреждаю — не лезь!

— С адвокатом!

Тут в дверном замке заскрежетало.

— При дочери ни слова! — предупредил он и вышел в прихожую.

Сначала Михаил Дмитриевич надвинул на лицо одно из тех суровых выражений, какими прежде встречал Алену, вопреки обещаниям поздно возвращавшуюся домой. Но потом сообразил, что обстоятельства с тех пор изменились, и срочно переделал это выражение на иронично-заботливое.

Дверь открылась. На пороге стоял Веселкин в длинном белом плаще. В одной руке он держал букет мелких подмосковных роз, в другой — торт «Птичье молоко».

— Ты?! — опешил директор «Сантехуюта».

— Без всяких-яких... — вымолвил Вовико и застыл на пороге.

— Заходи, друг мой, не бойся! — ласково пригласила Тоня. — Он сейчас уйдет...

Она стояла, томно облокотившись о косяк, и смотрела на Свирельникова с веселой ненавистью.

35

«Мы решили пожениться...»

Они решили пожениться!

Да сколько угодно! Молодожены...

Скоты!

Михаил Дмитриевич сидел в джипе, сжимая в кулаке заячьего Гамлета. Подробности того, как он очутился в машине, были бесследно уничтожены в памяти ослепительно белой вспышкой ярости, ошеломившей все его существо и до сих пор сотрясавшей тело внутренним ознобом. Сердце не болело и даже не ныло, а изнывало от нестерпимой обиды, на которую он, по совести, не имел никакого права, но именно поэтому обида была непереносимой. Его буквально мутило от одного приближения к мысли о Веселкине и Тоне...

«А вот интересно, что этот мангуст говорит ей, когда она, отдышавшись, спрашивает: “Тебе было хорошо?” Наверняка – “Без всяких-яких”...»

Директор «Сантехуюта» подумал и о том, что Вовико, смолоду отличавшийся кобелиной неутомимостью, может оказаться в постельном приближении гораздо полезней. Наглый Веселкин обязательно даже спросит у Тоньки, насколько ей с ним лучше! Она, конечно, не ответит (все-таки леди, хоть и советская!), но улыбнется с тем презрительным сожалением, с каким женщины вспоминают неуспешных посетителей своих недр. От этих мыслей Михаилу Дмитриевичу сделалось совсем гадостно.

– Тихо! Тихо! Тихо! – пробормотал он, поглаживая заячьего Гамлета, словно успокаивал его, а не себя.

А в памяти тем временем по-садистски услужливо всплыла давняя Тонина угроза «даться» какому-нибудь смердящему ничтожеству, и оставалось признать, что свое обещание она выполнила с лихвой. Но зачем этот гнусняк приперся вчера мириться, а потом потащил бывшего мужа своей невесты к девкам? Ведь не просто же так – для проветривания простаты, если Вовико на Плющихе ждал разложенный диван! Зачем ему понадобилась «карусель»?! Показать, что для него Тонька ничем не лучше тех двух ракообразных? Допустим. Показал. Дальше? Дальше-то что? Ты же на ней жениться собрался, собиратель лобковой фауны! Блин, какой-то Достоевский для олигофренов! Надо было все рассказать Тоньке и посмотреть, как ее перекорежит до рвоты! Нет, не надо! Пусть-ка теперь поживет с этим аналосиндикалистом! Узнает, что почем!.. Но зачем все-таки Вовико устроил эту «карусель»? Зачем?!

Постыдная необъяснимость случившегося тяжело приливала к голове и давила на виски.

— Тихо-тихо-тихо-тихо! — Он снова стал уговаривать заячьего Гамлета, поглаживая его пальцем между ушами.

— Куда едем? — спросил Леша, опасливо покосившись на странного, бормочущего шефа.

— Куда хочешь...

Джип медленно двинулся. Мысли Свирельникова по какой-то необъяснимой, истязающей логике вернулись в ту «медовую» неделю, когда они с Тоней несколько дней не выходили из квартиры на Плющихе, до изнеможения осваивая друг друга. Их юные тела просто-напросто выпали из реального мира и очутились в том восхитительном измерении, где смысл жизни заключен в слагательных движениях любви, а смерть кажется отдаленной нелепостью по сравнению с тем, что после получасового сладкого сна можно снова и снова повторять неповторимое...

Им не мешали. Про то, что курсант вернулся в Москву, никто еще не знал, а Тоня каждый вечер звонила домой и старательно скучным голосом, закусывая губу, чтобы удержать стон, вынуждаемый сокровенным свирельниковским озорством, рассказывала матери, как тяжело, но успешно идет работа над дипломом, который назывался, кажется, «Старославянизмы в поэзии символистов». Когда на третий день они, взявшись за руки, вышли в магазин за хлебом и молоком, у будущего офицера Советской армии от беспрерывного счастья и снежной свежести кружилась голова, в глазах стояли сумерки, а к горлу подкатывала сладкая тошнота. Тоня же шла по улице неуверенно и рассеянно, словно все время прислушивалась к необратимым, но приятным переменам, произошедшим в ее теле по причине многочисленных и бурных вторжений ненасытного курсанта.

На шестые сутки рано утром их застукал прямо в постели, голенькими и тепленькими, Валентин Петрович, внезапно отозванный из отпуска по причине скандала на пленуме Союза писателей. Один знаменитый прозаик выступил и заявил, что в СССР не хватает социализма. Что тут началось! Собеседования, совещания, открытые письма... Какой все-таки ерундой занималась советская власть, вместо того чтобы обеспечивать граждан качественной сантехникой!

А «святой человек» зашел в комнату, увидел спящую молодежь и ахнул: «Ну вот, здрасте! На нашей кровати!»

— В «Мебельон»! — очнувшись, приказал Свирельников водителю.

Через десять минут он уже метался по мебельному лабиринту, разыскивая ту самую кровать с сердцем и стрелою. Продавщица, одетая в фирменную темно-синюю тройку, похожую на форму стюардессы, некоторое время внимательно наблюдала за его нервными блужданиями, потом подошла и, улыбнувшись, спросила:

— Я могу вам помочь?

— Понимаете, — он замялся, — я ищу кровать...

— Выбирайте! Тут их много! — Она гостеприимно обвела руками футбольное поле, которое какой-то изощренный старик Хоттабыч завалил мебелью.

— Мне нужна конкретная...

— Какая?

— Знаете, испанская... Такая, с металлической спинкой в форме сердца, пронзенного стрелой. Раньше она вон там стояла. — Михаил Дмитриевич махнул рукой. — А теперь нет...

— Да, помню, была, но очень давно. Сейчас уже не модно. Сейчас модно резное дерево.

— Но мне нужна именно такая кровать!

— А другая вам не нужна?

— Нет.

— Вы уверены?

— Абсолютно.

— Одну минутку, я постараюсь решить вашу проблему.

«Они теперь все говорят, как в американских сериалах: “у меня проблемы” и “я сделал это!”. — Он проводил девушку взглядом. — И ходят так же, раскачивая задницей, как будто хулахуп крутят...»

Продавщица ушла за стеклянную перегородку и там, неслышимая, что-то долго объясняла молодому, но лысому и усатому менеджеру, а тот, внимая, хмурился и поглядывал на Свирельникова с любопытством. Михаил Дмитриевич на мгновенье ощутил некое реликтовое смущение, охватывавшее прежде робкого советского потребителя, когда он несоразмерностью своих потребностей утруждал повелителей прилавка, но почти сразу же опомнился: новое поколение торгашей, по его наблюдениям, ловило профессиональный кайф, одолевая самые дурацкие запросы покупателей. Усатый сначала высматривал что-то в компьютере, потом долго рылся в толстых каталогах, звонил куда-то. Девушка наблюдала за этим, склонившись над ним и по-свойски определив грудь ему на плечо. А когда менеджер отпустил какую-то неведомую, но явно двусмысленную шутку (скорее всего, про странного клиента, у которого на других кроватях ничего не получается), она засмеялась и дала ему нежный подзатыльник.

«Да, тоже любовники!» — вздохнул Свирельников.

Наконец продавщица вернулась, неся каталог, раскрытый на странице с изображением искомой кровати.

— Эта?

— Эта.

— Можем для вас заказать со склада в Испании.

— А там есть?

— Да, мы позвонили.

— Заказывайте!

— Но это будет стоить дороже. Эксклюзив.

— Сколько?

Девушка назвала сумму, на которую можно было купить без малого две кровати из тех, что имелись в наличии.

— М-да, как за трехспальную... — усмехнулся Свирельников.

— Что вы сказали?

— Так, пошутил... А когда ее привезут?

— Недели через три.

— Хорошо. — Михаил Дмитриевич полез за кредиткой. — И сразу оплачу доставку. Это подарок.

— Молодоженам? — улыбнулась девушка.

— Именно!

— Давайте я запишу, куда доставить.

Он продиктовал Тонин адрес.

К джипу Михаил Дмитриевич возвращался с улыбкой, воображая, как одетые в синие спецовки доставщики вопрут в квартиру его свадебный подарок. Тоня, конечно, сразу сообразит, от кого и почему, а Вовико будет в растерянности хлопать глазами, повторяя: «Без всяких-яких»...

— Ну, теперь можно и по домам! — весело сказал он, захлопнув дверцу.

— Михаил Дмитриевич! — осторожно позвал Алексей, обрадованный таким благотворным изменением в настроении шефа.

— Что такое?

— А я видел машину-то!

— Какую машину?

— Ну, ту, что за нами с утра ездит...

— Где? — подскочил директор «Сантехуюта».

— На Плющихе. Около дома. Вы поднялись, а он минут через двадцать подъехал.

— И что?

— Ничего, Уехал.

— Почему уехал?

— Увидал ваш джип — и сразу задний ход. Аж коробка взвыла!

— Точно это был тот самый «жигуль»?

— Ну да! А «девятка» за ним рванула...

— Какая девятка?

— Темно-синяя.

— Почему же ты мне сразу не сказал?

— Очень вы оттуда огорченные вышли! Прямо без лица...

— Ладно! Без лица... Скажешь тоже!

Свирельников набрал номер Алипанова, но тот оказался, видите ли, недоступен. Михаил Дмитриевич поколебался и выдавил Тонин телефон, но отозвался автоответчик.

«Ага! Легли!»

Он соединился со Светкой. Она была в «САШе» и радостно сообщила, что примеряет ту самую куртку, про которую рассказывала.

— Ты обалдеешь!

— Обязательно.

— Ты вечером приедешь?

— Наверное...

— Приезжай! Ты должен увидеть меня в этой куртке!

— Увижу!

Он совсем некстати подумал о том, что жизнь с женщиной — это вообще какое-то бесконечное, на годы растянувшееся дефиле, во время которого подруга изо дня в день показывает тебе разные наряды, начиная с белопенной свадебной фаты или медового прозрачного пеньюара и заканчивая старушечьими платочками, а под конец — похоронным черным платьем. При условии, конечно, что ты переживешь свою жену... Завибрировал телефон.

— Аллёу! Звонил, засекреченный? — спросил Алипанов.

— Звонил, — ответил Свирельников, вылезая из машины, чтобы водитель не слышал разговора. — Ну и как твое контрнаблюдение?

— Лучше всех. Скоро доложу. Как Антонина?

— Замуж собралась...

— Да ты что?! — аж присвистнул Алипанов. — Ну-ка рассказывай!

Свирельников, помявшись, поведал оперу (без соплей, конечно) про то, что она живет, оказывается, с Веселкиным. Более того, бывшая супруга теперь претендует на «Сантехуют». Рассказ вышел сдержанный, достойный, даже не без юмора.

— Вот ведь как: он мне — «Фили», а я ему — Тоньку. Бартер... — то ли хихикнул, то ли всхлипнул в заключение Михаил Дмитриевич.

— М-да-а, ситуёвина! — обычно шутливый, опер не только не поддержал его ерничанье, а, напротив, стал вдруг непривычно серьезен. — Ну, теперь кое-что понятно! Тебе лучше всего отъехать куда-нибудь из города хотя бы на несколько дней!

— Мне? Куда? Зачем?

— Тебе! Туда, где никто не будет тебя искать. Ты вроде в Испанию собирался?

— Да, я Светке обещал. Но доктор не советует, говорит, вредно: жара, вино и коитус континиус.

— Что-о?

— Ну, это когда без перерыва.

— Без перерыва нельзя. Молодые этого не понимают. А что ты ей еще обещал?

— За грибами свозить...

— Вот! И вези!! Куда-нибудь подальше.

— В Ельдугино! — вдруг осенило Михаила Дмитриевича.

— Это где?

— За Кимрами. Там новая база открылась, «Боевой привал».

— Придумают же! Годится.

— Неужели все так серьезно?

— Боюсь — да. Может, я, конечно, ошибаюсь. Но лучше перебдеть, чем недобдеть.

— Хорошо. Завтра поеду.

— Нет, сегодня. А я тебе туда буду звонить, Если понадобится, сможешь там задержаться?

— Смогу. В Углич в случае чего проскочим. Я там никогда не был. Но ты хоть объясни!

— Обязательно. Не по телефону.

— Где и когда?

— В 22.30 ты должен стоять на Дмитровском шоссе возле указателя «Деревня Грибки». Это несколько километров от Окружной. Понял?

— Может, мне с собой ружьишко взять?

— Зачем? Для этого есть профессионалы. Лучше авансик прихвати!

— Сколько?

— По совести...

36

— Похожа я на Красную Шапочку?

Светка с благосклонностью оглядывала себя в зеркало, принимая при этом томные подиумные позы и напуская на лицо угрюмо-призывное выражение, какое бывает у вечно недоедающих топ-моделей. На ней были джинсы в обтяжку, майка с вырезом, едва не доходящим до сосков, и новая куртка из какого-то совершенно космического, переливающегося материала. На голову она нахлобучила козырьком назад бордовую бейсболку, а в руке держала корзинку.

— Не очень... — признался Свирельников.

— Почему-у? — надула губы Светка.

— Потому что Красная Шапочка была маленькой девочкой, которая шла в гости к бабушке.

— Ну да! А я видела порномульт, где она уже тинейджер и трахается сначала с волком, а потом — с охотниками...

— С бабушкой она, надеюсь, не трахается?

— Интересно! Как она может трахаться с бабушкой, если волк к приходу Шапочки старушку уже сожрал? Тебе разве в детстве мама сказки не читала?

— Да-а, забыл...

— Послушай, а волков там нет? Меня не съедят?

— Разве что я съем.

— Ну, тогда мы еще посмотрим, кто кого съест!

Светка тем временем, налюбовавшись собой и убедившись, что куртка идет ей необыкновенно, позвонила матери, чтобы рассказать про это радостное обновочное событие, а также сообщить, что уезжает за грибами.

— Нет, не в грибной ресторан! Мы едем в лес. Собирать грибы!.. Почему ночью? Грибы мы будем собирать утром...

— По росе... — подсказал Свирельников.

— По росе, — повторила она в трубку. — Нет, ноги я не промочу... Микки купил мне резиновые сапоги... Ну почему страшные? Нормальные лесные резиновые сапоги зеленого цвета с желтой подошвой!

Теперь в телефонных разговорах с матерью или подругами Светка называла его «Микки», а прежде говорила просто: «Он». Михаилу Дмитриевичу это не нравилось.

— Что это еще за «он»?

— Да я сама понимаю... — согласилась Светка. — Но для «Миши» ты уже большой мальчик, а по имени-отчеству называть мужчину, с которым спишь, согласись, нелепо! Как тебя мама в детстве называла?

— Ишка, — не сразу ответил смутившийся директор «Сантехуюта».

— Прикольно. А папа?

— Мишастый...

— Мишастый?

— Да. А что?

— Нет, ничего... Пафосно! Но ты точно не Мишастый.

— А кто я?

— Это — вопрос!

Ситуация разрешилась сама собой. Как-то они лежали в постели и, набираясь сил, смотрели по телевизору американский фильм с Микки Чурком, который играл боксера Машрума, некогда всемирно знаменитого и обласканного — но потом из-за подлой измены жены сломавшегося, выпавшего из спорта и почти забомжевавшего. И вот к Машруму, с утра сидящему в занюханном баре и потягивающему дешевый виски, вдруг приезжает менеджер восходящей звезды профессионального мордобоя Вонючки Тодстула, прозванного так за привычку в азарте боя громко портить воздух на ринге. Приезжает, значит, подсаживается и делает неожиданное предложение: за пятьдесят тысяч баксов бывший любимец публики должен выйти на ринг и на глазах у миллионов позорно продуть Вонючке Тодстулу. От безысходности Машрум, которому уже и за виски-то расплатиться нечем, соглашается.

Бывшего чемпиона сразу берут в оборот, начинают тренировать, откармливать, холить и даже печатают про него восторженные статьи, чтобы напомнить всем о его некогда знаменитом левом джебе, ведь Вонючка Тодстул должен урыть на ринге не полуспившегося неудачника, а грозного и могучего, по мнению доверчивых фанатов, противника. Горюя о своем будущем позоре, Машрум иногда после тяжких тренировок, постепенно возвращающих ему былую форму, заглядывает в свой бар и подолгу сидит, играя желваками, над нетронутым стаканом виски со льдом. Там-то он случайно и знакомится с журналисткой Евой Пильц. Собственно, она заходит в этот бар совершенно случайно — выпить чего-нибудь для храбрости, прежде чем прыгнуть под поезд, как Анна Каренина. Кстати, такой способ покончить с собой она избрала, потому что была начитанна и очень любила романы Толстого. Однако в результате прыгнула мисс Пильц не под поезд, а в постель к Машруму, обретшему к тому времени вполне товарный вид и спортивную выносливость.

Как известно, мужчины после оргазма молчаливы, а женщины, наоборот, разговорчивы, и Ева рассказала своему новому другу удивительные вещи. Оказывается, заподозрив в неверности своего мужа, старшего офицера Пентагона Фредди Пильца, она стала за ним следить и с ужасом выяснила, что тот посещает не любовницу и даже не любовника, а какое-то арийско-антисемитское подполье, которое планирует совершить в стране переворот и установить диктатуру. Народ, кстати, давно уже созрел для этого, ибо действующий президент — косноязычное ничтожество и анонимный алкоголик, продавшийся арабским нефтемагнатам, — давно всем осточертел. Для Евы же, чьи бабушка с дедушкой бежали в свое время из страшного Биробиджанского гетто, внезапная правда о фашиствующем муже стала подлым ударом, чуть не приведшим ее на рельсы нью-йоркской подземки.

Но оказалось, у Машрума тоже имеются свои счеты с наци: от рук бритоголовых погиб чернокожий друг боксера, неосторожно увлекшийся белой женщиной. И он, обнимая, убеждает Еву, что их долг — разоблачить негодяев. Наутро, за завтраком, они окончательно влюбляются друг в друга и начинают сообща следить за злоумышленным мужем. Постепенно подробности заговора против американской демократии вырисовываются: диктатором после переворота намечен сам Фредди Пильц — тайный отпрыск австрийской ветви рода бесноватого Адольфа. А сигнал к началу выступления даст не кто иной, как Вонючка Тодстул, в тот самый момент, когда к нему, победителю супербоя, будет приковано внимание всей Америки. Он должен в прямом эфире сказать всего лишь одну фразу: «Я сделал это!» И начнется мятеж...

Тогда влюбленные решают опередить нацистов. Ева с помощью своих друзей, прогрессивных журналистов, проникает в студию прямого эфира, но в ту минуту, когда она садится перед камерой, чтобы предупредить Америку о грозящем перевороте, в телецентр вламываются бритоголовые, устраивают жуткий погром аппаратуры и сотрудников, а саму Еву, вколов ей снотворное, увозят в неведомом направлении. Тем временем Машрум, не дождавшись в ночном эфире выступления своей отважной подруги, безрезультатно ищет ее и отчетливо осознает: спасти всех — и Еву, и Америку, и человечество — может только он один, одолев на ринге Вонючку Тодстула, а затем в прямом эфире перед сотнями камер рассказав народу правду. Утром следующего дня он берет, чтобы не вызвать подозрений у врагов, обещанные за поражение пятьдесят тысяч и под рев стадиона выходит на ринг. «Ты покойник!» — гнусно усмехаясь, шепчет ему соперник — голубоглазый светловолосый мускулистый монстр. «Если я покойник, то почему же воняешь ты?» — остроумно парирует отважный боксер.

Когда начинается поединок и Тодстул гоняет Машрума по углам ринга, как Тайсон дистрофика, Ева с трудом приходит в себя. Она лежит связанная в бункере, а перед ней стоит ее муж, опершись на какой-то сатанинский алтарь со свечами, которые колеблющимся светом озаряют огромный портрет Гитлера. Фредди Пильц в черной эсэсовской форме. Оказывается, он давно уже обнаружил слежку и переиграл доверчивую супругу, поэтому у нее теперь только один выход — покориться мужу, принять идеалы оккультного неофашизма и стать первой фрау в новой империи под названием «Америейх». Имя, кстати, у нее для этого подходящее, как у Евы Браун. Иначе смерть!

Фредди всячески уговаривает жену, рисует фантастические перспективы, даже, пытаясь купить, надевает ей на шею платиновую цепь с огромным рубином, который принадлежал когда-то легендарной Брунгильде. В ответ она плюет ему в лицо. Но муж, перед тем как убить упрямицу, решает садистски добиться от нее выполнения супружеских обязанностей, чем она откровенно пренебрегала с тех пор, как полюбила Машрума. Это противоестественное желание в результате стоило Пильцу жизни. В ходе отчаянной борьбы они крушат алтарь, опрокидывают свечи, падают в какой-то ритуальный бассейн... Он уже заносит над Евой неизвестно откуда взявшийся огромный кухонный нож, но случайно задевает оголенный шнур от порушенного светильника в форме фашины и подыхает в страшных электрических конвульсиях, охваченный буйным синим пламенем, словно наступил по меньшей мере на высоковольтную ЛЭП. А измолоченный до полной потери общевидовых человеческих признаков Машрум лежит тем временем на ринге в очередном глубоком нокдауне и в забытьи видит мир под властью коричневых недоносков, бомбящих мирные города и устанавливающих повсюду свой чудовищный новый порядок, именуемый страшным словом «GULAG». Он видит, как Еву в числе других заставляют зубными щетками подметать Манхэттен и слизывать птичий помет со статуи Свободы... Из последних сил Машрум поднимается и, охваченный благородным бешенством, проводит наконец коронный джеб. Вонючка Тодстул под улюлюканье стадиона падает замертво на ринг и оглушительно испускает мерзкий свой дух. К победителю бросаются сотни корреспондентов с микрофонами, десятки камер направляют на него свои переливчатые объективы, и он рассказывает им все, все, все...

А Ева, избитая, но не изнасилованная, добравшись до телевизора, смотрит и плачет от радости за себя и за человечество. На ее груди тихо мерцает бесценный рубин Брунгильды...

— Полная амерехня! — констатировал Свирельников, когда пошли юркие и мелкие, как блохи, титры. — Соцреализм отдыхает.

— Кто отдыхает?

— Ты не поймешь.

— А сколько ему лет? — спросила Светка.

— Кому?

— Машруму... Микки Чурку...

— Наверное, столько же, сколько и мне, — прикинув, ответил Михаил Дмитриевич.

Светка так и подскочила на кровати:

— Ты будешь Микки, Микки, Микки! Согласен?

— Согласен...

...Светка все еще продолжала говорить с матерью по телефону о какой-то чепухе, и Свирельников раздраженно постучал ногтем по циферблату. Тогда она, быстренько простившись, протянула ему трубку. Он посмотрел на нее с неудовольствием, но взял и произнес с утробной вежливостью:

— Здравствуйте, Татьяна Витальевна!

— Добрый вечер, Михаил Дмитриевич, я вас очень прошу: проследите, чтобы Светка не застыла! Ночи уже холодные. Сейчас этого никак нельзя! Понимаете?

— Понимаю...

— Я на вас надеюсь, как на взрослого и серьезного человека!

— Не волнуйтесь! Все будет хорошо!

— А там нет змей?

— Змей? — вздрогнул он.

— Да, я читала, в этом году змей особенно много и у них очень концентрированный яд. Это из-за жары...

— Нет, там, насколько я помню, только ужи.

— Но вы все равно поосторожнее! В грибах-то вы разбираетесь?

— Конечно.

— Хорошо. Но когда вы вернетесь, нам надо серьезно поговорить. О Свете.

— Обязательно. До свидания!

Он положил трубку, взял корзину и потащил Светку, снова устроившуюся у зеркала, к выходу. Пока они ждали лифт, Свирельников спросил раздраженно:

— Зачем ты ей рассказала?

— Нельзя, да?

— Можно, но зачем?

— Ну, ты спросил! У тебя мамы никогда не было?

— Ну и что она?

— Ничего. Как и ты, заверещала, что я еще сама ребенок и что к врачу надо идти как можно быстрее. Она в свое время тянула до последнего, а потом были жуткие осложнения после аборта. Я ей сказала про вакуум. Она обещала узнать. У нее одна знакомая недавно так сделала и вроде довольна!

— Не жалела потом?

— Кто?

— Татьяна Витальевна.

— Жалела, конечно! Брату сейчас было бы двенадцать...

— А если мы не пойдем к врачу? Точнее, пойдем, но к другому...

— К какому?

— К такому, который будет наблюдать за развитием зародыша...

— Не зародыша, а плода.

— Ладно — плода. Будет наблюдать и давать советы, какие пить витамины, какие упражнения делать и так далее...

— Ты серьезно?

— Абсолютно!

— Папочка! — Она бросилась ему на шею.

— Ты только мамочке пока ничего не говори!

— Почему?

— Скажем сразу про все.

— Про все?

— Про все.

— Я тебя правильно поняла?

— А что ты поняла?

— Ну, это когда девушка вся в белом и с цветами. Да?

— Ответ правильный!

— Ура-а-а!

В этот момент двери лифта наконец разъехались. Внутри стоял пенсионер и держал на руках, точно ребенка, маленького серебристого пуделя с темными и грустными, как у правозащитника, глазами. Когда они со своими корзинами втиснулись в узкое полированное пространство, сосед спросил удивленно:

— А что, разве пошли опята?

— Обсыпные! — улыбнулся Свирельников.

Леша, увидев шефа с корзиной, из которой торчали голенища сапог, все понял и, открывая багажник, спросил с плаксивой покорностью:

— Михаил Дмитриевич, я, значит, домой опять не попадаю? Вторую ночь...

— Тсс! — Свирельников приложил палец к губам и кивнул на Светку, уже устроившуюся на переднем сиденье.

— Нет... я хотел... — Водитель даже побледнел от своей оплошности. — Я не в том смысле... Что мне жене сказать?

— Скажи: срочная командировка. Оплата в тройном размере. Если она у тебя такая ревнивая, Нонна выпишет командировочное удостоверение. С печатью.

— Да? Можно? Спасибо! А домой я успею заскочить?

— Зачем?

— Ну, там... зубная щетка...

— Купим. Давай в «Продмаг». Знаешь?

— Знаю...

«Продмагом» назывался новый гипермаркет, построенный возле самой Окружной на месте свалки. Над центральным входом на фоне темного неба сиял составленный из тысяч разноцветных неоновых огоньков гигантский бородатый маг в звездном колпаке и мантии. В руках он держал волшебную палочку, которой через равные промежутки времени взмахивал, создавая из ничего то огромную перетянутую колбасу, то ломоть дырчатого сыра, то остроносого осетра, то курицу, то вазу фруктов, а то множество разнокалиберных бутылок...

— Девочки покупают еду, мальчики — выпивку! — скомандовал Свирельников.

— Есть!

Миновав автоматические стеклянные двери, Светка схватила большую тележку и скрылась меж полок, ломившихся от ярко упакованной жратвы. Михаил Дмитриевич тоже взял продуктовую тачку и покатил ее туда, где располагалось, как ехидно говорила Тоня, «логово зеленого змия». Кстати, то, что тележки напоминают груженые тачки, а покупатели прикованных к ним каторжников, тоже однажды заметила она. Ей часто приходили в голову необычные сравнения, и она спешила поделиться ими со Свирельниковым. Он вдруг представил себе, как Тоня докладывает очередную свою «придумку» Вовико, а тот важно кивает: «Без всяких-яких!»

Тьфу!

Проезжая мимо бескрайнего молочного отдела, Михаил Дмитриевич обратил внимание на старушку, которая держала в руках, разглядывая (и, видимо, уже довольно давно) два почти одинаковых пакета молока — «Веселая Буренка» и «Моя деревня». Ее лицо выражало нерешительность, переходящую в отчаянье.

— «Буренку» берите! — на ходу посоветовал Свирельников, хотя понятия не имел, чем один продукт отличается от другого.

Бабушка в ответ благодарно закивала и взяла сразу несколько «буренок». Жизнь, подумал директор «Сантехуюта», идет, кажется, к тому, что у людей вся энергия сомнений будет уходить не на выбор между добром и злом, между Богом и дьяволом, а на такие вот буридановы терзания между разными упаковками одного и того же съедобного дерьма.

«Надо обязательно с Трубой про это поговорить!» — решил он, подъезжая к «логову зеленого змия», заставленному таким неестественным количеством разнообразных бутылок, что только на одно чтение наклеек ушло бы, наверное, не меньше суток.

Бред, если задуматься! Ну в самом деле, зачем пожизненно пьющему или спорадически выпивающему человеку сто сортов водки? Зачем?! Разумеется, один-единственный сорт на все про все — это подло и унизительно: мол, лопай, что дают! Но сто — это же какое-то истязание изобилием! Околоприлавочный блуд! А может, это специально делается? Ведь в таких этикеточных джунглях легче затаить подделку, «фальшак», от которого недавно погиб соратник смешного изобретателя Чагина?

«Сволочи! Подрывают генофонд! Вымрем, а нефть с газом им останутся!» — думая так или примерно так, Михаил Дмитриевич привычными, почти автоматическими движениями загрузил тележку водкой, вином, пивом и даже водой.

Он был содрогательно зол! Чудовищное известие о том, что небожительница Тоня спит теперь с этой тварью — Вовико, потрясло Михаила Дмитриевича, придав его мыслям и чувствам некое отчаянно-циническое направление. Время от времени перед глазами возникали смутные картины изощренного соития бывшей жены и Веселкина. Он даже вспомнил фильм про античного царя, который, застав благоверную под любовником, нанизал их обоих на копье, как на шампур. И хотя его с Тоней история не имела ничего общего с той, изображенной в кино, жестокость древнего рогоносца вызвала в сердце директора «Сантехуюта» сочувственный отклик...

Но не только мстительное омерзение царило в свирельниковской душе. Буквально в соседних фибрах уже затеплилось предвкушение грядущего, нежного, тщательного отцовства. Он воображал, как будет с цветами и шампанским встречать юную жену возле роддома и трепетно возьмет на руки живой сверточек. Надо сознаться, к Тоне, рожавшей в Москве во время отпуска, он опоздал, потому что сначала отмечал возникновение Аленки с друзьями, а потом долго искал по зимнему, бесцветному городу какой-нибудь самый завалящий букет, но так и не нашел, а приехал с тремя пластмассовыми тюльпанами, подхваченными в магазине «Синтетика». Когда он явился, потный, хмельной и запыхавшийся, Тоня уже одиноко садилась с «конвертом» в такси под сочувственными взорами медперсонала, словно мать-одиночка, забытая родителями и даже трудовым коллективом.

Эти две разноприродные стихии — гнев и нежность — сталкивались и переплетались в сознании Свирельникова, создавая во всем его существе некую нарастающую вибрацию наподобие той, от которой в воздухе рассыпаются самолеты. Не зная других быстрых и эффективных способов борьбы с такой напастью, Михаил Дмитриевич на всякий случай добавил в тележку пару пузырей водки.

Светку он нашел в колбасном отделе. Она говорила по телефону с матерью, докладывая самые последние, свадьбоносные новости. Слушая этот радостный писк, Свирельников заметил некую характерную перемену: раньше, когда они изредка вместе оказывались в супермаркете, еду выбирал он, а юная подружка только разные сладости — шоколадки, орешки, джемы, компоты... Теперь же тележка была наполовину заполнена разумно подобранными (Тоня, помнится, брала такие же) упаковками разных мясных съедобностей.

— Ну ладно, пока, а то он сейчас вернется!.. — Светка стала прощаться. — Да не промочу я ноги — успокойся!.. Нет, я не ору! Я не догоняю: все СПИДа боятся, а ты сырости...

Она наконец заметила жениха, спрятала телефон, виновато нахмурилась и строго спросила:

— Микки, а зачем столько водки?

— Для аборигенов! — с женатой покорностью объяснил Михаил Дмитриевич.

37

Алипановский БМВ, как и договаривались, стоял рядом с дорожным щитом, на котором проносящиеся мимо фары зажигали холодным огнем надпись:

д. ГРИБКИ 0,3

Свирельников приказал Леше остановиться. Водитель резко затормозил и по-каскадерски съехал на обочину: по днищу часто застучал гравий. В присутствии Светки он явно лихачил.

— Я пошел, — сообщил Михаил Дмитриевич.

— Ты куда? — спросила она.

— Надо.

— На стрелку?

— Почему — на стрелку? — удивился директор «Сантехуюта». — Я похож на бандита?

— Нет, скорее уж на шпиона!

— Ты меня разоблачила, но никому больше про это не говори. Даже Леше!

— А на кого ты работаешь?

— На Россию — и это очень опасно.

— Береги себя! — засмеялась Светка.

БМВ стоял с потушенными огнями. Тонированные стекла были наглухо закрыты. Автомобиль казался зловеще пустым и в самом деле вызывал ощущение шпионской таинственности. Подойдя ближе, Михаил Дмитриевич уловил мягкие, но мощные звуковые удары, исходившие от машины. Он открыл дверцу — и наружу с грохотом вывалилась какая-то тяжелая попса.

— Здесь продается славянский шкаф? — крикнул Свирельников, усаживаясь.

— Здесь! Привет! — Опер выключил бухающую музыку.

Вместо рукопожатия Свирельников достал из барсетки и отдал конверт с долларами — аванс. Алипанов нагнулся, открыл «бардачок», небрежно бросил туда деньги. Некоторое время они сидели в тишине и молчали. Мимо с ревом, расталкивая черный воздух, промахивали машины — и БМВ слегка пошатывало.

— Ну и что ты выяснил? — спросил наконец Михаил Дмитриевич.

— Во-первых, что хвоста за тобой сейчас нет. Мои люди от самого дома тебя вели. Не заметил?

— Нет.

— Хорошо.

— А во-вторых?

— Во-вторых, проследили и установили хозяина «жигулей». Машина не в угоне. Пробили адресок обитания. Там сейчас мои ребята караулят, указаний ждут. Зовут его — обхохочешься — Никон. Как фотоаппарат.

— Почему фотоаппарат? Может, у него родители верующие.

— Ну не знаю, мне еще ни разу Никоны не попадались!

— Ну и кто он, этот Никон?

— Бывший студент. Теперь, видимо, начинающий киллер.

— Почему начинающий?

— Потому что ничего такого за ним, кроме глупостей, раньше не водилось. Я проверил.

— Так быстро? Как это?

— Когда узнаешь, сколько это стоит, поймешь! Один раз его прихватывали за наркоту, но отпустили. Законы у нас сам знаешь какие: обкурись и обколись. Ничего не будет. Страна Раздолбания!

— А может, он просто не попадался на серьезном?

— Вряд ли: опытный не будет следить за тобой на собственной машине. Он для такого дела угонит тачку, а потом, после работы, бросит. Точно, начинающий. Жадные заказчики попались. Сэкономили на тебе. Не уважают! Или тоже начинающие...

— Значит, ты все-таки думаешь...

— И думать нечего!

— Кто?

— Вопрос, конечно, интересный! Тряхнем Никона — выйдем на заказчиков. Но, думаю, ты и сам догадываешься...

— Мне интересно, о чем ты догадываешься!

— Тогда следи за полетом мысли! Будем рассуждать. Кому ты мешал? ФСБ, Фетюгина, майора Белого и прочее мы исключили. Остался только твой Мурзилкин. Вы с ним из-за «Филей» сколько бодались?

— Долго.

— Кому в результате «Фили» отдают? Тебе! Ему обидно? Обидно. Вот и первый мотив: конфликт на почве бизнеса.

— Но он же сам отказался от «Филей»!

— А почему? Он что — благородный ковбой? Нет. Значит, отказался с умыслом. А до этого вы были компаньонами, и ты его прихватил на воровстве. Так?

— Да. Я его выгнал.

— Во-от! Выгнал. А как умеют мстить братья по бизнесу, я знаю. Погуляй как-нибудь по Востряковскому! Мраморные джунгли! Значит, мы имеем целых два мотива: личную неприязнь и деловой конфликт. В принципе, мой скромный опыт подсказывает, что одного такого мотива достаточно, чтобы человека в землю закопать и надпись не писать. Я внятен?

— А почему именно сейчас, после того как «Фили» мне отдали? — спросил Михаил Дмитриевич, которому весь этот разговор стал напоминать глупейший детективный сериал.

— Какие ты сегодня вопросы хорошие задаешь! А если бы он грохнул тебя до того, у него была бы стопроцентная гарантия, что «Фили» достанутся именно ему?

— Нет. Вряд ли...

— А гарантия, что подумают именно на него?

— Да. На него бы и подумали. Все знали, что мы в тендере схлестнулись.

— М-да, хорошее дело тендером не назовут. Зато теперь он все может спокойно получить по наследству!

— Тоня? — после некоторого молчания спросил Свирельников.

— Извини... Поэтому твой Мочилкин и прибежал к тебе на цирлах...

— Мириться-то зачем?

— Ты, Дмитрич, наивный человек! Чтобы ты совсем расслабился и бдительность потерял, пока он свое черное дело готовит. И еще по одной причине. Но об этом позже. Теперь — никаких догадок, только факты. Ты случайно застаешь своего бывшего бизнес-брата у своей бывшей жены и выясняешь, что они решили пожениться. Так?

— Далее: мой человек замечает эти самые «жигули» с Никоном на Плющихе.

— Ты думаешь, он к Тоне ехал?

— А ты думаешь, он в пятнадцатимиллионном городе случайно к дому твоей экс-половины заехал?

— Экс-половины? Сам придумал?

— Сам. А что?

— Ей бы понравилось.

— Кому?

— Не важно. Давай дальше!

— Даю дальше. Значит, киллер с нежным именем Никон приехал на Плющиху. Зачем? Надо полагать, доложить о том, как идет операция, поделиться проблемами, получить дальнейшие инструкции или деньги. Может, оговорить время «чик-чик». А время «чик-чик» у нас когда наступает? Правильно: после подписания контракта на «Фили». Но такие вещи по телефону лучше не обсуждать, ибо Родина слышит, Родина знает, что ее сын-раззвездяй затевает!

— А чего ты так веселишься? — вдруг разозлился Свирельников.

— Прости! Я не нарочно. У меня, когда мозги работают, адреналин выделяется. Ничего не поделаешь.

— А почему ты все-таки решил, что киллер ехал к Тоне? Может, он просто следил за мной, довел до Плющихи и там засветился?

— Нет, контрнаблюдение показало, уже не следил. Это во-первых. А во-вторых, почему он дал деру, когда увидел твой «ровер»? Значит, не ожидал! Ты ведь не позвонил своей бывшей, что едешь?

— Нет.

— Правильно. Тогда бы она его предупредила.

— Почему она? Может, ему Вовико там встречу назначил!

— И снова хороший вопрос! Помнишь, когда ты сказал, что собираешься с дружественным визитом к Антонине, я попросил тебя присмотреться к ней?

— Помню.

— Теперь объясню почему. Опять вынужден обратиться к моей скорбной практике. Жены заказывают мужей не реже, чем мужья жен. И даже чаще. В каждой женщине тихо спит леди Макбет. Главная задача мужчины — ее не будить. Чаще всего леди просыпается от обиды и от жадности. Жену ты бросил и деньгами, как я понимаю, не забрасывал. При этом забыл развестись, а фирма осталась оформленной на нее. Так?

— Так.

— Ты о чем думал, человек с голубой звезды?

— Она никогда бизнесом не интересовалась... Она в этом вообще ничего не понимает... Она даже не соображала, зачем доверенности подписывает... — изумляясь своей прежней недальновидности, промямлил директор «Сантехуюта».

— А теперь сообразила. Есть мотив?

— Есть, — вздохнул Михаил Дмитриевич.

— Правильно вздыхаешь! Но эту версию я держал в самом дальнем кармане. Когда знаешь кого-то не один год, примерно догадываешься, на что он способен, а на что нет. Твоя жена казалась не способна. Но как только ты мне сказал, что застукал у нее Женилкина...

— Веселкина, — раздраженно поправил Свирельников.

— Да, конечно. Так вот, как только я услышал про Веселкина, все сразу объяснилось.

— Что объяснилось?

— Все! Зачем он с тобой помирился. Зачем к девкам потащил.

— Зачем?

— А, мол, вот какие мы, гражданин следователь, с покойным друганы были — вместе оттягивались. Девочек ведь он вызывал?

— Он.

— При них за вечную дружбу пил?

— Пил.

— Вот видишь! Все продумал. Они бы потом подтвердили. Оставалось вовлечь в преступный союз твою бывшую жену. Именно в союз, а не сговор. Ведь в противном случае убивать тебя нет никакого смысла...

— А если она ничего не знала? — спросил Свирельников и, к своему изумлению, понял, что ему очень хочется убедиться в Тониной страшной вине.

— Давай рассмотрим и такой вариант. Он охмуряет твою бывшую жену, получает согласие на брак, мирится с тобой (возможно, это было ее условие), а потом втайне от нее нанимает Никона. Затем искренне возмущается подлым убийством, прилюдно целует тебя на кладбище в хладный лобик и скорбно помогает ни о чем не подозревающей вдове распорядиться неслабым наследством, включая «Фили». Так?

— Примерно.

— Ладно. А почему ты не допускаешь, что Антонина могла влюбиться в него и пойти с ним дальше по жизни самыми кривыми дорожками?

— Он ей никогда не нравился. Он ее раздражал...

— Понимаете, гражданин Свирельников, замужние женщины смотрят на чужих мужчин, как сытые домашние кошки на мышей. Поиграть — да. Но питаться — фи! У нас же есть «Вискас»! А бесхозная голодная кошка первую зазевавшуюся мышь сожрет вместе с хвостом и кариесом. Я знаю вдову посла, которая вышла за сторожа дачного кооператива. Я внятен?

— Достаточно.

— А теперь моя версия. Если твое подлое смертоубийство готовилось в тайне от Антонины Игоревны, то почему же наймит Никон ехал с докладом не к Веселкину домой, а к ней? Объяснение одно: твой бывший компаньон не только не скрывал от нее планов, а, напротив, активно вовлек ее в свей преступный замысел. Она, конечно, могла гневно отказаться и заявить куда следует. Но, во-первых, сообщников связывают близкие отношения. А во-вторых, каждая брошенная женщина в какой-то момент хочет убить сбежавшего мужа. В фигуральном, конечно, смысле. А если вдруг появляется возможность не в фигуральном? Теперь спроси, зачем Веселкину нужно, чтобы Антонина знала все!

— Не спрошу, — буркнул Михаил Дмитриевич.

От сознания того, что Алипанов абсолютно прав, его охватила какая-то сердечная тошнота. И чем дольше он оспаривал Тонину вину, тем сильнее в пещерной глубине души ему хотелось, чтобы она была именно вот так, подло и непростительно, виновата перед ним...

— Ну спроси! Не ломай дедуктивный кайф! Спроси: зачем?

— Зачем? – покорно повторил Свирельников.

— Отвечаю: а затем, чтобы, когда отгремит погребальная медь, она уже не могла бы найти себе другого, с кем приятнее разделить скорбное вдовье благосостояние. Общее преступление связывает мужчину и женщину гораздо крепче, чем самый множественный оргазм. Твой Веселкин — умная, последовательная и коварная сволочь! Но он не предусмотрел, что ты завалишься к жене выяснять отношения.

— Допустим. Тогда зачем она стала права качать, если они уже все про меня решили? Угрожала зачем? Адвоката пришлю!..

— Ты-то ей угрожал?

— Ну угрожал...

— Во-от. А она бы в ответ: «Да, милый, конечно, дорогой!» Ты бы насторожился?

— Возможно.

— Обязательно! А так получился нормальный скандал бывших супругов. Из-за денег. Она же тебе адвоката обещала прислать, не убийцу. А может, просто вспылила. Женщина все-таки...

— Но могла хотя бы не говорить, что замуж собирается...

— А что она должна была тебе сказать? Что встречается с Пистонкиным из-за бескорыстной любви к сексу? Нет, Дмитрич, ты не психолог! Ох, не психолог...

— Зато ты психолог. Дальше-то что?

— А теперь, когда все всплыло, он постарается убрать тебя как можно быстрей, пока ты не подал на развод. Почему — можно не объяснять?

Свирельников не ответил. Он наблюдал за тем, как маленькие автомобильчики, переваливая холм, словно насекомые своими усиками, ощупывают черное небо лучиками дальнего света.

— Э-э-й! — Алипанов пощелкал пальцами у него перед глазами. — Кто виноват — мы выяснили. Теперь надо решать, что делать!

— Ну и что делать?

— Ты меня об этом спрашиваешь?

— Тебя.

— Нет, дорогой мой человек, решать будешь ты! Но порассуждать можем вместе. Допустим, мы сейчас разворачиваемся и мчимся в РУБОП. Караул — убивают! Что мы докажем? Ничего. Антонина скажет, что попросила знакомого мальчика последить за тобой, потому что ты развода не даешь, деньги зажимаешь, а сам сожительствуешь с молодой, длинноногой особой. Осудит закон брошенную женщину за то, что она следит за своим неверным супругом? Нет, не осудит, а посоветует поскорее развестись и взыскать с бывшего мужа половину совместно нажитого имущества. Что она и сделает. Как ты будешь делиться с Веселкиным — это уже твои проблемы...

— А если мы не едем в РУБОП?

— Если мы не едем в РУБОП, они постараются укокошить тебя, пока ты не подал на развод. Контракт подписан?

— Да, я уже и деньги почти все отдал.

— Вот видишь. В субботу и воскресенье суд не работает. Поэтому я и попросил тебя на пару дней скрыться в неизвестном направлении. Как только ты подаешь на развод — ты в безопасности.

— Почему?

— Мотив слишком очевиден. «Сантехуют» на кого оформлен?

— На Тоню.

— Ну вот: не хотела делиться по суду и заказала. Дело-то обычное. Или ты разводиться не собираешься? В треугольнике тоже что-то есть!

— Разводиться так и так придется, — ответил Свирельников.

— Почему?

— Я женюсь, наверное...

— На Светлане?

— Да, а что?

— Ничего. Молодая жена дисциплинирует. А экс-супруга об этом знает?

— О Светке точно знает...

— Вот тебе еще один мотив: чтобы молодой сопернице ничего не досталось, включая мужа! У насекомых вообще самки ненужных самцов съедают.

— По-моему, ты сгущаешь!

— Про насекомых?

— Про Тоню.

— Ах, вот оно что! Ну тогда я даю ребятам отбой. Никон нам не нужен. Поделишь с Веселкиным акции, и будете дружить семьями! Так бывает. Четырехугольник! — Алипанов показательно достал телефон.

— Погоди!

— Гожу...

— А что ты предлагаешь?

— Я ничего не предлагаю. Я жду, что скажешь ты!

— Ну, хорошо, а если по-другому?

— А ты понимаешь, что значит «по-другому»?

— Объясни!

— Если по-другому: ты едешь за грибами, а мои люди заходят к Никону и решают вопрос. Частично или полностью. Лучше, конечно, полностью, чтобы никто и никогда...

— Полностью — это как?

— Рассказать?

— Да...

— Пожалуйста! Как в «Кавказской пленнице»: кто нам мешает — тот нам поможет! Берем Никона. Колем. Он думает, мы — РУБОП. Везем на Плющиху, якобы для очной ставки с заказчиками. Он звонит в дверь и говорит, забыл что-нибудь. По ходу сообразим. Они открывают. Их вяжем, а ему все доступно объясняем, и он под нашим присмотром выполняет свой профессиональный долг.

— А если откажется?

— Щас! Если он за денежку готов на все, то ради жизни на земле — тем более. Просто поменяет заказчиков. Потом, похитив деньги и ценности, преступник на радостях где-нибудь в лесополосе неудачно уколется, скажем, «герой». Дело-то обычное. В итоге: замкнутая, экологически чистая система. Ну как?

— Качественно. А неполный вариант?

— Неполный. Берем Никона, дожидаемся, пока Грустилкин вернется к себе домой, звоним в дверь — далее по схеме. Но тут уж, конечно, никакой замкнутости и экологической чистоты. Могут быть проблемы. Серьезные. Выбирай!

— Надо подумать...

— Думай!

— У меня теперь и денег нет. За «Фили» все отдал.

— Мы обслуживаем население в кредит! — Алипанов улыбнулся так широко, что в свете встречных фар засияли его золотые коронки.

Свирельников думал. Все, что он услышал, представилось ему какой-то зловещей, жуткой стеной, сложенной из неподъемных, тесно пригнанных друг к другу склизких валунов и навсегда отделившей его от прошлой жизни. Он пытался найти хоть одну брешь, хоть один неверно, неправильно положенный камень — и не мог. К его ужасу, все казалось логичным, достоверным и жизнеподобным. Нежизнеподобным было лишь то, что все это случилось не в дешевой детективной книжонке, не с кем-то другим, а именно с ним...

«Но Тонька, Тонька-то хороша! Заказчица! Филологиня! Девочка из хорошей семьи! Советская леди! Вот когда палачья порода прорезалась! Вот он когда, Красный Эвалд, вылез! Сука семисвечная!..»

— Ну? — поторопил опер.

— Ничего не надо! — твердо сказал Михаил Дмитриевич.

— Совсем?

— Совсем.

— Ну и правильно! — с легким презрением кивнул Алипанов. — Если можешь простить — лучше прости! Адвокат у тебя есть?

— Григорий Маркович.

— В воскресенье в 22.00 встречаю тебя здесь же и конвоирую домой. Будут звонить — никому не говори, где находишься, даже маме... Я внятен?

— Внятен.

— А счетик за помощь я в понедельник выкачу. Отдыхай! Тихая охота — это то, что тебе сейчас нужно! Я подожду, пока ты отъедешь. На всякий случай. Ну давай!

Свирельников пожал протянутую руку, вылез из машины и побрел к своему «роверу». Похолодевший воздух веял палой листвой, к которой примешивался запах бензина и свежеположенного асфальта. Цепочка ярко-белых фар, далеко и извилисто растянувшаяся по шоссе, напоминала фонари, висящие вдоль Москвы-реки. Михаил Дмитриевич сделал несколько шагов по неудобному скрипучему гравию, потом остановился, вынул из кармана заячьего Гамлета, несколько мгновений рассматривал его в мелькающем свете и вдруг повернул назад. Вдаль убегала вереница красных габаритных огней, словно в ночь уходило длинное-предлинное факельное шествие. Он приблизился к БМВ, открыл дверцу, но вовнутрь залезать не стал.

— Забыл что-нибудь? — удивился Алипанов.

— Забыл. Я же тебе подарок привез! — Михаил Дмитриевич протянул зверька.

— Ух ты! — Опер зажег в салоне свет. — Тот самый! Какая вещь! Такого у меня еще никогда не было! Спасибо...

— Над Тоней только не издевайтесь! Не мучьте... — попросил Свирельников.

— Ну, ты сказал! Что мы, чечены какие! — обиделся Альберт Раисович и добавил проникновенно: — Ты правильно решил. Такое прощать нельзя. Я позвоню тебе, как закончим.

38

— Ты чего такой вернулся? — спросила Светка, когда он сел не рядом с ней, а впереди и рявкнул, чтобы Леша вырубил магнитофон, из которого грохотала популярная песенка про двух лесбиянок, бегающих друг за другом.

— Все нормально, — объяснил Свирельников. — Поехали!

— Без музыки? — удивилась будущая жена и мать.

— Без музыки.

— Я могу что-нибудь спокойное поставить... — робко предложил водитель.

— Без музыки, я сказал!!

Джип помчался по шоссе, выхватывая из темноты внезапные подробности лесной обочины: перистый профиль рябинового куста с черными силуэтами ягод, метровую елочку, выбежавшую с детским любопытством к самой дороге, султаны рогоза, поднявшиеся из заболоченного кювета, похожие на кубинские сигары, растущие, оказывается, на высоких стеблях... Все это высвечивалось на мгновенье, вспыхивало фотографическим серебром и уносилось прочь, скрывалось за спиной, возвращаясь в безраздельный мрак ночи.

Свирельников смотрел вперед и думал: если прямо сейчас развернуться, то Алипанова можно догнать только у Окружной, потому что он всегда летает, как ненормальный, и когда-нибудь непременно расшибется в лепешку.

Светка надулась и сначала молча глядела в окно, потом улеглась на заднем сиденье, подложила под голову куртку и задремала. Но и во сне лицо ее оставалось обиженным.

— Жена не ругалась? — примирительно спросил Лешу Михаил Дмитриевич.

— Ругалась...

— Ничего. Скажешь ей, я тебе зарплату прибавил.

— На сколько? — после благодарного молчания спросил водитель.

— На сотню,

— Спасибо!

— А ты давно женат?

— Пять лет.

— Ссоритесь?

— Нет, что вы! У нас любовь.

— До гроба?

— Это уж как получится.

— А ребенку сколько?

— Семь.

— Семь?

— Да, в этом году только в школу пойдет.

— А-а-а... — недоуменно кивнул Свирельников.

— Мы вместе в школе учились. Я призвался, а она замуж вышла. Думала, у меня с ней дружба, а там — любовь. Потом поняла. Я вернулся, и она ко мне сразу перешла с ребенком! — разъяснил Леша, а потом с гордостью добавил: — Я из-за нее вешался. В каптерке...

— Спасли?

— Спасли... Старшина услышал. Думал, кто-то в каптерке его заначку ищет. Он у нас пьющий был. Вбежал, а я ногами дрыгаю. Я потом долго глотать не мог...

— Ты где служил?

— На Сахалине. А вы?

— Срочную — под Воронежем. Еще — в Германии. Потом в Голицыне...

— Здорово! А я за границей ни разу не был.

— Съездишь...

— А как там?

— Чисто...

Когда Свирельников служил в Дальгдорфе, в батарее управления тоже солдатик повесился из-за несчастной любви. Получил письмо — и удавился. Замполита Агарикова таскали на проработку в Вюнсдорф. Вернувшись, он собрал офицеров на совещание и приказал провести в подразделениях индивидуальные беседы, особенно с «салагами», на предмет надежности оставленного на «гражданке» девичьего тыла. Из зала не без юмора спросили, а как, мол, наверняка определить, угрожает молодому бойцу домашняя измена или нет? Тут ведь иной раз и на месте не разберешься. Майор задумался и посоветовал: во время задушевно-профилактических разговоров с личным составом надо заодно проверять, правильно ли хранятся личные документы. А в военный билет у солдатика почти всегда вложена фотокарточка потенциальной изменщицы. Первым делом, конечно, следует изучить глаза далекой подруги, запечатленной на снимке, ибо у ненадежных барышень взгляд всегда с охоткой! Тут зал не выдержал и захохотал, а глаза «с охоткой» сразу вошли в полковой фольклор...

Вообще те пять лет в Германии были, наверное, самыми лучшими в жизни. Ясное время, спокойное и честное до нелепости!

В ГСВГ они оказались вскоре после свадьбы и, разумеется, стараниями «святого человека». Молодой семье надо обустраиваться, а служба за границей считалась командировкой, поэтому зарплата шла двойная: здесь в марках, а там, на Родине, в рублях. За пять лет, если жить экономно, довольствоваться офицерским пайком и пореже заглядывать в гаштет, можно скопить на машину и даже на первый взнос за кооператив, не говоря уже о сервизе «Мадонна» и прочих импортных прибамбасах...

К месту службы молодожены прибыли в начале декабря, перенеслись из белой морозной московской зимы в серую промозглую немецкую мокрядь, прогоркшую от печной угольной пыли. Над старыми, еще гитлеровской постройки казармами поднимались огромные черные облетевшие липы, но газоны, с которых солдатики смели палую листву, еще по-летнему зеленели. Днем пригревало, а по утрам брусчатый полковой плац белел инеем, точно гигантская плитка просроченного, «поседевшего» шоколада.

Они поселились в семейном офицерском общежитии — запущенном двухэтажном каменном доме под старой позеленевшей черепицей. На восемь семей имелись большая кухня и одно «удобство», к счастью, не во дворе. Все-таки цивилизованная Германия! Говорили, во время войны здесь жили расконвоированные остарбайтеры или еще кто-то в этом роде. Молодым досталась комната под самой крышей — настоящая мансарда. Они гордились своей скошенной стеной и затейливым чердачным окном, в которое в ненастье стучали ветки каштана, а в хорошую погоду виднелось звездное небо.

Однажды молодожены проснулись от громких стонов изнемогающих любовников. Оказалось, это ухает устроившаяся на ветке перед окном здоровенная, как бройлер, горлица.

— Они, наверное, думают, что это мы... — тихо засмеялась Тоня, имея в виду соседей.

— Ну и пусть думают! — придвигаясь, ответил неутомимый супруг.

О, это была та упоительная пора их совместной жизни, когда день, не завершившийся объятьями, казался потерянным навсегда!

А утро обыкновенно начиналось шумным изгнанием обнаглевших крыс из общественного туалета. Под городком, по слухам, располагался полузатопленный подземный военный завод — идеальное место для размножения этих голохвостых тварей, и вся округа буквально кишела пасюками. Весной они носились друг за другом в своих брачных догонялках, совершенно не стесняясь нескольких тысяч вооруженных советских оккупантов, периодически устраивавших вечера дружбы с местным населением и торжественные смычки с немецкими товарищами по оружию, когда за пивом радостно ругали НАТО и совершенно искренне хвалили социализм. Вообще-то теперь, много лет спустя, Свирельников осознал, что странная дружба с немцами против немцев не могла продолжаться вечно и что добрые победители рано или поздно оказываются в дураках. Но тогда все это выглядело правильным, вечным, неколебимым: СССР, ГДР, утренние разводы на плацу, политзанятия, семейная любовь...

Чтобы попасть на службу, Свирельникову надо было пересечь Гамбургское шоссе, по которому транзитом из Западного Берлина в ФРГ мчались невиданные иномарки с «фирманами». А в воздушном коридоре прямо над дорогой постоянно висела разведывательная «рама», да так низко, что можно было рассмотреть снисходительную усмешку на лице пилота. Одно время простодушные солдатики-азиаты взяли привычку по пути из части на полигон, останавливая машины, просить у западников сигареты и «жвачку». Те, кстати, охотно тормозили и угощали, с естественнонаучным интересом разглядывая узкоглазые, коричневые рожи «русских». Когда об этом узнало начальство, разразился жуткий скандал. Особист топал ногами и кричал, что вот так, за сигареты, и продают родину, а кишлачные попрошайки хлопали своими туранскими глазами, не понимая, почему им грозят трибуналом и дисбатом. Где они были, эти особисты (не раз потом думал Михаил Дмитриевич), когда Горбачев продавал родину за общечеловеческие цацки, а Ельцин за рюмку водки? Где, черт побери?!

В конце концов дело замяли, а замполит Агариков на закрытом партсобрании выступил с речью, смысл которой сводился к тому, что в Советском Союзе, может быть, еще не налажено бесперебойное производство отечественной жевательной резинки. Но для того-то они тут и стоят супротив вооруженной до зубов бригады НАТО, чтобы страна могла спокойно крепнуть, развиваться и когда-нибудь завалить народ жвачкой и другими товарами широкого потребления. Лейтенант Свирельников тоже сидел на собрании, иронически переглядываясь с товарищами и посмеиваясь над кондовым замполитом.

Вот, вот оно в чем дело! У каждой страны, у каждого народа, у каждого человека своя правда, которая другим кажется ложью. И это нормально. Ненормально, когда страна, народ, человек начинают верить в чужую правду, а свою, родную, воспринимать как ложь. Тогда все рушится...

Все!

Год назад Михаил Дмитриевич ездил в Берлин — на выставку, называвшуюся длинным-предлинным немецким словом, которое переводилось примерно как «Новая мировая сантехническая идеология». Проснувшись утром после заключительной пивной вечеринки, он вдруг с тяжелой отчетливостью понял, что находится всего в каких-то двадцати километрах от Дальгдорфа. Взял такси от Тиргартена и за сорок минут домчался до места, чувствуя, как тяжело бьется сердце — то ли от вчерашней перелитровки, то ли от ожидания встречи с молодостью. Честно говоря, на месте своей части Свирельников был готов увидеть все что угодно: натовский полк, новостройку или даже аккуратное немецкое поле... Но то, что он обнаружил, просто потрясло его: там теперь располагался, как гласила табличка, укрепленная на воротах, Музей советской оккупации, работавший по четвергам и субботам с 9 до 17 часов.

Но был вторник, а наутро он улетал в Москву. Михаил Дмитриевич на всякий случай проверил, хорошо ли заперты ворота, и выяснил, что не заперты вообще. Приоткрыв створки, он скользнул на запретную территорию и сразу увидел облупившиеся портреты советских полководцев, нарисованные когда-то на железных листах и установленные по сторонам центральной дорожки, ведущей от КПП к штабу. Маршал Конев утратил почти всю свою знаменитую лысину и стал похож на Фредди Крюгера, мучительно распадающегося перед животворящим крестом. А от Жукова и вообще остались без малого только глаза — беспощадные и чуть насмешливые. Свирельников уже докрался до того места, откуда можно было увидеть пустые оконные проемы брошенных казарм, но тут за спиной прозвучало именно то, что и должно прозвучать: «Хальт!»

К нему бежал тощий немец в черной форме, похожей на эсэсовскую, к которой был пришит желтый шеврон с надписью Security. Подойдя, охранник что-то строго спросил. Отмобилизовав остатки своего немецкого, затерявшегося в голове с курсантских занятий, директор «Сантехуюта» принялся объяснять, что, мол, «их бин совьетиш официр» и служил здесь, в Дальгдорфе, давно, «фюнфцищ ярен цурюк». «Фюнфцищ? — округлил голубые «аугены» фриц. — Унмёглищ!» — «Фюнфцейн!» — спохватился Свирельников. Немец понимающе заулыбался и, вставляя смешно исковерканные русские слова, тоже, наверное, засевшие в мозжечке со школы, стал рассказывать, как он скучает по социализму, как был «фэдэйотовцем» и служил в «фолькsармее», а затем работал на «мёбельверке». Теперь же хорошей работы вообще «найн», и всем командуют эти чертовы «вести», продавшиеся американцам. Наконец, провозгласив непременные «фройнд-шафт-трушпа», он крепко пожал нарушителю руку, пригласил зайти в четверг — «он диенстаг» — и, по-братски приобняв, повлек к выходу: орднунг есть орднунг.

Отъезжая на такси, Свирельников увидел с пригорка только башенки клуба, поднимавшиеся над городком, и прослезился. По возвращении он даже хотел позвонить Тоне и рассказать об этом, но почему-то передумал. Бывшая жена как раз не особенно дорожила германским периодом их совместной жизни. И началось это, наверное, с той страшной ссоры, когда они чуть не развелись.

Новый год праздновали в полковом клубе, напоминавшем аккуратно оштукатуренный средневековый замок. Вся неделя, предшествовавшая торжеству, прошла в тяжелых переговорах между офицерскими женами, в ссорах и примирениях, ибо наряды полковыми дамами покупались в одном и том же гарнизонном Военторге. Поэтому надо было заранее условиться, чтобы, явившись на праздник, не выглядеть как приютские воспитанницы на сиротской елке. Однако вся пирамида компромиссов зависела, в конечном счете, от того, как оденется жена командира — дама вполне достойная и даже добрая, но не без некоторого тряпичного тщеславия. А она ждала звонка с центрального склада Военторга, куда должны были завезти что-то невероятно австрийское и по знакомству отложить для нее. Наконец позвонили, и командирша на штабном «газоне» помчалась в Потсдам, а поздно вечером вызвала к себе замполитиху с парткомшей — и предъявилась. Те, ахнув, одобрили. Дальше — по цепочке — определилось и все остальное гарнизонное, если так можно выразиться, дефиле.

Тоня из этого бурного подготовительного процесса совершенно выпала: прожив в городке всего две недели, она в Военторге купить еще ничего не успела и в смысле фасонной конкуренции никакой угрозы не представляла. А потому преспокойно надела платье, которое сшила в спецателье из необыкновенного импортного материала по новейшему парижскому каталогу для второго дня свадебного разгула. Надо ли объяснять, что и тут не обошлось без помощи «святого человека», предоставившего, между прочим, для продолжения праздника свою цековскую дачу.

Кстати, приглашенный туда Вовико (Тоня заставила жениха помириться с обидчиком. Как же, он стоял у истоков нашей любви!) бродил по казенному полугектару и угрюмо бормотал: «Живут же, сволочи! Без всяких-яких!» Смешно вспомнить, ведь двухкомнатный финский домик, где обитал тогда Валентин Петрович, — это просто хижина по сравнению с теперешним веселкинским коттеджищем в Пирогове! Позвали на второй день и Петьку Синякина. Он к тому времени уже постирался на просторных диссидентских дачах в Кратове и Переделкине, поэтому номенклатурная фазенда «святого человека» никакого впечатления на него не произвела. Прихватив бутылку пайкового «Стрижамента», Синякин засел в беседке с внуком сталинского наркома — тот учился на одном курсе с Тоней, и Полина Эвалдовна питала некоторое время в отношении него матримониальные иллюзии. Весь вечер внук и начинающий писатель пространно рассуждали о том, что социализм — тупиковая, бесперспективная ветвь мировой цивилизации, а спасти Советский Союз могут только частная собственность, рынок и многопартийная система..

Неизвестно кем приглашенный крупный чин из Пятого управления КГБ, внимательно прислушиваясь к разговору молодежи, вздыхал и сочувственно кивал. Но Свирельников почти не замечал всего этого, он следил только за юной супругой, которая во «втором» платье была чудо как хороша! Даже Полина Эвалдовна, недавно окончательно поставившая крест на своем женском будущем, глядела на дочь с какой-то нематеринской завистью. А начинающий муж, изнывая от плотского томления, просто не мог дождаться, когда же наконец гости вдосталь наотмечаются, уедут — и он, сорвав с Тони это чудо спецindпошива, достигнет ее сладчайшего, неупиваемого тела.

Кстати, именно в тот день Валентин Петрович, отозвав нового родственника в сторону, спросил:

— Тебя куда распределили-то?

— На Дальний Восток.

— А как ты насчет Ближнего Запада? — засмеялся благодетель.

Вот так молодая семья незадолго до Нового года и оказалась в Германии.

...Столы накрыли в малом зале полкового клуба буквой «П». Все офицеры и прапорщики по случаю праздничного отдыха оделись по-цивильному — в костюмы. Их лица и шеи, багровые от колючих полигонных ветров и гаштетных дупельков с пивными прицепами, так странно контрастировали с белыми накрахмаленными сорочками, что казалось, будто на торжество собрался профсоюз шкиперов. Их боевые подруги в массе произвели еще более странное впечатление. Все они нарядились с какой-то предъявительной яркостью и в то же время с подчиненной тщательностью, словно в расцветках и покроях платьев, а также в кольцах, бусах и сережках были зашифрованы звания и должности их мужей. Даже неискушенный лейтенант Свирельников по неким, труднообъяснимым, но вполне внятным признакам мог сразу отличить прапорщицу от капитанши. И еще: у всех дам — юных и поживших, толстых и худых, блондинок и брюнеток, пэтэушниц и институток, начитанных и полуграмотных дур — имелось одно общее, очевидное свойство, которое Тоня потом назвала «гарнизонностью» и поклялась, что никогда, никогда, никогда такой не станет. Зря, кстати, клялась... Стала. И ничего тут постыдного нет, это у офицерских жен — профессиональное, как мускулистые цепкие руки у виолончелисток.

Но в тот злополучный праздник она, юная, стройная, неотразимая в своем «втором» платье, с модной стрижкой, сделанной буквально за день до отъезда в «Чародейке» на Новом Арбате, казалась среди этих гарнизонных аборигенок существом из иного мира, лесной нимфой, случайно забежавшей в коровник к дояркам.

Все были в сборе и ждали только командиршу с мужем, их два стула в центре застолья пустовали. А местоблюстительницы, парткомша с замполитшей, все время перешептывались и как-то странно, с осуждением поглядывали на Тоню. Смысл этих перешептываний стал ясен, когда наконец появилась главная пара вечера. Командирша была в своем долгожданном платье, которое покроем и расцветкой до смешного напоминало Тонино, но сидело, разумеется, гораздо хуже. Мужики, успевшие пропустить по нескольку ожидательных стопок, конечно, ничего не заметили, зато их бдительные жены обменялись взглядами, странно сочетавшими в себе насмешку над обмишурившейся «полкачихой» и возмущение наглостью московской вертихвостки. Разумеется, командирша, как дама умная, сделала вид, что ничего не случилось, однако это дурацкое совпадение навсегда омрачило отношения Свирельникова с начальством, для которого он, несмотря на успехи по службе, так и остался мужем «этой столичной штучки». И если бы они не знали, чья племянница эта «штучка», неизвестно, как сложилась бы служба молодого лейтенанта.

А тут еще однополчане, едва встретив Новый год и объявив танцы, начали виться вокруг Тони, точно опереточные бонвиваны вокруг Фиалки Монмартра. Под недобрыми взглядами своих боевых подруг они чуть ли не строевым шагом подходили к новенькой и увлекали в танец, а потом неохотно возвращали мужу, щелкая каблуками и благородно кивая: мол, «честь имею!». (Как будто кто-то, включая дивизионную парткомиссию, сомневался в наличии у них офицерской чести!) Ясное дело, гарнизонные жены коллективно возненавидели Тоню за этот женский триумф, долго на нее злились и окончательно простили, только когда она после выкидыша со страшным кровотечением попала в госпиталь и чуть не умерла.

Сам Свирельников, конечно, таким успехом не пользовался, но на белый танец его сразу же пригласила жена командира третьего дивизиона. Вот уж действительно дама «с охоткой»! Танцуя, она решительно налегала на кавалера мощной грудью и призывно хохотала. Примерно через год муж (не без оснований) приревновал ее к особисту и так избил (естественно, не особиста, а жену), что она две недели ходила в темных очках, по-бедуински замотав лицо платком. Замполит Агариков вызывал комдива-3 и сурово предупредил, что если тот еще раз хоть пальцем тронет свою жену, то вылетит из Вооруженных сил, как боеголовка из нарезного ствола. «А чем же мне ее трогать?» — угрюмо спросил несчастный офицер. «Чем положено и как можно чаще!» — заорал, багровея, Агариков. И этот знаменитый ответ тоже вошел в полковой фольклор. Хороший мужик был замполит! Справедливый до глупости.

Где он сейчас? Найти бы и денег хоть дать! Надо будет потом Алипанову поручить — разыщет!

Разумеется, на том первом празднике Свирельникова как нового члена боевого коллектива проверяли на мужицкую прочность, подливая водки и подбрасывая тосты, за которые просто невозможно не выпить до дна. Наверное, только за неотразимость собственной жены он опрокинул раза четыре и в результате не посрамил «Можайку»: пил, ухватив фужер зубами, пил с локтя и даже закатывая рюмку в рот по щеке... Тоня, вернувшись с очередного ангажемента, пришла в ужас, ибо еще никогда не наблюдала его в таком несознательном состоянии. Но это полбеды. Главное горе заключалось в том, что под влиянием алкоголя гордость за жену трансформировалась сначала в показательную нетрезвую нежность, а потом в спесивое вожделение, переходящее в маниакальное желание самым животным способом подтвердить свои мужские права на эту прекрасную женщину! Он даже порывался утащить ее домой раньше времени, но их не отпускали.

Часа в три ночи за окнами раздался треск, словно разъехался черный облачный бархат, и в прорехи ударил ослепительный свет: это солдатики, чудовищно нарушая устав, по случаю праздника лупили в небо припасенными на учениях трассерами. Командиры с показной пьяной суровостью, натыкаясь на стулья, бросились к выходу — разыскивать и карать злоумышленников. Воспользовавшись сумятицей, тупо вожделеющий Свирельников наконец увел жену домой, хотя со стороны это выглядело совершенно наоборот: Тоня напоминала санинструкторшу, выносящую из боя тяжелораненого.

Едва закрыв дверь в комнату, он пустился в домогательства, но для юной супруги сама мысль о выполнении долга была омерзительна до противоестественности. В лейтенанта же точно вселился похотливый черт. Тоня сначала онемела от ужаса, ведь до этой ночи она как бы великодушно дарила себя, склоняясь на уговоры и даже порой выдвигая встречные требования по ведению молодого домашнего хозяйства. А тут такое подлое насилие! Она стала отбиваться, а Свирельников от этого словно озверел и в результате, конечно, возобладал, да еще с пьяной, изматывающей неопытную женщину неутомимостью. Мало того, он сумел добиться от оцепеневшей в ужасе супруги той телесной новизны, в которой она ему ранее решительно отказывала, полагая, что так неприлично далеко сексуальные эксперименты в постели заходить не должны. (Интересно, как далеко они зашли у нее с Веселкиным!)

Наконец внутрисемейный насильник бесчувственно исторгся, изнемог и уснул, а она прорыдала всю ночь. Два раза он вставал напиться воды, а она все плакала. Окончательно лейтенант проснулся уже днем в похмельном отчаянье, протрезвев и сообразив, что спьяну натворил скотских безобразий. Тоня сидела, до горла закутавшись простыней, и с ненавистью смотрела на него красными от слез глазами.

— Ты давно проснулась? — спросил он.

— Давно.

— Ну что ты на меня так смотришь?

— Как?

— Нехорошо.

— Нехорошо? А если бы я тебя задушила во сне, как Рубцова? — тихо поинтересовалась она.

— Какого Рубцова?

— Поэта.

— А-а... Его разве задушили?

— Да, задушили,

— Кто?

— Жена.

— А за что?

— Да вот, наверное, за то же самое!

— Прости!

— Нет! Никогда! Я уезжаю.

— Куда?

— В Москву. Мы разводимся!

— Как разводимся? — оторопел он.

— Через загс. Когда нет детей, разводятся через загс!

Кто знает, служи он где-то в Союзе, пусть даже на Камчатке, откуда можно, взяв билет, улететь в Москву, его семейная жизнь, наверное, на том и закончилась бы. Но из загранкомандировки жена военного просто так убыть не могла: дело-то государственное, а замполиту не объяснишь, что ее муж, офицер Советской армии, оказался постельным скотом. Поняв это, Тоня окаменела, как умеют каменеть гордые женщины только в начале брака, от самых первых обид. Два месяца Свирельников буквально на коленях вымаливал пощаду, став таким трогательно нежным и образцово заботливым, что еще чуть-чуть и перешел бы в корпускулярно-волновое состояние. Наконец он был полупрощен, но к тому времени стало ясно, что жена беременна, и беременна неудачно. Хотя до той проклятой ночи они не пропустили почти ни одной, впечатлительная Тоня была убеждена, что зачала в том самом пьяном измывательстве. А когда случился выкидыш, окончательно утвердилась в этом. По-настоящему она никогда не забыла Свирельникову того новогоднего кошмара, хотя сама оскорбительная новизна потом, с годами, ей даже понравилась.

И кто знает, вдруг подумал Михаил Дмитриевич, может быть, в Тонином решении «заказать» его сыграла какую-то, пусть ничтожную, роль давняя женская обида, тот неродившийся ребенок? Он вдруг заметил, что теперь, приняв решение, думает о бывшей жене без гнева и злобы, словно о давным-давно ушедшем из жизни человеке. Глянул на светящиеся стрелки часов: «Нет, пока еще не ушедшем!»

39

Михаил Дмитриевич очнулся и стал смотреть на дорогу. Казалось, джип, точно световой бур, стремительно сверлит темноту.

«Нет, не бур... Скорее: «мракокол», как ледокол... Или: «ночекол»... Нет: «темнокол». Да, конечно, «темнокол»!

Тоньке бы понравилось... Интересно, с Веселкиным она в слова играла? Вряд ли... Хотя, когда сговаривались, могла сказать ему что-нибудь вроде: «Знаешь, кто я теперь?» — «Кто?» — «Мужегубка»! — «Без всяких-яких...»

— Канал! — сказал Леша.

— Что?

— Канал проезжаем...

— Где мы?

— Дмитров объехали.

— А с ребенком у тебя хорошие отношения? — спросил Свирельников.

— Очень хорошие.

— Он знает, что ты не отец?

— Знает... — вздохнул Леша.

— А своего чего не заводите?

— Резус...

Слева, из-за невысокого холма, тянувшегося вдоль канала, показалось долгое белое трехэтажное здание с лоджиями вдоль всего фасада. Странный дом сиял огнями и оглашал ночную окрестность гулкой музыкой, а на плоской крыше танцевали, размахивая руками и надламываясь, люди. Казалось, жильцы этого странного обиталища дружно отмечают какое-то свое, общее для всех, буйное торжество. Свирельников сообразил, что никакой это не дом, а возвращающийся в Москву теплоход: по борту ёлочным золотом мерцало название «Иван Поддубный».

Михаил Дмитриевич вспомнил, как они с Тоней много лет назад из Химок плыли в Кимры через бесконечные шлюзы, опускаясь вниз вместе с мутной кипящей водой и дожидаясь, пока медленно раскроются огромные, словно в рыцарских романах, железные ворота и можно будет двинуться дальше по каналу. Ночью от сильного толчка, шатнувшего каюту, он проснулся и даже испугался, увидев в иллюминаторе вместо темного берегового силуэта мокрую выщербленную бетонную стену, покрытую зеленой речной слизью: они снова опускались вместе с водой. Потом он долго не мог уснуть, думая о том, что, в сущности, жизнь, если и похожа на реку, то вот на такую — с осклизлыми шлюзовыми камерами и долгим восхождением или, наоборот, нисхождением по зыбким водяным ступеням...

А может быть, это пришло ему в голову только сейчас, когда их джип промчался мимо веселого теплохода.

— Кимры скоро? — спросил он водителя.

— Нет еще... Сначала Дубна, — ответил Леша.

— Если усну, в Кимрах разбуди!

В Кимры они с Тоней приплыли рано, когда над Волгой тянулся слоистый туман, и казалось, это облака, отяжелев, опустились и накрыли утреннюю реку. Над туманом поднималось красное, как ягодное пятно на скатерти, почти еще не греющее солнце. Теплоход пристал к дебаркадеру, похожему на смутную бело-голубую декорацию. Они, вслед за пассажирами, сошедшими на берег, сломя голову помчались к другой, маленькой пристани, успев вскочить на катер, который шел вниз до Кашина. Устроились на носу и поплыли. Дул несильный ветер, переполненный запахами живой и мертвой воды, ароматом свежего сена и выхлопами тарахтящего двигателя. Тоня, удерживая волосы, долго смотрела на удаляющиеся Кимры, а потом вдруг спросила:

— А ты знаешь, что Артур был королем кимров?

— Какой Артур?

— Ну, который Круглый стол для рыцарей придумал.

— Откуда ты взяла?

— Прочитала.

— Наверное, совпадение.

— Совпадений не бывает! — ответила Тоня и стала смотреть вперед.

Река, широко извиваясь, терялась в синей лесной дымке. Обрывистый рыжий берег был изрыт круглыми норами. Из них стремительно выпархивали стрижи и взмывали в утреннее небо. В длинных черных лодках горбились неподвижные рыбаки с тонкими лещинами, дрожащими над водой. А белые и красные бакены, покачивающиеся на мелкой катерной волне, напоминали огромные поплавки от чьих-то невидимых гигантских удилищ.

Солнце поднялось выше, ослепительно побледнело и потеплело. Наконец далеко впереди, там, где русло поворачивало почти под прямым углом, возник высокий глиняный берег, раздвоенный впадающей в Волгу речкой и усеянный поверху черными избами со сверкающими стеклами. Внизу, под обрывом, виднелся крошечный понтон, смахивающий на прибитый к отмели спичечный коробок, а на нем несколько черных точек — встречающие, и среди них, конечно, дед Благушин, извещенный телеграммой.

— Селищи! — проглотив комок в горле, прошептал Свирельников и почувствовал, как ветер холодит и срывает слезы с его щек. — А вон там, справа, — Ельдугино... Во-он виднеется!

Тоня, поняв состояние мужа, внимательно посмотрела на него и погладила по голове. Постепенно берег приближался, обрыв становился круче, избы выше, а понтон уже походил на большую жестяную коробку из-под зубного порошка, который мать всегда покупала Ишке в пионерский лагерь. Слева открылось устье Колкуновки, перетянутое тросом, и показался паром, перевозящий лошадь, запряженную в телегу с сеном...

— А ты точно знаешь, что теперь через Колкуновку мост? — спросил Михаил Дмитриевич водителя.

— Точно. Я сюда человека из Москвы возил. На базу отдыха. Она прямо у моста.

— Давно возил?

— Года три назад.

— Может, это и есть «Боевой привал»?

— Нет, база так и называлась — «Колкуновская».

— Ну да, в журнале написано, что «Боевой привал» между Селищами и Ельдугином...

— Найдем, если есть.

— Должен быть.

...Наконец катер, тарахтя, привалил к понтону. Дед Благушин, одетый в старый офицерский плащ без погон, принял вещи, помог Тоне сойти с качающейся палубы, обнял Свирельникова и табачно поцеловал в губы. Потом они погрузили чемодан и сумки в лодку, Благушин определился на весла, и они заскользили по зеркальной утренней глади. Михаил Дмитриевич сел на корму, а Тоня устроилась на носу и опустила руку в воду.

— Теплая... А сколько нам плыть?

— К вечеру будем! — не оборачиваясь, снасмешничал дед и скроил внуку мину, выражавшую полное мужское одобрение...

Полутемные Кимры с покосившимися деревянными купеческими домами, глухими воротами, двумя-тремя освещенными обувными витринами и дракой возле бильярд-бара «Атлантис» проскочили за пять минут. При этом джип несколько раз бухался в глубокие дорожные выбоины, и на лице водителя возникала болезненная гримаса, точно это он сам ударялся о поврежденный асфальт самыми чувствительными местами. Перед мостом через Волгу, которого тоже раньше не было, свернули налево.

Прежде, когда мать возила Ишку в Ельдугино, они добирались обычно поездом до Савелова, а затем на катере переправлялись в Кимры, и почему-то всегда с цыганами. Зинаида Степановна страшно боялась, что их обворуют, и все время пересчитывала сумки...

На развилке свернули вправо, сверившись с указателем «Комплекс “Колкуновка”». Шоссе сузилось и нырнуло во мрак. Вдоль дороги по обеим сторонам тянутся две темноты: внизу зубчатая, чернильно-непроглядная. Это лес. А над ней другая, сероватая, похожая на тушь, размытую водой. Это небо. Иногда верхняя полутьма падала вниз. Это было поле. Изредка сбоку мелькали, словно угли сквозь пепел, красноватые огни деревенек. Но название высветилось только однажды — «Каюрово».

Вскоре нормальное покрытие кончилось, и казалось, джип едет по бесконечной стиральной доске.

— Когда же у нас будут хорошие дороги? — страдальчески спросил Леша.

— Никогда.

— Почему?

— Потому что тогда нас сразу завоюют...

— Кто? — сонным голосом поинтересовалась с заднего сиденья Светка.

— Ты проснулась?

— Ага, поспишь тут! Как на противопролежневом матрасе едешь...

— Каком-каком?

— Противопролежневом.

— Ты-то откуда знаешь?

— Папа лежал...

Дорога внезапно улучшилась, и слева показалась база отдыха, выстроенная, судя по силуэту, в затейливом фольклорном стиле. Спуски к реке освещались фонариками. На мостках, уходящих в серебрящуюся воду, целовалась парочка.

— Давайте здесь остановимся! — закапризничала Светка.

— Нет. Мы остановимся в «Боевом привале».

— Почему?

— Потому что поставленную задачу надо выполнять.

— Зачем?

— Затем.

— Ты настоящий мужчина, — вздохнула она. Проскочили мост. Справа было видно, как неширокая чернота Колкуновки вливается в неоглядную темень Волги. Дальше дорога шла по задам Селищ, в которых горело всего два-три огня. За околицей дорогу перебежали светящиеся кошачьи глаза, и Леша суеверно выругался под нос. Снова въехали в лес, а через несколько минут по днищу забарабанила щебенка: асфальт кончился.

— У нас вездеход? — мстительно поинтересовалась Светка.

— Я тебя больше с собой никуда не возьму!

— Прости, Микки!

И в этот момент фары осветили довольно большой рекламный щит:

Постоялый двор
БОЕВОЙ ПРИВАЛ
Добро пожаловать!

Под буквами, видимо для неграмотных, располагались рисунки: вигвам, пивная кружка, вилка с ложкой, чешуйчатая рыба на большом крючке и стрелка, указывавшая в кромешную темноту.

— Слава богу! Сворачивай! — распорядился Свирельников.

Они свернули. Как ни странно, дальше пошел вполне приличный асфальт. Некоторое время ехали точно в полутемном тоннеле, потом впереди забрезжил свет, и вскоре джип уперся в полосатый шлагбаум. Свирельников вышел из машины и огляделся: за невысоким забором на цементном постаменте стояла пушка-сорокапятка, а рядом настоящая полевая кухня на колесах. В глубине виднелся длинный двухэтажный коттедж, обшитый светлым сайдингом, а слева три равновеликих холмика, землянки — такие, как показывают в кино. Труба одной из землянок дымилась, а изнутри доносились музыка и женский хохот. Вся эта картина освещалась большими прожекторами, прикрепленными к стволам корабельных сосен, и возникало ощущение, что здесь, посреди лесной тьмы, нечаянно, словно снег в апрельской подворотне, залежался кусок облачного утра.

— Стой! Кто идет? — Из тени вышагнул боец в каске и плащ-палатке времен Великой Отечественной.

На груди у него висел настоящий ППШ с круглым диском.

— А переночевать у вас можно? — удивленно спросил Свирельников.

— Нельзя.

— Почему?

— Спецобслуживание.

— Но в рекламе сказано: всегда есть свободные места.

— Всегда есть, а сегодня нет. Спецобслуживание...

Боец подошел совсем близко — теперь их разделял только шлагбаум. Лицо под каской было опухшее, серое, небритое, но знакомое. И голос, точнее, не голос, а округлая болгарская интонация — тоже была знакома.

— Витька! — наконец догадался Свирельников.

— Возможно... — насторожился солдат.

— Волнухин!

— Ну! — согласился он, подозрительно оглядывая приезжего и его джип. — А вы, к слову сказать, кто?

— А я, к слову сказать, Свирельников.

— Какой еще Свирельников?

— Мишка Свирельников. Ты что — забыл?

— Погоди! Мишка... Мишка, ты, что ли?

— А кто же?

И они совершенно по-киношному обнялись через шлагбаум. От Витьки пахло тяжким мужским потом, луком и плохой водкой.

— Ты откуда? — спросил Волнухин, оторвавшись от друга детства.

— Я из Москвы.

— А чего ночью?

— Мы за грибами. Чтоб с утречка! А ты чего здесь делаешь с автоматом?

— Чего-чего! Сам не видишь? Представляюсь. Вроде швейцарца...

— А землянки откуда?

— Они здесь были. Это же Ямье...

— Ямье?

— Ну! Не узнал разве? Эва — там Ручий, а там деревня...

— Здорово! — Свирельников подивился чьей-то доходной выдумке.

Тем временем донесся отчаянный женский визг. Из-под земли выскочила совершенно нагая и вполне кондиционная девица с аккуратно выстриженными гитлеровскими усиками на лобке. За ней вывалился голый толстый волосатый мужик с выгнутой немецкой фуражкой на голове.

— Хальт! Партизанен! — орал он дурным голосом. — Цурюк!

Она убегала, смеясь и призывно оглядываясь. Розовое, слегка дымящееся в лучах прожектора тело мелькнуло между кустов, и послышался всплеск — девица упала в Ручий. «Немец» затрясся вдогонку. От его малинового, разогретого мяса валил густой пар, затем раздался тяжелейший удар о воду и счастливое рычание. Следом из землянки вышел еще один пузатый, обернутый по чресла простынкой, он мечтательно поглядел на звезды, несколько раз шумно вдохнул-выдохнул ночной аромат и тут заметил джип у шлагбаума.

— Витька, кто это? — начальственно крикнул толстяк.

— Переночевать хотят! — подчиненно отозвался Волнухин.

— Я же тебе сказал: спецобслуживание. Извинись — и пусть уезжают!

— Я же объяснял: спецобслуживание! — громко и противно повторил Витька, а шепотом добавил: — Хозяин. Такая сука! Миш, сдай метров двести! Я скоро подойду...

Свирельников вернулся в машину.

— Там голые бегают! — радостно наябедничала Светка.

— Ну и пусть бегают. Сдай назад! — приказал он Леше. — Метров двести.

Они отъехали так, чтобы их не было видно от шлагбаума.

— Давай что-нибудь накрой поесть и выпить! — распорядился директор «Сантехуюта».

Пока водитель доставал из багажника водку, хлеб, огурцы, колбасную нарезку, стаканчики и размещал все это на большой салфетке, расстеленной по капоту, Светка выпрыгнула из машины, сладко потянулась и решительно направилась в лес.

— Ты куда? — спросил Михаил Дмитриевич.

— Есть вопросы, которые порядочным девушкам не задают! — величественно ответила она, гордо зашла за кусты и тут же выскочила оттуда с криком. — Ой, там кто-то шуршится!

— Тут змеи водятся! — сообщил Свирельников.

— Ядовитые?

— Конечно. А укус в голую попу смертелен!

— Да ладно!

Он достал из «бардачка» фонарь и направил луч в то место, на которое показывала напуганная подружка.

В круге света возник ежик с искрящимися колючками и красными, ослепленными глазами.

— Ух ты! — восхитилась Светка. — Как в мультфильме «Ежик в тумане».

Зверек сначала застыл от неожиданности, потом подергал острым черным носиком и бросился бежать, перебирая довольно длинными лапками с коготками, похожими на младенческие пальчики. Михаил Дмитриевич догнал его и легонько пихнул ногой — тот сразу свернулся в клубок, обиженно затарахтев. Светка присела над ним и, сломив прутик, осторожно ткнула в колючки — еж подпрыгнул и даже завибрировал от возмущения, сжавшись еще туже.

— У, какой! Давай возьмем в Москву. У всех кошки и собаки, а у меня будет ежик...

— Сдохнет в квартире.

— Да, хомяки у меня всегда умирали... — грустно согласилась она. — Пусть живет!

Услышав это, Свирельников вдруг вспомнил про то, что сейчас происходит, а возможно, уже произошло в Москве, — и ему страшно, до обморока, захотелось выпить. Тут как раз и пришагал Волнухин в развевающейся плащпалатке:

— Вот вы где!

— Дядя, вам, наверное, не сказали: война-то кончилась! — хихикнула Светка.

— Веселая у тебя дочка!

— Папочка, познакомь нас!

— Это Виктор — друг моего детства. А это Светлана — моя... невеста...

— Да ну? — изумилась Светка. — Запомните: он при вас обещал на мне жениться!

Волнухин недоуменно переводил взгляд с жениха на невесту, соображая, разыгрывают его или говорят серьезно, потом, кажется, так и не поняв, сообщил, что его дочь тоже вышла замуж и живет теперь в Дубне.

— Надо за встречу! — предложил Свирельников, чтобы замять неловкость, а главное — избавиться от нараставшего чувства подлости.

Они подошли к машине, где все было готово, а шофер, услыхав пожелание босса, предупредительно разливал водку в три целлулоидных стаканчика.

— А почему только три стакана? — спросил Волнухин.

— Я — водитель! — жалобно объяснил Леша.

— А то я водилой не был! Буль-буль — и за руль!

— Можно. К завтрашнему вечеру выветрится, — разрешил директор «Сантехуюта».

Налили в четвертый стакан. Виктор закинул за плечо автомат и принял в руки хрупкую емкость с трепетной деликатностью, которая выдавала в нем серьезно пьющего человека. Светка поднесла водку к носу и подозрительно принюхалась. Леша взял стаканчик с показательной неохотой, как бы подчиняясь воле настойчивого коллектива.

— За встречу!

Целлулоидные края встретились, хрустнув. Виктор опрокинул и сразу побагровел. Леша выпил умело, но все с тем же постным выражением праведника, насильно вовлеченного в недоброе дело. Свирельников принял водку, словно лекарство от боли.

— Как ее пьют беспартийные? — закашлявшись и отдышавшись, сказала Светка.

— Чего-чего? — удивился Свирельников.

— Дедушка так всегда говорил.

— А кто у нас был дедушка?

— Муж бабушки.

— Веселая у тебя невеста! Не соскучишься! — похвалил Волнухин, разливая.

— А чего у вас тут, кино снимают? — полюбопытствовал осмелевший после второй Леша.

— Кино у нас, это точно! Такое кино иногда бывает, что закачаешься! «Эммануэль»...

— А кто это додумался в Ямье шалман устроить? — спросил Свирельников.

— Да есть тут один. Из Кимр. Сначала домину себе отгрохал — для рыбалки. Трехэтажную, прямо рядом со мной. А потом как-то меня и спрашивает: «Что это там, Виктор Николаевич, за ямы в лесу?» Я рассказал. Он говорит: «Землянки, война, партизаны – то, что надо! Стильно!» Теперь у нас все как на фронте. Я боевые сто грамм подношу. Форму выдаем. Мужики очень любят своих баб медсестрами наряжать, а сами почему-то немцами...

— Фашистами, – уточнил Леша.

— Фашистами, – согласился Волнухин. – Для желающих пулялки с краской есть. Очень любят побегать. Вроде как за партизанами...

— Вау! Пейнтбол? – оживилась Светка.

— Снасть выдаем. Мелкашки имеются – птичек попугать. В общем, все для населения!

— И что, ездит народ? – поинтересовался Свирельников.

— Еще как! Летом в особенности. Сегодня вот двоим отказали. Вы третьи...

— А что так?

— Да он крутых из Кимр сегодня огуливает. То ли из прокуратуры, то ли из налоговой. Нужные люди...

— Налоги надо платить! – наставительно сказал директор «Сантехуюта».

— Да ладно, какие налоги с берлоги!

— Ты из колхоза-то совсем ушел?

— Ну, ты прямо как с Марса! Колхоза уж лет десять нет. Угробили. Утром посмотришь, что осталось. Ничего не осталось – все растащили...

Над лесом с визгом взвилась петарда и, ослепительно треснув в темном небе, рассыпалась красными и зелеными огненными хлопьями. В наступившей после этого мягкой тишине раздался суровый зов:

— Витька, чтоб твою мать, ты где там? Сюда иди!

— Эксплуатация человека человеком! – вздохнув, объяснил Волнухин и срочно налил.

Потом, торопливо зажевывая выпитое, спросил с набитым ртом:

— Миш, дом-то мой помнишь?

— Конечно. Рядом с магазином.

— Ты смотри-ка, точно! Давай ко мне! Анька вам постелет.

— Неудобно. Поздно уже...

— Ничего. Если б не эти с этими, я бы вас здесь устроил, вип-баньку затопил бы! Ладно, может, завтра вечерком, если умотают...

— До завтра дожить надо! — рассудительно заметил Свирельников.

— Доживем — куда мы денемся! — засмеялся Волнухин и вдруг посмотрел на ополовиненный литровый «Стандарт» так, словно внезапно проникся радостным, а главное — никогда прежде не приходившим ему в голову намерением.

Но он даже не успел протянуть руку к бутылке, потому что в ночи грянул уже настоящий звериный рык, оснащенный самой чудовищной матерщиной:

— Витька, ... мать!

— Не слабо! — хихикнула Светка.

— Надо бежать! Хозяин может обидеться! — вздохнул друг детства. — Утром увидимся! — И он погромыхал сапогами по серой дороге.

40

Они сели в машину и вернулись к повороту, а потом медленно поехали задами деревни, и Михаил Дмитриевич все высматривал в темноте магазин, рядом с которым стоял Виткин дом, но так ничего и не высмотрел. Потом он догадался и велел Леше подрулить к самому большому строению, громадно черневшему на фоне ночного неба. В избушке, притулившейся рядом и казавшейся в детстве чуть ли не хоромами, теплился свет: их ждали.

— Я в машине посплю. Мало ли что... — предложил Леша.

Свирельников достал из багажника сумку с вещами, Светка долго не могла найти свой рюкзачок с косметикой, наконец отыскала, и они, толкнув незапертую калитку, вошли в палисадник, заполненный таинственными ночными двойниками растений, поднялись на скрипучее крыльцо, но не успели постучать — дверь распахнулась. На пороге, в халате и оренбургском платке, наброшенном на плечи, стояла Анна, сильно располневшая и постаревшая. В руках она держала трубку детских «воки-токи», по которой, видимо, и получила от мужа сообщение о поздних гостях.

— Ну, здравствуй! — сказала она чуть насмешливо. — Почти такой же... Проходите! — И холодно кивнула Светке.

— Здравствуй, Аня! Ты уж извини... Так получилось...

— А-а... — Женщина махнула рукой. — Как Витька в эту Яму попал — у нас теперь день с ночью перемешался!

— Ну а вообще-то как жизнь?

— Жизнь как жизнь. Ложитесь, завтра поговорим!

Она ввела их в прохладную, пахнущую старым деревом и сеном избу. Пол был с наклоном. На печи, которую явно давно уже никто не топил, прямо в поде стояла древняя микроволновка. Анна отдернула занавеску — за ней оказалась спаленка, едва вместившая полуторную никелированную кровать и больничную тумбочку. На стене висел выцветший ворсистый ковер с водопойными оленями, простодушно не замечающими подкрадывающегося волка.

— Витька-то не очень пьяный? — спросила она, поправляя на подушках наволочки, надетые, видимо, второпях.

— Нет. Мы по чуть-чуть...

— Нельзя ему пить. Выгонит его Семен Борисович.

— Там все нормально. Партизан ловят...

— Ну, это еще ничего... Вас-то как звать? — Анна повернулась к Светке.

— Светлана. А где можно умыться?

— Умывальник и все остальное в сенях. Справа. Пойдем — покажу, а то заблудишь! Спокойной ночи, Миша!

Она ушла, задернув занавеску. Свирельников разделся и плюхнулся на старинный пружинный матрац, сыгравший в ответ что-то, похожее на музыку Губайдуллиной. Простыни были жестко накрахмалены и пахли чужой свежестью. Тонька, беря пример с матери, всегда в комод с чистым бельем клала пучок лаванды — и запах получался совершенно другой.

Михаил Дмитриевич почему-то вообразил, как он стоит возле свежей могилы, заваленной цветами и увенчанной старой, еще досвадебной фотографией бывшей жены, по щекам его текут слезы, а в руке он держит сухой веничек лаванды. Свирельников потрогал щеку, обнаружил влагу и замотал головой, чтобы отогнать жуткое видение. Комар, потревоженный в самый кровососущий момент, взлетел и обиженно занудил под потолком.

Вернулась Светка. Выключила лампочку и быстро разделась, светясь в темноте голизной. Потом плюхнулась рядом и, дождавшись, когда загубайдуллившие пружины утихнут, подобралась к Свирельникову.

— А ты знаешь, какой у них туалет? — шепотом спросила она.

— Какой?

— Отстой! Просто дырка, а внизу... Представляешь?

— А ты такой никогда не видела?

— Никогда! Мне все время казалось, что оттуда вынырнет какая-нибудь сволочь и схватит меня за попу или еще даже хуже! Как в «Звездных войнах». Там в мусорном отсеке такая лупоглазая тварь водилась. Помнишь?

— Не помню.

Невидимый кровосос, издав атакующий писк, спикировал теперь уже на свежее девичье тело — и был тут же звонко прихлопнут.

— У них еще и комары! — возмутилась она, стараясь в светлом мраке, льющемся из окна, разглядеть на ладони крошечные останки. — Как тут люди живут?

— Живут...

— А когда ты все это хочешь сделать?

— Что?

— А ты не понял?

— Нет.

— Микки, ты издеваешься! Сначала всем объявляешь, что я невеста. А теперь спрашиваешь: что? Свадьбу — вот что!

— А-а... В конце декабря, наверное. И сразу уедем куда-нибудь на Рождество.

— Алену ты пригласишь?

— Ты хочешь?

— Хочу.

— Зачем?

— Может, она мой букетик поймает...

— Лаванды?

— Почему лаванды?

— Пригласим, если захочет.

— Ты представляешь, я ей буду мачехой! — «Да, действительно!» — с удивлением сообразил Михаил Дмитриевич.

— Но в декабре поздно.

— Почему?

— Не догоняешь?

— Нет.

— Живот будет видно.

— Ну и что?

— Ну хватит тормозить! Стыдно же! Надо в октябре.

— Ах, вот мы какие!

— Какие?

— Такие...

— Какие-какие?!

— Стеснительные, — объяснил Михаил Дмитриевич.

— Стеснительные? — Невеста провела рукой по волосатой свирельниковской груди, нащупала крестик и попыталась разглядеть в темноте. — Ты себе новый купил? А чего такой хилый, на веревочке?

— Это подарок.

— От кого?

— От отца Вениамина.

— А мы будем венчаться?

— Обязательно.

— Кайф! Я в церкви просто улетаю! — говоря это, Светка продолжала шарить и нашарила. — Хочу!

— Нельзя.

— Почему?

— Здесь все слышно!

— А мы тихонько...

— У тебя тихонько не получается.

— Получится! Ты только не мешай! — Она попыталась предпринять некоторые женские меры.

Кровать оглушительно загремела в тишине своими авангардными пружинами.

— Тише, Аня услышит!

— Пусть услышит! Нечего было на меня так смотреть...

— Как?

— Как на телку по вызову!

— А ты пьяная! — догадался Свирельников.

— Не пьянее некоторых!

Свирельников вдруг вспомнил, как много лет назад вот так же в избе они с Тоней мешали спать бедной учительнице, и ему сделалось тоскливо. Он с раздражением оттолкнул старательную Светку, которая, надо признать, уже добилась определенных успехов...

— Ага, начинается семейная жизнь! — вздохнула она, утершись, отвернулась к стенке и тут же уснула.

А Михаил Дмитриевич еще долго не спал. Сначала он просто лежал, мучительно избегая мыслями то страшное, что, наверное, уже произошло на Плющихе. Потом за окном послышались шорохи, он вообразил, будто это сыщики, мгновенно все вычислившие, приехали его брать. Директор «Сантехуюта» представил себя сначала за решеткой в зале суда, а потом на нарах, в грязной душной камере, и постарался не думать о противоестественности уголовных нравов, про которые так любят почему-то писать в детективах и показывать в криминальных сериалах. Он вспомнил недавнюю статью в «Колоколе» про бизнесмена, по недоразумению попавшего в зону и вышедшего оттуда со свеженьким СПИДом... Свирельников до слез зажмурился и, зажав в кулаке крестик, по возможности убедительно разъяснил сам себе, что Алипанов — в прошлом опытный опер, всегда все делал чисто и на этот раз подвести не должен!

Вроде убедил...

Потом Михаил Дмитриевич еще долго ворочался, бесчувственно касаясь телом теплой Светкиной наготы, смотрел в окно, где уже предутренне посерело и забрезжили черные ветки палисадника. В конце концов, проклиная свою похмельную неугомонность, он незаметно впал в забытье, но снилась ему все та же знобкая, изнуряющая бессонница...

41

Он и пробудился от отчаянья, от телесной ломоты и сердечного озноба, измученный этим бесконечным, дремотным бодрствованием. В комнате было совершеннейшее утро, и солнце, как в драгоценном камне, искрилось в капле смолы, затвердевшей на коричневом провяленном бревне. Светка спала рядом, по-кошачьи свернувшись клубком и подставив лучам улыбающуюся, свежую мордочку, прелестную без всякого макияжа. Он рассмотрел на ее лице еле заметные веснушки, умилился и подумал, что надо обязательно подарить невесте к свадьбе приличный «брюл», потом провел пальцами по ее бедру и осторожно подергал жесткую девичью шерстку.

— Ну-у! — то ли недовольно, то ли поощрительно протянула она сквозь сон.

— Подъем! Грибы кончатся!

— Ну, Микки! Пять минут...

— Ладно, спи!

Он быстро оделся, выглянул из-за занавески, но никого в комнате не обнаружил. Тахта у окна была аккуратно застелена пестрым лоскутным покрывалом, удивительно напоминающим Климта, по которому Тонька сходила с ума. Михаил Дмитриевич даже однажды назвал жену «климтоманкой», и ей очень понравилось.

На месте жестяных ходиков, которые он хорошо запомнил с давних времен, висели теперь огромные наручные часы, словно изготовленные для великана, и скорее всего в Китае, потому что искусственная позолота облупилась, даже свернулась рулончиками, обнажив серую пластмассу. Стрелки на циферблате, размером напоминающем хорошую сковородку, показывали без двадцати девять.

Свирельников посетил покосившийся чуланчик-нужник, оклеенный вперемежку репродукциями из старого «Огонька» и картинками из новых гламурных журналов. На неровных дощатых стенах незнакомки, богатыри и хлеборобы странно соседствовали со Шварценеггером, Пугачевой и Мадонной. Опасливо ступив на хлипкие половицы, он заглянул в смердящую глубину, и все его утонченное сантехническое существо пришло в негодование. Вот уж действительно «нужник»: без нужды не заглянешь... Просто каменный век! Им бы сюда еще биде с эротическим гидромассажем!

Потом, склонившись над оцинкованным тазом и погремев алюминиевым стерженьком умывальника, он плеснул себе в лицо несколько пригоршней воды и взбодрился. Вытираясь, Михаил Дмитриевич вышел на крылечко. Солнце уже приподнялось над лесом и слепило глаза, но небо еще не набрало дневной синевы, а было по-утреннему светлым, словно вылинявшим. В палисаднике росли две яблони, отягощенные мелкими желтыми плодами, и несколько кустов аронии, уже начавшей по-осеннему краснеть. В углу золотые шары, сгрудившись, навалились на забор, сбитый из неровных жердей, выцветших до пепельной серости.

Слева, на месте магазина, виднелся небольшой типовой дачный домик из тех, что строили в конце советской власти, а вот справа, там, где раньше стояла избушка деда Благушина, возник трехэтажный замок из красного кирпича под темно-коричневой металлической черепицей, с огромной спутниковой тарелкой, прилепленной к одному из балконов. Участка видно не было, потому что трехметровый сплошной железный забор опоясывал дом и, пересекая улицу, спускался по крутому обрыву прямо к Волге, ограждая от всех не только землю, но и воду. Из-за забора торчали макушки серебристых кремлевских елей и поднималась высоченная старинная береза, которую, наверное, пожалели срубить. На коре этой березы дед Благушин сапожным ножом делал засечки, отмечая рост внука от одного приезда до другого...

Михаил Дмитриевич вздохнул, достал сигареты и с отвращением закурил...

— Миш, погодь курить — сейчас парного вынесу! — откуда-то из глубины крикнула Анна и через минуту появилась из хлева с литровой банкой в руках.

Молоко было чуть теплое, пенное и нежно пахло животиной. Свирельников, бросив недокуренную сигарету, залпом выпил и еле отдышался.

— Давно небось парного не пил? — спросила она, улыбаясь.

— Уж и не помню. А ты как догадалась, что это я вышел?

— А я ясновидящая.

— Серьезно?

— Ладно. Мой-то клопомор курит. Не то что твои...

— Ну, ты — просто «мисс Марпл»!

— А ты откуда знаешь? Витька сказал? Надо ж, успел...

— Что?

— Что меня в больнице так и звали — «мисс Марпл».

— А что с тобой было? Серьезное?

— Ты о чем?

— Ну, в больнице, говоришь, лежала...

— Не лежала, а работала. Я же медсестра. Училище кончила. Забыл?

— Забыл. А сейчас где?

— Да вот, в Ямье убираю. Насвинячат, уедут — пойду за ними грязь возить. А ты, я смотрю, бога-атый! — Она, усмехаясь, кивнула на джип, видневшийся из-за забора.

— На жизнь хватает.

— Ой, бедненький! Ой, темнила! Чем хоть занимаешься? Эвона, какой гладкий!

— А догадайся! Ты же — «мисс Марпл».

— Та-ак... — Аня дознавательно прищурилась. — Из армии сбежал.

— Почему ты так решила?

— Военные, они или сохатые, или пузатые. А ты ни то ни се...

— Допустим. Ну и кто же я теперь?

— Торгуешь, да?

— Холодно.

— Банк охраняешь?

— Еще холодней.

— Ну, на депутата ты и вообще не похож...

— Почему?

— Да к нам тут со студентками депутаты заезжали. Они даже голые так языками чешут, как будто их по телевизору показывают. Ты попроще.

— Сдаешься?

— В налоговой шакалишь?

— Нет. Сдаешься?

— Сдаюсь.

— Но ты только никому! Договорились?

— Договорились.

Свирельников наклонился к ней и совершенно серьезно прошептал на ухо:

— Я наемный убийца.

— Кто-о? — отпрянула Анна.

— Киллер, — пояснил он, напуская на лицо сосредоточенно-зверское выражение.

— Да ладно!

— Ей-богу!

— Да какой ты киллер! Я ж помню, как вы с Витькой курицу рубили! Киллер! — Она обидно засмеялась.

Действительно, в тот последний приезд белая несушка прельстилась червяком, оставшимся на крючке после рыбалки, клюнула и попалась. Отчаянно кудахча и хлопая крыльями, одурев от ужаса, она металась по хлеву, волоча за собой удилище и запутываясь в леске. Свирельников и Волнухин, продрогшие на речном ветру, едва присели в избе, чтобы согреться и закусить, но остальные куры, сопереживая, подняли страшный квохт. Друзья поначалу вообразили, будто среди белого дня во двор забралась лиса. Когда же они обнаружили, в чем дело, бедная птица застряла, зацепившись удилищем за поленницу. Из клюва у нее шла кровь.

«Надо резать!» — вздохнула Аня, прибежавшая на шум. Витька схватил вырывавшуюся курицу и крикнул: «Тащи топор!» Свирельников бросился искать и нашел. Витька тем временем пытался прижать птицу к чурбаку, на котором кололи лучину для растопки печи, но она била его крыльями по лицу, вырывалась, да к тому же мешало удилище. «Руби!» — крикнул Волнухин, исхитрившись и придавив куриную голову к чурбаку. Свирельников половчее перехватил топор, размахнулся, но в последний момент понял, что вместе с птичьей башкой оттяпает сейчас другу ладонь: «Руку убери!» Витька попытался передвинуть пальцы, несушка рванулась и, хлопая крыльями, шумно волоча за собой удочку, умчалась в огород, сшибая цветы с картофельных кустов. Аня бросилась вдогонку, крича: «Ну, косорукие!»

— Эх вы! — насмешливо сказала Тоня, наблюдавшая все это с крыльца. — Надо было вон тем! — И она кивнула на большие кровельные ножницы, лежавшие на листе оцинковки: хозяева собирались подлатать крышу... «Точно! — обрадовался Витька. — Молодец, Тонька, разбираешься!» Но в это время с огорода вернулась Аня, волоча удилище: «Сама отцепилась! А вы тоже мне, мужики, курицу зарубить не можете!»

— Ну и кого же ты убил, киллер?!

— Ладно, Ань. — Свирельников рассмеялся. — Я сантехникой занимаюсь. У меня фирма своя. Могу вам что-нибудь сделать, а то ведь как в каменном веке живете!

— А-а... — Она махнула рукой. — Все равно Витьку скоро выгонят. Уедем к дочке в Дубну... Антонина-то... как?

— Разошлись...

— Слава богу! — с облегченьем вздохнула она. — А я и спросить боялась. Вдруг померла!

— Почему померла? — вздрогнул Свирельников.

— Я в больнице работала — насмотрелась: столько молодых баб в самом соку... Рак...

— Нет. У нее все замечательно. Замуж собралась...

— Дочь-то с кем осталась?

— С ней вроде...

— Уживется с отчимом?

— Взрослая уже.

— Тем более! Человек-то он хоть хороший?

— Сволочь.

— Но добытчик хоть?

— Это — да!

— Друг, что ль, твой бывший?

— Ну, ты... прямо...

— Главный врач вообще говорил, что я экстрасенска. Даже опыты со мной ставил. Давал цифры в конвертах. Я угадывала. Не каждый раз, конечно. А с молодой-то управишься? — Анна поглядела на него так, что стало ясно: их вчерашний разговор со Светкой она слышала.

— Справлюсь!

— Ой, смотри!

— А дедов дом давно сломали? — перевел он разговор.

— Лет десять. Ты же на похоронах не был! А я тебе, как помер, сразу телеграмму в Москву отбила.

— Я в Германии служил, — соврал Свирельников, уже и забывший, почему не выбрался на похороны деда Благушина.

— Хоронить его младшая сестра из Мышкина приезжала, старенькая уже. Я ее в первый раз увидела, они с покойником в ссоре были чуть не с войны: он ей продукты с фронта на всю семью присылал, а она со старшей не делилась. Наследство ей и досталось. Тоже скоро померла. Внучка ее с ребятней летом ездила. Потом приехал Борис Семенович и купил участок. Сколько он сюда материалу позавез и народу нагнал! Узбеков. Два года строили, а потом еще год отделывали. Но это уже — хохлы. Вот пить-то здоровы! Витька тоже с ними работал — и сорвался. Он ведь у меня раньше столько не пил. Ну, ты помнишь!

— Помню, — кивнул Свирельников. — Я пойду по деревне пройдусь!

— Да какая уж там деревня! Эвона — одни дачники. Корова только у меня осталась. Еще одна профессорша на том конце козу держит. Для баловства. Может, позавтракаешь?

— Не хочется.

— Ты тоже, я смотрю, выпить не избегаешь!

— Жизнь тяжелая.

— Да уж ясно дело, семью-то к старости менять! Думаешь, от молодых одни радости? Э-эх! Постель-то общая, а жизни раздельные... Я в больнице орлов-инфарктников насмотрелась! Ни одна сучка молодая апельсина не принесет!

Он махнул рукой и вышел за калитку.

42

От Аниных слов у Свирельникова нехорошо сдавило сердце, и он обругал себя за то, что вздумал с похмелья закурить. Леша в джипе спал, откинувшись в кресле и выставив острый кадык. Сипло кукарекал чей-то припозднившийся петух. Река, искрясь на солнце, теснилась влево. На другой стороне, там, где в Волгу впадала Хотча, виднелись разноцветные автомобили и оранжевые палатки.

Дорога, шедшая по краю берега и наполненная когда-то теплой, похожей на ржаную муку пылью, теперь, перегороженная новорусским забором, никуда не вела. Она отвердела и заросла мятликом, подорожниками, мелкой лысой ромашкой. Кое-где поднимались темно-рыжие сухие стебли конского щавеля, словно некогда курчаво выкованные из железа, а теперь вот, к осени, проржавевшие. И еще одно новшество бросилось в глаза Михаилу Дмитриевичу. Раньше дорога была чуть не сплошь усеяна коровьими лепешками, являвшими собой, так сказать, самые различные стадии природного круговорота: от влажных, ноздреватых темно-зеленых караваев, облепленных навозолюбивой, переливающейся на солнце мелочью, до белесых, легких, волокнистых плошечек, проросших травой и почти уже ставших почвой.

А теперь — ничего! Да и откуда? Одна корова на всю деревню! А тридцать пять лет назад стадо было большое, вечером входило в Ельдугино, растянувшись, многоголосо мыча, поднимая тучу пыли. И вечерняя прибрежная прохлада пахла парным молоком. У калиток стояли хозяйки, встречая своих кормилиц и ласково выкликая по именам. Благушинскую корову звали, кажется, Дочка. Она была, как и почти все остальные, пестрая, с черно-белыми пятнами, похожими на неведомые географические очертания. Поначалу маленький Миша никак не мог понять, каким образом дед узнает ее, думал — по узорам на боках, но потом понял, что у каждой коровы свое неповторимое выражение морды. Смешно: выражение морды!

«Интересно, какое выражение морды было у Вовико, когда вломились люди Алипанова? Нет, об этом не надо! Не надо, я тебя прошу!»

Дочка была очень умная корова, сама выбиралась из прущего стада и сворачивала к калитке, останавливалась возле деда, меланхолично дожидалась ржаной посоленной горбушки, а потом, раскачивая раздувшимся розовым выменем, отправлялась в хлев. Но попадались и глупые животные, которых хозяевам приходилось загонять домой хворостиной. Все потешались над Катькой, черной коровенкой с белой звездочкой во лбу. Она вообще никогда не узнавала свой дом, норовила вломиться к соседям, а то и вообще убегала за огороды, в лес, и на двор ее тащили, намотав на рога веревку. Считалось, что пример Катька берет с хозяйки, по молодости раза два сбегавшей от мужа к кому-то в Кашин. И хотя молока корова давала прилично, больше ведра, измученные насмешками хозяева продали ее на мясо...

А следом за входящим в деревню стадом на гнедой лошади ехал пастух в брезентовом плаще с капюшоном, он держал на плече рукоять длинного кнута, волочившегося по земле и заканчивавшегося метелочкой, сплетенной из черного конского волоса, благодаря чему бич, взвившись, издавал громкий, точно выстрел, хлопок, дисциплинировавший коров. Однажды Витька нашел в пыли потерянную пастухом метелочку, и они смастерили кнут, только, конечно, покороче настоящего. Кнутовище сделали из обломившегося черенка лопаты, а сам кнут из витого канатика, которым привязывали лодку к ветле. Потом сбежали за ельник, на сине-желтый от иван-да-марьи луг, осваивать технику оглушительного пастушеского хлопка.

Дело-то непростое: надо сначала отмахнуть кнут за спину, потом вытянуть вперед, а затем резко дернуть назад — и тогда он издаст вожделенный оглушительный щелк. Теоретически, разумеется, все понятно, но добиться полноценного хлопка на практике оказалось трудно. Витьке-то, привычному к сельской работе, ничего, а Мишка за несколько часов тренировки натер на ладонях жуткие кровавые волдыри, которые скрыл от деда бинтами, наврав, будто сильно обстрекался крапивой. Через два дня, когда волдыри загноились, Благушин, ругаясь, потащил внука в медпункт. Фельдшер, молодой мужчина (наверное, выпускник, попавший в село по распределению) размотал грязный бинт и с внимательной насмешливостью, с какой доктора относятся к чужим недугам, рассмотрел трудовые увечья юного пациента:

— Веслился, что ли?

— Ага, — кивнул Ишка.

Сознаться в том, что он натер такие кошмарные мозоли, по-дурацки хлопая кнутом, ему было совестно.

— Почему сразу не обратился?

— Я думал, пройдет...

— Не прошло. В Кимры тебя надо везти — на ампутацию! — строго сказал фельдшер, незаметно перемигнувшись с дедом.

— Не на-адо! — заревел несчастный кнутобоец.

— Не надо? А разве можно с такими грязными руками ходить? Дизентерии захотел? Или столбняка? Ладно, пока обойдемся мазью Вишневского, но в следующий раз, если руки мыть не научишься, ампутирую! Понял?

— Понял! — благодарно всхлипнул Ишка.

...Михаил Дмитриевич ощутил, как в глазах набухают теплые чистые слезы, а сердце наполняется предчувствием нежной жизненной справедливости, превращающей самую никчемную судьбу в часть чего-то огромного, единого и осмысленного. Но это доброе предчувствие, коснувшись той непоправимой вины, что поселилась теперь в свирельниковской душе, брезгливо сжалось, похолодело и сгинуло без следа.

Директор «Сантехуюта» справился с собой, потер ладонями лицо и пошел вдоль улицы. Старых домов, сложенных из почерневших бревен, с резными наличниками и причелинами, на улице оставалось всего три. Все они осели, покосились, скособочились, пораженные не внешней, а внутренней ветхостью, — так недуги скрючивают к старости прежде сильного и ладного человека. Когда-то избы были покрыты дранкой, а потом черным толем, который изветшал, порвался, и в прорехах теперь снова виднелась изветренная, темно-серебристая от старости деревянная чешуя.

Остальные дома появились уже после того, как Свирельников приезжал в Ельдугино в последний раз. Попалось сооружение под шифером, затеянное еще в ту пору, когда при советской власти площадь застройки строго контролировали, поэтому, обманув запрет, домик слепили трехэтажным, похожим на пожарную каланчу. А рядом сработали другой, побольше, обшитый неровной, плохо выструганной «вагонкой», какую начали после 86-го гнать кооперативы. Крышу выстлали тускло сияющим на солнце рифленым дюралем — это уже конверсия подоспела...

Встретились Михаилу Дмитриевичу и настоящие особняки, выстроенные из хорошего кирпича или обшитые новеньким белым сайдингом, покрытые добротной металлочерепицей. Правда, кровля кое-где вспухла и отслоилась, видимо, из-за бестолковости молдаван или западенцев, не приученных читать строительные инструкции, а может, из-за наших зим, на которые эта импорть не рассчитана. Перед одним особнячком с колоннами обнаружилась даже аляповатая парковая фигура — кажется, Афродита Милосская, но зачем-то с руками. Возле другого дома — стильного бунгало с затемненными большими окнами — высилась настоящая альпийская горка: камни, поросшие какими-то очень дорогими разноцветными лишаями...

Рядом с домами стояли автомобили, и чем роскошней постройка, тем дороже была машина. Это почему-то напомнило Свирельникову людей, выгуливающих собак: чем лучше одет хозяин, тем породистее его четвероногий друг. Правда, у одной покосившейся избы с полуискрошившейся кирпичной трубой был припаркован джип «Чероки».

«Наверное, купили участок и хотят строиться», — догадался Михаил Дмитриевич.

У него появилось странное ощущение: будто в ясной утренней картинке мира образовались какие-то странные, стивенкинговские дыры во времени и через прорехи видна та, давно исчезнувшая деревня детства, когда дома отличались друг от друга только цветом масляной краски, числом окон и резьбой наличников. Вот и этот уличный колодец с журавлем, к которому для противовеса привязаны старые чугунные утюги, явно оттуда же, из прошлого. Михаил Дмитриевич с опаской, оставшейся еще с тех пор, когда дед Благушин рассказывал про непослушного мальчика, утонувшего в колодце, подошел к срубу и осторожно заглянул за осклизлый позеленевший край. Внизу он увидел свое далекое лицо, искаженное волнистой судорогой от падавших сверху капель...

Свирельников вспомнил, как однажды, посланный за водой, утопил ведро и, конечно, поначалу боялся сказать. Дед Благушин дознался, взял когтистую «кошку» на длинной веревке, несколько раз пошерудил в колодце и зацепил-таки, но не свое, старенькое, оцинкованное, а новое, эмалированное. (Вот так всегда в жизни: ищешь свое, а цепляется чужое!) С этой находкой дед Благушин два раза прошел вдоль улицы, выкликая хозяев на крыльцо, но никто своих прав на ведро не заявил, наверное, его упустили рыбаки, пристававшие к берегу за колодезной водой. Это было в тот год, когда у Белого Городка села на мель, разломившись, нефтеналивная баржа и, казалось, на несколько метров от берега Волга густо заросла черной, радужно играющей на солнце ряской. Деревенские мужики после ловли протирали леску тряпочкой, смоченной в керосине. А до этого воду для питья брали прямо из реки...

Михаил Дмитриевич по шаткой лестнице, сваренной из водопроводных труб и листового железа, спустился вниз. Берег тоже сильно изменился. Прежде десятиметровый обрыв был рыжий, глинистый, поросший изредка мать-мачехой, желтой пижмой и розовым бодяком, а во многих местах зияли несколькими рядами норки, из которых то и дело стремительно вылетали стрижи. Теперь обрыв густо зарос березами, елками, соснами и ветлами, уже довольно большими — почти лесом. А под деревьями, спускаясь, Свирельников даже заметил грибы — сыроежки.

— Если найду «чертов палец» — позвоню Алипанову, — решил он.

Но внизу тоже все стало другим. Вода подступала почти к самому глиняному берегу, а прежде оставалось метра четыре, а то и пять серого, влажного песка, усеянного перламутринками и испещренного тонкими, белесыми, переплетенными линиями, похожими на некую запутанную сравнительную диаграмму. Впрочем, это и была диаграмма волн, которые напускали на берег проходившие суда. От винтовых теплоходов и барж волны были высокие и сильные, от колесных тарахтелок — послабее, а от ракет на подводных крыльях — и вообще только шуршащий «отлив-прилив». У самого основания обрыва всегда сохранялся сухой белый песок, до него не докатывались даже метровые валы от четырехпалубного «Советского Союза». Едва лишь его белая громадина появлялась из-за поворота, деревенские мальчишки шумно оповещали друг друга и сломя голову мчались вниз, чтобы покататься на почти океанических волнах...

Спустившись, Михаил Дмитриевич устроился на выступавшем из воды гранитном останце и сообразил, что теперь вот так, запросто пройти вдоль берега, собирая перламутровые осколки ракушек и высматривая «чертовы пальцы», невозможно: где-то река подобралась к самой глине, а где-то мешали наклонившиеся к воде ветлы. Но даже если бы он исхитрился, прыгая с камня на камень и цепляясь за стволы, как Тарзан, все равно через сто метров уперся бы в забор Бориса Семеновича, уходивший прямо в Волгу.

Метрах в двадцати от берега проплыла лодка. Один мужик сидел на скрипучих веслах, а второй, свесившись с кормы, большим сачком выхватил из воды широкого серебряного леща. Михаил Дмитриевич сначала позавидовал, а потом сообразил, что они вылавливают солитерных рыб, уже не способных уйти на глубину и плавающих поверху. А ведь такого прежде не было, зараженных рыб никогда не брали, выкидывали...

Свирельников вздохнул, присел на корточки и попытался высмотреть «чертов палец», но вода была мутная, тинистая, замусоренная, и вообще река напоминала больную, запаршивевшую бездомную собаку с гноящимися глазами. Какой уж тут «чертов палец»! А ведь это был талисман детства, который надлежало не только отыскать, но потом, предъявив друзьям, швырнуть в реку особенным способом, так, чтобы он вошел в воду заостренным концом почти беззвучно, глухо булькнув и не пустив кругов. Зеленовато-коричневый, на ощупь будто вощеный, «чертов палец» размером и видом напоминал крупнокалиберную пулю, а с казенной части имел необычное отверстие, словно бы с каменной внутренней резьбой. Дед Благушин объяснял, что бес навинчивает эти острые наконечники на пальцы, чтобы удобнее было тащить грешника в пекло...

И тут директора «Сантехуюта» окатила страшная мысль, прежде не приходившая в голову: ведь если в конечном счете прав окажется Труба, что маловероятно, но возможно, тогда за все случившееся сегодня ночью в Москве его, Михаила Дмитриевича Свирельникова, посмертно ожидают загробные муки, ибо Там никто не будет разбираться в том, что он всего-навсего нанес упреждающий, антитеррористический, точечный удар. И уж где-где, а Там никаких мораториев на вечную казнь нет и быть не может! И еще он вдруг подумал, насколько легче жилось прежним, наивным грешникам, ведь они, преступая, прекрасно знали, что именно их ожидает Потом: смола, сера, крутой кипяток, стоглавые змеи, черти с острыми крюками... Весь предстоящий кошмар был по-честному, заранее, в красках, изображен в церквах на иконах, точно теперешние биг-маки и гамбургеры в «Макдоналдсах». А вот как быть нынешним грешникам, начитанным, нателевизоренным и понимающим, что все эти былые мучения — всего лишь простодушное, сказочное отражение неведомых, неизъяснимых мук, не имеющих имени на человеческом языке? Конечно, можно это истязающее Потом вообразить по-современному: например, грешник оказывается в эпицентре атомного взрыва, где гибнет, испаряется его город, все близкие, а он остается и вечно бродит меж пепельных теней, безнадежно моля о смерти... Стоп! Но ведь Тонька с Веселкиным за свой сговор тоже, надо думать, не в раю окажутся, они тоже будут бродить по этой же радиоактивной пустыне, возможно, только чуть дальше от сердцевины. Не исключено даже, в этом своем бесконечном блуждании они, все трое, однажды встретятся, и Вовико, узнав бывшего товарища, удивленно пробормочет: «Без всяких-яких!..» Смешно! Тоже, конечно, сказка, но только современная, атомная. На самом же деле все будет гораздо страшнее и кошмарнее, но триллионов мозговых клеток не хватит, чтобы вообразить и вместить весь этот предстоящий неведомый ужас...

Поднимаясь вверх по лестнице, Михаил Дмитриевич все-таки высмотрел в размытой ручейком глине и подобрал осколок «чертова пальца» с остатками «резьбы» на внутренней вогнутой стороне. Хаживая в библиотеку к Эльвире, он обычно листал разные журналы и однажды в «Науке и жизни» наткнулся на заметку про «палеонтологию под ногами». Оказалось, его детский талисман — всего лишь окаменелый панцирь головоногого моллюска с мудреным названием, водившегося в юрский период...

Свирельников бросил осколок в Волгу, стараясь повторить заученное в детстве движение, но у него ничего не получилось: «чертов палец» громко, как обыкновенный камень, бултыхнулся в воду, подняв фонтан брызг. Вздохнув, Михаил Дмитриевич достал «золотой» мобильник, чтобы набрать Алипанова, и вдруг обнаружил, что связи нет: красный пунктирный столбик на дисплее, показывающий уровень принимаемого сигнала, попросту исчез...

43

Когда он вернулся, Леша старательно мыл машину, отжимая губку в красном пластмассовом ведре с водой. Две неизвестные собаки лежали поблизости и внимательно наблюдали за водителем, точно дожидались, пока он закончит, отдаст им ключи и они смогут уехать на чистом джипе куда-то далеко, где у них будут свой дом и добрый хозяин.

— У тебя мобильник работает? — спросил Свирельников.

— Нет. Хозяйка сказала, здесь вообще не берет, в Селищах еле-еле, а в лесу есть места, где отличная связь. Ерунда какая-то...

— Техника! — согласился Михаил Дмитриевич и пошел в дом.

Светка, одетая и причесанная, сидела за столом, покрытым старой потрескавшейся клеенкой, слушала магнитофон, бубнивший дебильный подростковый рэп, пила парное молоко и заедала белым хлебом.

— А где Анна? — спросил Свирельников.

— На работу ушла.

— На какую работу?

— Сказала, за свиньями убирать.

— Виктор не приходил?

— Приползал! — Девушка брезгливо кивнула на дверь, ведшую в ту часть дома, где прежде жили Волнухины-старшие.

Свирельников заглянул туда: Витя, как был в гимнастерке и плащ-палатке (только без сапог), лежал ничком на кровати, напоминая свергнутый с пьедестала памятник воину-освободителю. Он глухо храпел в подушку, и в помещении стоял тяжкий водочный перегар, усугубленный закусочной неразборчивостью.

— Ты не будешь так пить? — жалобно спросила Светка, когда будущий ее супруг, проведав павшего друга, вернулся.

— Почему ты спрашиваешь?

— Папа так пил...

— Так не буду.

— А как будешь?

— Так, чтобы не спятить от этой жизни. Ты готова?

— Оф кос! — ответила она. — А можно я в кроссовках пойду?

— Лучше в сапогах. В лесу, наверное, сыро...

— Да-а? — Девушка строго осмотрела себя в зеркале и поправила на голове бейсболку.

Они вышли на крыльцо. Леша уже помыл машину и теперь натирал ее специальной восковой мастикой. Собаки, сообразив, что дело идет к завершению, ждали окончания автокосметики, нетерпеливо присев и шевеля хвостами.

— О, Волга, колыбель моя! — воскликнула Светка и потянулась с укоризненной женской недостаточностью, адресованной Свирельникову. — Хочу на тот берег!

— Зачем?

— Не знаю...

Вынули из багажника сапоги и переобулись, сидя на лавочке перед домом. Михаил Дмитриевич надорвал целлофановый пакет с надписью «Друг-портянка», достал оттуда фланелевые куски материи, отмеренные кем-то, явно понимавшим толк в этом деле, ловко, чуть не в одно движение, обернул ногу и вставил в сапог.

— Вау! — восхитилась она, надевая шерстяной носок.

— Тренировка! — объяснил бывший офицер.

— А ты кто был?

— В каком смысле?

— Ну, там младший лейтенант или майор?

— Младших лейтенантов не бывает.

— Здрасте! А как же Аллегрова поет:

> Младший лейтенант, мальчик молодой,
> Все хотят по-тан-це-вать с тобой...

— Петь можно все что угодно. А в армии первое офицерское звание — лейтенант.

— А ты кто?

— Капитан.

— Значит, ты как бы моряк?

— А капитан Миронов разве моряк был?

— Какой Миронов? Отец Маши Мироновой? Как же у тебя все запущено! Отец Маши Мироновой — артист Андрей Миронов, он даже умер на сцене...

— Я про другого Миронова.

— Другого зовут Евгений. Он Идиота играл.

— Господи! Ты «Капитанскую дочку» читала?

— Читала. В школе. А-а... Ну, поняла! Что-то я сегодня какая-то невъедливая... — вздохнула Светка и пошла в дом. — Я сейчас...

— Ты куда?

— Посмотрюсь, как я в сапогах.

Свирельников подумал, что Тоня по сравнению с его новой подругой вообще была «синим чулком». Во всяком случае, отправляясь за грибами, не разглядывала себя перед зеркалом. Может, и зря...

— Ты-то пойдешь в лес? — спросил он Лешу.

Водитель замялся:

— Я грибы не очень...

— А что ты очень?

— Можно, я порыбачу? Хозяйка разрешила удочку взять. Червей я уже набрал под камнем...

— И я тоже порыбачу! — подхватила Светка, появляясь. — В лесу сыро...

— Порыбачите, — пообещал директор «Сантехуюта». — После обеда, на вечерней зорьке. А сейчас идем в лес. Строем!

Он достал из багажника корзины — большую для себя и маленькую для Светки, проверил, там ли ножи с пластмассовыми ручками, и на всякий случай взял целлофановый пакет: вдруг грибов окажется очень много. Леша подхватил красное ведро, выплеснул остатки воды, нажал кнопку на брелоке — автозамок громко лязгнул, послышались два коротких гудка и один протяжный: включилась сигнализация. Собаки, поняв, что их мечты о новой жизни снова жестоко обмануты, встали и проводили уходящих коварных людей взорами, исполненными всепрощающей песьей тоски.

К лесу двинулись мимо хлева, обшитого почерневшими досками, через длинный огород, занятый в основном картофелем. Ботва начала уже желтеть и подвядать, а в нескольких местах ровные грядки были нарушены и перекопаны, там валялись высохшие коричневые плети с оставшимися на них маленькими, как орехи, зелеными картофелинками. Справа тянулись грядки моркови, репы, петрушки, позднего крупного редиса, наполовину высунувшего из земли свои продолговатые красные тельца. Среди единообразно зеленой ботвы странно выделялись фиолетовая грядка свеклы да высокие желтые раскидистые зонтики созревшего укропа, похожие на сложные многофункциональные антенны. У забора густо поднимались банановые опахала хрена. Светка восхищенно остановилась возле больших белых кабачков, напоминавших греющихся на солнце хрюшек.

— Ух ты! — сказала она. — А патиссоны так же растут?

— Нет, патиссоны как раз на деревьях, — уточнил Михаил Дмитриевич.

— Да ладно!

— Леш, скажи!

— Ага! — кивнул водитель и улыбнулся в сторону.

Прихватив с кустов подвяленные ягоды малины, они пролезли между жердями и оказались в перелеске, отделявшем в прежние времена деревню от колхозного поля. Ишка бегал туда ловить «саранчу», вылетавшую из-под ног, стрекоча крыльями, и скрывавшуюся в васильковой ржи. На самом деле это были всего лишь большие пузатые кузнечики с длинными (у самок) саблевидными яйцекладами. Пойманные, они сучили лапками и выпускали из зазубренных челюстей капли черного безвредного яда, которым Витька со знанием дела смазывал в лечебных целях свои многочисленные бородавки...

— Нашла, нашла! — радостно закричала Светка, упав на колени в траву.

Свирельников подошел и обнаружил, что причиной девичьего восторга стал гнилой пень, действительно весь облепленный грибами, похожими на осенние опята, но только ножки и шляпки у них были ядовито-желтые, а пластинки синеватые.

— Нет, это поганки.

— Почему?

— Так получилось.

— Да ну тебя!

— Да, это ложные опята, — подтвердил подошедший Леша.

— А каких грибов в лесу больше: поганок или хороших? — спросила Светка.

— Поганок, — сообщил Михаил Дмитриевич.

— Надо же, все как у людей! — вздохнула она.

— Ты лучше рядом ходи! Не отставай!

— Так точно, товарищ капитан!

Они прошли сквозь перелесок, по мягким мшистым кочкам, заросшим давно обобранными кустиками нежно-зеленой черники и серебристо-голубого гонобобеля. Во мху виднелись тугие петлистые свинушки. Свирельников нагнулся, сорвал белесый болотный подберезовик и показал Светке:

— Вот эти собирать можно!

— А эти?

— Свинушки нельзя.

— Почему?

— Они в себе какую-то дрянь накапливают...

— А мы собираем, — робко сообщил водитель.

— Ну и зря!

Перелесок кончился, но на месте прежнего колхозного поля теперь поднялся молодой березняк, почти весь еще летний, с редкими желтыми прядками в кронах. Трава тоже была упругая, густая, украшенная сиреневыми лепешечками сивца и замысловатыми султанчиками розовой буквицы. Только соцветья зверобоя совершенно по-осеннему пожухли, став коричневыми.

Вдруг березняк расступился, и перед ними возникло целое кладбище сельхозтехники: ржавые, распавшиеся сеялки, бороны, культиваторы, дисковые лущильники, полуразобранные трактора без шин, плуги с въевшимися в почву лемехами — все это громоздилось пластами, так плотно сцепившись меж собой, что лишь несколько березок смогли пробить груду преданного металла. А чуть в стороне стоял почти целый уборочный комбайн с еле заметными белыми звездочками на выцветшем боку, оставшимися, видимо, от побед в смешных теперь социалистических соревнованиях.

— Как динозавры! — тихо сказала Светка.

— Да уж! — кивнул Михаил Дмитриевич, удивившись точности сравнения.

Сквозь пятигранное мотовило вымершего агрегата густо проросли кусты красной недотроги, обсыпанные цветками, похожими на изготовившиеся к поцелую напомаженные женские губы. Свирельников подошел к зарослям, увидел созревшие семенные коробочки и осторожно дотронулся до самой крупной ребристой капсулки, которая тут же взорвалась под его пальцами, чтобы шрапнелью разметать кругом семена.

— Вау! — восхитилась Светка и начала методично взрывать одну коробочку за другой. — Здорово!

«Ребенок! — подумал Михаил Дмитриевич. — Ребенок ждет ребенка. Чудеса!»

— Я подосиновик нашел! — громко доложил, выйдя из-за деревьев, Леша.

— Покажи! — Девушка, сразу охладев к недотроге, помчалась к нему.

— Ух ты! Какой здоровый! А он ничего не накапливает?

— Нет, очень хороший гриб!

— А где ты нашел?

— Там!

— Пошли туда!

И вправду ведь, подумал Свирельников, люди похожи на грибы: тоже всю жизнь накапливают в себе разную дрянь, а потом вдруг становятся смертельно опасными. Ну, разве мог он десять, даже пять лет назад согласиться на то, что сделано этой ночью?! Никогда! А Тоня? Тоня?! Окуджавкнутая («Возьмемся за руки, друзья!») Тоня! «Климтоманка» («Ах, Юдифь! Ах, Саломея!..») Тоня! Разве можно было подумать, что она, истошно пристойная и укоризненно деликатная, «закажет» собственного мужа, хоть и бывшего! Между прочим, отца своего ребенка! И непросто «закажет», а снюхавшись, слизавшись с этой тварью Вовико, которого он вытащил из перестроечного дерьма и сделал человеком! А тот же Алипанов, героический борец с преступностью, он-то чего в себе накопил, если стал браться за такую работу?..

Свирельников, поставив корзину, присел на выступавшее из травы ржавое колесо сеялки. Он только сейчас задумался над тем, как теперь будет жить — после всего случившегося. Нет, не над тем, как все это переживет и как теперь потащит в себе смрад кровопролития: ничего такого он пока не чувствовал, так не чувствуют сразу после драки выбитый зуб или заплывший глаз. Нет, он думал о том, как организует и оснастит свою будущую жизнь. Ну, например, как назовет будущего ребенка. Мальчика или девочку. Обязательно сверится с книгой «Имя и судьба», потому что как назовешь — так и жить будет. Хотя, впрочем, вот Михаил значит «подобный Богу»! Хэ... Богу! А с другой стороны, Бог ведь тоже грешников и предателей нещадно наказывал! Нещадно!

Нет, лучше думать о другом! Где они, например, со Светкой будут жить? А жить теперь они обязаны очень хорошо, светло, даже идеально... Их жизнь должна стать чем-то наподобие светового занавеса в театре, чтобы за ним не было видно прошлого. Настоящая «сначальная» жизнь, нежная, верная, плодоносная, искупительная! Дом тоже должен быть светлый, белый. «Беговая», хранящая следы холостяцкого блуда, должна исчезнуть: продать и купить большую квартиру или лучше дом — сразу за Окружной, в каком-нибудь охраняемом «Княжьем угодье»! «Плющиху», конечно, оставить Аленке, а лучше поменять на равноценную квартиру в хорошем районе, чистую, незамаранную, где ничего такого не случалось...

Аленку надо беречь! Когда она узнает, что произошло, может натворить чего угодно. Нервная. Папина дочка, с самого детства у них были общие тайны и секреты от

Тони: случайно разбитый стеклянный зайчик, которого берегли ко дню рождения «святого человека», или суровый вызов родителей в школу, скрытый от матери под обещание впредь уроки не прогуливать... Да мало ли! У них имелся даже свой тайный жест, означавший, что все должно остаться между ними, дочерью и отцом, эдакий конспиративный вариант детского «ротик на замочек». Чтобы подать сигнал, надо как бы случайно погладить указательным пальцем губы...

Тоня, конечно, чувствовала это и, раздосадованная, иногда говорила мужу: «Скажи своей дочери!» Однажды они с Аленкой, которая готовилась к наступлению регулярных дамских недомоганий, изучали, хохоча и дурачась, путаную инструкцию к тампонам «Тампакс». Застав их за этим занятием, жена даже растерялась, и на ее лице возникло выражение отчаянья от своей внутрисемейной ненужности.

— Вообще-то такие вещи девочке должна объяснять мать, — сказала она потом.

— Не злись! — отмахнулся Михаил Дмитриевич с великодушным превосходством. — Контрацепцию ты ей объяснишь...

— Да что им объяснять, — вздохнула Тоня. — Больше нашего знают. Презервативы в портфелях с тринадцати лет носят...

— Поколение Прези.

— Да, — кивнула она и с интересом посмотрела на супруга.

Но Свирельников все-таки переоценил свое влияние на дочь. Однажды, незадолго до ухода, когда им уже сполна завладела мысль о «сначальной» жизни, он с мимолетной длинноногой фотомоделью, в промежутках между сессиями подрабатывавшей индивидуальной половой деятельностью, выходил из ресторана и налетел на Аленку, которая вместе с подружкой облизывала витрины бутиков на Тверской. Директор «Сантехуюта» не растерялся и представил модель как своего адвоката. Он и в самом деле тогда судился с кем-то из поставщиков и нанял очень толковую адвокатессу, похожую, правда, на человекообразную моль и вызывавшую только деловые эмоции, переходящие в сострадание. Модель же была совсем другое дело! Дочь внимательно посмотрела на «адвоката» с бюстом порнозвезды и макияжем роковой разлучницы из мексиканского сериала, потом, глянув на отца, понимающе усмехнулась. Садясь в машину, он подал тайный знак — прикоснулся пальцем к губам: мол, маме ни слова! Аленка еле заметно подмигнула.

Поздно вечером Михаил Дмитриевич, вылюбленный «адвокатессой» до самоощущения яичной скорлупы, пришел домой и застал непривычную картину: жена и дочь сидели за кухонным столом, как две подружки, ведущие под кофеек задушевную костеперемывочную беседу. Антонина посмотрела на воротившегося мужа с молчаливым всезнанием, наклонилась и что-то шепнула на ухо дочери. Мерзавка в ответ прыснула.

— Вы чего? — спросил он, поняв, что выдан с потрохами.

— Я? Ничего... — ответила жена.

— Мы — ничего! — подтвердила Алена, переглянувшись с матерью.

— А почему так смотрите?

— Просто мы с дочкой прикидываем, почем теперь адвокаты? Дорого, наверное?

— А вам не хватает? — спросил Свирельников, особенно задетый словом «дочка», которое Тоня до сих пор не употребляла.

— Не помешало бы дочку к выпускному приодеть! — будто специально повторила она.

— Приодену! — пообещал он и с осуждением глянул в глаза предательнице.

Аленка не только выдержала взгляд, но и сама посмотрела на отца с презрительным разочарованием, словно он глупо, по-ребячьи нарушил какую-то очень важную, взрослую клятву. А потом, наверное через полгода, когда они с Тоней воротились с этой чертовой Сицилии, дочь сказала однажды, между прочим:

— Если уйдешь от мамы — на меня можешь не рассчитывать!

— В каком смысле? — оторопел Свирельников, потому что сказано было таким тоном, будто не он кормил, поил и одевал ее, а совсем даже наоборот.

— Во всех смыслах! — пояснила она.

И слова не нарушила. Все эти годы Аленка с ним не общалась: если звонил, бросала трубку, если приходил — скрывалась в своей комнате. Однажды он дождался ее около института, попытался дать денег, а заодно и объясниться. Разговора не получилось. Конверт она, конечно, взяла, но с таким видом, что с тех пор Свирельников передавал матпомощь исключительно через водителя.

А вот даже интересно: теперь, когда мать привела в дом это «убоище» Веселкина, Аленка поняла хоть, что отец имел право на «сначальную» жизнь? Судя по «куклограмме», всё-таки поняла! Конечно, если бы дочь узнала про то, как мать вместе с любовником заказали его, поняла бы еще больше! Но про это она никогда не узнает. Никогда! Аленка до конца жизни будет думать, что это — страшная случайность. Единственное, о чем можно намекнуть: мол, не исключено, Тоня погибла из-за каких-то махинаций Веселкина. Пришли, собственно, разбираться с ним, а ее заодно, как ненужного свидетеля...

Да, так будет правильно! И все образуется, они снова сроднятся и снова будут прикладывать палец к губам: мол, «ротик на замочек»!

44

Свирельников очнулся оттого, что слеза умиления, обжигая щеку, скатилась по лицу и расплылась темным пятнышком на фуфайке.

— Света! — позвал он.

Но услышал лишь лесную тишину, похожую на шуршащее безмолвие, которое доносится из магнитофона, когда запись уже закончилась, а пленка еще нет.

— Све-е-ета! — крикнул Михаил Дмитриевич, сложив ладони рупором.

Безответно.

Он резко встал: в глазах потемнело, а голова тяжело закружилась. Переждав немочь, Свирельников двинулся на поиски юной подруги, куда-то уплутавшей, что, по приметам деда Благушина, в семейной жизни не сулило ничего хорошего. Шагая через лесок, Михаил Дмитриевич попутно срезал несколько подберезовиков, зеленых сыроежек и моховичок с замшевой шляпкой, потом обобрал пенек, обросший припозднившимися летними опятами, словно сделанными из влажного янтаря всевозможных оттенков — от темно-коричневого до ясно-медового. Сначала он нагибался, но голова снова отяжелела и заломило в висках. Тогда Свирельников стал приседать на корточки и, положив гриб в корзину, вставал медленно, осторожно, чтобы не приливала кровь. Поднявшись, Михаил Дмитриевич прислушивался, пытаясь уловить голоса, но безрезультатно. Березнячок закончился, и в корнях большой ели Свирельников обнаружил три рядовки, совершенно тропической, красно-желтой расцветки. В детстве он считал их поганками, а потом выяснилось, что это очень даже съедобные грибы.

А ведь, собственно, и в жизни так: взрослея, человек начинает то, что в благородной юности казалось невозможным и недопустимым, воспринимать как возможное и допустимое. Всё, абсолютно всё в тех или иных обстоятельствах становится возможным и допустимым! Ведь и грибов-то по-настоящему, по-смертельному ядовитых нет. Кроме, кажется, бледной поганки. Но как раз бледной-то поганки директор «Сантехуюта» ни разу не находил. Ни разу!

Наконец он услышал громкий, обнаружившийся совсем рядом девичий хохот. Михаил Дмитриевич пошел на голос и вскоре, скрывшись за кустами, смог наблюдать обидное зрелище: Леша ползал на четвереньках, собирая прижавшиеся к земле темно-красные сыроежки, а Светка, сорвав лисохвост, щекотала оголившуюся поясницу шофера метелочкой, которой заканчивался длинный сухой стебель. Водитель при этом оглядывался на озорницу с каким-то затравленным блаженством, а она покатывалась со смеху, и ее лицо светилось веселой блудливой «охоткой»...

От увиденного Свирельников сначала похолодел, потом его бросило в жар и пот, глаза наполнились жгучими слезами, а в сердце осталось странное онемение, похожее на то, какое бывает после зубного наркоза.

Господи! Ну до чего ж странен и страшен человек! И если он сотворен, Господи, по твоему образу и подобию, тогда понятно, почему так подл, кровав, странен и несправедлив этот, Тобой, Господи, созданный мир!

Там, в Москве, на Плющихе, в квартире лежат люди, убитые по его, Свирельникова, хотению, а он здесь, затаившись, плачет оттого, что двадцатилетняя соплюшка почти невинно озорничает с его шофером. Ведь ничего же мерзкого и оскорбительного в этом глупом баловстве нет! Тогда почему кисточка лесного злака, щекочущая шоферскую спину, смела в небытие все то белоснежное будущее, которое только что навоображал себе директор «Сантехуюта»? Из-за этого пустячного озорства он сразу и навсегда понял: Светкина жизнь никогда не станет частью его собственной жизни. На самом деле совершенно не известно, что там у нее в голове, да и не только в голове! С чего он взял, будто это его ребенок? Что он вообще знает об этой студентке? Ничего, кроме того, что папа умер молодым, а мама — предприимчивая стерва! Чем Светка занималась между их не такими уж частыми свиданиями?

Училась? Возможно, только чему?! Может, у нее все это время был кто-то еще? Может, тот же парень, который наградил ее хламидиозом? Она даже говорила, как его зовут... Не имеет значения! Если не получается совсем без изъяна, то совершенно не важно, как его или их звали!

Михаил Дмитриевич, не выдав себя, повернулся и, не разбирая пути, пошел через березняк.

Раньше, в детстве, большой лес начинался сразу за полем — и грунтовка, разделявшая желтоволосую ниву, точно неровный пробор, скрывалась среди стволов. На границе поля и леса, чуть выступив из сумрачного ряда, в прежние времена стояла большая сосна, раздваивавшаяся, как рогатка. Ишка совершенно серьезно размышлял и прикидывал: если спилить обе верхушки, привязать к ним сложенную в сто слоев бинтовую резину, продававшуюся в аптеке, то получится огромная рогатка. Так вот, если метнуть с помощью этой рогатки камень-кругляк размером с футбольный мяч, долетит он до Волги (а это с полкилометра) или не долетит? Нет, наверное, все-таки не дотянет...

Сосна была на месте. Правда, теперь она не казалась огромной, словно за прошедшие годы не росла, а, наоборот, умалялась...

За вырубкой началось, как говаривал дед Благушин, краснолесье — свободный, красивый, прогулочный лес: высокие березы и маленькие елочки, изредка — осины. На опушке трава была усеяна редкими желтыми листьями и оберточным мусором, оставленным туристическими неряхами. Кое-где вздымались зеленые крылья папоротника. Пройдя еще, Свирельников увидел кроваво-красный куст бересклета, его замутило, тогда он нагнулся, сорвал изумрудный копытень, растер в пальцах и вдохнул горький острый запах. В голове немного прояснилось, точно от нашатыря.

Михаил Дмитриевич побрел дальше. Где-то вверху, в далеких кронах, шумел ветер. Этот гул спускался по стволам вниз, и, наступая на толстые узловатые корни, расползшиеся по земле, Свирельников чувствовал под ногами содрогание, будто стоял на рельсах, гудевших под колесами приближающегося поезда. В какой-то момент, завидев влажную коричневую шляпку в траве, он присел на корточки, но это оказался глянцевый, высунувшийся изо мха шишковатый нарост на корне. Ему померещилось, будто все это уже с ним когда-то случалось. Много раз. И много раз еще случится. И отчаянье, скопившееся в сердце, растворится, точно капля смертельного яда, в этом океане множественных повторений, и тогда можно будет жить дальше...

Наконец он нашел сразу несколько подосиновиков, похожих на гномов в красных колпачках. Свирельников встал на колени, вынул нож, чтобы срезать, и тут его поразило, что грибы словно выстроились в некую странную, почти театральную мизансцену, таящую скрытый, но очень важный смысл. Близ большого красноголовика с уже развернувшейся постаревшей шляпкой стоял второй, поменьше, женственно изящный, а от него едва отпочковался, приподняв лист, совсем крошечный подосиновичек с чуть розовеющей, словно детский чепчик, шапочкой. И Михаил Дмитриевич сообразил: это же он, Свирельников, Светка и будущий, неродившийся ребенок. А чуть в стороне рос еще один, почти такой же, большой крепкий подосиновик, изъеденный слизнем. Возле него — второй, поменьше, а рядом, почти вплотную, третий — еще меньше: Веселкин, Тоня и Аленка...

Ну бывает же!

Озадаченный таким совпадением, он поначалу не обратил внимания, но потом, присмотревшись, осознал разницу: у «Веселкина», «Тони» и «Аленки» крапчатые ножки были покрыты каким-то красным налетом, словно их обмакнули в кровь...

И тогда он вдруг понял то, что прежде совершенно выпадало из его сознания: в квартире, когда пришли люди Алипанова, была и Аленка. Она же звонила, что заедет! И дочь стала свидетелем. Таким свидетелем, которых живыми не оставляют никогда!

И она тоже теперь лежит там...

А Светка щекочет стебельком ползающего на карачках шофера!

Вот и все! И больше ничего!

Ему стало трудно дышать, он рванул ворот рубашки так, что осыпались пуговицы. Свет в глазах померк, и показалось, вот сейчас сознание просто навсегда погаснет, не выдержав страшного понимания. Но вместо этого мозг, словно перегорающая лампочка, вдруг озарился мертвой ослепительной вспышкой, в которой до мельчайших причинно-следственных подробностей выяснилось то, что произошло. И Михаил Дмитриевич понял все сразу и до конца — и все оказалось настолько просто и чудовищно, что впору было кататься по земле и хохотать, кататься и хохотать. Хохотать до кровавых слез...

Ну, конечно, конечно, конечно — весь этот кошмар устроил Алипанов! Только он, и больше никто! Он с самого начала выжидал, кто победит в борьбе за «Фили», а потом подстроил эту слежку и убедил Свирельникова в том, что Веселкин с Тоней его заказали и от них надо избавиться. Как он умело подвел к этому! Зачем? Господи, да ради денег! Ведь он даже гонорар за работу не оговорил! Взял для отвода глаз смешной аванс. И теперь Свирельников будет платить ему всю жизнь. Всю жизнь! Считай, у хитрого мента теперь самый большой, самый контрольный-расконтрольный пакет акций «Сантехуюта»! А что осталось у него? Мертвая Аленка, мертвая Тоня и живая Светка с неизвестно чьим головастиком в брюхе!

Свирельников вскочил и стал топтать подосиновики, пока на их месте не образовалось месиво. Потом он сел, бесчувственными руками достал сигареты, закурил — табачный дым был без вкуса и запаха, как тот, что пускают на сцену во время эстрадных шоу. Да и лес в эту минуту показался совершенно нереальным, словно нарисованным на театральном заднике. Михаил Дмитриевич подумал о том, что правильнее сейчас просто умереть от сердечного приступа, уйти в темноту и таким вот необратимым способом посмеяться над расчетами золотозубой скотины Алипанова! Но сердце, как назло, почему-то не болело и даже не ныло, а только колотилось часто-часто, почти весело...

Свирельников вынул из кармана «золотой» мобильник, чтобы позвонить Алипанову, сказать, что все теперь знает и что пойдет на Петровку... Но пунктирный столбик на дисплее отсутствовал. Связи не было. И хорошо, что не было...

«Про это же никому на самом деле не расскажешь — даже Трубе! — вдруг подумал Свирельников. — Даже Трубе! Ведь если рассказать, надо объяснить, а объяснить-то невозможно!»

Он вдруг ни с того ни с сего вообразил себя монахом, пустынником, оставшимся в лесу, поселившимся прямо здесь, где все и понял, — в землянке или шалаше. Директор «Сантехуюта» представил себя седобородым и похудевшим до той красивой старческой хрупкости, какая бывает на закате только у тех, кто жил честно и совестливо. Михаил Дмитриевич даже увидел это свое будущее лицо, словно проглянувшее сквозь испещренный, черно-белый узор березового ствола. От дерева отстал большой кусок бересты с нежно-коричневой изнанкой, издали удивительно напоминающей шляпку огромного гриба.

Свирельников, заинтересовавшись, как же происходят такие вот галлюцинации, поднялся, чтобы идти к березе, но голова закружилась. Он рухнул на четвереньки, дождался, пока жуткая боль в затылке чуть стихнет, и медленно пополз к дереву. Крестик, подаренный отцом Вениамином, выпал из-за пазухи и волочился по земле, напоминая странную блесну, на которую ловят в траве неведомых сухопутных рыб...

Чем ближе Михаил Дмитриевич подползал к стволу, тем отчетливее видел: нет, это не кусок отодранной коры, а огромный белый гриб, высотой полметра, с толстой, серо-палевой, словно выточенной из мамонтового бивня ножкой и громадной лоснящейся шляпкой, величиной едва не с легковое колесо. Края шляпки были чуть приподняты, и виднелась желто-зеленая, провисшая бухтарма с трубчатыми отверстиями, похожими на пчелиные соты. Гриб оказался необычной формы: распространяясь, он уперся в березу и полукругом оброс ее — точно обнял.

Да, это был Грибной царь. Самый настоящий Грибной царь!

Он, и никто другой...

Михаил Дмитриевич подполз к нему, как нашкодивший раб к ноге властелина, и его лицо оказалось вровень с огромной шляпкой, промявшейся местами, словно жесть старого автомобиля.

— Пожалуйста! — прошептал он, даже не признаваясь себе в том, чего просит. — Ну пожалуйста! — повторил Свирельников и заплакал о том, что чудес не бывает, а дед Благушин вернулся с войны, конечно, не благодаря Грибному царю, а просто потому, что кто-то ведь должен возвращаться домой живым...

«Ну пожалуйста!»

45

Он не сразу ощутил, как завибрировал в кармане «золотой» мобильник. Не в силах подняться, Свирельников перевернулся на спину, достал телефон и обнаружил, что исчезнувший пунктирный столбик вдруг вырос в полную высоту.

— Аллёу! Дмитрич, ты?

— Я... — отозвался директор «Сантехуюта», глядя в бессмысленно чистое небо.

— Ты что делаешь?

— Трудно объяснить...

— Сидишь или стоишь?

— Лежу...

— Очень хорошо! А то бы упал!

— Что с Аленой? — неживым голосом спросил Свирельников.

— Алену твою пороть надо было в детстве! Да и сейчас не помешало бы! Из-за нее весь тарарам!

— Как из-за нее?

— Докладываю: этот Никон, оказывается, ее парень. А раньше он с твоей Светкой... общался. Они вроде бы расстались. Подвел он девушку. Как именно — не признался.

— Дальше!

— Дальше — больше. Про то, что у нее добрый дяденька образовался, твоя Никону ничего не сказала. Да и расстались-то они не до конца... Извини за каламбур!

— Что значит — не до конца?

— А то и значит. Алена об этом знала и психовала. Она, кажется, в него серьезно втюрилась. И чего они только в этих дебилах татуированных находят? Но Светлана твоя тоже, оказывается, экземпляр...

— Почему?

— Поругалась с твоей дочерью. Ну и вывалила по злобянке, что у вас с ней все по-взрослому: любовь-морковь и беби-киндер намечается. Ты ей, мол, квартиру снял да еще платишь, чтобы она за Аленой в институте шпионила. Есть такое дело?

— Ну не совсем такое...

— Ай-ай-ай... Михаил Дмитриевич, можно сказать, светило отечественной сантехники, а такими глупостями занимаешься! Алена взбесилась и отправила Никона, чтобы за тобой последил — проверил показания. Тот и рад стараться. Он ведь до сих пор по Светлане сохнет. Стоящая, наверное, девочка! А?!

— Дальше!

— А что — дальше? Дальше-то как раз ничего особенного. На Плющиху Никон приперся, чтобы Алене обо всем доложить: как ты в ресторане пьянствовал, как в гостинице ночевал, как в Матвеевское заезжал... Она ему свидание назначила. Так что на Антонину и Верещалкина мы зря грешили! Они тебя без всякого криминала хотят располовинить. Поэтому он с тобой и помирился. Честные, благородные люди...

— Что с ними?

— Откуда я знаю!

— Ты их... нет... Да?

— Ну ты спросил! Что я, маньяк, что ли? Я, как Никона расколол, сразу все остановил. Дал ему, правда, по шее, чтобы уважаемых людей не беспокоил. Но, по-моему, он не понял. Наглая теперь молодежь! Мы не такие были.

— Спасибо! — с трудом вымолвил Свирельников.

— Спасибо? Не-ет! Приезжай — считаться будем!

— Приеду...

— А чего у тебя голос такой дохлый? Жизнь прекрасна! Грибов много набрал?

— Много.

— Поделишься?

— Поделюсь.

— Ну, береги себя! Жду. Мне деньги нужны. Я внятен?

— Внятен...

Свирельников выключил телефон и, еле владея ватным телом, сел, прислонившись спиной к березовому стволу. Директор «Сантехуюта» ощутил ту внезапную добрую слабость, какая нисходит, если на голодный желудок выпить стакан водки.

Высоко в небе метались, совершая удивительные зигзаги, птицы, похожие отсюда, с земли, на крошечных мошек. Он долго с завистью следил за их горним полетом, пока не сообразил, что на самом деле это и есть какие-то мухи, крутящиеся всего в метре от его лица. А сообразив, из последних сил улыбнулся такому вот — философическому обману зрения. Потом Михаил Дмитриевич с трудом повернул голову и, благодарно посмотрев на своего спасителя, нежно погладил его холодную и влажную, словно кожа морского животного, шляпку:

— Спасибо!

От этого легкого прикосновения Грибной царь дрогнул, накренился и распался, превратившись в отвратительную кучу слизи, кишащую большими желтыми червями...

Писатель без мандата

Эссе из цикла
«По ту сторону вдохновения»

1. Союз реалистов

В 1996 году я понял, что капитализм с нечеловеческим мурлом пришел в Отечество всерьез и надолго. Растаяли, «как утренний туман», надежды на триумфальное возвращение социализма при сохранении, конечно, разумного частного предпринимательства и свободы слова. Президента Бориса Ельцина, который после расстрела Белого дома и провала реформ был годен разве на роль подсудимого, с трудом переизбрали на новый срок. В этой борьбе за Кремль я был всецело на стороне коммуниста Зюганова, причем не мысленно или душевно, а практически. Незадолго до решающего голосования мне позвонил режиссер Владимир Меньшов и предложил... Впрочем, расскажу все по порядку.

В избирательную катавасию я влез вполне закономерно. В 1994-м, придя в себя после жестокого разгрома оппозиции, я включился в деятельность «Союза реалистов», созданного и возглавленного Юрием Владимировичем Петровым. В свое время он был заместителем Ельцина в Свердловском обкоме КПСС, а потом стал первым главой президентской администрации, откуда ушел, не согласившись с кровавым подавлением протестов в октябре 1993-го. Организационную работу в Союзе вела Нина Борисовна Жукова — могучая женщина, которая на скаку остановила бы не только коня, а целый кавалерийский корпус, усиленный бронетехникой. При советской власти она работала заместителем министра культуры РСФСР

Юрия Серафимовича Мелентьева, большого умницы и русофила. Жукову «ушли», когда во главе ведомства демократы посадили Евгения Сидорова, выпускника Высшей партийной школы и левого литературного критика. Он всегда имел свое собственное мнение, неизменно совпадавшее с точкой зрения начальства.

В «Союзе реалистов» тогда «с холода» набежало много народу: ученые, журналисты, экономисты, писатели, деятели культуры, политологи, отставные военные, бывшие совпартработники... Всех их объединяло стойкое неприятие компрадорского курса, презрение к Ельцину, уважение к советской эпохе и вера в «инкарнацию» социализма. От КПРФ реалисты отличались социал-демократической умеренностью. Петров, уйдя со Старой площади, возглавил крупную госкорпорацию, размещенную в огромном здании на Мясницкой, и «реалисты», судя по роскошным фуршетам, в средствах не нуждались. Подозреваю, Юрий Владимирович по умолчанию остался в команде Ельцина, получив задание оттянуть от коммунистов умеренных сторонников советского проекта. Видимо, это было частью разработанного не без помощи США плана дробления оппозиции. Так, радикальные коммунисты сплотились вокруг неистового Виктора Анпилова, как нарочно похожего на булгаковского Шарикова. О том, что Анпилов, вопреки своему политическому амплуа, — интеллектуал и полиглот, я узнал много позже.

Внешность и эфирные повадки лидеров, дробивших оппозицию (Зюганов, Анпилов, Жириновский, генерал Стерлигов и др.), умело использовались телевидением, с потрохами продавшимся власти. Юрий Владимирович, как и положено социал-демократу, был подтянут, сдержан и приятен во всех отношениях. Таким его можно сегодня увидеть на Троекуровском кладбище. У ног бронзового, в натуральную величину, Петрова, стоящего на мраморном основании, застыла в безмолвном лае его любимая собачка — тоже бронзовая.

На самую первую встречу в «Союз реалистов» меня пригласил кто-то из комсомольских сподвижников, кажется, Юрий Бокань, возглавлявший одно время отдел культуры ЦК ВЛКСМ. Он был философом-футурологом и йогом. Иногда, зайдя к нему в приемную, приходилось терпеливо ждать, так как Бокань в это время, по словам смущенной секретарши, стоял в кабинете на голове. На первом «круглом столе» у «реалистов» я страстно выступил, заявив, что все происходящее в стране вызывает у меня холодную ярость. Жукова и Петров переглянулись, вероятно, решив: такой прямодушный и темпераментный писатель им не помешает.

На каком-то из заседаний в 1994-м я и познакомился с Владимиром Меньшовым, приняв его поначалу за Говорухина, возможно, с пьяных глаз, так как после «круглых столов» мы переходили к столам фуршетным. Не осрамился я чудом. В моем портфеле лежал свежий экземпляр «Демгородка», вышедшего в издательстве «Инженер» стараниями другого моего комсомольского товарища Вячеслава Копьева, и мне захотелось написать книжку новому знакомому. К счастью, я успел спросить Боканя, пробегавшего мимо с бокалом «бордо»:

— Юрий Иванович, как отчество Говорухина?

— Кого-кого?

— Вон того... «Место встречи изменить нельзя».

— Охренел? Это Меньшов. «Москва слезам не верит».

Меньшов позвонил мне буквально на следующий день, сказал, что читал «Демгородок» всю ночь, смеялся, плакал, скрежетал зубами, поэтому мы должны вместе написать что-нибудь для кино. Удивительные люди режиссеры! Если им понравился твой роман, они никогда не скажут: «Юра, давай я его экранизирую!» Они предложат в соавторстве написать что-нибудь похожее, но другое... О том, как мы с Владимиром Валентиновичем писали сценарий и чем все закончилось, подробно рассказано в моем эссе «Треугольная жизнь» из цикла «По ту сторону вдохновения».

Став активным участником «Союза реалистов», вскоре переименованного в движение «За новый социализм», я горячо выступил с идеей издавать литературно-художественный альманах «Реалист», и получил поддержку Жуковой. Альманах, по моему замыслу, должен был сплотить наследников советской литературы, сильно потесненных постмодернистами и прочими реформаторами словесности, которых тогда активно продвигала, буквально навязывая читателям, власть. Особенно старался глава администрации президента Сергей Филатов. Он вырос в семье поэта, руководившего заводским литобъединением «Вагранка», и по этой причине считал себя человеком литературным, хотя на самом деле в изящной словесности разбирался не больше, чем дятел в деревянном зодчестве. Жесткая ставка на безродный горластый авангард сочеталась с хамоватым пренебрежением к «традиционалистам», их старательно не замечали, оттеснив на обочину культурной жизни. Про смерть Владимира Солоухина, например, даже не сообщили по телевидению, хотя насморк вернувшегося из эмиграции Войновича обсуждался на всех каналах.

Кстати, мастера традиционного направления не впервые страдали от перемены политического режима в стране. Так, будучи на Соловках, я в музее ГУЛАГа обнаружил на стенде высказывание одного из именитых сидельцев. Он писал: среди заключенных встречается множество актеров, режиссеров, писателей и художников «старой школы», а попали они сюда из-за робких попыток противостоять напору новаторов, вроде Мейерхольда, тесно связанных с НКВД-ОГПУ. Между прочим, театр, созданный на Соловках с благословения просвещенного начальства, назвали ХЛАМ: художники, литераторы, актеры, музыканты. Вот так! Впрочем, о том, как Казимир Малевич с маузером гонялся за недобитыми передвижниками, я слышал и раньше. Когда в следующий раз будете кручиниться над печальной судьбой разрушителей традиций, вспоминайте, что они всегда первыми начинают решать эстетические споры силой, а бумеранг истории имеет счастливую особенность возвращаться и бить по дурной голове.

Весной 1995 года мы выпустили в свет первый номер альманаха «Реалист». Среди авторов были Михаил Алексеев, Анатолий Афанасьев, Иван Стаднюк, Владимир Соколов, Андрей Дементьев, Борис Примеров, Константин Ваншенкин, Юрий Разумовский, Владимир

Крупин, Анатолий Ланщиков... Цвет поздней советской литературы, грубо задвинутый в темный угол. В предисловии к альманаху я писал: «Мы живем в пору, когда на смену разрушенной (не без помощи отечественной литературы) советской мифологии спешно конструируется новая мифологизированная идеология, призванная закрепить в общественном сознании перемены, что произошли за последние годы. Растаскивание единой страны, обнищание основной части населения, упадок культуры — все это подается как естественный и даже необходимый для переходного периода процесс, а не результат бездарности, близорукости и безответственности политиков, готовых в борьбе за власть пожертвовать будущим Отечества. Новая мифология культивирует в людях комплекс исторической неполноценности, а нынешний развал трактуется как возмездие за “первородный грех” социализма... Страна снова пошла по пути великих потрясений, которые ведут только к крови, несправедливости и краху государственности. Мы видим это, сознаем и хотим противопоставить “новому агитпропу” реальный взгляд на вещи. Именно поэтому наш альманах называется “Реалист”.

Мы живем в пору мощнейшего, гунноподобного натиска западной массовой культуры, являющейся составной частью общей экспансии, обрушившейся на Россию. Мыльная пена, хлещущая с телевизионных экранов, миллионные издания бездарного западного чтива, пошлая клоунада, выдаваемая за смелое новаторство, сочетаются с очевидной поддержкой направлений, которые никогда не были ведущими в отечественной культуре. Антисоциальность, равнодушие к судьбе страны, к ее национальным ценностям, вымученный модернизм — навязываются ныне как признаки хорошего тона и приверженности общечеловеческим ценностям. Все это старательно поддерживается различными премиальными фондами, сознательно дезориентирующими творческую молодежь и не только молодежь. Вместе с идеологической заданностью соцреализма за бортом оказался и сам реализм... Литература, продолжающая традиции “золотого 19-го века” и развивающая лучшие достижения "железного" 20-го, с трудом находит себе дорогу на страницы периодической печати. Рупором писателей-реалистов и должен стать наш альманах...»

Я позволил себе столь обширную цитату не из тщеславия, а лишь затем, чтобы показать: глубинные механизмы происходившего в культуре были понятны нам уже в ту пору. Это приспособленцы прозревают тогда, когда оскудевает рука дающего, и плюют в прошлое с прицельным энтузиазмом. Благодаря щедрости Жуковой мы устроили хлебосольную презентацию первого номера в ЦДЛ. Кроме того, я раздавал в конвертах гонорар — от ста до двухсот долларов. Герой Социалистического Труда Михаил Николаевич Алексеев, один из самых состоятельных советских классиков, вскрыв конверт, заплакал. Отчего? Это отдельный разговор! Во-первых, гонораров тогда почти нигде, кроме «глянца», «демпрессы» и соросовских толстых журналов, не платили. Во-вторых, это были немалые по тем временам деньги, пенсия-то равнялась десяти долларам, а на сотню наша семья из трех человек могла жить почти месяц. В-третьих, большинство обеспеченных граждан, ничего не понимавших в финансах, лишилось всех накоплений еще в 1991-м в результате галопирующей инфляции. Так, моя теща Любовь Федоровна, вдова высокооплачиваемого летчика-испытателя, в одночасье потеряла все сбережения. Она до конца верила государству и посмеивалась над моими советами вложить деньги во что-то ликвидное...

Либеральные издания встретили выход «Реалиста» в штыки, справедливо увидев в этом признак консолидации консервативных сил и оживления русского самосознания. Издевались, как могли, но это нормально: идейно-эстетическая борьба в литературе была всегда. Обидно другое: когда через пять лет заявили о себе «новые реалисты», ни один из них не вспомнил про наш альманах, хотя многие там печатались. Упорное нежелание знать или признавать достижения предшественников вообще отличает поколение тех, кто объявился в литературе в нулевые годы. А ведь учиться можно только у предшественников, отсюда на редкость низкий профессиональный уровень современной прозы и поэзии, устаревающей, когда еще не просохли чернила.

«Реалист» выходил еще дважды, прекратив существование в 1997 году, так как полуживого Ельцина переизбрали на новый срок, и как-то сразу сократились траты на подкуп медийной интеллигенции и растаскивание оппозиционных сил. Зато челядь победившего гаранта начала бешено скупать собственность за границей. Роскошные виллы «новых русских», в основном ельцинской политической и финансовой обслуги, на Лазурном берегу мне со знанием дела показывал знаменитый русист Ренэ Герра, когда я гостил у него в Ницце.

— Ну как вам? — спросил он.

— Впечатляет.

— Раньше здесь жила наша аристократия, а теперь...

— А теперь... наша плутократия и просто плуты... Но самое грустное: эти виллы и нищие русские города — сообщающиеся, по сути, сосуды. Сколько здесь прибывает, столько там, в России, убывает...

— А почему же не строят в Москве баррикады?

— С наших баррикад больно падать, — вздохнул я.

2. Бориску на царство?!

Однако до последнего момента исход президентской гонки 1996 года оставался непредсказуем. Все авиабилеты за рубеж были раскуплены на несколько недель вперед — до инаугурации. Боялись победы коммунистов и возмездия за разгром единой страны, пятилетку шулерской демократии, криминального беспредела, тупого разоружения, деиндустриализации и «расколхоживания». В метро открыто спорили о том, кого надо первым повесить на фонаре перед Моссоветом, выкрикивая разные имена: Гайдар, Шахрай, Шумейко, Немцов, Попов, Собчак, Грачев, Козырев, Юмашев, Ерин, Березовский, Гусинский, Бурбулис... На Чубайсе дружно сходились все. Я тоже кипел. Для понимания того, насколько непримиримо рима была борьба и какие гроздья гнева зрели в душах, приведу несколько моих эпиграмм тех лет:

НЕПОТОПЛЯЕМЫЙ
Шторм не опасен бригантине –
Хоть волны хлещут через край.
Не тонет и Сергей Шахрай,
Но по совсем другой причине!

КОЗЫРЕВ
За сытный атлантический фуршет
Он Сахалин с Курилами продаст.
Громыку величали Мистер «Нет»,
А Козырева кличут мистер «Да-с».

ЧЕРНОМЫРДИН
Мне чья-то запомнилась фраза:
«Россия такая страна,
Где можно при помощи газа
И муху раздуть до слона!»

ВОЛКОГОНОВ
От словоблудья генерал,
Морочащий народ.
При коммунистах в меру врал.
Теперь без меры врёт.

МЕЧЕНЫЙ
Болтать до смерти не устанет!
Лукав, бездарен, жалок,
н о
Из-за таких Россия станет
Размерами с его пятно...

АКТУАЛЬНАЯ МИСТИКА
В железных ночах Ленинграда
С суровым мандатом ЧК
Шёл Киров. Ему было надо
Отправить в расход Собчака...

ГРИМАСА ИСТОРИИ

Знать, мы прогневили Всевышнего,
Что шлёт нам таких подлецов.
Все Минина ждали из Нижнего,
А выполз какой-то Немцов...

ГОССЕКРЕТАРЬ БУРБУЛИС

Аптека. Улица. Фонарь.
На фонаре — госсекретарь...

Ельцин, возникая на телеэкране, производил впечатление тяжко больного человека, окончательно подорвавшего здоровье водкой. Его низкий ноющий голос, похожий на вой авиационной бомбы, лично у меня вызывал зубную боль. Кампания велась с чудовищными нарушениями закона, «демократы» (словечко, кстати, запустил я в одной из моих статей) и словоблуды, засевшие в СМИ, как с цепи сорвались. Не было такой клеветы и напраслины, которую они не лили бы на оппонентов. В миллионах почтовых ящиков регулярно появлялась газетка «Не дай, Бог!», выпускавшаяся специально к выборам. Я в ту пору общался с одной полиграфисткой, так вот она от чтения этого «боевого листка» впала в такой ужас, что ее буквально трясло от страха перед «реставрацией совка», хотя от дикого капитализма ей вообще ничего хорошего не перепало.

Информационное поле напоминало общенациональный разлив помоев. Концентрированный яд антикоммунизма буквально хлестал с телеэкрана, особенно запомнилась Татьяна Миткова, она ежедневно вбивала в доверчивые мозги «дорогих россиян» страшную мысль о новом ГУЛАГе. Да еще из студии НТВ злобно нудил Киселев. Никита Михалков пустил в массы притчу о хромом верблюде, который станет вожаком, если караван повернет туда, откуда пришел. Шутку дружно подхватили, появилась карикатура: двугорбый, вислогубый Зюганов разворачивает грязный караван по имени «Россия» в сторону от чудесного оазиса на горизонте. Мне позвонил мой возмущенный друг Гена Игнатов:

— Идиоты! Они забыли, что в пустыне бывают миражи!

Иногда на экране возникал и сам «хромой верблюд» — зловещий Зюганов, взятый в таком умело-издевательском ракурсе, что доминантами его явно не античного лица оказывались бородавки. Из речей и выступлений лидера коммунистов попадали в эфир лишь оговорки и неудачные обороты. Если сюда добавить природную особенность его голоса (что-то вроде гудка тонущего миноносца), картина близкого красного реванша вырисовывалась во всем отчетливом кошмаре. Полной противоположностью «папе Зю» выглядел свежереанимированный Ельцин, он подписывал направо-налево щедрые указы и, тряся благородными сединами, плясал с простым народом «комаринскую», размахивая беспалой рукой.

— На производстве пострадал... – вздыхал сердобольный русский человек.

Тоже не златоуст, «Большой Бен» нес на митингах вздор, но из вязких речей агонизирующего президента умные политтехнологи, вроде Павловского, вычленяли лучшее, чистили, монтировали. В итоге эфирный двойник Ельцина отличался от оригинала примерно так же, как Илья Репин от Марка Шагала.

16 июня состоялся первый тур выборов. Ельцин набрал 35 процентов, Зюганов — 32, Лебедь — 14, Жириновский — 7, умный зануда Явлинский — всего 5. Разрыв между двумя лидерами оказался минимальным, что при мощном государственном ресурсе и доминировании «демокрадов» в СМИ выглядело как явная победа коммунистов. В лагере Ельцина запаниковали, стали искать выход. 18 июня генерал Лебедь, получив пост секретаря Совета Безопасности с особыми полномочиями, призвал свой электорат голосовать за ЕБН, как метко окрестила бухающего президента газета «Завтра», где я в ту пору активно печатался. Но это еще ничего не значило, многие сторонники Лебедя и Жириновского за Ельцина во втором туре, назначенном на 3 июля, голосовать не собирались. Коммунисты почуяли дыхание победы, а народ только ждал отмашки, чтобы снести до основанья еще не укоренившийся капитализм вместе с нерусской

«семибанкирщиной». Как я уже сказал, все билеты на самолеты, вылетающие за рубеж после 3-го, были раскуплены.

Впрочем, генерал Лебедь, прототип моего адмирала Рыка из «Демгородка», недолго пользовался плодами компромисса. Замирив Чечню на невыгодных для Москвы условиях, он объявил: «А теперь я займусь казнокрадами, коррупционерами и олигархами!» Судя по тому, как вел себя генерал позже, став губернатором Красноярского края, он и в самом деле был готов заняться ворьем, поэтому в октябре 1996-го его обвинили в подготовке переворота и безжалостно сместили со всех постов. Чувство благодарности в живой политике вообще не встречается.

О моей первой встрече с генералом Лебедем написано в эссе «Как я построил «Демгородок». Во второй раз наши пути пересеклись в 1998 году, когда «реалисты» по поручению администрации поддерживали губернатора Красноярского края Валерия Зубова, на чье место как раз нацелился бывший секретарь Совбеза. Я сначала не хотел лететь в Красноярск, но у меня еще теплилась надежда на продолжение выпуска альманаха. Хозяин края Зубов произвел странное впечатление: маслянистые кудри, медоточивое пришепетывание и мечтательно-плутоватый взор. Первое ощущение не обмануло: он оказался одним из трех депутатов Думы, воздержавшихся в 2014 году при голосовании за возвращение Крыма.

«Реалисты» задание провалили: Лебедь убедительно одолел Зубова, несмотря на потраченные Москвой деньги и корыстную поддержку СМИ. Я наблюдал избирательную кампанию вблизи и отчетливо видел: народ на стороне Лебедя. Впрочем, «реалисты» особо и не напрягались. На встречах с избирателями на вопрос, кому отдать голос, я отвечал с ухмылкой: «Голосуйте сердцем!» А наш конферансье на главном предвыборном митинге в оперном театре объявил, придумав на ходу, что-де он сидел с Валерой Зубовым за одной партой и вот теперь, столько лет спустя, наконец, нашел любимого одноклассника... Возможно, эта оригинальная идея пришла ему в голову после нескольких дней пьянства, которым мы разнообразили дурацкую поездку. Зубов от такого наглого самозванства чуть не заплакал, но вынужден был прилюдно обниматься с внезапно нашедшимся «однопартником».

3. Недоделанная история

Однако вернемся в 1996 год. После оглашения результатов первого тура мне позвонил Меньшов:

— Юра, я снимаю фильм о Зюганове. Его покажут накануне голосования 1 июля. Можете в кадре пообщаться с Геннадием Андреевичем и его семьей?

— Могу...

Ко мне режиссер обратился не случайно. С конца 1994 года я стал одним из ведущих образовательного канала «Российские университеты», делившего четвертую кнопку с НТВ. Вообще-то, мой роман с телевидением начался гораздо раньше, еще при советской власти, о чем я как-нибудь расскажу. Так вот, в выходные дни «Университеты» превращались в «Семейный канал», и я, придумав рубрику «Семейный обед», приглашал в эфир лидеров оппозиции с чадами и домочадцами: Проханова, Бабурина... Начальство, должен признаться, не препятствовало, вся ответственность возлагалась на ведущего. Забегая вперед, скажу: после победы Ельцина контроль ужесточился, а «Народные университеты» закрыли, отдав всю четвертую кнопку верному НТВ.

Итак, я согласился на предложение Меньшова и вскоре оказался в гостях у Зюганова в доме из бежевого кирпича неподалеку от Белорусского вокзала. Теперь такие дома именую «элитными», а тогда называли — «цековскими». По советским понятиям, жилплощадь у вождя постсоветского пролетариата была роскошная, четырехкомнатная, улучшенной, как говорили, планировки. Символично, что чуть ли не на той же лестничной площадке жил до недавнего времени и Борис Ельцин, позже переехавший в элитный дом на Рублевке, куда переселились и его присные. Квартира Зюганова была обставлена в полном соответствии с дефицитными грезами не избалованного советского потребителя: импортная мебель, хорошая видеотехника и много-много книг, в основном собрания сочинений — корешок к корешку. Никаких излишеств, вроде антиквариата, не припомню.

Под нацеленными камерами мы расселись за большим семейным столом, накрытым к чаепитию. Сам Геннадий Андреевич был в домашней рубахе, и его лицо, обычно зловеще искаженное продажными операторами, светилось милым русским добродушием. Под стать мужу оказалась супруга красного супостата Надежда Васильевна, немолодая, но милая, умная, тактичная женщина. Понравились мне дети вождя Андрей и Татьяна — красивые, сдержанные, воспитанные.

— Не обращайте на камеры внимания! Нас тут нет... — твердил, бегая вокруг стола, Меньшов. — Просто беседуйте, общайтесь!

Мы и беседовали — о жизни, о семье, об искусстве и, конечно, о политике, общались свободно, тепло, по-домашнему. Я увидел совершенно другого Зюганова, мудрого, убедительного, спокойного, заботливого и совсем не страшного. От него веяло не жаждой реванша и возмездия, а верой в справедливость. Меньшов потирал руки:

— С такой картинкой, ребята, мы перевернем выборы!

Думаю, он был не далек от реальности. К тому времени рейтинг ЕБН упал до нескольких процентов, все надежды возлагались на умельцев вроде Глеба Павловского, на доминирование в СМИ, на демонизацию соперника, на манипуляции общественным сознанием. Ельцинские 35 процентов в первом туре выглядели как явное насилие политтехнологий над здравым смыслом. Однако на тех, кто, наконец, оценил утраченные блага социализма, вранье и передергивание фактов уже не действовали: попробуй-ка снова обмануть шахтеров, превратившихся из рабочей элиты в чумазых люмпенов. Всех колеблющихся уже облапошили в первом туре, исчерпав до дна резерв сомневающихся. В этой ситуации показ нашего фильма на Первом канале, который смотрели по всей стране, включая глухие деревушки, аилы и стойбища, мог бы радикально повлиять на итоги голосования во втором туре. Приемы подтасовки голосов тогда еще только разрабатывались, компьютерная техника еще не подоспела на помощь мошенникам, а в избирательных комиссиях на местах сидело немало явных и тайных сторонников КПРФ. Мы чуяли пряный запах скорой победы.

— Владимир Валентинович, как думаете, что сделают с Ельциным?

— А что тут думать-то? Вы, Юра, об этом уже написали. Как там у вас это называется?

— СОСОД... Строго охраняемый садово-огородный демгородок...

— Вот-вот!

Кстати, не знаю, как Меньшов (киношники редко работают даром), но мне никакого гонорара никто даже не предлагал, а я, хоть и нуждался тогда в средствах, спросить постеснялся: так нас воспитали партия и комсомол.

Видеохроника последних предвыборных дней запечатлела еле живого Ельцина, он уже не плясал на подиумах с молодежью, а еле ворочал языком, с трудом поднимая опухшие, как у Вия, веки. Говорят, ЕБН перенес на ногах еще один инфаркт и не случайно сразу после победы лег по нож американского кардиохирурга Дебейки, на сутки отдав ядерный чемоданчик Черномырдину. (Кстати, именно тогда мне впервые пришла в голову мысль написать что-нибудь о злоключениях «атомной кнопки», что я и сделал спустя двадцать лет, сочинив апокалиптическую комедию «Чемоданчик».) Зюганов же, наоборот, выглядел энергичным, решительным, и его рейтинг рос стремительно, как молодой бамбук. Наименее замаранные бизнесмены и не запятнанные кровью 93-го силовики потянулись в штаб-квартиру КПРФ, предлагая деньги, помощь, услуги. Появление в эфире нашего ролика про домашнего, обаятельного, доброго Зюганова могло стать знаком коренного перелома в кампании, сигналом к сносу «оккупационного режима». И тут мне позвонил потрясенный Меньшов.

— Юра, Эрнст снял наш фильм из сетки!

— Как? Он не имел права, это беззаконие, это черт знает что такое...

— Я сказал Геннадию то же самое. Надо собирать пресс-конференцию с нашими и зарубежными журналистами. Устраивать мировой скандал, выводить народ на улицы!

— А он?

— Согласился и поехал в избирательную комиссию. Юра, выступите, если что, на пресс-конференции?

— Выступлю.

Меньшов вышел на связь через день и мрачно предложил встретиться. Я приехал к нему на Тверскую-Ямскую. Режиссер жил в доме из того же бежевого кирпича, получив жилье от Моссовета после триумфа фильма «Москва слезам не верит». Но в квартире он ни о чем говорить не стал, кивнув на телефон. Мы вышли на солнечную улицу, сели на лавочке возле загса, располагавшегося на первом этаже.

— Геннадия позвали на самый верх, выше не бывает... — тихо сообщил Владимир Валентинович, — и объяснили: фильм не покажут ни при каких условиях. Даже если коммунисты победят, власть им не отдадут, а партию разгромят, начнут с семьи Зюганова, введут чрезвычайное положение. Лебедь готов взять репрессии на себя. Запад поддержит...

— Не решатся!

— На расстрел Белого дома ведь решились же. Им терять нечего.

— И что ответил Зюганов?

— Он сказал: теперь главное — сохранить партию. Это не последние выборы. К тому же ЕБН очень плох, каждый день под капельницей.

— Значит, струсили?

— Значит, так. М-да, «настоящих буйных мало». Гена оказался из смирных. А Ельцин буйный, потому и выигрывает.

— Как думаете, Владимир Валентинович, нас-то за этот фильм не потянут?

— Бросьте, Юра, им тогда надо полстраны пересажать, — рассеянно ответил Меньшов, памятливым режиссерским оком озирая молодоженов, выходивших из загса в окружении родни, подружек и шаферов.

Невеста была на диво хороша, и жених смотрел на нее страстно, он явно думал не о скорых выборах, а о первой брачной ночи. Через несколько лет я вспомнил эту веселую толпу у загса, глядя сцену свадьбы Алентовой и Гаркалина в комедии «Ширли-мырли». Жаль, мастер убрал в последнем варианте эпизод, когда Кроликов, спасаясь от преследования, забегает в душевую, где тесно моются голые баскетболистки. Впечатляло...

На выборах 3 июля Ельцин набрал 53 процента, а Зюганов — 40, но ходили упорные слухи, что результаты подтасованы. Кстати, Дмитрий Медведев, выступая в 2012-м перед «внесистемной» оппозицией, открыто признал, что в 1996 году «победил кто угодно, но не Борис Николаевич». Думаю, Медведев — человек осведомленный, и ему можно верить. Сторонники горячо подбивали проигравшего Зюганова подать в суд, призвать сторонников к гражданскому неповиновению, обратиться к мировому сообществу, но он предпочел сохранить партию и ее парламентский статус. Если бы Ленин в 1918 году повел себя так же, то Деникин в 1919-м въехал бы в Москву под звон колоколов, развесил бы вожаков на фонарях и перепорол бы в назидание пол-России.

Я вот иногда думаю: а если бы Геннадий Андреевич оказался в хорошем смысле буйным политиком и победил, что стало бы со страной? Гражданская война? Вряд ли... Либеральные закоперщики и нувориши смылись бы из страны еще до инаугурации: авиабилеты — в карманах. Кто бы вышел против коммунистов? Кооператоры, как в 91-м? Их в ту пору уже ликвидировали как класс, наводнив страну импортными жратвой, шмотками, ширпотребом. «Челноков» с баулами на баррикадах я себе тоже как-то слабо представляю. В армии и силовых структурах еще было полным-полно советских кадров, весьма скудно оплачиваемых, и они никогда бы не развязали террор. Себе дороже. Да и мстительный генерал Лебедь, обиженный Ельциным, думаю, сразу предложил бы свои услуги Зюганову, чтобы навести порядок. Даже те, кто вкусил от благ капитализма, думаю, не поднялись бы, ведь коммунисты не собирались упразднять рынок. Речь шла лишь о ликвидации обнаглевших олигархов, откровенно бесивших народ своим хамоватым инородчеством, об удалении из власти проамериканской пятой колонны, о пересмотре итогов воровской ваучерной приватизации, о возрождении разгромленной армии, о восстановлении единого экономико-политического пространства СССР.

А можно ли было восстановить СССР, разваленный пять лет назад? Не знаю... Прибалтика была потеряна, там, думаю, удалось бы лишь добиться для русских равных прав с титульными нациями, но и это немало: получив доступ к выборам, русские общины навсегда бы обеспечили лояльность лимитрофов к России. Что же касается других советских республик, там едва-едва началось в ту пору строительство этнократических государств, и национальная элита еще не подавила русские кадры. Речь идет об Украине, Белоруссии, Казахстане, Молдавии, Киргизии, Узбекистане, Азербайджане, где сильны были пророссийские силы, а экономические связи с Москвой не разорваны. Эти республики, члены СНГ, вполне могли согласиться на обновленный Союз, сохранив широкую автономию. В стране под контролем КПРФ начал бы развиваться госкапитализм по китайскому сценарию. Почему бы и нет? Ведь Путин сделал позже то же самое, укротив, но не уничтожив олигархов. Однако тогда, в 1996 году, все случилось так, как случилось: Россия, истощенная семибанкирщиной, хаосмейкерами, вроде Гайдара, тотальным воровством Семьи, двинулась к дефолту, второй чеченской войне, потере суверенитета, полураспаду... В итоге убогий Ельцин сам отказался от власти, добытой с таким трудом, в пользу Путина... Когда, покидая резиденцию и тряся старческими щеками, он попросил преемника «беречь Россию», мне захотелось выстрелить в телевизор из гранатомета.

А если бы на Первом канале перед выборами все-таки показали наш фильм? Мы могли бы стать теми, кто делает Историю. Но, увы, мы ее не доделали... Эх, да что там говорить: настоящих буйных мало!

4. Гавроши первичного накопления

Разочарованный и опустошенный, я слез с политических баррикад и вернулся за письменный стол: читатели ждали от меня новых книг. Нет, это не самодовольная фигура речи, а правда: мой роман-эпиграмма «Козленок в молоке», вышедший отдельным изданием сначала в издательстве «Ковчег», потом в ОЛМА-пресс, бил рекорды продаж. Он стал «лонгселлером» к завистливому недоумению постмодернистов, на все потуги которых публика отвечала фригидным равнодушием. Оно и понятно: по сути, постмодернизм — это что-то вроде литературного фаллоимитатора. Сколько бы режимов и вибраций в него ни заложили изобретатели, он все равно останется мертвой «жужжалкой». А в искусстве, как и в любви, хочется всегда чего-то живого и настоящего.

Но чтобы засесть за новую вещь, необходим сюжет, а его-то у меня и не было. О том, каким образом в писательском сознании завязываются и зреют фабулы, подробно рассказано в моем эссе «Как я ваял "Гипсового трубача"». А между тем закрепление у власти Семьи словно открыло некие тайные шлюзы, мир вокруг менялся стремительно, появлялись небывалые прежде социально-психологические типы, возникали головокружительные коллизии. Безудержное и беззаконное стяжательство, открытый грабеж народа, присвоение государственной собственности, откровенное политическое мошенничество — все это стало питательным «бульоном», в котором размножились уродливые, но по-своему яркие персонажи, буквально просившиеся на острие сатирического пера. Мне нужна была лишь емкая история, вроде приезда в город ревизора.

Так вышло, что сюжетом для новой вещи меня, как Пушкин Гоголя, снабдил 30-летний бизнесмен, владелец фирмы «Авиатика» Игорь Пьянков, типичный представитель поколения «гаврошей русского капитализма». С ним меня свел бывший директор Литфонда РСФСР Валерий Долгов, он в свое время стал инициатором коммерческого выпуска моих книг в обход государственных издательств: в стране зашевелилось предпринимательство. Так, повесть «Апофегей» под маркой «ЛФ РСФСР» была выпущена в 1990 году полумиллионным тиражом — и, заметьте, сразу разошлась. В прежние годы Долгов работал снабженцем на ВАЗе, а это был особый, редкий при советской власти сорт людей, в народе таких звали «доставалами». Это про них когда-то писал Александр Межиров:

Набравшись вдоволь светскости и силы,
Допив до дна крепленое вино,
Артельщики, завмаги, воротилы
Вернулись на Столешников давно...

Такие, как Долгов, чувствовали себя в мутных и теплых водах российского капитализма, точно пираньи в родном водоеме. Он обладал фантастической энергией, оборотистостью и железной деловой хваткой. Помню, раздается звонок:

— Юр, как ты относишься к корейским холодильникам?

— А что?

— Оторвал по случаю. Оптом дешево отдавали. Возьмешь в счет гонорара?

— Возьму, пожалуй, — ответил я, глянув на свою облупившуюся и мелко дрожащую «Бирюсу».

— Договорились. Даже-даже!

Через час в мою квартиру грузчики уже втаскивали белоснежный агрегат невероятных размеров — с таймером, встроенным миксером и морозилкой, вмещающей пару кабанчиков.

С Игорем у Долгова тогда, в середине 1990-х, был общий бизнес, закончившийся ссорой и серьезным конфликтом, вплоть до стрельбы. Кто виноват, не мне судить, но друг друга они стоили. Валера меня однажды сильно подвел, навсегда отбив охоту к предпринимательству, о чем я написал рассказ «Про чукчу». Капитализм решительно разделил всех советских людей на плотоядных и жвачных. Я оказался из жвачных... Жизнь давно развела меня с Долговым, но я успел позаимствовать у него странное присловье — «даже-даже», отдав его проходимцу Кошелькову, персонажу моей комедии «Хомо эректус». Выходя с премьеры, куда я его, конечно, пригласил, Валерий поеживался, а когда я спросил его: «Ну как тебе?», он ответил после долгого молчания: «Даже-даже...»

Игорь Пьянков, одаренный от природы острым умом и бешеной энергией, тоже был из плотоядных. Его фирма занимала этаж в доме на Ленинградском шоссе, напротив метро «Динамо». Автомобилисты еще помнят, наверное, большую вертикальную надпись «Авиатика» на торце этого длинного белого здания. Не знаю, чем конкретно занималась фирма, но средства черпались в основном из столичного бюджета. Деньги Игорь вытягивал у власти мастерски. Однажды попросил меня с обаятельной картавинкой:

— Юра, я послезавтра иду на 60-летие Лужкова. У него на подписи лежит мой проект, без которого «Авиатика» прогорит. Помоги!

— Я? Как?

— Понимаешь, твой тезка Юрий Михайлович сам графоманит на досуге и обожает поздравления в стихах.

— И что?

— Выручай, напиши ему юбилейную оду!

— Даже не знаю...

— Юра, я — твой должник навек! Но учти, все будут поздравлять в стихах, наши должны быть лучше всех.

— Ладно, попробую, хотя ты как-то не по адресу...

Я лукавил, мои версификаторские навыки безжалостно эксплуатировались в школе, в институте, в армии, в комсомоле... Сколько стихов на случай я слепил — не сосчитать. Даже теща моя Любовь Федоровна как-то попросила сочинить поздравление к свадьбе сына своей высокопоставленной сослуживицы. Та, получив текст, удивилась:

— На редкость профессионально!

— Мой зять — член Союза писателей! — гордо ответила теща.

К условленному сроку я отдал Игорю рифмованный панегирик в полсотни строк. Память сохранила только последнюю строфу, в которой очевиден намек на президентские амбиции Лужкова, стоившие ему, в конечном счете, мэрского кресла:

Вы созидаете назло
Завистникам, успехи множа.
Москве с Лужковым повезло,
А значит, и России тоже!

После юбилея Пьянков позвонил в приподнятом настроении:

— Мы были лучше всех. Лужок меня обнял и обещал все подписать!

Игорь вырос в семье уральских инженеров-оборонщиков, был начитан, пассионарен и суров, даже жесток с людьми, что никак не вязалось с его внешностью. Хозяин «Авиатики» напоминал златокудрого розовощекого ангелочка с голубыми глазами в круглых близоруких очках. Лишь жесткая редкозубая улыбка выдавала его настоящий характер. Как и большинство тогдашних нуворишей, он был повернут на сексе, без устали используя все его разновидности: брачную, служебную, продажную, о чем любил рассказать за бутылкой, а пил он так, что наш общий доктор Саша Грицаюк периодический клал его под капельницу: печень не выдерживала жестоких перегрузок. Впрочем, в подобном режиме существовало тогда большинство «новых русских», ибо эпоха первичного накопления отличалась не только шальными деньгами и внезапными обогащениями, но и мгновенными изменениями участи: бизнес могли отжать, отобрать, а то и просто грохнуть упрямого владельца на пороге офиса или новой квартиры.

Сексуальный разгул был для внезапно разбогатевших мужчин своего рода атрибутом состоятельности, как бриллиантовые запонки или золотой «Ролекс». Первый признак больших денег — это возможность ни в чем себе не отказывать, есть и пить от пуза, а также по малейшему позыву переводить понравившуюся женщину из вертикального положения в горизонтальное. Впрочем, кое-кто из нуворишей раньше прочих озаботился здоровым образом жизни. Интересный разговор случился у меня с Владом Листьевым незадолго до его гибели. Он увлеченно рассказывал, как ему удалось, наконец, избавиться от запоев благодаря безалкогольному пиву.

— Но это же прямой путь к резиновой женщине! — возразил я, намекая на популярный в те годы анекдот.

— Не скажи! Понимаешь, когда у тебя много денег, приходится беречься, чтобы хватило сил на все желания, которые теперь можешь удовлетворить.

Через неделю Листьева нашли в подъезде с простреленной головой. Убийц и заказчик, ищут до сих пор.

Пьянков тоже несколько раз оказывался на грани отстрела, скрывался некоторое время на тайных квартирах, и это не удивительно: с конкурентами он вел себя непримиримо, да и с партнерами не церемонился, если считал необходимым. Одно время его интересы в окружении мэра лоббировал летчик-испытатель Герой Советского Союза Валерий Меницкий. В свои пятьдесят лет знаменитый пилот, стройный, как атлет, еженедельно играл в футбол в команде Лужкова: градоначальник любил погонять подчиненных по зеленой травке с мячом, и многие важные вопросы решались в раздевалке, до или после матча, который неизменно выигрывал Юрий Михайлович. Именно на такое «мячегонное ристалище» как-то затащил меня Пьянков, а я описал это занятное времяпрепровождение чиновников в моем романе «Гипсовый трубач». Там почти всё правда, даже коллективное избиение на футбольном поле провинившегося столоначальника. Интересующиеся могут прочесть.

Но и с Меницким Игорь умудрился крупно поссориться, правда, до этого уговорил меня организовать литзапись воспоминаний выдающегося летчика, по слухам, внебрачного сына Чкалова, на которого Валерий был, в самом деле, очень похож. Мои друзья-журналисты Игорь Ядыкин и Елена Жернова долго расшифровывали и переносили на бумагу то, что Герой Советского Союза наговаривал на диктофон, а я потом прошелся рукой мастера, и получилась очень любопытная книжка «Моя небесная жизнь», по ней позже был снят 4-серийный фильм. Игорь, кажется, продюсировал эту ленту и так увлекся кино, что даже снял офис на «Мосфильме», где проводил кастинги для вымышленных проектов. Цель — поближе познакомиться с молодыми доверчивыми актрисами, готовыми ради роли почти на все. Иногда получалось. Некоторые его мимолетные пассии теперь знамениты...

При всем этом Пьянков был человеком думающим, иногда он выступал в прессе со статьями, некоторые публикации ему по дружбе устраивал я. Вот образчик нашего диалога «Долго ли будем делиться на своих и врагов?», опубликованного в газете «Труд» (1996, 12 июля):

«Игорь Пьянков: ...Предпринимательская прослойка есть в любой стране. И она не столь уж широка. Да, это богатые люди. Но эти люди — локомотив экономики... Зюганов же отрицает особую роль предпринимательства... как в свое время Сталин, предполагает, что роль локомотива экономики выполнит государственная бюрократия. Тот еще локомотив! В степени уважения к личной свободе человека заключается главная разница между реформами Зюганова и Ельцина... И коммунисты-гаранты нам совершенно не нужны...

Юрий Поляков: ...Не знаю, стала бы бюрократия локомотивом в случае победы Зюганова, но сегодня бюрократия — просто взяткосборочный комбайн. И давай оставим красно-белое мышление тем, кто за это получает деньги — бойцам предвыборных команд. Никто никого не зовет в прошлое. Речь идет о разных путях в будущее. В начале века все "цивилизованное человечество" верило в социализм, и большевики хотели его построить любой ценой. Сегодня все "цивилизованное человечество" верит в капитализм. И необольшевики строят его в России, не щадя ни стара ни млада...»

Однажды Игорь по секрету показал мне литературный набросок, то, что тогда называлось «пробой пера» — рассказ-воспоминание «Стерва» о своем бурном романе с роковой секретаршей Катериной. Это, конечно, была еще не проза, но в тексте имелись удивительно точные приметы, типажи и детали эпохи дикого капитализма. Я даже позавидовал и признался, что, обладая таким знанием механизмов первичного накопления, засел бы за новую вещь, вроде горьковского «Фомы Гордеева».

— Нравится?

— Нравится.

— Забирай! — махнул рукой Пьянков. — Я все равно ничего не напишу, а тебе пригодится.

— Может, в соавторстве? — засомневался я.

— Какое на х... соавторство? Меня в любое время могут грохнуть...

— Ну, спасибо.

Забегая вперед, скажу, что Пьянкова не отстрелили, хотя и пытались, но серьезный бизнес он все-таки потерял, отчасти из-за опалы Лужкова, отчасти из-за русской пагубы, печально соответствующей его фамилии.

5. Выбери меня, птица счастья завтрашнего дня!

Отойдя от большой политики и обретя сюжет, я, наконец, сел за работу, затворившись на «Зеленке» — так мы называли нашу дачу на станции Зеленоградская близ Софрина. Ее мы купили в 1987-м за 45 тысяч рублей — невероятную по тем временам для обычного советского человека сумму. На «фазенду», о которой мы с женой давно мечтали, ушли мои гонорары за две книги и три сценария, но все равно не хватило, и недостающие деньги добавила теща: от покойного тестя-летчика остались сбережения. Впрочем, финансовая реальность менялась прямо на глазах. Так, в мае 1988-го Сергей Снежкин «для поддержания штанов» выдал нам копию еще не допущенного в прокат фильма «ЧП районного масштаба». С консультантом ленты Валерой Павловым, в прошлом комсомольским работником, и актером Виталием Усановым, исполнившим роль заворга Чеснокова, мы поехали «бомбить» Астрахань. Фильм крутили в центральном кинотеатре целую неделю по шесть раз в день, но зал всякий раз был набит до отказа, а к кассе стояла гигантская очередь. Мы выступали перед каждым сеансом, да еще в конце отвечали на записки зрителей, кипевших от гнева, причем одни негодовали на «прогнивший комсомол», другие – на нас, съемочную группу, оболгавшую «верного помощника партии». Впрочем, вопросы, даже очень сердитые, не сильно отличались друг от друга, и наши ответы соответственно тоже разнообразием не страдали. От нервного перенапряжения и постоянного повторения одних и тех же слов в последний день с нами на сцене случилась самая настоящая истерика. Из-за нелепой оговорки Усанова на нас напал неудержимый смех, и минут десять мы, не в силах остановиться, до слез хохотали перед притихшим залом. Наконец, Павлов взял себя в руки (сказалась многолетняя аппаратная выучка) и, посерьезнев, объяснил зрителям, что мы-де не смогли сдержать улыбку, так как вспомнили один забавный эпизод, случившийся во время съемок, но расскажем о нем после просмотра фильма. Впрочем, когда зажегся свет, все уже позабыли нашу истерику, потрясенные увиденным и озабоченные судьбами социалистического Отечества. Зато я вернулся в Москву с двенадцатью тысячами в полиэтиленовом пакете. Полгода назад, покупая дачу, о таких заработках я даже не мечтал. Когда же в конце 1990-го мы по-семейному, вчетвером обмывали в кооперативном ресторане мой контракт с французским издательством «Ашет» на выпуск «Парижской любви Кости Гуманкова», – поданный счет превысил тысячу рублей – в недавнем прошлом годовую зарплату молодого специалиста. Страна катилась к гиперинфляции.

Итак, я затворился на даче и сел за работу. Мое окно выходило на речку Скалбу, точнее, на урёму – так у Аксакова называется мелколесье, растущее вдоль берегов и почти скрывающее русло от взглядов. Впрочем, было бы что скрывать: Скалбу, сузившуюся в иных местах до ручейка, можно было легко перепрыгнуть. Когда я взялся за повесть, урёма едва оделась листвой и, казалось, ветки овевало нежно-зеленое пламя. Кое-что из наброска Пьянкова я оставил в неприкосновенности, например имя главной героини, а также авиационную тему и «терки с бандитами». Летчик-испытатель Меницкий превратился в отважного космонавта Гену Аристова, панически боящегося своей ревнивой жены. Долго мне не давалась фамилия главного героя — Зайчугана. В конце концов, он стал Павлом Шармановым, так звали моего дружка, жившего возле нашего маргаринового общежития в Балакиревском переулке. Помощник президента получил прозвище «Оргиевич», которое я без спросу позаимствовал у критика Владимира Георгиевича Куницына, он впервые, кстати, применил к моей прозе бахтинский термин «гротескный реализм». Отдельные главы со знанием дела я посвятил тому, как под эгидой комсомола в центрах научно-технического творчества молодежи рождались первые кооперативы, где нагуливали жирок будущие нувориши и олигархи... Кстати, импровизированный бордель, устроенный в самолетах, экспонировавшихся под открытом небом на Ходынке, — это не выдумка, а реальная история.

Урёма перед моим окном начала желтеть, а повесть уже вырисовывалась, как свежий пятистенок, подведенный под крышу, когда вдруг позвонила Нина Владимировна Жукова и срочно вызвала меня в штаб-квартиру «реалистов», располагавшуюся близ Курского вокзала. С тяжелым сердцем я поехал в Москву и не ошибся в предчувствиях: по настоятельному совету администрации президента «реалисты» ввязались в выборы в Московскую городскую думу. Она была создана вскоре после переворота 1993 года вместо упраздненного Моссовета, выступившего против «узурпатора» Ельцина на стороне расстрелянного Верховного Совета, замененного тогда же Госдумой. Кстати, именно с тех пор законодательная власть у нас в стране стала своего рода ручной белкой, грызущей для Кремля конституционные орешки. Задачу перед сторонниками «нового социализма», полагаю, администрация поставила ту же самую — оттянуть электорат от коммунистов, которые уже оправились от поражения и включились в борьбу за власть на местах. Мне предложили баллотироваться по 196-му округу, объединившему несколько районов столицы, включая Хорошевский, где мы тогда жили.

Жаль было прерывать работу над повестью. Кто сочинял, тот знает, какая это мука — оставить страничку, заправленную в каретку машинки, когда сюжет, словно поезд-экспресс, летит к станции с заветным именем «Конец». Впрочем, к тому времени я уже работал на компьютере. Для повести я не случайно выбрал рамочную композицию в духе «дорожной исповеди», столь любимой нашими классиками. Напомню, Павел Шарманов рассказывает свою странную историю автору-попутчику в «Красной стреле», мчащейся в город на Неве. Когда снималось «ЧП районного масштаба», я и сам часто ездил в Питер и обратно, причем всегда в одном и том же СВ-купе, закрепленном, видимо, за «Ленфильмом». Однажды моим попутчиком оказался Алексей Герман, режиссер очень большого, но обиженного таланта. Мы проговорили под рюмочку всю ночь, и под утро мне стало казаться, что этот окаянный мир сотворен Господом таким подлым и несовершенным лишь для того, чтобы напакостить лично Алексею Юрьевичу. И должен заметить, Творцу это удалось.

Как ни жаль было покидать письменный стол с видом на облетающую урёму, но, поколебавшись, я согласился на предложение Жуковой. Во-первых, любой новый жизненный опыт важен для писателя. Во-вторых, очень уж хотелось потеснить наглых либералов, засевших тогда во всех щелях и пазах власти, а на ТВ устроивших-таки визгливый привоз общечеловеческих ценностей. В-третьих, мой поход за мандатом, как прозрачно намекнула Жукова, оказался напрямую связан с дальнейшей судьбой альманаха «Реалист». В этом мире даром только солнышко над головой и травка под ногами...

«Новые социалисты» по разным округам двинули несколько кандидатов, поэтому был сформирован центральный штаб, возглавленный отставным армейским политработником с тугим командным лицом. Назову-ка я его Иваном Ивановичем. Кроме того, всем кандидатам полагались свои собственные избирательные штабы с политтехнологами, а их в Отечестве вдруг развелось столько, как будто Россия развлекалась свободными выборами не пять-семь лет, а по меньшей мере годков четыреста пятьдесят, с эпохи Грозного. Ко мне приставили, как выразился Иван Иванович, «суперпрофессионалов»: иногороднюю, лет сорока, крашеную блондинку, упорно называвшую избирательные бюллетени — «белютнями». При ней суетился чернявый тощий парень, все время куда-то убегавший, вероятно, нюхнуть для бодрости «кокса». Кажется, они были сожителями. Назову-ка я их Инной и Борей. Мне они сразу не понравились, но Иван Иванович, от которого, как «Шипром», за версту разило Главпуром, доложил: парочка недавно выиграла очень сложные выборы в регионе, поэтому стоило большого труда и денег — заполучить их для меня.

— А где деньги? — спросил я, сглотнув слюну.

— Не волнуйтесь, Юрий Михайлович, уже переданы Инне Петровне.

— Сколько?

— Пятьдесят единичек, — сообщил он, понизив голос: тысячу долларов из какой-то аппаратной деликатности называли «единичками».

— Ого!

— Да, вот еще — возьмите! — и он протянул мне коробку.

— Что это?

— «Нокия». Без мобильного телефона кандидату никак нельзя. Говорите, сколько хотите, оплачено за три месяца вперед.

Мобильного, его называли также «трубой», у меня еще не было: дорогое по тем временам удовольствие, доступное лишь богачам и тем, кому расходы оплачивает государство или корпорация. Из машины я тут же позвонил жене.

— Ты где? — спросила она, как всегда подозревая меня в брачном отщепенстве.

— В машине еду.

— Не ври! Как же ты мне тогда звонишь?

— С мобильного! — гордо ответил я.

Как положено, наняли водителя с машиной и сняли под штаб подвальчик на улице Зорге. По стенам висели какие-то графики, схемы и большая карта 196-го избирательного округа. Отдельно красовались снимки конкурентов, их набралось около дюжины, но главных соперников было двое: первый секретарь Московского горкома КПРФ Микитин, сумрачный персонаж с брежневскими дремучими бровями, и «яблочница» Гаванская — немолодая, темноглазая особа с аккуратной седой прядью в черной укладке. Она уже отработала в первом составе Гордумы, попав туда от гайдаровского блока, но теперь шла от Явлинского. Забегая вперед, скажу: эта статс-дама до сих пор депутатствует, время от времени меняя партийную окраску в зависимости от политических раскладов.

К началу гонки, официально стартовавшей в середине ноября, сразу после моего дня рождения, мы должны были подготовить мою программу, группу доверенных лиц и наглядную агитацию — листовки, буклеты, газету... Акцент решили сделать на том, что писатель в России — больше, чем писатель, он всегда был народным заступником и оппонентом власти. В победе я, честно говоря, не сомневался. Напомню: в ту пору еще не отгремела слава моих «перестроечных» повестей и сатирического «Демгородка», большим спросом пользовался «Козленок в молоке». Еще со времен «Взгляда» я нередко появлялся в эфире, а с осени 1996 года вел на московском канале передачу «Подумаем вместе», где как раз и беседовал с действующими депутатами Гордумы. По предварительным рейтингам и опросам, я твердо лидировал, следом с небольшим отрывом шла Гаванская, обольщавшая публику обещаниями навести порядок в ЖКХ. Микитин замыкал первую тройку, но с явным отставанием. Однако имелся повод для тревоги. На предварительном сборе кандидатов в мэрии я встретил председателя Гордумы Владимира Платонова, шедшего на новый срок. Увидев меня, он обрадовался:

— Тоже баллотируетесь?

— Да, от «реалистов».

— Отлично! Значит, будем работать вместе. Нам очень нужен толковый председатель комиссии по культуре! По какому округу идете?

— По 196-му.

— Постойте, это там, где Гаванская? — помрачнел он.

— Да. А что?

— Бесполезно. Меняйте округ, пока не поздно!

— Почему? Я там живу...

— Ну, как вам сказать, она дама непростая, у нее очень серьезная поддержка, — Платонов сделал такое движение, словно надвигает кепку, намекая на мэра Лужкова.

Озадаченный, я пошел объясняться к Петрову, он удивился, нахмурился и обещал переговорить наверху, а мне для поднятия духа, отлучившись к сейфу, выдал в конверте пять «единичек», которые я тут же передал Инне, постоянно нывшей, что денег нет.

— А где же пятьдесят «единичек»?

— Ах, Юрий Михайлович, вы не представляете себе, как все дорого!

Округ поменять мне, конечно, не разрешили, но обещали всяческую поддержку и успокоили: Явлинский многих раздражает своим занудством и стонами по поводу «500 дней», поэтому у «яблочницы» шансы невелики. Поддержку я почувствовал сразу: «реалисты» молнией издали мою книжку публицистики «От империи лжи — к республике вранья», и она в качестве агитационной брошюры разлетелась, как горячие пирожки. Далее, меня позвали на групповое фотографирование кандидатов с Лужковым. Снимок затем был опубликован в тиражной столичной газете и стал как бы указанием районным органам власти, кого именно поддерживать в выборной кампании. Каждый округ на этой фотосессии был представлен одним соискателем, и только от 196-го допустили двоих. Увидев меня, Гаванская, обычно карамельно-приветливая, исказилась лицом, достала мобильник и стала кому-то жаловаться в трубку. Затем мне позвонили и позвали на беседу с главой Северо-Западного округа. Штаб ликовал: от местной администрации зависело многое, без ее благоволения проводить встречи с избирателями было затруднительно: то нет свободного помещения, то электричества, а то вдруг пожарная инспекция заартачилась... Встречу назначили на 9.00. Я прибыл вовремя и постарался очаровать окружного вождя, который знал нашего Петрова и с симпатией относился к «реалистам», а когда я сообщил, что отчество моего папы тоже Тимофеевич, он, кажется, проникся ко мне отеческими чувствами и обещал безоговорочную поддержку. Руководители штаба появились, когда беседа заканчивалась. У них был вид проспавших любовников.

Зато они вызвали из Америки крупного специалиста по предвыборным программам — недоучившегося одессита Сеню, Бориного дружка, и тот объявил: нашим агитационным гвоздем должна, без всякого сомнения, стать логистика — словечко в ту пору новое и загадочное. Что это такое, Сеня устно объяснить не сумел. Я попросил изложить письменно. Через неделю (каждый день его пребывания в столице щедро оплачивался из моего избирательного фонда) он принес две странички какого-то бреда про революцию в деле регулирования дорожного движения с помощью умных светофоров. Я послал его в Америку через Одессу и отправился к Ивану Ивановичу с требованием выгнать самозваных политтехнологов к чертовой матери, чтобы взять новых, нормальных. В ответ он лишь скорбно надломил брови: контракт, подписанный с парочкой, исключал досрочное расторжение, точней, предполагал выплату чудовищной неустойки. Что-что, а в искусстве подсунуть работодателям жульнический договор они в самом деле оказались профи.

Выручил реалист Григорий Чернейко, он порекомендовал толкового доцента, бывшего преподавателя научного коммунизма, и тот за умеренную плату быстро слепил мне программу, которую отпечатали в таком количестве, что по окончании кампании в нашем штабе остались штабеля непочатых пачек, а ведь мы щедро раздавали буклеты на каждой встрече, загружали ими доверенных лиц, подсовывали в подъезды... Эх, жаль к тому времени за сдачу макулатуры никого уже не одаривали книжными дефицитами.

6. Между КПРФ и «Яблоком»

14 ноября началась собственно гонка. Вот передо мной пожелтевшая газета «Сезам» (Северо-Запад Москвы). С фотографии бодро смотрит молодой энер-

гичный кандидат. Приложив к уху телефонную трубку с антенной, он (то есть, я) отвечает на строгие вопросы избирателей.

Владимирцева Наталья, врач, ул. Черняховского, д. 14:

— Юрий Михайлович, мы с вами ровесники, и поэтому я, конечно, хорошо знаю ваши книги, в 80-х годах, когда ваши повести появились в «Юности», мы бурно их обсуждали. Нужно ли вам, писателю, идти в Думу?

— Нужно. Писатель у нас в России и без мандата всегда ощущал себя в некотором роде депутатом. Мне уже много лет пишут, звонят, просят помочь в самых разных ситуациях... Помогаю по мере сил. Но в последнее время на «писательский запрос» власть реагирует все реже и реже. Если стану депутатом, реагировать будут...

Зырянов Владимир Михайлович, военнослужащий, Хорошевское шоссе, д. 52:

— Из армии я уволился по выслуге лет — служил на Севере. Сейчас оформляю общегражданский паспорт, а это несколько месяцев... Пока у меня его не будет, пенсию я не получу. Выходит, Отечество можно защищать и с удостоверением личности, а пенсию получать только по предъявлении паспорта?

— По-моему, тут явная недоработка в законодательстве. Вроде бы теперь в парламенте одни юристы заседают, а неразберихи стало еще больше. Проконсультируюсь по вашему вопросу со специалистами и помогу конкретно.

Открою тайну: оба вопрошающих избирателя — мои добрые знакомые. С Натальей Владимирцевой мы дружили со студенчества до самой ее трагической гибели. А капитан первого ранга Зырянов был моим соседом по лестничной площадке. Недавно его сын Костя, ставший банкиром, заезжал ко мне в Переделкино, чтобы рассказать о своей бурной личной жизни. Так что никаких «мертвых душ» в нашем избирательном процессе не водилось, все по-честному. Таких прямых линий, статей и интервью я опубликовал за месяц не менее двух десятков, причем не только в местной, но и в центральной прессе, чем мои соперники похвастать не могли. В дебатах на местном телевидении я тоже одерживал верх, имея немалый эфирный опыт. Кроме того, я ежедневно по нескольку раз встречался с избирателями в вузах, на предприятиях, в НИИ, воинских частях, больницах, управах, библиотеках, «красных уголках»... По самым скромным подсчетам, я провел больше сотни встреч и домой приползал похожим на лимон, выжатый кузнечным прессом. Люди принимали меня хорошо, узнавали, слушали, расспрашивали о творческих планах, верили моим обещаниям. Исключение составляли коллективы, где руководство явно симпатизировало «Яблоку» Явлинского, а значит, и Гаванской. В одной больнице меня ожидал довольно холодный прием и ехидный вопрос главного врача, почему я состою в реакционном Союзе писателей России, а не в прогрессивном «Апреле»? Я, как мог, ответил... Потом ко мне потихоньку подошла докторша — я узнал в ней молодую жену моего приятеля-уролога:

— Юр, привет! А Лев Соломонович сказал, у нас сегодня черносотенец в гостях будет. Разве ты черносотенец?

— Вроде бы нет...

Кстати, черносотенцы (члены Союза русского народа) в начале XX века представляли собой самое массовое политическое движение. Они активно боролись с надвигавшейся на Российскую империю смутой, но проиграли, преданные царем, и были почти поголовно истреблены большевиками после революции, так как в отличие от эсеров, меньшевиков, кадетов, октябристов и прочих в эмиграцию не уехали, не мысля себя без России. Лидер «черносотенцев» детский доктор Дубровин был без суда расстрелян в 1919 году в Петрограде. Впрочем, знаменитого исторического живописца Виктора Васнецова, тоже состоявшего в Союзе русского народа, не тронули. Сыновей Дубровина тоже, кстати, не покарали. И на том спасибо! Но вот что интересно: наши либералы, считая Октябрьский переворот преступлением и добиваясь «нюрнбергского процесса» над советской властью, продолжают, тем не менее, ненавидеть «черносотенцев» — главных борцов с «великими потрясениями», хотя логичнее ставить памятники этим мученикам, ведь именно они, а не «враги народа» образца 1937 года, стали первыми жертвами «красного колеса».

Но вернемся в осень 1997 года. Осознав зловредную бесполезность политтехнологов, я полностью взял руководство штабом в свои руки. «Сладкая парочка» все время опаздывала на встречи, путала время эфиров, отправляла меня по несуществующим адресам. Приходилось проверять и перепроверять.

— Вы, наверное, тоже занимались выборными технологиями? — с удивлением как-то спросила Инна.

— Нет, я год поработал в райкоме комсомола. А вот вы там явно не работали!

Но если у меня к начальникам штаба было много претензий, то у них ко мне только одна: «Нет денег!»

— Вам же выдали?

— А вы знаете, сколько стоит разнос печатной продукции от двери к двери?

Я снова бежал за деньгами к Ивану Ивановичу, Петрову, Жуковой, даже однажды отправился к начальнику столичного департамента, курировавшего выборы. Я знал его еще по горкому комсомола. Он меня выслушал, вздохнул, отлучился к сейфу и тоже выдал, не помню уж сколько именно, «единичек». Мне иногда казалось, вся страна, как медовыми ульями, усеяна сейфами с валютой, питавшей молодую российскую демократию и не фиксировавшейся никакими финансовыми документами. Штабисты, повеселев, принимали добытые мной доллары (в рублях я не получил ни копейки), но уже наутро заводили старую песню: «Денег нет!»

Очередного «одессита», которого они призвали, чтобы выпустить мою избирательную газету «За справедливость!», я выгнал взашей: парень не отличал петит от нонпарели, а колонки называл «столбиками». Но солидный аванс, включавший, подозреваю, и «откат», ему успели выплатить. Обошлись мы собственными силами, все-таки я шесть лет руководил многотиражкой «Московский литератор». Газета вышла содержательная. Кроме множества достойных людей, горячо рекомендовавших меня электорату, там имелся снимок, где я обнимался с Михаилом Евдокимовым, безумно популярным в те годы. Увы, замечательному артисту хождение во власть в отличие от меня стоило жизни.

Чтобы разнести сто тысяч экземпляров газеты по всем квартирам округа, были выделены дополнительные «единички» и наняты, как заверила Инна, три бригады «несунов». Но я не верил лжетехнологам, требуя доказательств. Они возмутились и повели меня в соседний дом: там из каждого почтового ящика торчала моя агитгазета. Для полноты картины я направился к соседней панельной башне, Инна и Боря переглянулись, но, взявшись за ручку двери, я вдруг заметил: среди физиономий кандидатов, расклеенных где только можно, нет ни одного моего портрета с броской красной подписью «Работать без ошибок!».

— В чем дело?

— Конкуренты срывают.

— А почему только мои плакаты?

— Вы же лидер опросов! — льстиво объяснили они.

— Доклеить немедленно!

— Денег нет...

— Ждите меня в штабе! — строго приказал я и, не заходя в «панельку», ринулся к Ивану Ивановичу за «единичкой».

Потом выяснилось, проинспектированный подъезд оказался единственным, куда доставили мою газету «За справедливость!», а весь огромный тираж спрятали в бомбоубежище, их было еще немало в Москве, хотя нападать на капитулировавшую Россию Америке уже не имело никакого смысла.

Рейтинги подтверждали мое лидерство, но Гаванская буквально наступала мне на пятки. Страна уже устала от безответственных деятелей культуры, дремавших в депутатских креслах, и любой неведомый кандидат, толково рассуждавший о расселении коммуналок, мог заткнуть за пояс любую экранную знаменитость. Тогда я для верности решил пойти на политический сговор и, пользуясь личным знакомством, встретился с Зюгановым, чтобы объяснить: кандидат от КПРФ Микитин идет третьим, сильно отставая, шансов у него никаких. Но если он снимет свою кандидатуру в мою пользу, то «яблочнице» не поможет никакой вброс «беллютней». В результате в Гордуме появится не очередная гормональная либералка, а человек с государственно-патриотическими взглядами, близкими коммунистам. Это же очевидно! Зюганов в ответ тяжело улыбнулся:

— В жизни одна логика, а в партии другая... К тому же, Юрий, ты хороший писатель. Зачем тебе политика? Пиши книжки! Микитин пойдет до конца.

— Но ведь он же проиграет.

— Не важно.

— Цель ничто, движение все?

— Молодец, истпарт знаешь!

Ночью, накануне «дня тишины», мои политтехнологи отчудили: район был густо обклеен мерзкими карикатурами на Гаванскую, выполненными с помощью фотошопа, мало кому тогда известного. С листовки смотрела настоящая кикимора, а ниже стояла глумливая до неприличия подпись. Мне позвонили из избирательной комиссии и предупредили: в случае моей победы предстоит серьезное разбирательство, чреватое отменой результатов.

— Зачем вы это сделали? — орал я.

— Люди Гаванской срывали ваши портреты. Мы отомстили... — объяснял Боря, отводя глаза.

Тогда я бесился, недоумевая, и лишь потом сведущие люди мне объяснили: скорее всего, мои политтехнологи сговорились со штабом соперницы и за хорошие деньги крупно меня подставили на случай победы, давая повод ее оспорить. В день голосования, судя по опросам на выходе, я лидировал с тем же отрывом в 1–3 процента в зависимости от района. Но вдруг за час до вскрытия урн вялая явка взрывообразно активизировалась, словно в округ сбросили на парашютах дивизию избирателей, причем почти все «десантники» дружно проголосовали за Гаванскую, и она мгновенно обошла меня почти на десять процентов. На следующий день мой штаб бесследно исчез, оставив множество долгов, не заплатив ни копейки даже водителю, работавшему два месяца на износ. Рассчитываться пришлось мне, отрывая из семейного бюджета, так как и у «реалистов» внезапно кончились «единички». Когда я потом рассказывал бывалым людям, что не заработал на избирательной кампании ни копейки, а наоборот, даже понес убытки, — надо мной все дружно смеялись.

Прошло лет семь. После презентации в Доме книги на Новом Арбате моего нового романа «Грибной царь» ко мне, дождавшись, когда читатели разойдутся, приблизилась интеллигентного вида женщина и взволнованно призналась:

— Юрий Михайлович! Вы мой любимый писатель и должны знать... Я была тогда в избирательной комиссии 196-го округа. Победили вы! Но нас в последний момент заставили бюллетени неявившихся вбросить за вашу соперницу. Дали денег, я не могла устоять, да и отказываться было опасно. Простите меня и знайте, что победили вы!

Я с легкой душой отпустил ей этот грех. Неизвестно еще, как сложилась бы моя литературная судьба, впрягись я в депутатскую рутину.

7. В пятидесятых рождены…

Дело прошлое, но тогда проигрыш на выборах я воспринял болезненно и некоторое время врачевал, запершись в квартире, уязвленное самолюбие алкоголем, понимая, что меня попросту «кинули». Иногда я спускался в магазин на первый этаж нашего дома за «недостающим звеном», если воспользоваться выражением моего персонажа из пьесы «Как боги...». На стенах повсюду еще виднелись не соскобленные дворниками агитационные листовки. Среди прочих много обещавших лиц можно было отыскать и мою самоуверенную физиономию на плакате со слоганом «Работать без ошибок!». Вздохнув, я брал две емкости вместо одной и мстительно напивался. Конец алкогольному самолечению положила бутылка паленого польского «Абсолюта»: моральные муки померкли перед физическими страданиями. Новый, 1998 год я встретил в постели с тяжелым пищевым отравлением, но отделался легким испугом: именно в ту пору, выпив случайной водки, умер прямо в автобусе очень талантливый писатель, автор «Реалиста» Володя Бацалев.

Выздоровев, я уехал на месяц в дом творчества «Переделкино», чтобы без помех «вернуться» в повесть. Есть такие заповедные места, где небесная творческая энергия буквально растворена в воздухе — настраивай внутреннюю антенну и лови. В прежние времена надо было заранее писать заявление в Литфонд, дожидаться своей очереди, добиваясь, чтобы тебя определили в новый корпус с удобствами в номере, а не в «старый», где комфорт остался на послевоенном уровне. (Быт и нравы советского «Переделкино» подробно описаны в моем романе «Веселая жизнь, или Секс в СССР».) Но зимой 1998-го все было уже совсем иначе. Писатели обнищали, из властителей дум превратившись в чудиков с печатными машинками. Путевки резко подорожали, поэтому комнаты пустовали: плати, заезжай, живи. В одном из номеров поселился торговец современной татарской живописью, в другом — молодой бизнесмен, продававший оптом вина из крымских подвалов. Я после польского «Абсолюта» навек отрекся от спиртного, но не устоял перед бокалом черной, как деготь, малаги времен севастопольской страды. Напиток был настолько хорош, что поколебал мое решение исключить алкоголь из жизни навсегда.

Каждое утро я бегал на лыжах по заснеженному переделкинскому лесу, изрезанному прилежными просеками. От кроссов на сдачу нормативов ГТО осталась разветвленная многокилометровая лыжня, отмеченная указателями и красными матерчатыми бантиками, которые каждую зиму привязывали к опушенным веткам. После снегопадов умельцы с базы «Буревестник» заново прокладывали профессиональную лыжню. Пробежав километров пятнадцать, я возвращался в номер, заваривал крепкий чай и садился за письменный стол — к ноутбуку. Пьянков, кажется, в благодарность за судьбоносное поздравление Лужкову, подарил мне, натешившись, свой портативный компьютер размером с коробку конфет, что по тем временам воспринималось как привет из далекого коммунистического будущего, которое еще совсем недавно сулили нам братья Стругацкие. Коллеги, заходившие ко мне в номер, чтобы выпить чая и поругать капитализм, увидев на столе маленький мерцающий экран, столбенели так, точно обнаружили в моей комнате Шэрон Стоун, наконец-то предъявившую миру главную тайну фильма «Основной инстинкт».

После полученного во время выборной гонки нового социального и политического опыта, в основном негативного, повесть из истории жуткой любви молодого бизнесмена к своей секретарше, похожей на обворожительного инкуба, все больше превращалась в мрачную сатиру. О, с каким мстительным наслаждением я описывал подлую российскую действительность! Между делом я продолжал вести колонку в еженедельнике «Собеседник», в ту пору еще не впавшем в либеральное слабоумие, и мои тогдашние настроения довольно точно передает текст, написанный к шестидесятилетию Владимира Высоцкого: «... Он прекрасно сыграл презиравшего ворье сыщика Глеба Жеглова. И мне трудно вообразить Владимира Семеновича поющим перед разомлевшими “кирпичами”, “фоксами” и “горбатыми” (не путать с Горбачевым!), которые обзавелись теперь “мерсами” и “мобилами”, расселись не по тюрьмам, а по банкам, министерским и парламентским креслам. Я не представляю себе Высоцкого нахваливающим, как Эльдар Рязанов, на президентской кухне котлеты Наины Иосифовны. Я не представляю себе Высоцкого на обжорной презентации в то время, когда голодают учителя и шахтеры. Я не представляю себе Высоцкого в новогодней телетусовке где-то между оперенным Борисом Моисеевым и смехотворным Геннадием Хазановым. Не представляю... Или же просто боюсь себе представить Высоцкого в наше время, когда говорить, писать, петь, орать правду, может быть, и не так опасно, как прежде, зато совершенно бесполезно! Не возвращайтесь, Владимир Семенович! Не надо...»

И тут, как на грех, в Дом творчества заехал мой литературный сверстник Евгений Бунимович. С ним вместе мы когда-то начинали в литературном объединении при Московском горкоме комсомола. Бунимович посещал, если не ошибаюсь, семинар Бориса Слуцкого, замечательного поэта-фронтовика, убежденного коммуниста, я бы даже сказал, комиссара, сошедшего с ума в самом начале Перестройки. Может, оно и к лучшему, ведь его сверстница-фронтовичка Юлия Друнина чуть позже, видя, как рушится советская Держава, от отчаянья покончила с собой. Не она одна, впрочем...

В Дом творчества Евгений, как я понял, прибыл, чтобы передохнуть и набраться сил перед вступлением в депутатские полномочия. Будучи учителем математики, он тоже баллотировался в Мосгордуму от «Яблока» и, к моему удивлению, прошел-таки. Мне тогда попалось на глаза его победное интервью, кажется, в «МК», где Евгений Абрамович рассказывал о себе, о своей семье, о дедушке, который до революции был чуть ли не главным раввином Москвы или что-то в таком роде. Ну, и о какой юдофобии в нашем Отечестве можно говорить после этого? По-моему, русский антисемитизм — это такой же миф, как русская мафия в Америке. Я давно, кстати, пришел к выводу, что антисемит — это тот, кто в каждом подозревает еврея, а еврей — это тот, кто в каждом подозревает антисемита...

Вероятно, у корыстолюбивых кремлевских мечтателей в ту пору еще теплилась надежда приспособить наших либералов к государственной работе. В итоге в Мосгордуме оказались странные персонажи, вроде Алевтины Никитиной, которая сразу же после выборов вместе с хитроглазым мужем своим, депутатом Госдумы Ильей Заславским, попавшимся на махинациях с городской землей, улетела к детям в Америку, так и не посетив ни одного заседания второго созыва. Ни одного! Скажем прямо, тогдашний депутатский корпус больше напоминал паноптикум, нежели коллективный законодательный орган: одного зверски зарезали на воровской сходке, деля подмосковную водочную торговлю. Второй устроил грандиозный дебош в парижском борделе и серьезно ранил ажана гигантской устрицей. Третий оказался трансвеститом, широко известным в узких кругах под именем Танечка. Четвертую депутатшу, уже почти объявленную совестью русской интеллигенции, убили, когда она входила в подъезд с чемоданом непонятных долларов (помните про «единички»?). Пятый лично летал на казенном самолете в Милан за черевичками от Маноло Бланика для своей юной жены, седьмой по счету...

Но как раз с Бунимовичем власть угадала: будучи в поэзии ерником-постмодернистом, на практике он оказался прирожденным бюрократом в хорошем смысле этого слова, трижды избирался в Гордуму, возглавлял там Комитет по культуре, а с 2009 года стал бессменным штатным защитником столичного детства и материнства. У него есть строчки, написанные в 1982 году и начинающиеся так же, как и знаменитое стихотворение лучшего поэта моего поколения Николая Дмитриева:

В пятидесятых рождены,
Войны не знали мы. И все же
В какой-то мере все мы тоже
Вернувшиеся с той войны...
...С отцом я вместе выполз, выжил.
А то в каких бы был мирах,
Когда бы снайпер батьку выждал
В чехословацких клеверах...

Но Бунимович, явно полемизируя с Дмитриевым, пишет о другом:

В пятидесятых
– рождены,
В шестидесятых
– влюблены,
В семидесятых
– болтуны,
В восьмидесятых
– не нужны.
Ах, дранг нах остен,
дранг нах остен,
хотят ли русские войны,
не мы ли будем в девяностых
Отчизны верные сыны...

Мы с Бунимовичем — ровесники, одновременно закончили вузы, я — заштатный областной пединститут (о прости, прости, альма-матер!), а он — заоблачный мехмат МГУ. Меня распределили в школу рабочей молодежи № 27, потом забрали в армию, а «лишний человек» Евгений преподавал математику и физику в элитной школе, став в 1986 году (через десять лет после окончания вуза) вице-президентом Российской ассоциации учителей математики! Но в моих стихах той поры вы не найдете мотив «ненужности». У Бунимовича — сплошь и рядом. Странно, не правда ли? Есть два типа людей. Одни до смерти чувствуют себя должниками Отечества. Вторым всегда будет должна страна проживания. Почему нельзя было ощущать себя верным сыном России до развала СССР? Я, честно говоря, не понимаю. Ну и ладно, стихи-то все равно вышли провидческие. Впрочем, подождем очередного крутого поворота нашей родной истории. Как разбежались «верные солдаты партии» в 1991-м и куда именно они побежали, я хорошо помню...

8. Нет, я не горький, я другой…

Появление на переделкинской лыжне депутата Бунимовича в ореоле ветхозаветного триумфа снова обострило мою почти залеченную досаду — и я решил взять реванш в литературе. Повесть, увязшая было в авторских сомнениях, сразу сдвинулась с мертвой точки и пошла. Название «Небо падших» родилось на последнем этапе и, как всегда, неожиданно, словно кто-то шепнул мне эту формулу на ухо. К весне текст был завершен. Я предпослал ему эпиграф из «Манон Леско», отлично понимая, в какой великий ряд пытаюсь втиснуться с моей историей несчастного Зайчугана и коварной Катерины.

С мая по июль 1998 года «Небо падших» печаталось с продолжениями в еженедельнике «Собеседник»: по тем временам для художественной прозы, превратившейся в маргинальное рукоделье, случай уникальный. Фрагменты вышли в «МК» и «Правде», что в ту пору вообще исключалось. Писатели жестко держались каждый своей политической ватаги: автор нищего «Нашего современника» мог забрести в «Знамя», жировавшее на соросовские гранты, разве лишь в сумеречном состоянии. Однако я еще верил, что мы, писатели, можем сохранить профессиональную солидарность, широту оценок или хотя бы взаимотерпимость. Ошибся...

Тогда же «Небо падших» вышло в журнале «Смена» у Михаила Кизилова, чуть позже — в издательстве «ОЛМА-пресс» отдельной книгой, а потом и в «Роман-газете». Осведомленные читатели изумлялись, откуда я так хорошо знаю не только малую авиацию, но и грязные закулисы бизнеса и власти. «У меня были хорошие консультанты!» — ответствовал я. После раздачи автографов (а повесть за двадцать лет переиздавали раз пятнадцать) кто-то из читателей обычно отводил меня в сторону и, пытливо глядя в мои глаза, интересовался, откуда я в таких подробностях знаю историю его шалопутной секретарши. Среди тех, кто вопрошал, был, между прочим, даже бывший премьер-министр.

Ольга Ярикова в книге «Последний советский писатель» (если, кто не понял, речь идет обо мне) узнаваемость моих героев объясняет так: «Повесть “Небо падших”» одна из первых обозначила в нашей литературе период первоначального накопления. Давая картину «второго пришествия» капитализма в Россию, показывая характеры этого безумного обогащения, автор погружает читателя и в новую вербальную реальность, воссоздавая новый язык, которым заговорила стремительно капитализирующаяся и криминализирующаяся страна. В этом смысле задачи, вставшие перед автором, сродни тем, что решали в свое время Пильняк, Платонов, Бабель, Булгаков, Катаев... Сложность заключалась не в том, чтобы включить в текст живую тогдашнюю речь, а в том, чтобы увязать ее с устоявшимися нормами, закрепленными отечественной словесностью, в единое художественное целое. Попытки написать о новой жизни, новых социально-нравственных явлениях, оставаясь в прежней языковой реальности, привели к неудачам, несмотря на актуальные сюжеты, многих авторов-лауреатов. Достаточно вспомнить “Миледи Ротман” Владимира Личутина, “Журавли и карлики” Леонида Юзефовича, “Все поправимо” Александра Кабакова, “Андеграунд, или Герой нашего времени” Владимира Маканина, “Недвижимость” Андрея Волоса, “День денег” Алексея Слаповского... Гротескный реалист Поляков явно “переиграл” коллег...»

В «Дне литературы» Яриковой вторил критик Николай Переяслов: «Будучи наблюдательным писателем и зная жизнь как бесконечное множество переплетающихся между собой нюансов, Поляков почти всегда пишет только о том, что практически мгновенно узнается читателем как его собственный, индивидуально неповторимый человеческий опыт, а потому и принимается им как безоговорочно абсолютная жизненная правда. Если же что-то в произведении Полякова откровенно “выпирает наружу” и представляется неестественно раздутым, значит, это сделано специально для того, чтобы читатель обратил внимание и задумался над его сутью. Именно такова, на мой взгляд, гипертрофированная и почти исключительно плотская сексуальность многих персонажей, встречающихся нам в таких вещах, как “Небо падших”, “Подземный художник”, трилогии “Замыслил я побег...“, “Возвращение блудного мужа” и “Грибной царь”, отчасти в “Козленке в молоке”, а также во многих его пьесах...»

Отклики были разные. Павел Басинский, поместив повесть в «золотую пятерку поляковских вещей», констатировал: «“Небо падших” — маленькая, концентрированная сага о новейшем русском капитализме и о том сложном человеческом типе, который сложился в эту эпоху и который сегодня определяет жизнь нашей страны, желаем мы этого или нет. На мой взгляд, повестью “Небо падших” автор объединил две читательские аудитории. Эту вещь должен с интересом прочитать как “новый русский”, так и тот, кто в силу возраста, обстоятельств и просто душевных качеств оказался на обочине жизни. В процессе чтения эти две аудитории имеют редкую возможность без презрения и раздражения посмотреть друг другу в лицо, как это делают случайно встретившиеся в купе преуспевающий коммерсант и неудачливый прозаик... Между "ЧП районного масштаба" и последней повестью "Небо падших" громадная дистанция. Если в первой повести писатель "колебал основы", то в последней мучительно ищет их... В нашей литературе нет вещи с более точным и страшным диагнозом новорожденному капитализму. Не второе и не третье поколение, а самое первое ущербно на самой вершине взлета! И все потому, что нельзя обма-нуть жизнь. Нельзя добиться благополучия, обворовывая и разрушая свою страну, как нельзя стать большим писателем ценой предательства своей духовной родины, какой бы нелепой и нищенской перед лицом цивилизованного мира она ни представлялась...»

Тем временем Владимир Березин в «Независимой газете» настаивал на том, что я грубо исказил правду жизни: «На самом деле это сказание о новых русских. Но не о настоящих новых русских, а о тех, которых придумало массовое сознание, которых создал обыватель, подглядывая за ними в дырочку. Обыватель создал их по своему образу и подобию — только еще хуже... Надо сказать, что Поляков всегда был популярен через общественный интерес к теме. Актуальность стирки чужих портянок, актуальность свального греха в комсомольской сауне...»

«Независимая газета» принадлежала в ту пору Борису Березовскому, и опубликованный в ней отзыв вряд ли мог быть другим. Зная, как часто и по каким мелочам Борис Абрамович вмешивался в редакционную политику Виталия Третьякова, можно предположить, что рецензию инициировал сам хозяин, внимательно следивший за современным искусством. К тому же по психотипу и некоторым эпизодам биографии мой Шарманов, в частности, своей гиперсексуальностью, напоминает Березовского. Да и закончили они одинаково плохо. Кстати, почти в то же время Березовский заказал хваткому режиссеру Павлу Лунгину и про-финансировал фильм «Олигарх». Герой ленты Платон Маковский (Владимир Машков) талантлив, энергичен, по-своему справедлив и к тому же постоянно страдает от чужого предательства. Я давно заметил: люди, профессионально занимающиеся махинациями, постоянно твердят о вероломном коварстве окружающих. Однако фильм, смастаченный по всем законам коммерческого кино, в прокате провалился: зрители не поверили ни режиссеру, ни его героям. Сегодня эту ленту просто стыдно смотреть...

Автору «НГ» возразил в журнале «Проза» тот же Николай Переяслов: «Как бы ни возвеличивал "новых русских" Березин, а повесть Ю. Полякова — это такой же обличительный документ нынешнему режиму, как, скажем, "Архипелаг ГУЛАГ" А. Солженицына — социализму. Но если созданное Солженицыным полотно обвиняет власть России в уничтожении своих, хотя и гипотетических, противников, то повесть Полякова показывает, как эта власть угробливает уже собственных апологетов... Даже если бы автор не показал физической смерти Шарманова, мы все равно были бы вправе говорить об обличительности поляковской повести, так как отнять у человека смысл жизни практически равнозначно тому, что отнять у него и саму жизнь...»

А вот как я сам оценивал «Небо падших» в интервью 1998 года: «Моя повесть о любви. Странной, трагической. Изломанной... Понимаете, судьбы так называемых новых русских отданы сейчас на откуп детективам и другим развлекательно-чернушным жанрам, которые по своей природе стоят гораздо ближе к кроссвордам, помогающим убить время в электричке, нежели к литературе. На самом деле русские мальчики эпохи первичного накопления еще ждут своего Достоевского. Есть, конечно, травоядные, питающиеся долларовой зеленью. Их задача — набить поскорее брюхо и отползти из "этой страны". Мне как литератору они не интересны... Но есть и другой тип "нового русского". Эти люди замысливали свою жизнь иначе — хотели быть учеными, военными, изобретателями, художниками. Радикальные реформы направили их пассионарную энергию в другое русло. Им сказали: "Обогащайтесь!" — и они обогатились. Но у многих в душе остались боль и горечь оттого, что в сегодняшней России предприимчивый человек может добиться благополучия, лишь разрушая собственную страну и обворовывая соотечественников... В этих людях при всем внешнем блеске что-то не-поправимо сломалось. И даже великий дар любви оборачивается для них пыткой. Такая любовь не рождает, а отнимает жизнь... Впрочем, тема возмездия — одна из ведущих в русской литературе...»

9. Мандат зовет!

«Небо падших», побыв бестселлером, стало тем, что книгопродавцы называют «лонгселлером». Повесть до сих пор переиздается и раскупается. Ее перевели на польский, словацкий, китайский, венгерский, сербский, румынский, немецкий и другие языки. Она дважды экранизирована, чем не может похвастаться ни один, даже самый облауряченный, автор последних десятилетий. Но об этом чуть позже...

Итак, закончив повесть, я вернулся к наброскам романа, который получил впоследствии название «Замыслил я побег...». Кроме того, внезапно меня возлюбила Синемопа — так прозвал музу кинематографа режиссер Жарынин — герой моей иронической эпопеи «Гипсовый трубач». Однажды за полночь заголосил мобильник, оставленный Иваном Ивановичем мне на память после неудачных выборов. К моему удивлению, то был Станислав Говорухин, звонивший, судя по гомону, из ресторана или казино. Хмуро и неторопливо он сообщил, что прочитал «Козленка в молоке», местами смеялся и теперь предлагает мне принять участие в работе над сценарием по мотивам повести Виктора Пронина «Женщина по средам».

— Что-то смешное? — уточнил я.

— Безумно, — мрачно подтвердил Говорухин. — Три подонка насилуют студентку, а ее дедушка-ветеран покупает «оптарь»...

— Что?

— Оптическую винтовку и отстреливает им яйца. Такая вот веселая история...

— Ну а я-то вам зачем?

— Мне нравятся ваши диалоги.

Я согласился. Во-первых, посотрудничать с легендарным режиссером — большая честь. Во-вторых, я, как и большинство российских граждан, после дефолта, устроенного «Киндер-сюрпризом», сидел без денег и брался почти за любую работу. Забегая вперед, скажу: когда завершилась работа над «Ворошиловским стрелком», мне снова позвонила Нина Жукова и бодро объявила: «“Реалисты” идут на выборы в Государственную Думу!» Короче, меня призвали снова баллотироваться по тому же округу. Сначала я гневно отказался, но опытные аппаратчики играют на струнах человеческой души, что твой Орфей на своей арфе или кифаре...

— А вы знаете, Юрий Михайлович, что Гаванская тоже баллотируется?

— Как? Она же в Гордуме!

— Хочет перескочить повыше...

— Я согласен.

На этот раз в качестве начальника штаба мне выделили симпатичного парня, недавно снявшего офицерскую форму и еще не отвыкшего от «есть», «так точно» и «отставить». Назовем его просто Алексеем, так как ныне он занимает высокий государственный пост и всуе употреблять его известную фамилию я не отваживаюсь. Штаб мы оборудовали в конторе коптильного комбината, расположенного близ Савеловского вокзала. С помещением подсобил владелец предприятия, в недавнем прошлом также офицер. В ту пору он решил передислоцироваться из ненадежного среднего бизнеса в большую политику и тоже шел на выборы от «реалистов». Что за чудо был наш штаб! К вечерней выпивке у нас всегда на столе имелась семга, осетрина и буженина, свежайшего копчения. В команду, умудренный опытом общения с «одесскими логистами», я призвал только надежных друзей: и мне спокойней, и люди могли хоть немного заработать. Правда, средств на гонку выделяли гораздо меньше, чем прежде, Иван Иванович выдавал каждую «единичку» так, словно отрезал от себя живые куски мяса. Видно, на движение «За новый социализм» (так теперь назывались «реалисты») особо в Кремле не рассчитывали, а привлекли «до кучи». Но я не жалел, что ввязался в борьбу, почти каждая встреча с избирателями превращалась в обсуждение «Неба падших». В качестве агитационной продукции мы снова выпустили газету «За справедливость!», которую теперь-таки донесли до каждого порога — лично проверял. Молнией был напечатан новый сборник моей публицистки «Порнократия», И тоже шел на ура. Брошюра открывалась фельетоном «Человек перед урной. Двадцать один совет другу-избирателю». Текст был написан еще к выборам 1995 года и тогда же опубликован в газете «Труд». Но мне кажется, в чем-то он не утратил злободневности и поныне. Вот фрагмент того ехидного наставления:

«...Скоро выборы в Думу. Многие средства массовой информации с деликатностью агрегата для забивания свай убеждают нас, что ничего путного из этих выборов не получится, что список кандидатов напоминает по толщине "телефонную книгу" и что нормальные граждане на выборы вообще не придут. А для тех, кто плохо поддается внушению и все-таки собирается прийти к урнам, постоянно публикуются различные рейтинги, которые так же соответствуют действительности, как членораздельная надпись на сарае его реальному содержимому.

Идти на выборы, конечно, надо, хотя бы для того, чтобы по заслугам отблагодарить тех, кто руководил нами в последние годы и явно отсидел свое, по крайней мере в Думе. Но как снова не ошибиться, как сделать такой выбор, чтобы не было мучительно стыдно последующие пять лет, а возможно, и всю оставшуюся жизнь? Вот несколько советов. Надеюсь, они помогут вам избежать досадных промахов и выбрать таких депутатов, которые будут видеть в нас людей, а не электорат.

...Совет третий. Кандидат, о котором ходят упорные слухи — то ли он у кого-то шубу украл, то ли у него украли, — тоже нам не подходит. Пусть сначала разберется с этими шубами, а потом уж лезет в политику. Если он утверждает, что гнусно оклеветан прессой, сообщившей о наличии у него роскошной виллы в Пальма-де-Мальорка, не спешите ему верить, хотя не исключено и он говорит чистую правду: просто его вилла находится в Пальма-де-Соль.

Совет четвертый. Кандидат, носящий на шее золотую цепь величиной с национальный доход суверенной Эстонии, тоже не годится. Богатство, как и красота, требует ежедневных забот: ему будет просто не до своих избирателей. Не нужен нам и соискатель, одетый в засаленный костюм довоенного покроя. Одно из двух: или он чудовищно беден, что очень портит характер и отвлекает от законотворчества, или он чудовищно богат и подло скрывает это. Если в прежнюю Думу он баллотировался все в том же засаленном костюме и прошел, значит, он уже богат и не подходит нам по причинам, изложенным выше. Бизнесмен, конечно, может быть депутатом, но депутат не может быть бизнесменом.

Совет пятый. Кандидат не должен появляться на людях в окружении более чем четырех охранников. В противном случае в его биографии есть какие-то темные криминальные пятна и он опасается возмездия. Если вы не хотите пулеметных разборок и в Думе тоже, решительно игнорируйте этого подозрительного искателя вашей избирательской благосклонности.

Совет шестой. Если кандидат томился за свои убеждения в местах лишения свободы, полюбопытствуйте, в чем именно заключались его убеждения. Вполне возможно, они сводились к убежденности в том, что свободный человек имеет полное право растрачивать казенные деньги или посвящать несовершеннолетних в восхитительные тайны секса.

Совет седьмой. Соискатель думского мандата должен быть женат и иметь детей, иначе проблемы рядовой российской семьи будут ему непонятны и даже чужды. Его дети, по крайней мере на период предвыборного марафона, должны посещать одно из отечественных учебных заведений или трудиться на одном из отечественных предприятий, предпочтительно бюджетном. Если у кандидата есть внебрачная связь, то убедитесь с помощью молодежной прессы, что его партнер не одного с ним пола, а сам политик не транссексуал. Я не против сексуальных меньшинств, упаси бог. Но будет нелепо, если эти меньшинства составят в новой Думе большинство. История Отечества может тронуться в самом неожиданном направлении.

Совет восьмой. Грядущий парламентарий не должен менять свои принципы больше одного раза за весь период политической деятельности. Единожды это допустимо, ибо порой видение, скажем, под древом или голос из космоса круто меняли взгляды и жизнь разных людей. Возьмем того же принца Гаутаму, ставшего Буддой, или Андрея Козырева, ставшего русским империалистом. Но если судьбоносные видения приходят к человеку регулярно в зависимости от направления кремлевских сквозняков, то ему лучше пойти работать политическим обозревателем на ТВ.

...Совет одиннадцатый. Избегайте кандидатов, тратящих на предвыборную кампанию слишком большие средства. Главный признак: соискатель появляется на телеэкране так же часто, как реклама женских гигиенических прокладок. Помните, возвращать эти деньги кредиторам будущего думца придется нам с вами!

Совет двенадцатый. Произнося такие слова, как “Россия”, “патриотизм”, “народ”, “государственность”, “возрождение Отечества”, кандидат не должен кривиться, словно от зубной боли, но и не должен бить себя в грудь, будто Кинг-Конг. Я бы отдал предпочтение тем политикам, из чьих лексиконов эти слова не исчезали все последние пять лет, ведь нынче каждый рвущийся в Думу в графе “профессия” норовит написать “патриот”.

...Совет пятнадцатый. Если есть возможность, полюбопытствуйте, каких высот достиг будущий парламентарий в своей профессиональной деятельности. Вполне возможно, он хочет стать депутатом Думы, чтобы отомстить своему оппоненту, задробившему на ученом совете его кандидатскую диссертацию. Пусть уж набьет оппоненту морду и успокоится. Нам же с вами будет лучше.

...Совет семнадцатый. Если кандидат при коммунистах занимал приличный пост, послушайте, ругает ли он советскую власть. Помните: порядочные люди о бывших хозяевах говорят или хорошо, или ничего.

...Совет двадцатый. После того как вы последуете предыдущим рекомендациям, в пресловутой “телефонной книге" останутся в лучшем случае два-три кандидата. Теперь можно прочитать их программы. Но и это необязательно. В сущности, все предлагают одно из двух: рынок с элементами распределителя или распределитель с элементами рынка. Тут уж я вам не советчик — на вкус и цвет товарища нет.

Совет двадцать первый, последний. Опуская избирательный бюллетень в урну, помните, что опускаете его в урну Истории!»

10. Игра престолов

Собравшись за депутатским мандатом, я попутно угодил в довольно гнусную окололитературную интригу. Стоит ли, дорогой читатель, грузить тебя этой грустной историей? Наверное, не стоит, но все-таки расскажу. Дело было так. В середине 1999 года еженедельник «Литературная Россия», который редактировал в ту пору Владимир Еременко, провел навстречу очередному съезду писателей опрос: кого литераторы хотели бы видеть во главе Союза вместо Валерия Ганичева, явно не справлявшегося, а точнее, не особо интересовавшегося своими обязанностями. Назывались разные персоны, но чаще других упоминалось мое имя, хотя я тогда почти отошел от писательского сообщества, на собраниях не появлялся и даже не входил в правление, хотя при Михалкове был секретарем по работе с молодыми авторами, правда, на общественных началах.

Тут надо бы несколько слов сказать про Валерия Николаевича Ганичева. О мертвых или хорошо, или почестному. Он был человеком с биографией: поработал заведующим агитпропом в ЦК ВЛКСМ, потом руководил «Комсомольской правдой», издательством «Молодая гвардия» и (позже, уже попав в опалу) «Роман-газетой». Ганичев немало сделал для укрепления «русского направления», за что и пострадал, когда на излете советской власти вновь повеяло бдительным интернационализмом. Но многие рыцари идеократической империи, не бедствовавшие даже в немилости, сильно изменились в 90-е годы, когда замаячил призрак самой настоящей нищеты. Обидно же наблюдать, как твои былые соратники по ЦК, присягнув Ельцину, купаются в роскоши, точно в курортной грязи. Умело сменив на посту Юрия Бондарева, не особо державшегося за кресло, Ганичев возглавил Союз писателей России, но руководил им так, как повелось в советские годы,– «царствовал лежа на боку». В СССР такое было возможно, так как власть относилась к проблемам литературного цеха с трепетным вниманием, достаточно грамотно изложить просьбу в верха, и тут же следовала помощь.

Однако в 90-е произошло «отделение литературы от государства», чего так страстно добивались «апрелевцы», бегавшие в Кремль с черного хода. Но дав писателям «вольную», власть сняла с себя и всякую системную заботу о них, оказывая точечную поддержку исключительно либеральным авторам, кормившимся еще и у Сороса. Так, «Пен-клуб» в те годы напоминал Клондайк, а у СП России оставался только дом на Комсомольском проспекте, который в октябре 93-го, забаррикадировавшись, не отдали врагу. В таких условиях любому руководителю СП России не оставалось ничего другого, как превратиться в рядового просителя и ходока по делам своего цеха, но Ганичев не желал напряженной суеты, он уже привык сидеть в президиумах, а в кулуарах неторопливо интриговать. Более того, чиновник, начисто лишенный литературных способностей, вообразил себя большим писателем, сочинив скучнейший текст об адмирале Федоре Ушакове – «Флотовождь», переизданный раз сто, в основном за счет губернаторов. С ними Ганичев любил встречаться и, давя на патриотизм, просить помощи бедной русской литературе. Они, конечно, помогали, давая из бюджета средства на проведение в губернском центре очередного пленума СП РФ, который оставался в истории отечественной словесности грандиозным банкетом для немногих званых. О, я-то знаю, как наш писатель умеет ронять сладкие патриотические слезы в рюмку водки, томясь, пока закончится долгий тост о погибели земли Русской! По той же статье, заодно, из местной казны выделялись деньги и на переиздание «Флотовождя».

Мне, как и многим, такая ситуация казалась противоестественной, и весной 1999 года я выступил в газете «Московский литератор» с программным интервью, призывая «восстановить союз русской литературы с российской государственностью». О том же я твердил в эфире, идея восстановления диалога с властью красной нитью проходила через публикации альманаха «Реалист», выход которого, как помнит читатель, произвел большое впечатление на писательскую общественность. Кроме того, еще памятно было мое телешоу «Стихоборье» на канале «Российские университеты», куда я звал поэтов-традиционалистов, тех, кому путь на телевидение был в ту пору закрыт. Так что, видимо, автор этих строк совсем не случайно лидировал в опросах «Литературной России», да и в кулуарных пересудах.

Польщенный, я относился ко всему этому со здоровой иронией, понимая, что Ганичев будет биться за свой пост, как за Мамаев курган. Но вдруг мне позвонил сам Валерий Николаевич. С печальной усталостью он предложил повидаться, чтобы посоветоваться. Я охотно согласился, так как наши отношения в ту пору были весьма теплыми, Ганичев напечатал в «Роман-газете» «Козленка в молоке» и «Небо падших», даже называл меня лучшим нынешним сатириком. Кроме того, за полгода до описываемых событий мы вместе летали на первый съезд палестинских писателей. Зрелище странное: сотня арабов, удивительно похожих внешне на евреев, в течение двух дней, не останавливаясь, ругали сынов и дочерей Израиля, причем настолько однообразно, что заскучал бы даже самый лютый антисемит. Потом Олег Бавыкин организовал тайную поездку в Иерусалим, куда нам, гостям палестинской автономии, путь был заказан. В храме Гроба Господня Ганичев молился с такой экзальтацией, бил такие тектонические поклоны, что я окончательно убедился: Спаситель призывает всех, в том числе и бывших заведующих отделом пропаганды и агитации ЦК ВЛКСМ, на котором, кстати, в советские годы лежала ответственность за атеистическое воспитание подрастающего поколения. Вечерами в тесном восточном отеле под завывание муэдзинов и анисовую водку — «Молоко львов» — Валерий Николаевич вел со мной хитроумно-неторопливые беседы, выведывая разные подробности моей жизни, и, кажется, остался доволен. В общем, я не очень удивился предложению повидаться, но был озадачен, когда глава СП РФ попросил меня стать на ноябрьском съезде его первым заместителем, а в недалеком будущем преемником. Мол, сам он устал и болен, ему скоро уж на покой, к тому же, в новых условиях он не справляется, нужна помощь молодого сподвижника...

Поблагодарив за доверие, я взял время на раздумье. В ту пору меня связывали товарищеские отношения с моими сверстниками-прозаиками Михаилов Поповым и Александром Сегенем, с ними я и поделился за дружеской бутылкой внезапной перспективой — стать первым заместителем Ганичева, взяв на себя налаживание связей патриотического Союза писателей с либеральной властью. Стоит ли? Выслушав мои сомнения, они страшно возмутились, что я колеблюсь, в один голос стали доказывать: второго такого шанса для нашего поколения «сорокалетних» не будет, а мой отказ они расценят как малодушие, но готовы встать со мной плечо к плечу и помочь в деле возрождения Союза. Впрочем, я и не собирался отказываться, понимая, однако, какую обузу и ответственность на себя взваливаю. Я ведь был тогда благополучным и самодостаточным литератором, завершал работу над романом «Замыслил я побег...», руководил сценарной группой мега-сериала «Салон красоты», только что вкусил радость шумной театральной премьеры — «Козленка в молоке» на сцене имени Рубена Симонова, да еще, как помнит читатель, собрался в депутаты Госдумы... Зачем мне лишние хлопоты? Но судьба отечественной литературы, но долг перед поколением, но комсомольское воспитание, но честолюбивая щекотка в сердце... Эх!

Едва мы ударили по рукам, Ганичев сразу предложил продемонстрировать собратьям по цеху мои организационные возможности. Дело в том, что денег на оплату проживания в Москве иногородних делегатов съезда у секретариата не было: поистратились. Я понял задачу, покумекал с Алексеем и Иваном Ивановичем, в итоге мы выкроили из моего избирательного фонда средства на гостиницу, отказавшись от ряда агитационных акций. Впрочем, это позволило мне тоже оговорить некоторые условия: я настоял на том, чтобы рабочим секретарем по международным связям в новом правлении стал Сегень, знавший два языка. Ганичев сразу согласился, глянув на меня с каким-то печальным любопытством.

15 ноября в скромном конференц-зале на Комсомольском проспекте собрался съезд, похожий, скорее, на сходку и разительно отличавшийся от прежних форумов, что собирались в Кремле. Сначала все шло как обычно, Ганичев прочитал отчетный доклад, скучный и обтекаемый, как лекция по половой гигиене для монашек. Затем начались выступления писателей. Некоторые говорили ярко, с обидой и болью за то ничтожество, в котором оказались писатели после 1991 года, досталось, как обычно, и «оккупационному режиму во главе с ЕБН». Но в основном ораторы ограничивались лестью в адрес центрального руководства Союза и жалобами на местную бюрократию. Выступил и я, изложив довольно-таки самонадеянные планы обновления организации. Коллеги осторожно мне похлопали, переглядываясь и разыскивая кого-то глазами.

Затем пришло время выбирать новое правление. Не обнаружив в списке Михаила Попова, в ту пору председателя секции прозы Московской писательской организации, я снова взял слово — и ошибку немедленно исправили. Дальше началось выдвижение кандидатов в секретари, Ганичев произносил фамилию, давал краткую, но лестную характеристику, — и все дружно голосовали. Дошла очередь до меня, и я буквально оторопел, услышав, как Валерий Николаевич с трибуны говорит примерно следующее: Поляков — человек, конечно, с мутной гражданской позицией, сомнительными человеческими качествами и скромными литературными способностями, но парень — оборотистый, достал нам денег на гостиницу, обещал подкинуть еще, у него есть связи в верхах, а мы живем и работаем в блокаде, поэтому вынуждены удовлетворить его страстное желание стать секретарем...

Это был сигнал к обструкции, которой управляла, мечась по залу и отдавая команды, критикесса Баранова-Гонченко. Как черти из табакерок, выскакивали обличители и клеймили меня за то, что я веду колонку в «еврейском» «Московском сексомсольце», что состоял какое-то время в еврейском же ПЕН-клубе, что в моей прозе много секса, а это тоже ставит под сомнение мое православие и генетическую чистоту, ибо болезненный эротизм — явный признак сами понимаете чего. По рядам шептались: то ли я сам еврей, то ли женат на еврейке. Увы, среди патриотов встречаются и антисемиты, как среди евреев попадаются русофобы. «Погодите, — пытался возражать я. — Важно не то, где человек печатается, а что он пишет!» Меня пытались поддержать Феликс Кузнецов и Станислав Куняев, но никто уже никого не слушал. Напрасно я высматривал в зале знакомые лица, надеясь на поддержку сверстников. Выбранный секретарем, Сегень дисциплинированно исчез, а Попов сидел, уставив глаза в пол. Не поддержали меня и авторы «Реалиста». В сердцах я высказал все, что думаю о патриотических собратьях, и вылетел со съезда, как Чацкий из спальни скромницы Софьи, застуканной с голым Молчалиным. В коридоре меня ждал с антистрессовой рюмкой Юрий Лопусов, многолетний литконсультант, с которым я дружил, можно сказать, с юности.

— Юра, надо уметь проигрывать! — грустно молвил он.

Стало ясно, что и Лопусов все знал заранее, но от водки я не отказался. Дома, конечно, добавил.

Наутро позвонил Михаил Попов:

— С предателем разговаривать будешь?

— Не буду.

Зато с корреспондентом «Литературной России» я поговорил, и подробно. Вот фрагмент того интервью, опубликованного по горячим следам:

«...Многие писатели в предвыборных анкетах высказали пожелание, чтобы Союз писателей России возглавил я, что, честно говоря, в мои планы не входило. Мне хватает лидерства за письменным столом. Правда, месяца за два до съезда Валерий Ганичев обратился ко мне с просьбой войти в новый состав рабочего секретариата. Мотивация была такая: вас знают, читают, вы нам поможете установить диалог с властью и решить некоторые "зависшие" писательские проблемы... После колебаний я согласился. Выступая на съезде, я говорил о том, что можно и нужно находиться в оппозиции к режиму, но быть в оппозиции к государству Российскому нельзя, ибо потери в этом случае несут прежде всего писатели. У литературных же чиновников все хорошо – они болтаются по заграницам, произносят тосты на фуршетах, распределяют между собой премии и стипендии, плетут интриги. Сегодня наш Союз, увы, напоминает хорошо сохранившиеся руины, и у меня, честно говоря, есть подозрение, что эти люди не заинтересованы в том, чтобы он зажил полноценной общественно-литературной жизнью...»

Позже я с помощью проницательных друзей все-таки разобрался в этой хитроумной и по-своему виртуозной интриге, к которой, к сожалению, имел отношение и друг моей литературной молодости Сергей Лыкошин. Опытный аппаратчик, Ганичев понимал: чтобы сохранить кресло, надо изменить позитивное отношение писателей ко мне, представить меня нахальным карьеристом, рвущимся к власти, втянуть в аппаратную игру. И вот уже в узком кругу он доверительно сообщает: Поляков просит о встрече. Затем информирует: Поляков хочет стать первым заместителем, обещает достать деньги, но требует в будущем полного обновления команды, а пока сует нам своего дружка Сегеня... Сподвижники возмутились: как это нас всех обновить? И встали плечом к плечу. Операция удалась.

Остается добавить, что Ганичев оставался на своем посту еще двадцать лет без малого, до самой смерти, превратив Союз в заштатную семейную артель. В последние годы в президиум его ввозили на коляске, и он с тихой старческой улыбкой дремал в заседании, нежно поглаживая сухой ручкой очередное переиздание "Фловождя"».

11. Незалежный Севастополь — слава русских моряков

Понятно, что обструкция на съезде не придала мне особой бодрости духа, но уже 19 ноября, в День артиллериста, началась выборная гонка. И я, бывший заряжающий с грунта самоходной гаубицы «Акация», занял свое место в боевом расчете. Начались ежедневные встречи на заводах, в красных уголках, в институтах, воинских частях: знакомые лица, привычные вопросы. Я, клокоча от обиды, говорил о преступной ельцинской клике, доведшей страну до дефолта, нищеты, геополитического ничтожества, а в ответ слышал гневное: «Доколе?!» Даже Лев Соломонович не спрашивал меня уже, почему я состою в «черносотенном» Союзе писателей России, а сдержанно кивал, соглашаясь: его клиника сидела без денег второй год. Я не стал говорить ему, что вскоре после инцидента на съезде отправил по почте заявление о выходе из СП РФ.

После встречи с электоратом самые оппозиционные руководители вели меня в кабинет, где был накрыт стол. Мы выпивали, обсуждали безобразия, творящиеся в стране, «семибанкирщину», кровавую войну в Чечне, телевизионное вранье, хапужничество президентской семейки, фокусы Березовского с Чубайсом. Накал негодования был таков, что казалось, вот сейчас местный вождь велит раздать подчиненным оружие. Но все кончалось слезными тостами за Родину и просьбами передать привет Говорухину с Ульяновым: «Ворошиловский стрелок» как раз вышел на экраны и всколыхнул страну. Кстати, по предварительным рейтингам я снова входил в первую тройку все с теми же Микитиным и Гаванской, но уже не лидировал, так как коммунист, ссылаясь на Зюганова, обещал посадить олигархов в тюрьму, а «яблочница», божась Явлинским, — расселить коммуналки. Что в сравнении с такими посулами мои жалкие писательские «коврижки»? Оставалась надежда на Севастополь...

Ах да, забыл объясниться: в наш избирательный округ входили воинские подразделения РФ, прежде всего флотские, расквартированные в городе русских моряков, и мы с Алексеем отправились в Крым, захватив с собой яуфы с «Ворошиловским стрелком». В Москве ленту уже показали, зритель принял фильм восторженно, а либеральная критика, ясное дело, подняла визг: «Говорухин и Ульянов зовут Русь к топору, сиречь к “оптарю”!» Догадались, кому народ оторвет мошонки в случае чего!

Однако в аэропорту нас ждала неприятность, мы както забыли, что Крым — это заграница, и не оформили надлежащим образом бумаги на вывоз копии отечественного кинофильма за рубеж. Алексей сник и так наморщил лоб, что его бобрик буквально сполз к переносице — он стал похож на отчаявшегося ежа. Наша миссия срывалась. Катастрофа!

— Ну как же ты так? — играя желваками, я мягко упрекнул начальника штаба.

— Прости, Михалыч... — пробормотал он, встал и ушел, пошатываясь, как говорится, куда глаза глядят.

«Не застрелился бы... — с тревогой подумал я. — Офицер... Честь... И все такое...»

Однако минут через пятнадцать он вернулся, повеселевший, в обнимку с охранником аэропорта. Оказалось, однополчане. В общем, нас пропустили с яуфами, да еще взяли у меня автограф, узнав, что я соавтор нашумевшей киноленты:

— Молодцы! Жаль, мало Ульянов этой сволочи пострелял! Продолжение будет?

— Обязательно! Всех добьем...

Несмотря на начало декабря, в Севастополе было еще тепло. Но город произвел странное впечатление. По советским временам я запомнил его ухоженным и сияющим чистотой, точно казарма, которую личный состав драит по несколько раз на дню. Теперь же солнечные улицы выглядели запущенными, во дворах лежали кучи мусора, а затейливые сталинские фасады осыпались прямо на глазах. Везде, где только можно, болтались желто-голубые прапоры, лишь изредка попадались наши, андреевские, флаги. Казалось, «незалежные» старались густо пометить своей едкой «жовтой» символикой доставшийся им дуриком наш город. На улицах порой встречались моряки с трезубцем на фуражках, вместо нашего привычного «краба». Лица у самостийников были угрюмо-настороженные, у некоторых — виноватые. Повсюду виднелись вывески, таблички, надписи на мове, хотя кругом звучала только русская речь. Но переулки уже стали «провулками», а площади — «майданами».

В Доме офицеров яблоку негде было упасть. Перед показом фильма общались бурно, севастопольцы просили передать московскому мэру благодарность за новые дома для моряков: микрорайон так и назвали в его честь — «Лужники». Но в основном говорили о судьбе флота, о том, что будет с Севастополем и когда Россия, наконец, вернет полуостров под свое державное крыло. Я отвечал, что тоже считаю Крым — российским, но, помня наставления Жуковой, от прямых проклятий в адрес предателей родины воздерживался: как-никак заграница, а в Кремле еще сидит пьяный гарант Ельцин, похожий на гуттаперчевую электрокуклу, у которой почти сели батарейки. Никому в голову тогда не приходило, что через три недели, в последний день XX века, он, дравшийся за власть зубами, сам, попросив прощения у народа, отдаст бразды скромному белобрысому человеку со странноватой фамилией Путин, и тот через четырнадцать лет примет Крым, вернувшийся в родную гавань.

Фильм, кстати, вызвал совсем не ту реакцию, на какую мы рассчитывали. Я давно заметил, на землях, отторгнутых от материковой России, у людей, попавших в чуждое окружение, складывается особый светлый миф о далекой и прекрасной Отчизне, о ее мудрой власти, на чью помощь только и осталось уповать. Если кто-то говорит им, что там, на милой Родине, есть свои проблемы, язвы и политические монстры, у наших соотечественников за рубежом возникает чувство обиды и отторжения. Глядя, как на экране ветеран Ульянов, безнадежно обивает пороги власти, тщетно ища справедливости и плача от бессилия, моряки, их жены, матери, невесты, шептали: «Не может такого быть в России!»

Когда почти через двадцать лет Театр сатиры повез мою комедию «Чемоданчик», блестяще поставленную

Александром Ширвиндтом, в Латвию, я столкнулся с тем же синдромом. Полный зал (в основном — люди русские), затаив дыхание, следил за интригой, смеялся над репризами и ужимками гениального комика Федора Добронравова, но после окончания и сдержанных аплодисментов ко мне подошла знакомая русская журналистка, живущая в Риге, и спросила:

— Юра, ты, значит, предал Путина?

— С чего ты взяла?

— Но ты же его критикуешь!

— Я критикую современную Россию.

— Но ведь у нас тут в Латвии единственная надежда — на Путина и Россию, понимаешь?

— Понимаю. Но если драматург будет молчать о том, что ему не нравится, он просто перестанет быть драматургом. Понимаешь?

— Понимаю.

После встречи с избирателями нас с Алексеем пригласили в вип-баню. Из парной через грот можно было выйти на воздух и нырнуть в море, по-зимнему отрезвляющее. А выпили мы немало. Принимал нас, и весьма хлебосольно, вице-адмирал, заместитель командующего флотом, по-патрициански завернутый в простынку. Алексей, кажется, еще никогда не бывал в таком высоком банном застолье и, цепенея от субординации, ловил каждое слово флотоводца. После очередной рюмки тот вздохнул и вымолвил:

— Юрий Михайлович, вы нам очень нравитесь, еще со времен «Ста дней до приказа». Купоросная вещь! Спорили. Обсуждали. Я со своим замполитом тогда чуть не подрался. «Ворошиловский стрелок» — тоже слов нет: шедевр! Но вы поймите, мы люди военные и голосовать будем так, как прикажет Москва...

— А разве Москва?...

— В том-то и дело...

— И кого же рекомендует Москва?

— Гаванскую... — тяжело вздохнул моряк.

— Как?! Да она же... Да как же так, товарищ вице-адмирал? — вскочил, забыв субординацию и потеряв свою простынку, Алексей. — Она же демократка хренова, «яблочница», штопаная! Вы помните, что Явлинский о Черноморском флоте говорил?

— Помним... Но ее очень наверху любят, непонятно за что... — Флотоводец сделал такое движение, словно надвигает на лоб кепку.

Мы все поняли и переглянулись. Забегая вперед, расскажу любопытный случай. Когда через год Лужков баллотировался в Президенты России, имея, кстати, некоторые шансы, помогавший ему Говорухин попросил меня придумать оригинальный сюжет для предвыборного ролика. Наутро я позвонил мэтру и предложил такую картинку. Избирательный участок. Бесконечной чередой идут люди — мужчины и женщины, старики и юноши, богачи и бедняки, славяне и раскосые азиаты, идут, опуская в щель урны бюллетени. Последний избиратель прибегает, запыхавшись, перед самым закрытием. Наконец, срывают пломбу, откидывают крышку, накреняют урну — и оттуда бесконечным потоком сыплются знаменитые лужковские кепки, а их у него, поговаривали, были сотни, пошитые из самых экзотических материй, включая византийскую парчу и шерсть мамонта...

— Ну как? — спросил я.

— Неплохо, — буркнул Станислав Сергеевич, что в его устах было высшей похвалой, — сейчас же расскажу Самому!

Через час он перезвонил и хмуро сообщил:

— Не понравилось.

— А что так?

— Сказал: надоели вы мне со своими кепками! Люди, в конце концов, подумают, что у меня и головы-то нет, а только кепка...

В Москву мы с Алексеем вернулись в скверном настроении, но довели до конца избирательную гонку, вымолив у Ивана Ивановича еще пару «единичек» и придя, кажется, четвертыми или пятыми. Но депутатский мандат достался не Гаванской, как все ожидали, нет: в последний момент ее вдруг обошел некий Владимир Лохматенко, выкормыш демократической платформы КПСС, улыбчивый бормотун, бесцветный, как насекомое, обитающее в подземелье. Причем за него дружно отдали голоса избиратели, которые очнулись и ринулись исполнять гражданский долг за полчаса до закрытия участков. Видимо, Кремль в последний момент выбрал почему-то его, а не Гаванскую. Почему? Узнаем, когда пальнет Царь-пушка и зазвонит Царь-колокол. Лужков же взял под козырек своей знаменитой кепки, так и не ставшей шапкой Мономаха.

Я же так навсегда и остался писателем без мандата. Может, и к лучшему. Помните, Маяковский прямо написал: «К мандатам почтения нету!» «Стихи о советском паспорте», когда я был ребенком, часто передавали по радио, и мой детский слух улавливал в них совсем иной смысл: «К мандатым почтения нету!» «Мандатые», в моем тогдашнем понимании, — это мордатые, сытые, равнодушные бездельники с оловянными глазами, заслуживающие лишь презрения. Повзрослев и прочитав строчки поэта-горлана, как говорится, глазами, я понял свою ошибку, но осадочек-то остался. Не зря сказано, что устами младенца глаголет истина: «К мандатым почтения нету!»

12. Удивительно долгое эхо

Подарив мне творческую дружбу с Говорухиным, продолжавшуюся до самой его смерти, Синемопа на этом не успокоилась. Владимир Меньшов свел меня с одесситом Александром Павловским, поставившим еще при Советской власти знаменитый «Зеленый фургон». Режиссер между прочим поинтересовался, нет ли у меня чего-нибудь про отпускную жизнь.

— Зачем?

— Для фильма из телевизионного цикла «Курортный роман».

Я дал ему едва законченную комедию «Левая грудь Афродиты», он прочитал за ночь, показал продюсеру и запустился, пригласив на главные роли Ларису Шахворостову, Андрея Анкудинова и Сергея Моховикова. Фильм прошел на телевидении в сериальном формате, но не канул, как обычно, в эфирную бездну. Сам цикл про курортные страсти давно забыт, а вот «Левую грудь» периодически повторяют на разных каналах, да и в театре эту мою комедию частенько ставят.

...А Синемопа продолжала осыпать меня цветами благосклонности. Леонид Эйдлин, с которым мы давно пытались сообразить что-нибудь на двоих (об этом подробнее в эссе «Как я был врагом перестройки»), радостно сообщил: ему заказали на РТР новогодний сериал, но нет оригинального сюжета. Я дал ему прочитать мою комедию «Халам-Бунду, или Заложники любви». Она одно время с успехом шла в антрепризе Юлия Малакянца, а роль прохиндея Юрия Юрьевича исполнял Дмитрий Харатьян. В финале на сцену перед потрясенным залом выходили настоящие, эбонитовые негры-стриптизеры. Однако проект вскоре прогорел из-за внезапных, но тяжелых и продолжительных запоев ведущего актера, срывавшего один тур за другим, а это — гигантские неустойки. «Лучше бы негры запили, — горевал Малакянц, — их-то можно всегда заменить загримированными осветителями!»

Эйдлин прочитал пьесу одним духом, показал продюсеру и тоже запустился. 8-серийную омедию «Поцелуй на морозе» показали в рождественские дни 2001-го. Страна еще не оправилась от дефолта, актерам платили копейки, и Леониду удалось собрать такое созвездие знаменитостей, что можно смело заносить в Книгу рекордов Гиннесса. В фильме играли: Ирина Муравьева, Александр Михайлов, Дмитрий Назаров, Светлана Немоляева, отец и сын Лазаревы, Виктор Смирнов, Ксения Кутепова, Анна Большакова, Елена Коренева, Наталья Егорова, Виталий Соломин, Елена Драпеко, Владимир Долинский, Владимир Носик, Ингвар Калныньш и другие. Жаль, из-за брака по звуку ленту редко повторяют по ТВ.

Но если вы думаете, что на этом благосклонность Синемопы ко мне иссякла, то снова ошибаетесь: продюсеры Владилен Арсеньев и Юрий Мацук предложили мне возглавить авторскую группу первого российского мегасериала «Салон красоты».

— Почему я?

— Нам нравятся ваши сюжеты.

Оказалось, они обращались к нескольким «лидерам современной прозы», включая Сорокина с Пелевиным, и с удивлением обнаружили, что, кроме завязки, те ничего больше придумать не смогли. На авансе дело и заканчивалось. После дефолта, как знает читатель, у меня с деньгами было напряженно, и я согласился. Когда-нибудь опишу уморительную историю воздвижения 100-серийной вавилонской башни из «мыльных» брикетов. Удалось выстроить, кажется, 67 этажей. Без лифта. Во-первых, ошиблись с режиссером, неким Харченко, болтуном и бездельником, едва владевшим профессией. Во-вторых, после падения обнаглевшего олигарха Гусинского, финансировавшего проект, деньги сразу кончились, а Владилен ушел в бега по степям и полупустыням Казахстана. Но я к тому времени уже заступил на пост главного редактора «ЛГ» и с облегчением свалил с себя эту меганошу. Поверьте, придумывать все новые и новые повороты в судьбе юной парикмахерши, вчерашней школьницы, которую играла Ольга Кабо, разменявшая четвертый десяток, становилось все трудней и трудней. Скольких ее кавалеров я отправил в тюрьму или на тот свет, скольким девушкам сломал судьбу или вверг в беспамятство, — не сосчитать! Да что там говорить, до сих пор мои руки в крови от абортов, на которые я отправил безотказных подружек героини. Кстати, название для будущего эссе у меня уже есть — «Как я был мыловаром».

А еще в 1999-м мне позвонил некто Константин Одегов и сообщил, что специально прилетел из Тюмени, чтобы получить согласие на экранизацию «Неба падших». Костя оказался крепким, молодым еще человеком, в недавнем прошлом профессиональным хоккеистом. Покончив с большим спортом, он увлекся кино, пока еще как режиссер клипов и видовых фильмов, но мечтал о большем. Кроме того, он сообщил, что в его жизни была такая же Катерина, один в один, он просто влюблен в мою повесть и готов потратить на экранизацию все свои сбережения, накопленные за годы спортивной каторги. Пораженный таким энтузиазмом, я уступил ему права безвозмездно или за чисто символические деньги — уж теперь не помню.

Получив добро, Костя, к моему удивлению, проявил непровинциальный размах, пригласив в проект знаменитых в ту пору Александра Домагарова, Вячеслава Гришечкина, Любовь Полищук, Игоря Воробьева. Не имея денег на большие гонорары, он увлекал актеров, давая прочесть им повесть, — и получал согласие. В роли роковой Катерины снялась выпускница курса Алексея Баталова и, поговаривали, его последняя, безответная любовь, юная Юлия Рытикова, обладавшая необычной, «экзотной красой», как сказал бы Игорь Северянин. Ну, а главным героем — Павликом Шармановым — стал сам Костя Одегов, чего, по-моему, делать ему не следовало, но очень хотелось. Дорогостоящие авиационные съемки и прыжки с парашютом он из экономии заменил автомобильными гонками, даже смертельная катастрофа в конце не стоила ничего: «мерседес» взрывался за пригорком, и были видны только клубы черного дыма.

Затраты на съемку фильма составили около 50 тысяч долларов, но картина брала за душу и в прокате прошла лучше, чем голливудский «Гладиатор» со 150-миллионным бюджетом. Я хорошо помню полный зал огромного кинотеатра «Зарядье», ныне снесенного ради «висячих садов и мостов». Премьерные показы в Доме кино и ЦДЛ прошли на аншлагах, люди стояли в проходах, не хватило мест даже тюменским спонсорам. Вскоре мы повезли ленту в Гатчину на фестиваль «Литература и кино», который возглавлял тогда Сергей Есин. Компетентное жюри прежде всего обратило внимание на несовершенства дебютной ленты, но зрители, голосуя на выходе сердцем, единодушно отдали предпочтение «Игре на вылет» — и угадали. Константин Одегов стал профессиональным режиссером, сняв впоследствии немало отличных фильмов, включая «Парижскую любовь Кости Гуманкова».

Вскоре в Драматическом театре на Васильевском острове в Санкт-Петербурге режиссер Владимир Словохотов поставил инсценировку «Неба падших» с Олегом Черновым и Еленой Мартыненко в главных ролях. Когда после десятилетней жизни на сцене ради обновления репертуара спектакль сняли, зрители настойчиво потребовали его вернуть, и он был восстановлен. В 2015 году питерцы привозили «Небо падших» на мой авторский фестиваль «Смотрины», проходивший на сцене театра «Модерн», и москвичи хорошо принимали эту работу. Владимир Словохотов, кстати, как-то за рюмкой рассказал мне такую историю: однажды ему позвонили из «Золотой маски» и сообщили, что очень хотят номинировать какой-нибудь спектакль его театра, поставленный по современной пьесе.

— Возьмите «Небо падших». Идет на аншлагах.

— Чудесно! А кто автор?

— Юрий Поляков. Вы должны его знать.

— Зна-аем. Это исключено.

— Вы хоть спектакль посмотрите!

— Обойдемся. Поставьте Улицкую — тогда дадим «Золотую маску»! — был ответ.

Любопытная вещь: люди, ныне истерически проклинающие коммунистов за вмешательство в художественный процесс и насилие над творческими личностями, сами, получив власть и полномочия в искусстве, установили ныне такую безапелляционную диктатуру либеральных ценностей и авангардных канонов, что советских чиновников от культуры (а я-то с ними успел хлебнуть лиха) порой вспоминаешь с мечтательной нежностью.

...И опять зазвонил телефон. То был не слон, а друг моей комсомольской юности Александр Димаков, которого я слыхом не слыхивал лет двадцать. Оказалось, он теперь работает заместителем по общественным связям в крупной структуре, занимающейся благоустройством московских дворов, каковых в столице не счесть — а, следовательно, и прибыль идет немалая. Так вот, владелец этого процветающего предприятия Артем Щеголев решил к 20-летию фирмы сделать подарок себе и своему коллективу.

— Саша, а я-то тут при чем? Капустников не пишу. Обратись к Инину.

— А теперь, Юра, самое интересное. Спроси меня, какой подарок?

— Какой?

— Он решил экранизировать свою любимую повесть. Спроси меня какую!

— И какую же?

— «Небо падших».

— Ого!

— Ого-го! Завтра ждем тебя для переговоров.

На следующий день я сидел в богатом офисе на Пятницкой улице, Щеголев задерживался на заседании правительства Москвы, где, видимо, обсуждалась новая конструкция антитравматических качелей для детей или что-то в подобном роде. Мы с Димаковым под хороший коньячок с лимоном вспоминали нашу бурную комсомольскую молодость, перебирали друзей: как говорится, иных уж нет, а те долечиваются. Когда, наконец, прибыл шеф, я был в том веселом состоянии, когда жизнь кажется беспроигрышной лотереей, где билетики из барабана вместо попугая достает обнаженная женщина твоей мечты. Хозяин юбилейной фирмы оказался молодым еще человеком, лет сорока, обходительным, но явно озабоченным нелегким бизнесом. Вообразите, сколько столоначальников надо умаслить, чтобы получить подряд и право облагораживать наши дворы, которые замусоривались веками. После искренних похвал в адрес «Неба падших» и тоста за мой талант Артем, лишь пригубив коньяк, спросил напрямки:

— Сколько вы хотите за уступку прав?

Размякнув от алкоголя и похвал, я, честное слово, был готов отдать права чуть ли не даром, как в свое время Косте Одегову, в благодарность за любовь к моей прозе. Если думаете, будто русские писатели, даже очень известные, избалованы комплиментами, вы ошибаетесь. У русских вообще не принято хвалить друг друга при жизни, да и после смерти-то не особенно. Я всегда, честное слово, с восхищением и завистью смотрю на пишущих евреев: они сначала осваивают искусство восторгаться друг другом, а потом уже, если получится, овладевают литературными навыками. В общем, будь я трезв или полупьян, то, наверное, так бы и сказал: «Берите, Артем, даром, у меня еще есть!» Но я был пьян совершенно, и мне вдруг захотелось из озорства узнать, проверить, насколько меценат любит мою прозу не в словесном, а в денежном эквиваленте. Я вспомнил жмотский гонорар, полученный двумя годами раньше за экранизацию «Апофегея», умножил его на десять, потом еще увеличил в два раза и с трудом сартикулировал сумму, за которую в то время можно было купить достойную двухкомнатную квартиру, не в центре Москвы, конечно. Димаков глянул на меня с уважительным недоумением. Но, как любил выражаться Дюма-отец, ни один мускул не дрогнул на мужественном лице Артема.

— Что ж, я так примерно и рассчитывал. Это укладывается в бюджет. Согласен, но при двух условиях...

— Каких же? — я тонко улыбнулся, готовый услышать, что деньги мне будут выплачиваться в течение ближайших пятидесяти лет акциями ООО «Московский дворик». О-о-о, знаем мы вас, предпринимателей!

— В главных ролях должны сниматься Екатерина Вилкова и Кирилл Плетнев, — отчеканил Щеголев. — Если вы не против...

— Не против! — согласился я, тогда еще смутно представляя себе этих двух отличных актеров.

— Договор подпишем завтра. Деньги вам переведут двумя траншами. Первый, двадцать пять процентов, сразу после подписания договора, второй, семьдесят пять, после сдачи сценария. У вас есть режиссер?

— Есть!

— Кто?

— Станислав Митин. Он прекрасно экранизировал мой «Апофегей» с Машей Мироновой, Даниилом Страховым и Виктором Сухоруковым...

— Я видел по телевизору. Достойная работа. Выпьем за сотрудничество!

Утром я проснулся с головной болью и тяжким чувством совершенной бестактности, словно вечор в застолье я не только уронил в декольте чопорной соседке королевскую креветку, но еще и пытался достать ее руками.

«Ну, конечно же, лукавый бизнесмен просто посмеялся над моей пьяной гигантоманией!»

Тут как раз позвонил Димаков:

— Юр, Артем передумал.

— Кто бы сомневался...

— Первый транш — пятьдесят процентов. Завтра подписываем договор. Надо успеть к юбилею фирмы.

К сожалению, Митин так и не поставил «Небо падших», хотя мы с ним и успели написать лихой сценарий. Однако Стас, узнав о размере моего гонорара, возгорелся и потребовал себе такой же, не меньше. Это вдруг задело работодателя: богатые люди бросают деньги на ветер с какой-то загадочной избирательностью. В итоге фильм снял Валентин Донсков. Лента вышла весьма достойная, ее не только показали сотрудникам в день рожденья фирмы, но и периодически крутят на ТВ. У Артема оказалось режиссерское чутье на актеров: Вилкова и Плетнев, в самом деле, классно сыграли свои роли, очень точно поняв и воспроизведя на экране моих литературных героев. Им удалось воплотить драму самоуничтожения талантливых энергичных молодых людей в годы возвратной лихорадки капитализма: кто-то стал «Гаврошем первичного накопления», кто-то — «Манон коммерческой любви». Тема эта сложная и противоречивая, я посвятил ей несколько повестей и романов: «Небо падших», «Замыслил я побег...», «Возвращение блудного мужа», «Подземный художник», «Грибной царь», отчасти — «Гипсовый трубач» и «Любовь в эпоху перемен». Много, скажете? Нет, мало... Преображение «гомо советикуса» в «гомо постсоветикуса», по-моему, — ключевая тема русской литературы конца XX и начала XXI веков. Тот писатель, который раскроет ее глубже и обширнее других, шагнет со своими книгами в XXII век. Не верите? Ладно, подождем. Осталось всего каких-то 80 лет...

Переделкино, март—май 2019

Про чукчу

Рассказ

В самом начале 90-х мы с приятелем (назову-ка я его Володей) затеяли издательство «Библиотека для чтения». Название позаимствовали из XIX века у Осипа Сенковского. (Не путать с телевизионным путешественником Сенкевичем, другом Тура Хейердала.) Мы с воодушевлением узнали, что кто-то заработал чуть не миллионы на книжке Фрейда — руководстве по толкованию фаллических сновидений. Брошюрка, напечатанная на серой газетной бумаге шрифтом мелким, как лобковая вошь, разлетелась вмиг. Видимо, всем тогда снилось одно и то же. Да и гонорар старику Зигмунду можно было уже не платить, а налогов тогда еще как-то не завели. Свобода и дикий капитализм в одном флаконе: обогащайтесь!

Однако, чтобы начать бизнес, требовался стартовый капитал, и Володя предложил мне взять кредит в банке, который вроде бы еще принадлежал государству, но управляющий уже разъезжал в черном броневике с золоченым бампером, а его часы, по слухам, стоили столько же, сколько пионерский лагерь «Артек». За три года до гибели КПСС его из инструкторов ЦК разжаловали в банковское ничтожество, застав в кабинете пьяным, да еще с полуголой секретаршей, лежащей на полированном двухтумбовом столе. А я в ту пору после выхода моих повестей «Сто дней до приказа», «ЧП районного масштаба» и «Апофегей» был широко известен, читаем, даже узнаваем, и Володя сказал: под Полякова деньги найдут. Я, наивный советский чукча, не без самодовольства согласился, тут же подписав кипу каких-то бумаг, и мы выпили за удачу бутылку «Наполеона», отдававшего школьной химией.

Вскоре компаньон приехал ко мне в квартиру на Хорошевке и радостно объявил: бабки перечислены на счет «Библиотеки для чтения». Любитель голых секретарш взял за благорасположение немного — пятнадцать процентов. Я предложил немедленно издать знаменитый роман Михаила Арцыбашева «У последней черты», при советской власти запрещенный за лишнюю эротику и ницшеанство. Но Вова выставил на стол бутылку «Абсолюта», который разил все той же химией. Мы выпили, и он стал убеждать меня, что сумму, полученную в банке, можно сразу удесятерить, вернуть кредит, пока не набежали большие проценты, отметить негоцию в «Метрополе», взять себе новые иномарки (и не с правым, с левым рулем!) и купить, наконец, по вилле в Крыму. А уж потом, будучи обеспеченными людьми, посвятить себя вдумчивому несуетному книгоизданию. С каждой выпитой рюмкой его аргументы становились весомее. «Но как это сделать?!» — недоумевала моя простая душа. «Элементарно! Покупаем за деревянные рубли валюту, доллары, а на них затариваемся дешевым ширпотребом в Южной Корее. У нас здесь, в разутом, раздетом и немытом Отечестве, этот хлам оторвут с руками!» — «Но как?..» — все еще не мог понять я. «Просто! Наш торгпред в Сеуле — мой друг, у него все схвачено. Товар пойдет морем до Мурманска в контейнерах. Там в потребкооперации у меня есть приятель, кристальный мужик. Возьмет оптом по хорошей цене. Ну что, свисток — вбрасывание?» — «А если?..» — «Кто не рискует, тот не пьет “Вдову Клико”!»

И я, глупый советский чукча, подписав еще какие-то бумаги, стал ждать богатства. Иногда, подойдя к окну, я видел внизу свою будущую глянцевую иномарку. Регулярно на связь выходил мой возбужденный компаньон и докладывал, что удалось добыть партию кроссовок по доллару за пару или женские «дольчики» по десять баксов за тюк. Я снова смотрел в окно, и на пустынном Ходынском поле, еще не застроенном домами, мне мерещилась белая крымская вилла, причем теплые бирюзовые волны бились прямо о ее порог.

Вдруг среди ночи позвонил Володя и мертвым голосом сообщил: баржа с нашим товаром попала в Баренцевом море в жестокий шторм и тонет. Если произойдет худшее, придется, чтобы вернуть кредит, продать дачу и даже квартиру с библиотекой. «Чью квартиру с библиотекой?» — похолодел я до костного мозга. «Твою. Не хватит — добавлю!» — успокоил он. «Но почему мою? Это же твоя идея!» — «Идея моя, а кредит на твое имя оформлен. Но ты не волнуйся, я тебя в беде не брошу! — великодушно пообещал мой компаньон. — Что-нибудь придумаем. Еще один кредит возьмем. Народ тебя любит!» Кстати, такой суровый оборот был прописан в договоре, но я же, безмозглый советский чукча, конечно, его не читал. Несколько ночей я не спал и воспаленной тенью бродил по квартире, прощаясь с родными стенами, гладил корешки любимых собраний сочинений, нежно прислушиваясь к журчанию неисправного туалетного бачка, прежде меня бесившего. Встревоженной жене врал, будто режется зуб мудрости. «Наверное, это очень больно?» — «Это просто кошмар, милая!»

Но вот снова вышел на связь Вова и свежим, как рыночная баранина, голосом объявил: баржа удержалась на плаву и дотянула до Мурманска. Это хорошая весть. Теперь — плохая: основная часть товара в контейнерах испорчена морской водой. «Дольчики», оказывается, не были рассчитаны на стирку, а кроссовки — на дождь, потому и стоили так дешево. Оставшееся тряпье по дружбе оптом взял кристальный мужик, он сдержал слово, хотя лежал под капельницей после перестрелки в порту. В общем, объяснил мой верный компаньон, мы едва-едва вышли в ноль, но на погашение кредита хватает. «И квартиру продавать не надо?!» — задохнулся я от робкого счастья. «Нет! Живи спокойно! Даже осталось чуть-чуть на издание какой-нибудь книжонки...»

Крылья удачи сами понесли меня к ближайшей палатке. Я купил водки себе, а для жены модный ликер «Амаретто», напоминавший леденцы, разведенные в валокордине. Мы душевно отпраздновали какую-то подвернувшуюся круглую семейную дату, в честь которой я починил бачок в туалете. Тайну бездны, куда мне довелось заглянуть и едва не рухнуть, она не узнала никогда. В тот день я дал себе клятву — впредь ни за что не влезать ни в какой бизнес, даже если мне посулят златые горы, фонтанирующие «Вдовой Клико».

Вскоре мы с Володей издали самый скандальный русский роман начала XX века «У последней черты», но его никто не покупал, все хватали, как ненормальные, «Дневник космической проститутки». «Библиотека для чтения» прогорела и закрылась. Лишь спустя много лет, проезжая по Хорошевке мимо своего старого дома, совсем сникшего на фоне новых небоскребов, я вдруг подумал: а ведь и про шторм, и про баржу, и про все остальное я узнавал только от Вовы, который вскоре стал крутым бизнесменом. Проверить, что там на самом деле случилось с корейским ширпотребом, мне даже не пришло в голову. И был ли шторм? Не знаю. Да и знать не хочу. Увы, капитализм тогда разделил всех нас, советских людей, на плотоядных и жвачных. Я оказался из жвачных. Может быть, потому и остался писателем.

2016

Комментарии

«Возвращение блудного мужа»

Повесть

Повесть закончена в начале 2001 года и во многом продолжает «семейную тему» романа «Замыслил я побег...». Впервые опубликована в журнале «Смена», 2001, № 11, с подзаголовком «Альковная повесть». Неоднократно переиздавалась. Под названием «Возвращение блудного мужа» в издательстве АСТ в 2008 года вышел сборник прозы, куда кроме «БМ» вошли повесть «Подземный художник» и рассказ «Красный телефон».

«Подземный художник»

Повесть

Повесть написана в первой половине 2002 года. Печаталась с продолжениями в газете «Труд-7» с октября по декабрь 2002 года в девяти номерах. Полностью опубликована в 11-м номере журнала «Нева» в том же году. Затем неоднократно переиздавалась, включалась в собрание сочинений и сборники.

«Грибной царь»

Роман

Автор приступил к работе над романом «Грибной царь» в 2001 году, однако отложил работу из-за вступления в должность главного редактора «Литературной газеты», находящейся в ту пору в кризисе и требовавшей каждодневных забот. К рукописи романа он вернулся в конце 2002 года и завершил работу весной 2005-го. В эссе «Геометрия любви» Юрий Поляков так излагает историю написания романа:

«...Грибная тема довольно долго никак не проявлялась в моих писаниях, хотя я с детства был буквально болен “тихой охотой”. Могу с удовлетворением сообщить, что неплохо разбираюсь в грибах. Когда я стал жить в Переделкине, многие обитатели этого писательского поселка поначалу были уверены, что, гуляя по лесу, я собираю исключительно поганки, каковыми они, грибные невежды, считали фиолетовые, допустим, рядовки или еловые, скажем, мокрухи. Мне всегда очень хотелось сочинить что-нибудь грибное в хорошем смысле слова. И отголосок этого хотения легко уловить в моей пьесе “Халам-бунду, или Заложники любви”, идущей ныне во многих театрах. Речь, конечно, о Косте Куропатове, изобретателе чудодейственного порошка “фунговит”, благодаря которому можно раз и навсегда решить проблему пищевого равенства человечества. Но кроме грибных фантазий, в моей памяти уже много лет хранилась услышанная из первых уст история женщины, последовательно побывавшей замужем за двумя офицерами, которые учились в одном военном институте. Несмотря на то, что они стали участниками своего рода эстафетного брака, отношения между ними остались товарищескими, предшественник даже давал преемнику некоторые советы по оптимальному режиму эксплуатации “бэушной” супруги. Видимо, из-за бесконфликтности эта житейская история томилась невостребованной в моем сюжетном депо. И вдруг я сообразил: друзья-то должны непременно покинуть ряды вооруженных сил, стать коммерческими компаньонами, жутко разругаться из-за женщины или денег и довести конфликт до смертоубийства, которое случится во время сбора грибов!

Если вы думаете, будто такое озарение родилось из ничего, как наша Вселенная, то глубоко ошибаетесь! Кровавая катавасия между соратниками осталась в моей голове, отколупнувшись от сценария, который мы когда-то, в середине 90-х, сочиняли вместе с замечательным режиссером Владимиром Меньшовым. Но так и не сочинили, потратив силы на споры о будущем России и некоторые традиционные русские излишества. Впрочем, таких кровавых конфликтов между друзьями и даже родственниками в те времена было кругом полным-полно...

Итак, я сел за "Грибного царя", задуманного, разумеется, как рассказ. О том, что рассказ превратился в повесть, а повесть распространилась в роман, читатель и сам уже догадался. Поначалу я ставил перед собой задачу от противного — хотел написать историю не безответственного "эскейпера", но русского "пассионария", в данном случае советского офицера, победившего жестокое, абсурдное, безнравственное время, одолевшего эпоху первичного накопления, сделавшегося успешным и богатым. Конечно, как выкормыш великой русской литературы, я прежде всего интересовался нравственной ценой вопроса, а именно: чем приходится платить в наше неправедное время за преуспеяние? Не мной замечено: материальное обогащение часто ведет к душевному оскудению. Гриб, кстати, не создающий жизненно важный хлорофилл, а забирающий его у других растений, показался мне довольно удачным социальным символом, отражающим взаимоотношения тонкого слоя богатых с толщей обделенных и обобранных.

Решив созорничать, я дал всем своим персонажам грибные фамилии. Да-да... А разве вы не встречали в лесу неприличный по форме и несъедобный по содержанию гриб — "весёлка"? Называется он так, потому что с древних пор селяне и селянки, обнаружив его, разражались игривым смехом. Да и фамилию главного героя — Свирельников — я образовал не от "свирели", а от "свирельника" — так в иных областях называют гриб-трутовик. Первоначально даже трех наших президентов я переиначил грибной лад: Грибачев, Подъеломников и Паутинников. Но потом старинный товарищ Геннадий Игнатов убедил, что я вроде бы как испугался назвать властителей их настоящими именами и проявил малодушие. Тогда я проявил многодушие и, кажется, зря... Каково же было мое изумление, когда по мере написания романа меня помимо воли все глубже и очевиднее стала затягивать все та же история мужчины, убегающего из семьи в “сначальную” жизнь. Да, теперь он убежал, извините, с концом. Но при этом унес с собой в новую участь все свои комплексы, проблемы и заморочки, как увозят из старой квартирки в новехонький пентхаус родных тараканов. Возмущенный таким навязчивым однотемьем, я даже на некоторое время отложил рукопись в сторону, точнее, забил файл. Но потом, поразмышляв, понял: если подсознание упорно возвращает меня все к той же нравственной коллизии, значит, так надо. Значит, я еще сам что-то не понял и в чем-то не разобрался, следовательно, не объяснил это “что-то” моим читателям. Ведь подсознание зря ничего не делает, в отличие от сознания. И я решил: раз такое дело, надо расслабиться, как в известном анекдоте, и получать удовольствие. Судя по тому, что, выйдя в свет, “Грибной царь” стал бестселлером, заняв первые строчки в рейтингах, удовольствие получил не только я один...»

В ноябре 2004-го в «Литературной газете» к 50-летию автора появляется фрагмент нового, еще не законченного романа, скорый выход которого Поляков широко анонсирует в многочисленных юбилейных интервью. С весны 2005 года издательство РОСМЭН начинает рекламную кампанию, а в периодике публикуются под разными заголовками фрагменты нового романа: «Наводчик» («Книжное обозрение», 27 июня), «Лесная любовь», («МК», 5 августа), «Дароносцы» («Слово», 11 августа), «Постельные бега» («Комсомольская правда», 14 августа), отрывки выходят также в газетах «Завтра», «Труд», «Труд-7», «Красная звезда», «Русский курьер», в «Родной газете», в «Новой газете», в журнале «Журналист»...

Отвечая на вопросы корреспондента «Родной газеты», автор подчеркивает: «Грибной царь — это своеобразное завершение трилогии, в которую вошли также роман “Замыслил я побег...” и повесть “Возвращение блудного мужа”. Моя новая книга — это 36 часов из жизни предпринимателя средней руки, которого постигли серьезные финансовые проблемы... Замысливая роман, я хотел связать жизнь моего героя с тем, что происходит в стране, вплести его судьбу в наше страшное и смешное время...»

Показательно и блиц-интервью, предваряющее фрагмент романа, в «Новой газете»:

— Ваша последняя книга «Грибной царь» с подзаголовком «Мужской роман» возглавляет рейтинги книжных продаж...

— ...То, что роман хорошо продается и по успеху не уступает коммерческой литературе, свидетельствует вот о чем. Во-первых, издатели правильно построили рекламную кампанию, во-вторых, читатель с большим интересом воспринимает серьезную литературу, и все эти разговоры о том, что «пипл хавает», — ерунда. Третье: вновь востребована остросюжетная социальная проза, ведь в постмодернистский период было почти утрачено умение рассказывать истории, а занимательность, по-моему, — это вежливость писателя. В «Грибном царе» есть несколько смысловых уровней, подтексты и аллюзии, которые будут поняты не всеми, но сюжет не оставит вас в покое, пока вы не перевернете последнюю страницу.

— Как вы ответили бы на вопрос, о чем книга?

— «Грибной царь» — это социально-психологическая драма, в которой я прослеживаю судьбу советского человека, пытающегося победить постсоветское время. Судьба современника интересна мне в разных проявлениях: бизнес, семья, любовные хитросплетения, но главное — это та цена, которую человек платит за приспособление к изменившейся эпохе. Мой вывод таков: цена эта непомерно высока...

С небольшими сокращениями, коснувшимися в основном эротических сцен, роман был напечатан в августовской и сентябрьской книжках «Нашего современника». В конце лета РОСМЭН выпустил роман тиражом 20 тыс. экземпляров, которые разошлись в течение недели. Так, «Московский комсомолец» писал: «“Грибной царь” стал, наверное, самой заметной литературной новинкой этого года. Его презентация на Московской международной книжной ярмарке была, наверное, одной из самых многочисленных, а разноречивость рецензий — от неприятия до восторга — свидетельствует: автору, как всегда, удалось задеть нравственный нерв современности. А этим он с удивительной последовательностью и успехом занимается с давних пор, когда многие из его нынешних читателей только картинки умели рассматривать... И еще одна важная деталь: Юрий Поляков сочиняет не коммерческую, а подлинную, серьезную литературу, но тем не менее именно он сегодня один из самых востребованных, раскупаемых писателей...»

Газета «Московский Дом книги» сообщала: «Современный интеллектуальный роман окончательно обосновался в верхних строках рейтинга. «Мужской роман для женщин» Юрия Полякова — “Грибной царь” — стал самой продаваемой книгой... Второе место занимает Людмила Улицкая...»

Роман вызвал разноречивые отклики в прессе: от пренебрежительных до восторженных.

«...Поляков на зависть одаренный рассказчик. Он крутит сюжетом, как фехтовальщик рапирой, вворачивает в него вставные истории, каждая — с дотошно прописанной драматургией; мало того, композиционный каркас — один день из жизни — форсирован арматурой детективного сюжета; конструкция непрошибаемая. Протогонист — его карнавальная профессия показательна, чем еще может заниматься типический персонаж “желудочно-кишечной” цивилизации, — тащит на себе не просто плутовской роман, но роман сатирический. “Грибной царь” — исчерпывающий каталог плутов путинской эпохи, и каждый вылеплен в высшей степени рельефно, по индивидуальному проекту, а лучше всего по языку: заслушаешься». (Лев Данилкин, «Великолепный фарс», «Афиша», 2005, № 18.)

«Проза Юрия Полякова на любителя. И любителей таких текстов в стране немало — роман недаром вырвался на лидирующие позиции в списке бестселлеров, разбавив его детективно-гламурную скуку. Профессиональный автор бестселлеров, Поляков знает универсальный рецепт: взять народную пьянку, доступных девок и присыпать все это привилегиями, тайнами сильных мира сего... Можно бы на том неплохой триллер выстроить, но Поляков, искренне считая себя серьезным писателем, громоздит нечто сатирическое. Нет ничего скучнее, чем в романе читать про предпринимателя Подберезовского, журналистку

Маслюк... Это все-таки русская литературы, а не стенгазета... При чем тут грибы? Метафора проста — все гады суть грибы червивые и ядовитые...» («Уют советских унитазов», «Книжное обозрение», 2005, № 36–37.)

«У Юрия Полякова завидная и вместе с тем обидная писательская судьба. Завидная, потому что он принадлежит к числу редких сегодня серьезных и глубоких писателей, которых реально читают. Не слышат о них в связи с очередным премиальным событием, когда авторов выстраивают "во фрунт" в бесконечных "шорт" и "лонг" списках, но именно читают и, что самое главное, читая новую его вещь, не забывают о старых. Обидная потому, что профессиональная критика Полякова старается не замечать или пишет о нем сквозь зубы. Когда-то это было связано с политическими взглядами писателя, осудившего расстрел Белого дома в октябре 1993 года и саркастически писавшего о судорогах ранней российской демократии. Сейчас это стало, на мой взгляд, болезнью критического цеха, по привычке не замечающего автора, которого знают и любят сотни тысяч простых читателей... Поляков пишет принципиально прозрачно. Он сначала додумывает мысли и только потом предъявляет их читателю. С ним можно спорить, но за него не нужно приводить в порядок его собственные мысли. Между тем большинство писателей сегодня предпочитают не думать, а намекать на какие-то мысли и при этом страшно обижаются, если их не понимают. "Я так вижу!" А что видишь? Нет ответа... "Грибной царь" позволяет иначе понять предшествующее творчество Полякова, заставляет по-новому его перечитать. Как справедливо заметил сам писатель в одном из интервью, "хороша не та литература, которую читают, а та, которую перечитывают"». (П. Басинский. «Мистика с разводом», «Российская газета», 2005, № 204.)

«Не первый год Поляков присматривается к ключевой, наверное, фигуре нынешнего времени — молодой, весьма успешный бизнесмен уже был главным героем его повести "Небо падших"... Это одна из первых серьезных попыток проникнуть в мир "новых русских", понять их психологию и систему ценностей... А ведь тема второго пришествия русского капитализма достойна гораздо более серьезного внимания со стороны литературы: как-никак новый социально-нравственный феномен. Да и традиции классики (достаточно вспомнить имена А. Островского и М. Горького) подсказывают: тут есть к чему присмотреться... Поляков, как писатель, обладающий острым социальным чутьем, понял это, повторяю, одним из первых...» (А. Неверов. «О чем плачут богатые», «Труд 2005», 16 ноября 2005.)

В декабре 2005 года в ЦДЛ состоялось обсуждение "Грибного царя". «Литературный вечер... организовал президент Академии российской литературы Владимир Мирнев. С глубоким анализом романа выступили: Алла Большакова, Владимир Бондаренко, Инна Ростовцева, Владимир Агеносов, Владимир Куницын, Алексей Бархатов, Дмитрий Жуков, Андрей Дементьев, Людмила Турбина, Павел Басинский и другие...» («Слово», № 48.)

Несмотря на громкий читательский успех, «Грибной царь» не был отмечен ни одной литературной премией. В 2006 году он был выдвинут на соискание премии «Большая книга», но даже не вошел в длинный список, повторив таким образом судьбу знаменитого «Козленка в молоке», десятью годами раньше «не замеченного» членами жюри «Русского Букера». Полемизируя впоследствии с модератором «Большой книги» литератором Бутовым, Ю. Поляков писал:

«...Теперь скажу о любимом приеме моих оппонентов — переводить принципиальную критику в личную сферу. Бутов объявляет: «"Книга Юрия Полякова выдвигалась на премию в самом первом сезоне, но не удостоилась благожелательности экспертов, откуда и его давняя нелюбовь к "Большой книге". А выдвигать каких-либо других писателей "Литературка", наверное, считает ниже своего достоинства». Деликатные англичане в таких случаях говорят: "Не надо экономить правду!" Бутову хорошо известно, что "ЛГ" никогда никого не выдвигала на ПБК, в том числе и мой роман "Грибной царь". Зачем нам пустые хлопоты? Два года назад я уже объяснился на эту тему с пресс-центром ПБК, обвинившим меня в сведении счетов и подрыве деловой репутации "Большой книги"... Позволю себе цитату из моего ответа: "Репутации ПБК повредить невозможно, как невозможно повредить репутации женщины известного поведения. Кажется, в 2006 году профессор-литературовед В. Агеносов, несмотря на мои возражения, номинировал на ПБК мой роман «Грибной царь», который не вошел даже в длинный список, о чем я, зная премиальные механизмы, профессора предупреждал заранее. С тех пор "Грибной царь" переиздан более десяти раз, экранизирован, инсценирован, переведен на иностранные языки. Если вы мне назовете хоть один роман, получивший ПБК и имевший потом такую же судьбу, я уйду в монастырь"»... В монастырь, мне, как видите, уходить не пришлось. Но и коллега Бутов продолжает игры на литературном полигоне для своих. Зачем же тогда эти мои замечания? Для власти? Нет, ее, судя по всему, устраивает либеральный перекос в литературной жизни страны. Писал я скорее для истории, чтобы потом, когда "либеральный пролеткульт" грохнется, как всякое ложное построение, никто не смог бы сказать, мол, "народ безмолвствовал".

Спустя десятилетие после выхода в свет место и значение «Грибного царя» в отечественной литературе начала XXI века весьма точно определил философ Александр Щипков: «...Девяностые и нулевые стали временем, когда большая литература оказалась отделена от общества и государства. Образованному читателю было заявлено, что он нуждается не в серьезной словесности, а в "умной беллетристике", поскольку и креативный менеджер, и бывший интеллигент теперь так заняты в производстве смыслов, что не имеют времени на вдумчивое чтение. Роман идей стал признаком плохого вкуса. Вместо него издательский и культуртрегерский агитпроп предложил необременительную беллетристику с периодическим "интеллектуальным" перемигиванием, свидетельствующим о том, что школьный курс все еще не забыт "образованным" читателем. Его, читателя, холили и трепали по щеке.

Юрию Полякову эта фальшивая умилительная интонация оставалась абсолютно чуждой. Он не пошел по легкому пути "умной беллетристики" — того сорта литературы, которой так жаждали поглупевшие к концу 90-х бывшие интеллигенты. Правда, беллетристический арсенал у Полякова богатый, ему не откажешь в умении закрутить интригу, сложить головоломку из житейских обстоятельств, его криминальным сюжетам позавидовали бы иные детективщики. Но литературность никогда не приносилась им в жертву ремеслу... Не будет преувеличением сказать: блажен тот пишущий муж, который, будучи ловцом сюжетных историй, остается и ловцом человеков. Проза Полякова, как неоднократно отмечали критики, стала энциклопедией “эпохи первоначального и окончательного накопления капитала”. Но разговор об общественном Поляков всегда ведет на равных, предлагая доверительную интонацию. Авторы массовой литературы сделали образ креативного менеджера своим вечнозеленым брендом. А Юрий Поляков описывает нового гегемона совсем по-другому, без притворного сочувствия. Например, герой романа “Грибной царь” — владелец фирмы “Сантехуют” и участник коммерческих войн — все время катится по наклонной. И дело не в одном только хроническом адюльтере, но и в беспринципности. Он — жертва обстоятельств, им же самим и созданных. К тому же типу относится и Башмаков из романа “Замыслил я побег...”, и другие поляковские герои постсоветского периода.

Интереснее всего наблюдать этих героев на психологических изломах. Словно проверяя ножку гриба: червивый или нет? где здоровая часть, а где темные пятна начинающегося распада? И не только роман “Грибной царь” с его мощной буколической метафорикой, но и остальные романы и повести дают материал для, так сказать, органического исследования души. При этом авторская зоркость подспудно передается читателю и никогда не утомляет последнего. Тому есть несколько причин. Во-первых, и “Грибной царь”, и “Замыслил я побег...”, и “Возвращение блудного мужа” — психологическая проза, наполненная гротеском. Соединение гротеска с психологизмом относится к числу трудных литературных задач, но в случае успеха результат ошеломляет. А Юрий Поляков прекрасно умеет это делать. Во-вторых, привлекает фирменная авторская манера вести повествование на грани анекдота, не срываясь ни в карикатурность, ни в безбрежную стихию карнавальности, где любые вопросы растворяются, но не решаются. Смех у Полякова не имеет ничего общего и с постмодернистской "всеобщей теорией относительности". Это смех хорошо нацеленный и продуманный. Но – и это важнее всего! – никогда не уничтожающий до конца объект осмеяния, будь то какой-нибудь ресторатор, сантехнический бизнесмен или вытянутый школьным другом к лучшей жизни неудачник».

«Грибной царь» многократно переиздавался, переведен на иностранные языки. Роман, как и большинство предыдущих сочинений Полякова, шагнул с журнально-книжных страниц в кино и театр. В 2011 году «Грибной царь» был поставлен на сцене МХАТа им. Горького, автор и режиссер – Александр Дмитриев, роль Свирельникова сыграл народный артист России Валентин Клементьев. В 2015-м роман был инсценирован также в Оренбургском академическом театре драмы им. Горького худруком Рифкатом Исрафиловым. В 2011 году продюсер Юрий Мацук и режиссер Григорий Мамедов сняли по мотивам романа 6-серийный телевизионный фильм, Свирельникова сыграл народный артист России Александр Галибин.

«Писатель без мандата»

Эссе из цикла
«По ту сторону вдохновения»

Написано специально для данного собрания сочинений. Публиковалось в журнале «Москва» (2019, № 8).

«Про чукчу»

Рассказ

Написан в 2015 году. Основан на реальных событиях. Впервые опубликован в «Литературной газете» в 2016 году, а затем в сборнике «По ту сторону вдохновения» (АСТ, 2017).

Содержание

Литературно-художественное издание
әдеби-көркем басылым

ЛЮБОВЬ В ЭПОХУ ПЕРЕМЕН

Поляков Юрий Михайлович

ПОДЗЕМНЫЙ ХУДОЖНИК

Собрание сочинений Юрия Полякова в 12 томах

Редакционно-издательская группа «Жанровая литература»

Зав. группой *М. Сергеева*
Руководитель направления *Л. Захарова*
Ответственный редактор *Ю. Надточей*
Технический редактор *Н. Духанина*
Компьютерная верстка *Г. Сениной*

Общероссийский классификатор продукции ОК-034-2014 (КПЕС 2008):
58.11.1 — книги, брошюры печатные

Произведено в Российской Федерации. Изготовлено в 2019 г.

Изготовитель: ООО «Издательство АСТ»
129085, г. Москва, Звёздный бульвар, дом 21, строение 1, комната 705, пом. I, 7 этаж.
Наш электронный адрес: www.ast.ru
E-mail: zhanry@ast.ru
https://vk.com/janry_ast
https://www.facebook.com/Janry.AST/

«Баспа Аста» деген ООО
129085, г. Мәскеу, Жұлдызды гүлзар, д. 21, 1 құрылым, 705 бөлме, пом. 1, 7-қабат
Біздің электрондық мекенжаймыз : www.ast.ru E-mail: zhanry @ast.ru

Интернет-магазин: www.book24.kz
Интернет-дүкен: www.book24.kz
Импортер в Республику Казахстан и Представитель по приему претензий
в Республике Казахстан — ТОО РДЦ Алматы, г. Алматы.
Қазақстан Республикасына импорттаушы және Қазақстан Республикасында
наразылықтарды қабылдау бойынша өкіл «РДЦ-Алматы» ЖШС, Алматы
қ.,Домбровский көш., 3«а», Б литері офис 1. Тел.: 8(727) 2 51 59 90,91
факс: 8 (727) 251 59 92 ішкі 107;
E-mail: RDC-Almaty@eksmo.kz , www.book24.kz Тауар белгісі: «АСТ»
Өндірілген жылы: 2019
Өнімнің жарамдылық; мерзімі шектелмеген.

Подписано в печать 22.07.2019. Формат 84x108 $^{1}/_{32}$.
Гарнитура «Petersburg». Печать офсетная. Бумага газетная. Усл. печ. л. 31,92.
Тираж 1500 экз. Заказ 7370.

Отпечатано с готовых файлов заказчика
в АО «Первая Образцовая типография»,
филиал «УЛЬЯНОВСКИЙ ДОМ ПЕЧАТИ»
432980, Россия, г. Ульяновск, ул. Гончарова, 14

ISBN 978-5-17-114415-9